La Poésie française

CLAUDE BONNEFOY

La Poésie française

DES ORIGINES A NOS JOURS

ANTHOLOGIE

EDITIONS DU SEUIL

ISBN 2.02.004290.8

présentation

La présente anthologie propose un panorama de la poésie française. Elle donne à lire, à travers les textes, sa permanence et son histoire. De cette histoire elle souligne les courants, les étapes, les points de rupture. Elle marque les sommets et ne masque point les faiblesses. Elle tient compte de ce qui fut important comme de ce qui nous touche aujourd'hui. Les poètes qui furent glorieux en leur temps et servirent de référence (de modèle ou de repoussoir) à leurs rivaux et successeurs sont, pour la plupart, cités. On redécouvrira Meschinot qui, après avoir été presque aussi célèbre que Villon, connut trois siècles d'oubli ; on s'interrogera sur le génie descriptif de l'abbé Delille ; et le prosaïque Coppée qui fut longtemps la coqueluche des morceaux choisis scolaires est là pour mémoire, et pour le contraste avec Mallarmé qui naquit la même année 1842. Inversement, des poètes qui furent ignorés de leurs contemporains, ainsi Chassignet, Fiefmelin ou De Piis, apparaissent comme très proches de notre sensibilité, voire comme des annonciateurs de nos avant-gardes.

Pour que puissent figurer dans ces pages sinon tous les écrivains qui occupent une place singulière dans la poésie française ou jouèrent un rôle dans son évolution, du moins un grand nombre d'entre eux, la place accordée aux poètes les plus connus a été volontairement limitée.

Cette anthologie est d'abord un livre de lecture. Un livre de retour aux textes. Les commentaires se bornent donc à l'essentiel et la bibliographie, loin de viser à l'exhaustivité et de s'adresser aux érudits, signale de préférence les ouvrages accessibles et, notamment, quand elles existent, les éditions en collection de poche.

C. B.

On s'étonnera sans doute de l'absence de René Char dans cette anthologie. Une place importante lui était réservée. Malheureusement il ne nous a pas donné l'autorisation de reproduire ses textes. Nous le regrettons vivement.

rutebeuf 1230?-1285?

De Rutebeuf, on ne saurait dire qu'il fixa la langue française comme Dante le fit de l'italien. Mais, de tous les poètes de langue d'oïl, ses contemporains, il n'est pas seulement le plus riche, le plus émouvant, il est pour nous, malgré certaines difficultés de syntaxe et de vocabulaire, le plus lisible sans recours à une traduction. Cette lisibilité n'est jamais si grande que lorsqu'il nous parle de ses joies, de ses colères, de ses malheurs. Rutebeuf, certes, est l'héritier de la poésie médiévale — des auteurs du *Roman de Renart,* plus que des troubadours provençaux — et ses lamentations sur son propre sort relèvent d'un genre commun à tous les jongleurs. Mais, pratiquant ce genre, il dépasse le jeu convenu pour faire entendre une voix neuve et singulière. L'un des premiers, et magistralement, il ouvre les voies de la poésie française et, d'abord, celle de la poésie personnelle, de Villon à Apollinaire.

LA POVRETÉ RUTEBEUF

Je ne sais par ou je comance
Tant ai de nature abondance
Por parler de ma povreté.
Por Dieu vos pri, frans Roi de France,
Que me donez quelque chevance,
Si ferez trop grant charité.
J'ai vescu de l'autrui chaté *   * argent
Que l'en m'a creu et presté ;
Or me faut chascuns de creance,
Qu'on me set povre et endeté :
Vos r'avez hors du regne* esté   * royaume
Ou tote avoie m'atendance *.   * attente

Entre chier tenz et ma mesnie*,   * maisonnée
Qui n'est malade ne fenie,
Ne m'ont laissié deniers ne gages ;
Gent truis d'escondire aramie*   * je trouve des gens
Et de doner mal enseignie ;   habiles à m'éconduire
Du sien garder est chascun sages.
Mors me r'a fet de granz damages,
Et vos, bons Roi, en deus voiages
M'avez bone gens esloignie,
Et li lointainz pélerinages
De Tunes qui est leus sauvages
Et la male gent renoïe*.   * race infidèle

Granz Roi, s'il avient qu'a vos faille
(A toz ai je failli sans faille)
Vivre me faut et est failliz.
Nuls ne me tent, nuls ne me baille ;
Je touz de froit, de faim baaille,
Dont je sui mors et maubailliz.
Je suis sans cotes et sans liz ;
N'a si povre jusqu'à Senliz.
Sire, si ne sai quel part aille ;
Mes costez conoit le pailliz,
Et liz de paille n'est pas liz,
Et en mon liz n'a fors la paille.

Sire, je vos faz a savoir :
Je n'ai de quoi du pain avoir ;
A Paris sui entre toz biens,
Et n'a a nul qui i soit miens.
Pou i voi et si i preing pou ;
Il m'i sovient plus de saint Pou
Qu'il ne fet de nul autre apostre.
Bien sai Pater, ne sai qu'est nostre,
Que li chiers tenz m'a tot osté.
Qu'il m'a si vuidié mon osté
Que li credo m'est deveez
Et je n'ai plus que vos veez.

Ainsi Rutebeuf se raconte. De sa vie, on ne sait que ce que lui-même en dit. Ses dates de naissance (vers 1230 ?) et de mort (vers 1285 ?) sont », inconnues. « Rude rimeur », mais insouciant et joueur, il vécut à Paris une existence parfois brillante (le comte de Poitiers, frère de saint Louis, le protégea), souvent difficile, marquée par un second mariage malheureux. Poète et dramaturge (il est l'auteur du *Miracle de Théophile*), il témoigne de son temps, chante les Croisades, prend parti, dans de savoureuses satires, pour l'Université contre les ordres mendiants. Jusque dans ses poèmes religieux, il manifeste son art savant de la rime et son sens pathétique de la condition humaine.

Pourtant une assez grande part des louanges que nous adressons à Villon, déjà Rutebeuf, deux siècles plus tôt, les mérite... Même franchise, même dénuement, même misère et grandeur dans une pauvreté dispose à la Grâce. Tous deux d'une égale envergure, directs. (Gide)

Moult est fols qui en son cors se fie,
Quar la mort, qui le cors desfie,
Ne dors mie quand li cors veille ;
Ainz li est toz jors à l'oreille.
N'est fort que prez li granz avoirs ;
Tout va, et biauté et savoirs :
Por c'est cil fols qui s'en orgueille,
Quar il les perd, vueille ou ne vueille.
Folie et orgueil sont parent ;
Sovent i est bien apparant.
Tout va, ce trovons en escrit,
Fors que l'amor de Jhesucrist.

Poète réaliste dont le nom « est dit de rude et de beuf », Rutebeuf, qui est aussi un virtuose du vers (« En la corde s'entordent cordee à trois cordons ; / A l'acorde s'accordent dont nos descordés sons »...), exprime dans sa *Repentance* sa propre angoisse devant la mort :

Auteur de mystères, dont *le Miracle de Théophile*, Rutebeuf fut un des créateurs du théâtre français

[...] Puisque morir voi foible et fort,
Coment prendrai en moi confort
Que de mort me puisse desfendre ?
N'en voi nul, tant ait grant esfort,
Que des piez n'ost le contrefort ;
Si fait le cors a terre estendre.
Que puis-je fors la mort atendre ?
La mort ne laist ne dur ne tendre,
Por avoir que l'en li aport.
Et quant li cors est mis en cendre,
Si covient a Dieu reson rendre
De quanques fist jusqu'à la mort.

Or ai tant fait que ne puis mais,
Si me covient tenir en pais.
Dieu doinst que ce ne soit trop tart !
Toz jors ai acreü mon fais,
Et j'oi dire à clers et a lais,
« Com plus couve li feu, plus art. »
Je cuidai engingnier Renart * ;
Or n'i valent engin ne art,
Qu'asseür est en son palais.
Por cest siècle qui se départ
M'en covien partir d'autre part :
Qui que l'envie, je le lais.

* tromper

Œuvres complètes (2 vol.), édition critique établie et présentée par Edmond Faral et Julia Bastin, Picard. ◊ Germaine Lafeuille, *Rutebeuf*, Ecrivains d'hier et d'aujourd'hui / Seghers.

jean de meun 1250-1305

Bien que venant après Rutebeuf, Jean de Meun (de son vrai nom
Jean Clopinel, né à Meung-sur-Loire en 1250, mort à Paris en 1305)
pourrait sembler plus que lui attaché à la tradition. Cet érudit qui
traduisit du latin les œuvres d'Abélard et d'Alain de Lille n'entre-
prit-il pas, vers 1280, de donner une suite au *Roman de la Rose*,
poème allégorique sur l'art d'aimer, que Guillaume de Lorris avait
laissé inachevé cinquante ans plus tôt ? Mais sa contribution au
Roman de la Rose n'est pas seulement trois fois plus longue que
celle de son prédécesseur, elle en est tout ensemble la reprise, la
critique, l'éclatement et l'épanouissement. D'un jeu sur un thème
courtois, la quête de la Rose (l'amour, la bien-aimée) par l'amant,
Jean de Meun fit un poème encyclopédique. Réflexion sur le savoir
et contestation des mœurs de son temps, son poème apparaît comme
le roman d'une culture et, par les propositions qu'il contient sur la
philosophie naturelle, les injustices de la société et la liberté d'aimer,
comme un hymne à la vie et à l'avenir. Ainsi, la fontaine de vie,
célébrée à la fin du livre, est annoncée en son milieu par le mythe
de l'âge d'or :

Jadiz solait estre autrement,
Or va tout par empirement.
Jadiz au temps des premiers peres
Et de nos premerainnes meres,
Si cum la lettre nous tesmoigne,
Par qui nous savons la besoigne,
Furent amors loiaus et fines,
Sanz convoitise et sans rapines ;
Li siècles ert mout precieus.
N'estoit pas si delicieus
Ne de robes ne de viandes ;
Ils coilloient es bois les glandes
Por pain, por char et por poissonz,
Et cerchoient par ces boissons,
Par vaus, par plains et par montaingnes
Pommes, poires, noiz et chastaingnes,
Boutons et mores et proneles,
Framboises, freses et cineles,
Feves et pois, et tex chosetes
Cum fruits, racines et herbetes ;
Et des espis des bles frotoient
Et des roisins des champs grapoient,
Sans metre en pressoir ne en esnes.

Célébré par Machaut et Le Maire de Belges, le *Roman de la Rose* passa ensuite pour obscur, avec seulement des beautés de détail. Des essais récents (de Poirion, de Batany) ont montré l'ampleur et la modernité de cette œuvre, somme toute pas plus monstrueuse que l'*Ulysse* de Joyce. « Cette cathédrale de mots, dit Poirion, s'est élevée très haut dans l'histoire de la pensée. » Et, par la bouche de Nature, la pensée de Jean de Meun était révolutionnaire :

> Ni li princes ne sont pas dignes
> Que li cors du ciel facent signe
> De lor mort plus que d'un autre homme,
> Car lor cors ne vaut une pomme
> Outre le cors d'un charretier
> Ou d'un clerc ou d'un savetier,
> Je les faiz tous semblables estre,
> Si cum il apert a lor nestre.
> Par moi naiscent semblable et nu,
> For et faible, gros et menu.
> Touz les met en équalité
> Quant à l'estat d'umanité ;
> Fortune y met le remanant,
> Qui ne set estre permanant,
> Qui ses bienz a son plesir donne
> Et ne prent garde a quel personne,
> Et tout retoust et retoudra
> Toutes les fois qu'ele voudra.
>
> Et se nus contredire m'ose
> Qui de gentillece s'alose,
> Et die que li gentil homme,
> Si cum li peuples les renomme,
> Sont de millior condicion
> Par noblece de nation
> Que cil qui les terres cultivent
> Ou qui de lor labor se vivent,
> Je respont que nu n'est gentis
> S'il n'est a vertus ententis,
> Ne n'est vilains fors par ses vices,
> Dont il pert outrageus et nices.

Guillaume de Lorris et Jean de Meun, *Le Roman de la Rose* (3 vol.), édition critique par F. Lecoy, Champion. Texte intégral présenté par D. Poirion, Garnier-Flammarion. Traduction par A. Lanly, Champion. ◊ Daniel Poirion, *Le Roman de la Rose*, Hatier. Jean Batany, *Approche du Roman de la Rose*, Bordas.

guillaume de machaut 1300?-1377

Chanoine de Reims, Guillaume de Machaut fut le maître des rhétoriqueurs. D'abord secrétaire du roi de Bohême qu'il accompagna dans ses expéditions à travers l'Europe, il fut ensuite protégé par Charles le Mauvais, roi de Navarre, puis par Charles V, pour le sacre de qui il écrivit une messe. Admirateur du *Roman de la Rose* comme en témoigne *le Dit du verger*, il renouvela la tradition courtoise, notamment dans *le Voir dit*, roman en vers et prose, en unissant dans un même mouvement images allégoriques et notations personnelles. Plus grand musicien peut-être que poète, Machaut fut un théoricien du vers plus sensible à la forme du dire qu'à son contenu. Plaçant son art sous le triple signe du sens, ordonnateur des pensées, de la rhétorique et de la musique, il fixa les règles de composition des ballades, rondeaux, lais et virelais.

Dame, de qui toute ma joie vient,
Je ne vous puis trop amer ne cherir,
N'assez loër, si com il apartient,
Servir, douter, honnourer n'obéir ;
   Car le gracieus espoir,
Douce Dame, que j'ay de vous veoir
Me fait cent fois plus de bien et de joie
Qu'en cent mille ans desservir ne porroie.

Cil dous espoirs en vie me soustient
Et me norrist en amoureus désir,
Et dedens moy met tout ce qui convient
Pour conforter mon cuer et resjoïr ;
   N'il ne s'en part main ne soir,
Ainçois me fait doucement recevoir
Plus des dous biens qu'Amours aux siens ottroie,
Qu'en cent mille ans desservir ne porroie.

Et quant Espoir qui en mon cuer se tient
Fait dedens moy si grant joie venir,
Lointains de vous, ma Dame, s'il avient
Que vo biauté voie que moult desir,
   Ma joie, si com j'espoir,
Ymaginer, penser ne concevoir
Ne porroit nuls, car trop plus en aroie
Qu'en cent mille ans desservir ne porroie.

Œuvres (3 vol.), publiées par E. Hoepffner, Société des anciens textes français (1908-1921). On trouvera plus aisément des textes de Machaut dans *Trésor de la poésie médiévale* d'André Chastel, Club français du livre, et dans les anthologies Rencontre et Garnier-Flammarion.

eustache deschamps 1346-1406

Officier royal, diplomate, grand voyageur, Eustache Deschamps (1346-1406) fut un poète plus fécond encore que Guillaume de Machaut, son maître, plus inégal aussi. S'il chante l'amour en bon rhétoriqueur (« Dolens douleur, dolereuse et dolente, / Me fait désir chascun jour endurer »), il excelle dans le lyrisme familier et il sait dire l'humaine condition, des affres de la naissance (« je hé ma concepcion ») à l'horreur de la mort. Ou bien il dénonce la misère du petit peuple dans sa *Ballade contre la guerre* :

J'ay les estas de ce monde advisez
Et poursuiz du petit jusqu'au grant,
Tant que je suis du poursuir lassez,
Et reposer me vueil doresnavant ;
Mais en trestouz le pire et plus pesant
Pour ame et corps, selon m'entencion,
Est guerroier, qui tout va destruisant :
Guerre mener n'est que dampnacion.

Autres estaz ont de labour assez,
En seureté vont leurs corps reposant,
Et se vivent de leurs biens amassez ;
Jusques a fin vont leur aage menant :
Et l'un estat va l'autre confortant,
Sanz riens ravir : loy et juridicion
Tiennent entr'eulx, dont bien puis dire tant :
Guerre mener n'est que dampnacion.

Car on y fait les sept pechiez mortelz,
Tollir, murdrir, l'un va l'autre tuant,
Femmes ravir, les temples sont cassez,
Loy n'a entr'eulx le mendre est le plus grant,
Et l'un voisin va l'autre deffoulant.
Corps et ame met a perdicion.
Qui guerre suit ; au diable la comment* !   recommande
Guerre mener n'est que dampnacion

Prince, je vueil mener d'o en avant
Estat moien, c'est mon oppinion,
Guerre laissier et vivre en labourant ;
Guerre mener n'est que dampnacion.

L'édition en onze volumes des œuvres de Deschamps datant de 1903, on trouvera ses poèmes dans les anthologies.

christine de pisan 1364?-1430?

Née à Venise vers 1364, fille de Thomas Pisani, astrologue et conseiller de Charles V, Christine de Pisan, si elle ne fut pas la première femme de notre littérature, fut du moins la première, en France, à vivre de sa plume. Veuve à vingt-cinq ans d'Etienne du Castel, secrétaire du roi, elle devint écrivain pour élever ses enfants, composant sur commande des textes de circonstance ou vendant ses œuvres à de riches amateurs. Erudite autant que sensible, ouverte à tous les sujets, participant aux querelles littéraires et plaidant, déjà, dans ses critiques du *Roman de la Rose* et dans *la Cité des dames,* pour la condition féminine, elle rédigea des traités de morale, des chroniques historiques, des ouvrages à caractère encyclopédique ou philosophique comme ce *Livre des chemins de longue étude,* récit d'un voyage rêvé inspiré de Boèce et de Dante. Mais le meilleur est dans sa poésie. Si elle reconnaît Machaut pour son maître, elle nourrit la forme parfaite des rhétoriqueurs d'une inspiration toute personnelle où le primesaut de l'expression est comme voilé par le regret constant d'un amour vif et trop tôt perdu.

RONDEAU

De triste cuer chanter joyeusement
Et rire en dueil c'est chose fort a faire,
De son penser montrer tout le contraire
N'yssir * doulx ris de doulent seutement.   * sortir

Ainsi me fault faire communement,
Et me convient, pour cela mon affaire,
De triste cuer chanter joyeusement.
Car en mon cuer porte convertement

Le dueil qui soit plus me puet desplaire,
Et si me fault, pour les gens faire taire,
Rire en plorant et très amerement
De triste cuer chanter joyeusement.

« Je ris en pleurs. » Villon reprendra le thème. Christine de Pisan écrit pour oublier et ressasser sa peine : « Je chante par couverture / Mais mieulx plourassent mi oeil. » Ses *Cent Ballades d'amant et d'amie* consonent toutes avec la plus célèbre, la plus réussie d'entre elles, la plainte de sa solitude :

Seulete suy et seulete vueil estre,
Seulete m'a mon doulz ami laissiee,
Seulete suy, sanz compaignon ne maistre,
Seulete suy, dolente et courrouciee,
Seulete suy en languour mesaisiee *,   * tourmentée

Seulete suy plus que nulle esgaree,
Seulete suy sanz ami demouree.

Seulete suy a huis ou a fenestre,
Seulete suy en un anglet muciee.
Seulete suy pour moy de plours repaistre,
Seulete suy, dolente ou apaisiee,
Seulete suy, riens n'est qui tant me siee,
Seulete suy en ma chambre enserree,
Seulete suy sanz ami demouree.

Seulete suy partout et en tout estre *   * lieu
Seulete suy, ou je voise ou je siee *,   * que je marche
                                             ou m'arrête
Seulete suy plus qu'autre riens terrestre,
Seulete suy de chascun delaissiee,
Seulete suy durement abaisiee,
Seulete suy souvent toute esplouree,
Seulete suy sanz ami demouree.

Princes, or est ma doulour commenciee :
Seulete suy de tout dueil menaciee,
Seulete suy plus tainte que moree *,   * étoffe noire
Seulete suy sanz ami demouree.

Mais Christine la solitaire excellait aussi bien dans ces divertissements de société qu'étaient les « jeux à vendre », variations épigrammatiques et improvisées sur un mot donné par un membre de l'assistance.

« Je vous vens la feuille tremblant. »
« Maints fauls amans par leur semblant
Font grant mençonge sembler voire *   * vrai
Si ne doit on mie tout croire. »

« Je vous vens la fleur d'ancolie. »
« Je suis en grant melancolie,
Amis, que ne m'aiez changee ;
Car vous m'avez trop estrangee.
Dites m'en le voir *, sanz ruser,   * vrai
Sanz plus me faire en vain muser. »

Œuvres poétiques (3 vol.), Société des anciens textes français, 1896
◊ Françoise Du Castel, Damoiselle Christine de Pizan, Picard.

alain chartier 1385-1430?

Secrétaire de Charles VII, qui le chargea de missions auprès de l'empereur d'Allemagne et du pape, Alain Chartier (1385 — vers 1430) ne fut pas seulement le gracieux poète de la cour de Bourges que nous présente la légende. Homme politique, son œuvre en prose dénonce les erreurs des princes (*le Quadriloge invectif*) et des courtisans (*le Curial*). Poète, s'il rima d'exquis rondeaux, il sut soit rompre avec les thèmes de la galanterie comme dans *le Livre des quatre dames*, complainte sur les morts d'Azincourt, soit les renouveler dans *la Belle Dame sans mercy* dont nous donnons la fin du dialogue entre l'amant et la dame :

La Belle dame sans mercy

La dame :

Je n'ay le povoir de grever
Ne de punir autre ne vous.
Mais pour les mauvais eschiver *,   * éviter
Il se fait bon garder de tous.
Faulz Semblant fait l'humble et le doulz
Pour prendre dames en aguet * ;   * piège
Et pour ce, chascune de nous
Y doit bien l'escoute et le guet.

L'amant :

Puis que de grace ung tout seul mot
De vostre rigoureux cuer n'yst *,   * ne sort
J'appelle devant Dieu, qui m'ot,
De la durté qui me honnist ;
Et me plaing qu'il ne parfonist *   * n'ai fait abonder
Pitié qu'en vous il publia
Ou que ma vie ne finist
Que si tost mis en oubli a !

La dame :

Mon cuer et moy ne vous feismes
Onc riens dont plaindre vous doyez :
Rien ne vous nuit fors vous meismes ;
De vous mesmes juge soyez !
Une fois pour toutes croyez
Que vous demourrez escondit.
De tant redire m'ennoyez,
Car je vous en ay assez dit.

Pendant plus d'un siècle, ce poème fut souvent imité. Mais, d'abord, maître Alain, qui avait peint là le désespoir amoureux, sentiment accordé à la tristesse d'un temps troublé, fut accusé de misogynie par les familiers des cours d'amour, et il dut répondre par une *Excusacion envers les dames*. Sa *Complainte contre la mort* aurait dû suffire :

La bataille Dazincourt

[...] Or suis désert, despourveu et deffait
De tout penser, de parolle, et de fait,
De bien, de joye, et de tout ce qui fait,
Cueur en jeunesse à hault honneur venir :
Puis qu'à celle, qui ne t'a riens meffait,
Tu as osté ce qu'el n'a pas forfait,
Et qui jamais ne peut estre reffait.
C'est sa vie que tu as fait fenir,
Qui plus faisoit la mienne soustenir,
Et toujours tendre à meilleur devenir,
Pour non avoir et pour hault advenir.
Or as tu tout mon penser contrefait,
Si ne scay plus à quoi me dois tenir.
Et ne me peut desconfort souvenir,
Quant j'ai perdu sans jamais revenir
De tous les biens ce qu'estoit plus parfait.

Poète de l'amour blessé, Chartier était aussi celui de la patrie ruinée et de ce peuple à qui il faisait dire de ses princes : « Ils vivent de moi et je meurs pour eux. » En écho au *Quadriloge invectif*, voici ces vers du *Lay de la paix* :

Dieux quelz maux et quelz dommaiges,
Quelz meschiefs et quelz oultrages,
Quelz ouvrages,
Quelz pillages
Et forsaiges,
Et quantz * petis avantaiges   * combien
Sont venuz par vos debatz !
Quantes Dames en vefuages,
Orphelins sans heritages,
Et mesnages,
Labourages,
Et villages,
Bourcz, villes, chasteaux, passages,
Ars destruitz et mis au bas !

La Belle Dame sans mercy et les poésies lyriques, présentées par A. Piaget, Droz. Le texte intégral de *La Belle Dame sans mercy* figure dans l'*Anthologie de la poésie française* (t. II), Rencontre.

charles d'orléans 1391-1465

Charles d'Orléans n'a rien inventé — mais, mieux que ses prédécesseurs, il a su « dire ». Rutebeuf avait ouvert les voies d'une poésie subjective, Guillaume de Machaut, fixant les formes de la ballade, du rondeau, avait donné à une poétique nouvelle ses instruments. Les rhétoriqueurs revendiqueront ce double héritage, subjectif et allégorique, réaliste et formaliste, sans pouvoir en dominer les contradictions et tirant en conséquence tantôt vers la plainte personnelle ou le réalisme outrancier, tantôt vers l'acrobatie verbale. De Rutebeuf et de Machaut partent deux courants qu'occultera l'époque classique mais qui ne cesseront de s'opposer ou de se fondre, de jouer l'un par rapport à l'autre à travers le baroque et le romantisme jusqu'à nos jours. Le génie de Charles d'Orléans fut d'atteindre à un équilibre entre la sensibilité et le savoir, l'allégorique et le réel, l'angoisse de vivre et l'élégance du chant que seul Baudelaire, dont le spleen est une version moderne du nonchaloir, portera à un plus haut point. Cela explique qu'il nous semble si proche et soit le premier des poètes français dont certains vers sont dans toutes les mémoires. Ainsi de ce rondeau :

Le temps a laissié son manteau
De vent, de froidure et de pluye,
Et s'est vestu de brouderie
De soleil luyant, cler et beau.

Il n'y a beste ne oyseau
Qu'en son jargon ne chante ou crie.
Le temps a laissié son manteau.

Rivière, fontaine et ruisseau
Portent en livree jolie
Gouttes d'argent d'orfaverie ;
Chascun s'abille de nouveau.
Le temps a laissié son manteau.

Le charme de ce rondeau où le temps (comme ailleurs *la Forêt de longue attente* ou *les Fouriers d'été*) devient une figure vivante, tient, autant qu'à son naturel, à la pointe de mélancolie que recouvre son rythme enjoué. Mais le poète de « mérencolie » ne connut-il pas, dès sa jeunesse, et toute sa vie, ensemble les fastes et les fêtes, les deuils et les désastres ? Né en 1391, il a seize ans lorsque son père, Louis d'Orléans, frère de Charles VI, est assassiné sous ses yeux par des partisans de Jean sans Peur. Sa mère, Valentine Visconti, meurt de chagrin l'année suivante. En 1415, il est fait prisonnier à Azincourt. Il restera captif en Angleterre jusqu'en 1441. Libéré, il participe aux négociations entre la France et l'Angleterre. Enfin, en 1450, il se retire dans son château de Blois. Là il reçoit des poètes (Meschinot, Chastellain, Robertet, Villon, etc.), là il éprouve et chante de nouveau cette « mérencolie » qu'il avait connue durant sa captivité. Du temps de l'exil datent la plupart de ses ballades, notamment celles sur la mort de Bonne d'Armagnac, son épouse, tandis que la période de Blois fut surtout celle des rondeaux :

QUAND SOUVENIR ME RAMENTOIT

Quant Souvenir me ramentoit
La grant beauté dont estoit plaine,
Celle que mon cueur appelloit
Sa seule Dame souveraine,
De tous biens la vraye fontaine,
Qui est morte nouvellement,
Je dy, en pleurant tendrement :
Ce monde n'est que chose vaine !

Ou vieil temps grant renom couroit
De Creseide, Yseud, Elaine
Et maintes autres qu'on nommoit
Parfaittes en beauté haultaine.
Mais, au derrain, en son demaine
La Mort les prist piteusement ;
Par quoy puis veoir clerement ;
Ce monde n'est que chose vaine.

La Mort a voulu et vouldroit,
Bien le congnois, mettre sa paine
De destruire, s'elle povoit,
Liesse et Plaisance Mondaine,
Quant tant de belles dames maine
Hors du monde ; car vrayement
Sans elles, a mon jugement,
Ce monde n'est que chose vaine.

Amours, pour verité certaine,
Mort vous guerrie fellement ;
Se n'y trouvez amendement,
Ce monde n'est que chose vaine.

ESCOLLIER DE MERENCOLIE

Escollier de Merencolie,
A l'estude je suis venu,
Lettres de mondaine clergie
Espelant a tout ung festu,
Et moult fort m'y treuve esperdu.
Lire n'escripre ne sçay mye,
Dez verges de Soussy batu,
Es derreniers jours de ma vie.

Pieça, en jeunesse fleurie,
Quant de vif entendement fu,
J'eusse apris en heure et demye
Plus qu'a present ; tant ay vesqu
Que d'engin je me sens vaincu ;
On me deust bien, sans flaterie,
Chastier, despoillié tout nu,
Es derreniers jours de ma vie.

Que voulez vous que je vous die ?
Je suis pour ung asnyer tenu,
Banny de Bonne Compaignie,
Et de Nonchaloir retenu
Pour le servir. Il est conclu !
Qui vouldra, pour moy estudie :
Trop tart je m'y suis entendu,
Es derreniers jours de ma vie.

Se j'ay mon temps mal despendu,
Fait l'ay, par conseil de Folloye ;
Je m'en sens et m'ens suis sentu,
Es derreniers jours de ma vie !

PAR LES FENESTRES DE MES YEULX

Par les fenestres de mes yeulx
Le chault d'Amours souloit passer ;
Mais maintenant que deviens vieulx,
Pour la chambre de mon penser
En esté freschement garder,
Fermees les feray tenir,
Laissant le chault du jour aler
Avant que je les face ouvrir.

Aussi en yver le pluieux
Qui vens et broillars fait lever
L'air d'Amour epidemieux
Souvent par my se vient bouter ;
Si fault les pertuis estouper
Par ou pourroit mon cueur ferir ;
Le temps verray plus net et cler,
Avant que je les face ouvrir.

Desormais en sains et seurs lieux.
Ordonne mon cueur demourer,
Et par Nonchaloir, pour le mieulx,
Mon medicin, soy gouverner ;
S'Amour a mes huys vient hurter,
Pour vouloir vers mon cueur venir,
Seurté lui fauldra me donner,
Avant que je les face ouvrir.

Amours, vous venistes frapper
Pieça mon cueur, sans menacer ;
Or, ay fait mes logiz bastir
Si fors que n'y pourrez entrer
Avant que je les face ouvrir.

Charles d'Orléans et Marie de Clèves,
image de l'amour mélancolique.

RONDEAU

Alez vous ent, alez, alez,
Soussy, Soing et Merencolie.
Me cuidez vous, toute ma vie,
Gouverner, comme fait avez ?

Je vous promets que non ferez :
Raison aura sur vous maistrie.
Alez vous ent, alez, alez,
Soussy, Soing et Merencolie.

Se jamais plus vous retournez
Avecques votre compaignie,
Je pri a Dieu qu'il vous maudie,
Et ce par qui vous revendrez :
Alez vous ent, alez, alez,
Soussy, Soing et Merencolie !

Œuvres (2 vol.), texte établi par Pierre Champion, Champion. ◊ *Charles d'Orléans*, Ecrivains d'hier et d'aujourd'hui / Seghers.

jean meschinot 1420?-1491

Qui se souvient de Jean Meschinot ? Rééditée en 1890 après trois siècles d'oubli, son œuvre ne le fut pas depuis. Pourtant ce gentilhomme, né vers 1420, mort en 1491, et qui servit fidèlement les ducs de Bourgogne, fut aussi célèbre que Villon. Ses *Lunettes des princes*, qu'admiraient Crétin, Le Maire et Marot, connurent dix éditions entre 1493 et 1500. Volontiers moralisateur, il s'y montre parfois sévère à l'égard des princes : « Croyez que Dieu vous pugnira / Quand vos subjetz oppresserez, / L'amour de leur cueur plus n'yra / Vers vous, mais hayne amasserez : / S'ils sont povres, vous le serez, / Car vous vivez de leurs pourchaz... » Mais, parlant de lui-même, il le fait avec l'élégance d'un rhétoriqueur :

Se j'eusse esté hermite en ung hault roc
Ou mendiant de quelque ordre a un froc,
J'eusse eschevé * grant tribulation.   évité
Ung laboureur qui a cherrue et soc
Fourche, rateau, serpe, faulcille et broc,
En son œuvre prent consolation ;
Mais moy, tout plain de desolation,
Meschant nasqui soulz constellation
D'infortune, qui ne vault tant soit poc ;
Et ay vescu du vent d'alation *,   * prétention
Rempli d'orgueil et cavillation * ;   * moquerie
Suis mieulx pugny que ceux qu'on met au croc.

Il ne me chault de Gautier ne Guillaume,
Et aussi peu du roy et son royaulme ;
Je donne autant des rez que des tondus,
Car quant Courroux me frappa au hëaulme,
Tel coup senty de sa cruelle paulme
Que mieulx me fust avoir esté pendus.
Les jeux passés me sont bien chiers vendus ;
J'avoye aprins coucher en litz tendus,
Jouer aux detz, aux cartes, à la paulme ;
Que me vault ce, les cas bien entendus ?
Tous mes esbats sont pieça despendus,
Et me convient reposer sous le chaulme.

Les Lunettes des princes, édité par O. de Gorcuff, 1890. Poèmes dans l'*Anthologie poétique française*, Garnier-Flammarion.

françois villon 1431-1464?

Enfin il y eut Villon. La poésie de ce voyou sublime éclaire la fin du Moyen Age. Sa vie ajoute à sa gloire une légende sulfureuse. On l'imagine — d'après le portrait qu'en brossa Carco — semblable à ce « mauvais garçon, qui sifflotait mains dans les poches » et que croisa Apollinaire. Certes, né à Paris en 1431, élevé par le chanoine Guillaume de Villon, son « plus que père » dont il prit le nom, François de Moncorbier ou des Loges fut un mauvais garçon. Cambriolages (notamment du collège de Navarre), rixes, meurtre (d'un prêtre, lors d'une bagarre pour une fille), rien ne manque à son casier. Il connut la prison, à Meung et au Châtelet. Toujours, lettres de rémission, grâce royale, intervention de l'Université lui valurent pardon ou liberté. En 1463, pour une peccadille, mais en fait comme récidiviste, il fut condamné « a estre pendu et estranglé ». Le 5 janvier 1464, la cour d'appel commua sa peine en dix ans de bannissement. Il quitta Paris aussitôt, sans laisser de traces. Ce personnage pour roman de Genet, ce frère de Pilorge ou d'Harcamone, était un poète lumineux et fut reconnu comme un maître du verbe. Compagnon des coquillards, pilier de bordel, il était aussi familier des cours princières, celles des ducs de Bourbon et d'Orléans. A Blois, il concourut sur le thème « Je meurs de soif auprès de la fontaine ». Et certaines de ses ballades montrent qu'il dominait parfaitement le jeu subtil des rhétoriqueurs :

BALLADE DES MENUS PROPOS

Je congnois bien mouches en let,
Je congnois a la robe l'homme,
Je congnois le beau temps du let,
Je congnois au pommier la pomme,
Je congnois l'arbre a veoir la gomme,
Je congnois quant tout est de mesmes,
Je congnois qui besongne ou chomme,
Je congnois tout, fors que moy mesmes.

Je congnois pourpoint au còlet,
Je congnois le moyne a la gonne,
Je congnois le maîstre au varlet,
Je congnois au voille la nonne,
Je congnois quant pipeur jargonne,
Je congnois fols nourris de cresmes,
Je congnois le vin a la tonne,
Je congnois tout, fors que moy mesmes.

Je congnois cheval et mulet,
Je congnois leur charge et leur somme,
Je congnois Bietris et Belet *,
Je congnois get * qui nombre et somme,

* Béatrice et Isabel

* jeton

Je congnois vision et somme,
Je congnois la faulte des Boesmes*,   * hérésie des Hussites
Je congnois le povoir de Romme,
Je congnois tout, fors que moy mesmes.

Prince, je congnois tout en somme,
Je congnois coulourez et blesmes,
Je congnois Mort qui tout consomme,
Je congnois tout, fors que moy mesmes.

Le palais du Louvre au temps de Villon.

Moqueur et douloureux, Villon pousse à son point de perfection la polyphonie de la lyrique médiévale. Ce faisant, il la dépasse, la rejette comme le papillon sa chrysalide et fonde une autre poétique. Avec lui, la liberté d'invention et la langue du peuple s'emparent des plus savantes cadences. Dans les *Lais* (1456), le ton est encore celui de l'écolier farceur (« Item, je laisse à mon barbier / Les rognures de mes cheveux »). Mais, dans le *Testament*, Villon, maître ès art perverti, emprunte aux clercs leur bien pour mettre en question le monde et leur savoir du monde, pour dire, non sans une noire ironie, une expérience d'autant plus vraie qu'il connut tout avec excès : plaisir et souffrance, mal et beauté.

Le rondeau que feist
ledit Villon quant
il fut iugie

Je suis francois dont ce me poise
Ne de paris empres pontoise
Qui dune corde dune toise
Saura mon col que mon cul poise

De pauvreté me guermentant *　　　　　　　* lamentant
Souventes fois me dit le cuer :
« Homme, ne te doulouse * tant　　　　　　* chagrine
Et ne demene tel douleur,
Se tu n'as tant qu'eut Jacques Cuer :
Mieux vaut vivre sous gros bureau *　　　　* drap
Pauvre, qu'avoir été seigneur
Et pourrir sous riche tombeau ! »

Qu'avoir été seigneur !... Que dis ?
Seigneur, las ! et ne l'est-il mais ?
Selon les davitiques dits,
Son lieu ne connaîtra jamais.
Quant de surplus, je m'en demets :
Il n'appartient a moi, pecheur ;
Aux theologiens le remets,
Car c'est office de prêcheur.

Si ne suis, bien le considere,
Fils d'ange portant diademe
D'etoile ne d'autre sidere,
Mon pere est mort, Dieu en ait l'ame !
Quant est du corps, il gît sous lame...
J'entends que ma mere mourra,
Et le sait bien la pauvre femme,
Et le fils pas ne demourra.

Je congnois que pauvres et riches,
Sages et fous, prêtres et lais,
Nobles, vilains, larges et chiches,
Petits et grands, et beaux et laids,
Dames a rebrassez * collets,　　　　　　　　* relevés
De quelconque condition,
Portant atours et bourrelets *,　　　　* coiffure à la mode
Mort saisit sans exception.

Et meure Paris ou Helaine,
Quiconque meurt, meurt a douleur
Telle qu'il perd vent et alaine ;
Son fiel se creve sur son cuer,
Puis sue, Dieu sait quelle sueur !
Et n'est qui de ses maux l'allege :

Car enfant n'a, frere ne seur
Qui lors vousît estre son pleige *.   * caution

La mort le fait fremir, palir,
Le nez courber, les veines tendre,
Le col enfler, la chair mollir,
Jointes et nerfs croître et etendre.
Corps feminin, qui tant es tendre,
Poly, souef, si precieux,
Te faudra il ces maux attendre ?
Oui, ou tout vif aller es cieux ?

Dans le *Testament*, Villon, léguant surtout ce qu'il n'a pas, règle ses
comptes avec amis et ennemis, fait revivre son passé, nous donne à
voir — à entendre — le Paris de son temps. Avant tout, il s'interroge sur ses fautes et son poème devient celui du destin : le sien,
mais aussi celui de tout homme. De cet humour grinçant, de ce sens
de l'universel, ses ballades également témoignent, dont certaines figurent
dans le *Testament* comme la *Ballade de Merci*.

BALLADE DE MERCI

A Chartreux et a Celestins,
A Mendiants et a Devotes,
A musards et claquepatins,
A servans et filles mignottes
Portants surcots et justes cottes,
A cuidereaux * d'amour transis,   * jeunes vaniteux
Chaussants sans méhaing * fauves bottes,   * douleur
Je crie a toutes gens mercis.

A fillettes montrants tetins,
Pour avoir plus largement hôtes,
A ribleurs, mouveurs de hutins *,   * faiseurs de tapage
A bateleurs trainants marmottes,
A fous et folles, sots et sottes,
Qui s'en vont sifflant six a six,
A marmousets et mariottes *,   * petits garçons et fillettes
Je crie a toutes gens mercis.

Sinon aux traîtres chiens mâtins
Qui m'ont fait ronger dures crôtes
Et mâcher maints soirs et matins,
Qu'ore je ne crains pas trois crottes.
Je fisse pour eux pets et rottes ;
Je ne puis, car je suis assis.
Au fort, pour eviter riottes *,   * querelles
Je crie a toutes gens mercis.

Qu'on leur froisse les quinze côtes
De gros maillets forts et massis,
De plombees * et tels pelotes.   * bâtons munis d'une
Je crie a toutes gens mercis.   boule de plomb

FRANÇOIS VILLON **29**

ÉPITRE A MES AMIS

Ayez pitié, ayez pitié de moi,
A tout le moins, si vous plaît, mes amis !
En fosse gis, non pas sous houx ne mai *,   * décors de fête
En cet exil ouquel je suis transmis
Par Fortune, comme Dieu l'a permis.
Filles, amants, jeunes gens et nouveaux,
Danseurs, sauteurs, faisants les pieds de veaux *,   * pas de danse
Vifs comme dards, agus comme aguillon,
Gousiers tintants clair comme cascaveaux *,   * grelots
Le laisserez la, le pauvre Villon ?

Chantres chantants a plaisance, sans loi,
Galants, riants, plaisants en faits et dits,
Courants, allants, francs de faux or, d'aloi *,   * dénué d'or, faux ou vrai
Gens d'esperit, un petit étourdis,
Trop demourez, car il meurt entandis *,   * pendant ce temps
Faiseurs de lais, de motets et rondeaux,
Quand mort sera, vous lui ferez chaudeaux !
Ou gît, il n'entre éclair ne tourbillon :
De murs epois on lui a fait bandeaux.
Le laisserez la, le pauvre Villon ?

Venez le voir en ce piteux arroi,
Nobles hommes, francs de quart et de dix *,   * du droit de quart et de dîme
Qui ne tenez d'empereur ne de roi,
Mais seulement de Dieu de paradis ;
Jeuner lui faut dimenches et merdis,
Dont les dents a plus longues que râteaux ;
Après pain sec, non pas après gâteaux,
En ses boyaux verse eau a gros bouillon ;
Bas en terre, table n'a de treteaux.
Le laisserez la, le pauvre Villon ?

Princes nommés, anciens, jouveanceaux,
Impetrez moi graces et royaux sceaux,
Et me montez en quelque corbillon.
Ainsi le font, l'un a l'autre, pourceaux,
Car, ou l'un brait, ils fuient a monceaux.
Le laisserez la, le pauvre Villon ?

Dieu eꝑ aura pluſtoſt de Vo⁹ mercy
Uous no⁹ Voies cy ataches cinq ſix
Quãt de la chaꝛ q̃ trop auõs nourrie
Elleſt pieca deuouree ꝓ pourrie
Et no⁹ les os deuenõs cẽdꝛes ꝓ pouldꝛe
De noſtre malꝑſonne ne ſeꝑ rie
mais ꝑes dieu q̃ to⁹ no⁹ Vueille aſſoudꝛe
Ses freres Vo⁹ clamõs.pas ne deue
Auoir deſdaing quoy q̃ fumes occis

BALLADE DES PENDUS

Frères humains qui après nous vivez,
N'ayez les cuers contre nous endurcis,
Car, se pitié de nous povres avez,
Dieu en aura plus tost de vous mercis.
Vous nous voiez cy attachez cinq, six :
Quant de la chair, que trop avons nourrie,
Elle est pieça devoree et pourrie,
Et nous, les os, devenons cendre et pouldre.
De nostre mal personne ne s'en rie ;
Mais priez Dieu que tous nous vueille absouldre !

Se vous clamons frères, pas n'en devez
Avoir desdaing, quoy que fusmes occis
Par justice. Toutesfois, vous scavez
Que tous hommes n'ont pas bon sens rassis ;
Excusez nous, puis que sommes transis,
Envers le fils de la Vierge Marie,
Que sa grace ne soit pour nous tarie,
Nous preservant de l'infernale fouldre.
Nous sommes mors, ame ne nous harie ;
Mais priez Dieu que tous nous vueille absouldre !

La pluye nous a buez et lavez,
Et le soleil dessechiez et noircis ;
Pies, corbeaulx, nous ont les yeux cavez,
Et arrachié la barbe et les sourcis.
Jamais nul temps nous ne sommes assis ;

Puis ça, puis la, comme le vent varie,
A son plaisir sans cesser nous charie,
Plus becquetez d'oyseaulx que dez a couldre.
Ne soiez donc de nostre confrairie ;
Mais priez Dieu que tous nous vueille absouldre !

Prince Jhesus, qui sur tous seigneurie,
Garde qu'Enfer n'ait de nous la maistrie :
A luy n'ayons que faire ne que souldre.
Hommes, icy n'a point de mocquerie ;
Mais priez Dieu que tous nous veuille absouldre !

Les éditions de Villon sont nombreuses. Signalons **deux éditions** critiques, l'une établie par Louis Thuasne en 1923, **rééditée chez** Slatkine (Genève), l'autre par André Mary pour Garnier. On trouve ses œuvres poétiques dans les collections de poche : Livre de Poche, Garnier-Flammarion, Poésie / Gallimard. ◇ On consultera, sur l'homme et l'œuvre, le maître livre de Pierre Champion, *François Villon*, Champion. Sur l'œuvre : Pierre Guiraud. *Le Jargon de Villon ou le gai savoir de la Coquille*, Gallimard. David Kuhn, *La Poétique de Villon*, Colin.

jean molinet 1435-1507

Comme Villon, Jean Molinet (1435-1507) est l'auteur d'un testament. Non du sien, mais de celui d'un personnage symbolique : la guerre. De la guerre, qui lègue ainsi ses biens : « Je laisse aux abbaïes grandes / Cloistres rompus, dortoirs gastés, / Greniers sans bled, troncz sans offrandes, / Celliers sans vins, fours sans pastés... » ce chanoine connaissait les horreurs. Historiographe des ducs de Bourgogne, au service de Charles le Téméraire et de ses successeurs, il fut témoin des événements dramatiques de son temps et les consigna dans sa *Chronique*. Poète, illustrant jusqu'à l'excès l'art des rhétoriqueurs, il manifeste un étourdissant génie de l'allitération et de la rime. Mais ce formaliste superbe nourrit son éloquence de ses passions, de ses haines, comme le montrent ces deux passages du discours de *Vérité* dans *la Ressource du petit peuple* :

Princes puissans, qui tresors affinez
Et ne finez de forgier grans discors,
Qui dominez, qui le peuple aminez *,   * détruisez
Qui ruminez, qui gens persecutez,
Et tourmentez les ames et les corps,
Tous vos recors sont de piteux ahors * ;   * cris de détresse
Vous estes hors d'excellence boutez :
Povres gens sont a tous lez * reboutez *.   * côtés * rejetés

Que faittes vous, qui perturbés le monde
Par guerre immonde et criminels assaulx,
Qui tempestez et terre et mer parfonde
Par feu, par fonde* et glave furibunde,   * fronde
Sy qu'il n'habonde aux champs que vielles saulx* ? * saules
Vous faittes saulx* et mengiez bonhomeaulx,   * sauts
Villes, hamiaulx et n'y sariés forgier
La moindre flour qui soit en leur vergier.

Estes vous dieux, estes vous demi dieux,
Argus plain d'yeux, ou angles * incarnez ?   * anges
Vous estes fais, et nobles et gentieux,
D'humains hostieux *, en ces terrestres lieux,   * instruments
Non pas es chieulx *, mais tous de mère nez ;   * cieux
Batez, tonnez, combatez, bastonnez
Et hutinez, jusques aux testes fendre :
Contre la mort nul ne se peult deffendre.

Tranchiez, copez, detrenchiez, decoppez,
Frappez, haspez banières et barons,
Lanchiez, hurtez, balanciez, behourdez,
Quérez *, trouvez, conquérez, controuvez,   * cherchez
Cornez, sonnez trompettes et clarons,
Fendez tallons, pourfendés orteillons,
Tirez canons, faittes grans espourris * :   * mélées
Dedens cent ans vous serez tous pourris.
[...]
On treuve aux campz pastoureaux sans brebis,
Clercs sans habis, prestres sans breviaire,
Chasteaulx sans tours, granges sans fouragiz,
Bours sans logis, estables sans seulis,
Chambres sans lis, hosteulx sans luminaire,
Murs sans parfaire, eglises sans refaire,
Villes sans maire et cloistre sans nonettes :
Guerre commet plusieurs fais deshonnettes.

Chartreux, chartriers, charetons, charpentiers,
Moutons, moustiers, manouvriers, marissaux,
Villes, villains, villages, vivendiers,
Hameaux, hotiers, hospitaulx, hosteliers,
Bouveaux, bouviers, bocquillons, bonhommeaulx,
Pouchins, pourceaulx, pelerins, pastoureaulx,
Fourniers, fourneaulx, feves, gains, fleurs et fruits,
Par vos gens sont indigens ou destruis.

Par vos gens sont laboureurs lapidez,
Cassis cassez, confreres confondus,
Gallans gallez, gardineurs gratinez,
Rentiers robez, rechepveurs renchonnez,
Pays passez, paysans pourfendus,
Abbez abbus, appentis abbatus,
Bourgeois batus, baguettes butinées,
Vieillards vanez et vierges violées.

Les Faitz et Ditz (3 vol.) ont été publiés par Noël Dupire, Société des anciens textes français, 1936-1939. Consulter les anthologies, notamment *La Poésie du passé*, de Paul Eluard, Seghers.

JEAN MOLINET 33

guillaume crétin 1460-1525

L'œuvre de Guillaume Crétin (1460-1525) est à cheval sur le XVe et le XVIe siècle, mais elle appartient par toutes ses racines à la tradition des rhétoriqueurs. Ami et disciple de Molinet qui, lui écrivant en vers, s'amusait à multiplier calembours, rimes équivoquées ou battelées : « Molinet n'est pas sans bruyt, ne sans nom, non, / Il a son son, et comme tu vois, voix, / Son doux plaid plaist mieux que ne fait ton ton, / Ton vif art ard plus cher que charbon bon... » Crétin, chantre puis chanoine de la Sainte-Chapelle, protégé de Louis XII et de François Ier, auteur notamment du *Débat sur le passe-temps des chiens et des oiseaux* et de nombreuses épîtres, rivalise de verve avec son maître. On en jugera par ce passage de *la Rescription des femmes de Paris aux femmes de Lyon* :

Riez, chantez, caquetez, brocardez,
Et regardez les gorriers * perruquez ;   * gandins
Allez, monstrez vos musequins fardez,
Contregardez vos corps et culs bardez,
Plus ne tardez, trouvez vous aux banquets ;
Dressez caquetz, presentez les bouquetz,
Pour tous acquestz, le bruyt sur vous redonde,
Mieux vault bon los * que richesse en ce monde.   * renom

Je m'esbahis dont vous tenez la guise
D'estre en l'église ainsi encaquetées ;
C'est grant horreur comme l'on se desguise.
Avez vous quise ceste façon exquise,
Tres mal acquise, qui vous fait effrontees,
Trop moins doubtees, et trop plus eshontees,
Que les hantees publicques et infames ?
Honte siet bien à bonnes preudefemmes.

Lors que devez dire vos oraisons,
Ris et blasons en l'église cerchez ;
Mieulx vous seroit de garder voz maisons
Que jamais homs par telles achoisons
N'eust les poisons que de vos yeulx trenchez.
Vous y marchez ainsi qu'en plains marchez
Et remarchez mignons a votre vueil *.   * vouloir
C'est en amours ung grant poste que l'oeil.

Œuvres poétiques, publiées par Kathleen Chesnay, Firmin-Didot, 1932.
Anthologie de la poésie française, Garnier-Flammarion.

jean le maire de belges 1473-1525?

Dernier des rhétoriqueurs, Jean Le Maire, né à Belges en 1473, (mort vers 1525), était flamand. Si, comme son compatriote Jean Second, il choisit pour écrire une langue apprise, ce fut le français, non le latin. Il se sentait assez européen pour servir successivement le duc de Beaujeu, Marguerite d'Autriche et Louis XII. Nourri de poètes médiévaux, il introduit les héros du *Roman de la Rose* dans sa *Concorde des deux langages*. Dans ses chansons, ou dans les *Epistres de l'amant vert*, son naturel annonce celui qui sera son admirateur : Ronsard.

[...] Gentes bergerettes,
Parlant d'amourettes
Dessous les coudrettes
Jeunes et tendrettes,
Cueillent fleurs jolies :
Framboises, mûrettes,
Pommes et poirettes
Rondes et durettes,
Fleurons et fleurettes
Sans mélancolie.

Sur les préaux de sinople vêtus
Et d'or battu autour des entellettes
De sept couleurs selon les sept vertus
Seront vêtus. Et de joncs non tordus,
Droits et pointus, feront sept corbeillettes ;
Violettes, au nombre des planètes,
Fort honnêtes mettront en rondelet,
Pour faire à Pan un joli chapelet.

Là viendront dryades
Et hamadryades,
Faisant sous feuillades
Ris et réveillades·
Avec autres féés.
Là feront naïades
Et les Oréades,
Dessus les herbades,
Aubades, gambades,
De joie échauffées.

La Concorde des deux langages, présentée par J. Frappier, Droz.
Epistres de l'amant vert, Droz.

clément marot 1496-1544

Clément Marot, vraiment, ouvre le XVIe siècle. Avec lui quelque chose commence puisque, de ce fils de rhétoriqueur, les poètes de la Pleiade loueront le naturel, les classiques aimeront le badinage. Toutefois, même si, selon Boileau, il « trouva pour rimer des chemins tout nouveaux », son œuvre, tour à tour légère et grave, satirique et élégiaque, ne se laisse pas réduire à de trop simples formules. Né à Cahors en 1496, Clément, plus qu'aux écoles, dut sa formation aux leçons de son père, Jean Marot, poète de cour, et à la lecture de Crétin et de Le Maire. Sa première épître à François Ier témoigne déjà de son savoir-faire : « En m'esbatant je faiz rondeaulx en rime, / Et en rimant bien souvent je m'enrime ; / Brief, c'est pitié d'entre nous rimailleurs, / Car vous trouvez assez de rime ailleurs, / Et quand nous plaist, mieulx que moi rimassez. / De biens avez et de la rime assez. » Entré en 1419 au service de Marguerite d'Angoulême (qui par son remariage deviendra Marguerite de Navarre), puis succédant à son père comme valet de chambre du roi en 1428, Marot eut toujours de puissants protecteurs qui, amusés par ses pamphlets et tolérants envers son calvinisme discret, le tirèrent de plus d'un mauvais pas.

RONDEAU PARFAIT A SES AMIS
APRÈS SA DÉLIVRANCE

En liberté maintenant me pourmaine,
Mais en prison pourtant je fus cloué ;
Voilà comment Fortune me demaine :
C'est bien et mal. Dieu soit du tout loué.

Les envieux ont dit que de Noué
N'en sortiroys ; que la mort les emmaine !
Maulgré leurs dens le noeud est desnoué :
En liberté maintenant me pourmaine.

Pourtant, si j'ay fasché la Court Rommaine,
Entre meschans ne fuz oncq alloué :
De bien famez j'ay hanté le dommaine,
Mais en prison pourtant je fus cloué.

Car aussitost que fuz desadvoué
De celle-là qui me fut tant humaine,
Bien tost après à sainct Pris fuz voué ;
Voilà comment Fortune me demaine.

J'euz à Paris prison fort inhumaine ;
A Chartres fuz doulcement encloué,
Maintenant voys où mon plaisir me maine :
C'est bien et mal. Dieu soit du tout loué.

Au fort, amys, c'est à vous bien joué,
Quand vostre main hors du parc me ramaine
Escript et faict d'ung cueur bien enjoué,
Le premier jour de la verte sepmaine,
    En liberté.

Marot écrivit ces vers, en mai 1526, au sortir de la prison de Chartres.
Il y avait été transféré depuis le Châtelet où les autorités religieuses
l'avaient enfermé pour avoir mangé du lard en carême. Ami d'Erasme
et de Dolet, Marot fut sensible aux idées humanistes et, dès 1421,
adhéra de cœur à l'évangélisme français, sans fanatisme cependant et
se montrant prêt à composer pour sauvegarder sa tranquillité. Mais
ses belles traductions des *Psaumes* — qui figurent dans la liturgie de
l'Eglise réformée — ses oraisons, son pamphlet *l'Enfer,* description
satirique des juges ecclésiastiques et du Châtelet, dont la parution en
1542 sera à l'origine de son dernier exil (il mourut à Turin en 1544),
font de lui le premier poète du siècle dont l'œuvre reflète les querelles religieuses. Ainsi dans cette missive à Lyon Jamet :

DU COQ A L'ASNE. A LYON JAMET (II)

[...] Ils escument comme ung verrat
En plaine chaire, ces cagotz,
Et ne preschent que des fagotz
Contre ces povres hereticques.
   Non pas que j'oste les practiques
Des vieilles qui ont si bon cueur :
Car comme dict le grand mocqueur,
Elles tiennent bien leur partie.
   C'est une dure departie,
D'une teste et d'ung eschafault,
Et grand pitié quand beaulté fault
A cul de bonne voulunté.
   Puis vous sçavez, *Pater sancte,*
Que vostre grand pouvoir s'efface :
Mais que voulez vous que j'y face ?
Mes financiers sont tous peris,
Et n'est bourreau que de Paris,
Ny long procès que dudict lieu.
[...] Toutesfois, Lyon, si les ames
Ne s'en vont plus en Purgatoire,
On ne me sçauroit faire accroire
Que le pape y gaigne beaulcoup.

Marguerite, sœur de François 1er
et protectrice de Marot, par Clouet.

Le meilleur Marot, celui qui, par son naturel, sa spontanéité, annonce la poésie à venir, s'exprime dans ses chansons, rondeaux et épigrammes. Parfaitement à l'aise dans ces formes savantes, son humeur se déploie, badine ou grave, amoureuse ou mélancolique, selon la couleur des jours.

CHANSON

Celle qui m'a tant pourmené
A eu pitié de ma langueur :
Dedans son jardin m'a mené,
Où tous arbres sont en vigueur ;
Adoncques n'usa de rigueur :
Si je la baise elle m'accolle ;
Puis m'a donné son noble cueur,
Dont il m'est advis que je volle.

Quand je vey son cueur estre mien,
Je mys toute crainte dehors,
Et luy dys : « Belle, ce n'est rien,
Si entre voz bras je ne dors. »
La dame respondit alors :
« Ne faictes plus ceste demande :
Il est assez maistre du corps,
Qui a le cueur à sa commande. »

DE SA GRAND AMYE

Dedans Paris, ville jolie,
Ung jour passant melancolie,
Je prins alliance nouvelle
A la plus gaye damoyselle
Qui soit d'icy en Italie.

D'honnesteté elle est saisie,
Et croy, selon ma fantaisie,
Qu'il n'en est gueres de plus belle
      Dedans Paris.

Je ne vous la nommeray mye,
Sinon que c'est ma grand amye ;
Car l'alliance se feit telle
Par un doulx baiser que j'eus d'elle,
Sans penser aulcune infamie,
      Dedans Paris.

DES TROIS COULEURS, GRIS, TANNÉ, NOIR

Gris, tanné, noir, porte la fleur des fleurs
Pour sa livrée, avec regretz et pleurs.
Pleurs et regretz en son cueur elle enferme,
Mais les couleurs dont ses vestemens ferme
Sans dire mot exposent ses douleurs.

Car le noir dit la fermeté des cueurs,
Gris le travail, et tanné les langueurs ;
Par ainsi c'est langueur en travail ferme,
    Gris, tanné, noir.

J'ay ce fort mal par elle et ses valeurs,
Et en souffrant ne crains aulcuns malheurs,
Car sa bonté de mieulx avoir m'afferme ;
Ce non obstant, en attendant le terme,
Me fault porter ces trois tristes couleurs,
    Gris, tanné, noir.

D'ANNE QUI LUI JECTA DE LA NEIGE

    Anne par jeu me jecta de la neige,
Que je cuidoys froide certainement :
Mais c'estoit feu, l'expérience en ay-je,
Car embrasé je fuz soubdainement.
    Puis que le feu loge secretement
Dedans la neige, où trouveray je place
Pour n'ardre point ? Anne, ta seule grace
Estaindre peult le feu que je sens bien,
Non point par eau, par neige ne par glace,
Mais par sentir ung feu pareil au mien.

Œuvres complètes (2 vol.), Garnier. Œuvres poétiques, Garnier-Flammarion.
◊ H. Guy, Clément Marot et son école, Champion. P. Leblanc, La Poésie
religieuse de Clément Marot, Nizet. C.A. Mayer, Clément Marot, Ecrivains
d'hier et d'aujourd'hui / Seghers. Villey, Marot et Rabelais, Champion.

maurice scève 1500?-1563?

Sur quoi — jardin allégorique, science du nombre, poésie pure, on en discute encore — ouvrait la porte que poussa Maurice Scève ? Porte secrète que bien peu entrebâillèrent à sa suite et qui, longtemps condamnée, nous fascine aujourd'hui, exactement depuis que Mallarmé posa la question du « Livre » et que Valéry adopta pour son *Cimetière marin* le décasyllabe médiéval qui est aussi celui de la *Délie*. Né vers 1500 à Lyon, docteur en droit formé à Avignon et dans une université italienne, archéologue découvreur du tombeau de Laure, l'amante de Pétrarque, Scève, dont la vie nous est mal connue (on perd sa trace après 1563), appartenait à cet humanisme lyonnais, riche en philosophes comme en poètes néo-latins, et qui était ouvert tout ensemble aux leçons de la scolastique, aux révélations de la gnose et à l'enseignement de l'Antiquité. Italianisant, helléniste, rhétoriqueur, Scève fit ses débuts de poète en 1436, emportant la palme du tournoi des blasons, décernée par Renée de Ferrare, sur le conseil de Marot, à son *Blason du sourcil*.

BLASON DU SOURCIL

Sourcil tractif en vouste fleschissant
Trop plus qu'hebene, ou jayet * noircissant,   * jais
Hault forgeté pour umbrager les yeulx,
Quand ils font signe, ou de mort ou de mieulx,
Sourcil qui rend paoureux les plus hardis,
Et courageux les plus accouardis,
Sourcil qui faict l'air clair, obscur soubdain,
Quand il froncist par yre, ou par desdain,
Et puis le rend serain, clair et joyeulx,
Quand il est doulx, plaisant et gratieux,
Sourcil qui chasse et provoque les nues
Selon que sont ses archées tenues,
Sourcil assis au lieu hault pour enseigne,
Par qui le cueur son vouloir nous enseigne,
Nous descouvrant sa profonde pensée,
Ou soit de paix, ou de guerre offensée,
Sourcil non pas sourcil, mais ung soubz ciel
Qu'est le dixiesme et superficiel,
Où l'on peult veoir deux estoilles ardantes,
Lesquelles sont de son arc dependantes,
Estincelans plus souvent et plus clair
Qu'en esté chault ung bien soubdain esclair ;
Sourcil qui faict mon espoir prosperer,
Et tout à coup me faict desesperer ;
Sourcil sus qui amour prit le pourtraict
Et le patron de son arc qui attraict
Hommes et Dieux à son obéissance,
Par triste Mort, ou doulce jouyssance,
O sourcil brun, soubz tes noires tenebres
J'ensepvely en desirs trop funebres
Ma liberté et ma dolente vie,
Qui doulcement par toy me fut ravie.

Blason du sourcil,
illustration d'Edouard Pignon. △

Le plan de Lyon,
et les quais de la Saône au XVIᵉ siècle.

Blasonneur, Scève célèbre les signes fugaces, impalpables, par quoi le corps exprime les secrets de l'âme : le soupir et la larme. Plus que les blasons le passionnent emblèmes et symboles. Cinquante emblèmes séparent en effet les différentes sections de la *Délie* (1544). Ce long poème composé, selon une formule arithmosophique, de 449 dizains précédés d'un huitain et encadrés par la devise « souffrir

non souffrir », dit l'amour du poète pour Pernette Du Guillet, identifiée à la sœur d'Apollon, Délie, connue encore sous les deux visages, l'un nocturne et l'autre diurne, d'Hécate et d'Artémis. « Délie est le poème du souvenir, dit J.-P. Chauveau... parce que la rencontre de sa dame a marqué l'amant d'une empreinte ineffaçable en l'installant durablement dans l'inquiétude et l'inconfort d'une perpétuelle remise en question de soi et du monde. » Poème symbolique et métaphysique autant que poème d'amour, troué d'images lumineusement concrètes, charnelles, *Délie* précède *le Microcosme*, vaste fresque encyclopédique qui n'aura pas la même étrange et inaltérable perfection.

DÉLIE, OBJECT DE PLUS HAULTE VERTU

VII

Cette beauté, qui embellit le Monde
Quand nasquit celle en qui mourant je vis,
A imprimé en ma lumière ronde
Non seulement ses lineamentz vifz :
Mais tellement tient mes espritz raviz,
En admirant sa mirable merveille,
Que presque mort sa Deité m'esveille,
En la clarté de mes désirs funèbres,
Ou plus m'allume, et plus, dont m'esmerveille,
Elle m'abysme en profondes tenebres.

XVII

Plus tost seront Rhosne, et Saone desjoinctz,
Que d'avec toy mon cœur se desassemble :
Plus tost seront l'un, et l'autre Mont joinctz,
Qu'avecques nous aulcun discord s'assemble :
Plus tost verrons et toy, et moy ensemble
Le Rhosne aller contremont lentement,
Saone monter tresviolentement,
Que ce mien feu, tant soit peu, diminue,
Ny que ma foy descroisse auculnement.
Ce ferme amour sans eulx est plus, que nue.

XXII

Comme Hecaté tu me feras errer
Et vif, et mort cent ans parmy les Umbres :
Comme Diane au Ciel me resserrer,
D'où descendis en ces mortelz encombres :
Comme regnante aux infernalles umbres
Amoindriras, ou accroistras mes peines.
   Mais comme Lune infuse dans mes veines
Celle tu fus, es, et seras Delie,
Qu'Amour à joinct a mes pensées vaines
Si fort, que Mort jamais ne l'en deslie.

C

L'oysiveté des délicates plumes,
Lict coustumier, non point de mon repos,
Mais du travail, ou mon feu tu allumes,

Souventesfois, oultre heure, et sans propos
Entre ses draps me detient indispos,
Tant elle m'à pour son foible ennemy,
   Là mon esprit son corps laisse endormy
Tout transformé en image de Mort,
Pour te monstrer, que lors homme a demy,
Vers toy suis vif, et vers moy je suis mort.

CXXII

De ces haultz Montz jettant sur toy ma veue,
Je voy les Cieulx avec moy larmoier :
Des Bois umbreux je sens a l'impourveue,
Comme les Bledz, ma pensée undoier.
   En tel espoir me fait ores ploier,
Duquel bien tost elle seule me prive.
Car a tout bruyt croyant que lon arrive,
J'apperçoy cler, que promesses me fuyent.
   O fol désir, qui veult par raison vive,
Que foy habite, ou les Ventz legers bruyent.

CLXVI

Tout jugement de celle infinité,
Ou tout concept se trouve superflus,
Et tout aigu de perspicuité
Ne pourroyent joindre au sommet de son plus.
   Car seulement l'apparent du surplus,
Premiere neige en son blanc souveraine,
Au pur des mains delicatement saine,
Ahontiroyt le nud de Bersabée :
Et le flagrant de sa suave alaine
Apouriroyt l'odorante Sabée.

CCXXXIV

Tout desir est dessus espoir fondé :
Mon esperance est, certes, l'impossible
En mon concept si fermement sondé,
Qu'a peine suis je en mon travail passible.
   Voy donc, comment il est en moy possible,
Que paix se trouve avecques asseurance ?
   Parquoy mon mal en si dure souffrance
Excede en moy toutes aultres douleurs,
Comme sa cause en ma perseverance
Surmonte en soy toutes haultes valeurs.

CCLIX

De toute Mer tout long, et large espace,
De terre aussi tout tournoyant circuit
Des Montz tout terme en forme haulte, et basse,

Tout lieu distant, du jour et de la nuict,
Tout intervalle, ô qui par trop me nuyt.
Seront rempliz de ta doulce rigueur.
    Ainsi passant des Siecles la longueur,
Surmonteras la haulteur des Estoilles
Par ton sainct nom, qui vif en ma langueur
Pourra par tout nager a plaines voiles.

CCCLXXII

Tu m'es le Cedre encontre le venin
De ce Serpent en moi continuel,
Comme ton œil cruellement benin
Me vivifie au feu perpetuel,
Alors qu'Amour par effect mutuel
T'ouvre la bouche et en tire a voix plaine
Celle doulceur celestement humaine,
Qui m'est souvent peu moins, que rigoureuse,
Dont spire (ô Dieux) trop plus suave alaine,
Que n'est Zephire en l'Arabie heureuse.

CCCCIX

Appercevant cest Ange en forme humaine,
Qui aux plus fortz ravit le dur courage
Pour le porter au gracieux domaine
Du Paradis terrestre en son visage,
Ses beaulx yeux clers par leur privé usage
Me dorent tout de leurs rays espanduz.
    Et quand les miens j'ay vers les siens tenduz,
Je me recrée au mal, ou je m'ennuye,
Comme bourgeons au Soleil estenduz,
Qui se refont aux gouttes de la pluye.

CCCCXLVI

Rien, ou bien peu, faudroit pour me dissoudre
D'avec son vif ce caducque mortel :
A quoy l'Esprit se veult tresbien resouldre,
Jà prevoyant son corps par la Mort tel,
Qu'avecques luy se fera immortel,
Et qu'il ne peult que pour un temps perir.
    Doncques, pour paix a ma guerre acquerir,
Craindray renaistre a vie plus commode ?
Quand sur la nuict le jour vient a mourir,
Le soir d'icy est Aulbe a l'Antipode.

Œuvres complètes, texte établi par Pascal Quignard, **Mercure de France**. *La Délie*, 10-18. Le texte de la *Délie* figure dans *Poètes du XVIe siècle*, présenté par A.-M. Schmidt, la Pléiade / Gallimard ◊ Pascal Quignard, *La Parole de la Délie*, Mercure de France. A.-M. Schmidt, *La Poésie scientifique en France au XVIe siècle*, Albin Michel.

pernette du guillet 1520-1545

Pernette avait seize ans lorsque, en 1536, elle rencontra Maurice Scève. Le poète fut conquis par cette jeune patricienne, blonde à ravir, qui parlait l'espagnol et l'italien, lisait le latin, aimait Pétrarque et jouait du luth. Pernette apprécia d'être aimée et chantée. En retour, elle aima Scève d'un amour plus platonique qu'il ne l'eût souhaité. Bientôt mariée à M. Du Guillet, elle continua d'inspirer, avec une innocence peut-être aussi troublée que troublante, celui qu'elle nommait son « Jour ». Elle mourut en 1545, laissant des *Rymes* où l'influence de Scève ne freine pas la fraîcheur de l'élan.

RYMES DE
GENTILE, ET
VERTVEVSE DAME
D. PERNETTE DV
GVILLET LYON-
NOISE.

A LYON,
Par Iean de Tournes.
1545.

Esprit celeste, et des Dieux transformé
En corps mortel transmis en ce bas Monde,
A Apollo peulx estre conformé
Pour la vertu, dont es la source, et l'onde.
Ton eloquence, avecques ta faconde,
Et hault sçavoir, auquel tu es appris,
Demonstre assez le bien en toy compris :
Car en doulceur ta plume tant fluante
A mérité d'emporter gloire, et prys,
Voyant ta veine en hault stille affluante.

Jà n'est besoing que plus je me soucie
Si le jour fault, ou que vienne la nuict,
Nuict hivernale, et sans Lune obscurcie :
Car tout celà certes riens ne me nuit,
Puis que mon Jour par clarté adoulcie
M'esclaire toute, et tant, qu'à la mynuict
En mon esprit me faict appercevoir
Ce que mes yeulx ne sceurent oncques veoir.

Non que je vueille oster la liberté
A qui est né pour estre sur moy maistre :
Non que je vueille abuser de fierté,
Qui à luy humble et à tous devrois estre :
Non que je vueille à dextre et à senestre
Le gouverner, et faire à mon plaisir :
Mais je vouldrois, pour noz deux cueurs repaistre,
Que son vouloir fust joinst à mon desir.

Rimes de gentille et vertueuse dame D. Pernette du Guillet lyonnoise, in *Poètes du XVIᵉ siècle*, présenté par A.-M. Schmidt, la Pléiade.

pontus de tyard 1521-1605

Pontus de Tyard (1521-1605) mena une longue vie de grand seigneur ecclésiastique, curieux de science et ne dédaignant pas la vie. Dans ses *Erreurs amoureuses* (1549), véritable quête du pur amour, il raffina sur le platonisme de son ami Scève. Il fut lié à la Pléiade dès 1450, et si la suite de ses *Erreurs amoureuses* annoncent le renouveau pétrarquiste de la fin du siècle, ses odes, souvent supérieures à celles de Ronsard par leur perfection rythmique, contribuèrent à l'évolution du lyrisme. *L'Enigme* que nous donnons, et qui symbolise l'Amour immortel, clôt son *Livre de vers liriques*.

Subtile suis, et de telle beauté
Qu'autre beauté ne peut estre conneuë,
Que je n'y soye en une qualité.
    En liberté je veux estre tenuë
Evidemment : car, qui me veut contraindre,
Il perd et moy et l'object de sa veuë.
    S'il pense encore à ma substance atteindre
Et me toucher, j'en pren telle vengeance
Que je lui donne assez dequoy se pleindre.
    Et l'oeil du ciel en vain son influence
Coule çà bas, s'il ne se fait sensible
Des qualitez prinses de mon essence.
    Il est à l'homme à grand peine possible
Vivre sans moy : et si * le fais dissoudre,
S'il est de moy entierement passible.
    Mon corps couvert d'une legere poudre
Ne me sçauroit avec soy arrester:
Car je le fuis plus vite que la foudre.
    Qui, tant soit peu, me veut solliciter,
Il me peut voir en colere incroyable
Les plus hauts lieux en bas precipiter.
    Mobile suis, sans arret, variable,
Sans couleur, forme, ou certaine figure.
Et si suis veuë en ma force admirable.
    Je vis de faire à mon contraire injure,
Qui par sa mort m'apporte tel encombre,
Qu'en fin la mort moy-mesme j'en endure.
Or devinez si je suis corps ou ombre.

Œuvres poétiques complètes, Didier.

joachim du bellay 1522-1560

De 1520 (débuts de Marot) à 1560 (mort, à trente-sept ans, de Du Bellay), l'évolution de la poésie semble s'opérer moins en continuité que par ruptures. Cependant, malgré d'évidentes coupures, la continuité est perceptible qui, jusqu'à Saint-Amant au siècle suivant, passe — y compris à travers certains aspects de la Pléiade — par ce que Marcel Raymond nomme le maniérisme poétique. Continuité et ruptures s'inscrivent dans une même perspective. Durant tout le XVIe siècle, humanistes et artistes regardent vers l'Italie : pour tous les poètes, Pétrarque est une référence. Mais, pour les poètes angevins, Du Bellay (né en 1522), Ronsard et Baïf qui, venus à Paris entendre les leçons de Dorat, entrent dans la vie littéraire au milieu du siècle, il ne s'agit pas d'accommoder Pétrarque à la sauce rhétorique ou platonicienne. En 1549, dans la *Deffence et Illustration de la langue françoise*, reprenant certaines idées de leur ami Jacques Peletier du Mans, Du Bellay prône un retour aux grands modèles antiques — ou italiens —, non pour les traduire ou les imiter, mais pour retrouver, afin de rivaliser avec eux, le secret de leur perfection. Donnant l'exemple, il publie, en même temps que son manifeste, un canzoniere pétrarquiste, *l'Olive*, où il lui arrive de trop imiter, mais qui témoigne de son jeune talent.

Vent doulx souflant, vent des vens souverain,
Qui voletant d'aeles bien empanées
Fais respirer de soüeves halenées
Ta doulce Flore au visage serain,

Pren de mes mains ce vase, qui est plein
De mile fleurs avec' l'Aurore nées,
Et mil' encor' à toy seul destinées,
Pour t'en couvrir et le front et le seing.

Encependant, au thrésor de ces rives
Je pilleray ces emeraudes vives,
Ces beaux rubiz, ces perles et saphirs,

Pour mettre en l'or des tresses vagabondes,
Qui ça et la folastrent en leurs ondes,
Grosses du vent de tes plus doulx soupirs.

En 1552, dans les *XIII Sonnetz de l'honneste amour* dont nous donnons le septième, Du Bellay raffine curieusement, mais avec un bonheur très personnel sur le pétrarquisme platonisant de son ami Pontus de Tyard.

Mais pour nous la poésie de ces poèmes, c'est plutôt une figuration et dramatisation de la vie poétique même en son secret ; il s'agit de l'expérience de la poésie. (Michel Deguy)

Le Dieu bandé a desbandé mes yeux,
Pour contempler celle beauté cachée
Qui ne se peut, tant soit bien recherchée,
Représenter en ung cœur vicieux.

De son autre arc doucement furieux
La poincte d'or justement descochée
Au seul endroict de mon cœur s'est fichée,
Qui rend l'esprit du corps victorieux.

Le seul dezir des beautez immortelles
Guynde mon vol sur des divines ailes
Au plus parfaict de la perfection.

Car le flambeau, qui sainctement enflamme
Le sainct brazier de mon affection,
Ne darde en bas les saints traiz de sa flamme.

En 1552, Du Bellay, qu'une douloureuse maladie laisse atteint de sur-
dité, est conscient de ses contradictions. Il a trop pétrarquisé et,
gentilhomme pauvre, lui qui affirmait que la poésie doit engager la vie
du poète, il a dû se résoudre à écrire des poèmes de louange.
Aussi annonce-t-il bientôt : « J'ay oublié l'art de pétrarquiser... » A
Rome, où il part en 1553 comme secrétaire de son oncle le cardinal
Jean Du Bellay, il va devenir lui-même. D'abord la ville l'enthousiasme et, dans *les Antiquitez de Rome,* son savoir d'humaniste ren-
force la vivacité de ses impressions :

Nouveau venu, qui cherches Rome en Rome
Et rien de Rome en Rome n'apperçois,
Ces vieux palais, ces vieux arcz que tu vois,
Et ces vieux murs, c'est ce que Rome on nomme

Voy quel orgueil, quelle ruine : et comme
Celle qui mist le monde sous ses loix,
Pour donter tout, se donta quelquefois,
Et devint proye au temps, qui tout consomme.

Rome de Rome est le seul monument,
Et Rome Rome a vaincu seulement.
Le Tybre seul, qui vers la mer s'enfuit,

Reste de Rome. O mondaine inconstance !
Ce qui est ferme, est par le temps destruit,
Et ce qui fuit, au temps fait resistence.

Peu à peu, la maladie le reprenant, l'ennui, la nostalgie gagnent
Du Bellay. Alors, rêvant à son Anjou ou regardant la société romaine,
il écrit *les Regrets*. Avec ce recueil aux cadences d'une harmonieuse
simplicité, la poésie opère complètement la métamorphose dont les
premiers signes apparurent avec Villon. Elle n'est plus célébration
des dieux, des mythes ou des princes, ni bel exercice de rhétorique ;
elle est le lieu où le poète dit le monde, et sa place dans ce
monde. Le lieu aussi où il s'interroge sur son propre chant.

Je ne veulx point fouiller au sein de la nature,
Je ne veulx point chercher l'esprit de l'univers,
Je ne veulx point sonder les abysmes couvers
Ny desseigner du ciel la belle architecture.

Je ne peins mes tableaux de si riche peinture,
Et si hauts arguments ne recherche à mes vers :

Concert champêtre, par Giorgione.

Mais suivant de ce lieu les accidents divers,
Soit de bien, soit de mal, j'escris à l'adventure.

Je me plains à mes vers, si j'ay quelque regret,
Je me ris avec eulx, je leur dy mon secret,
Comme estans de mon cœur les plus seurs secretaires.

Aussi ne veulx-je tant les pigner et friser,
Et de plus braves noms ne les veulx desguiser,
Que de papiers journaulx, ou bien de commentaires.

XII

Veu le soing mesnager, dont travaillé je suis,
Veu l'importun souci, qui sans fin me tormente,
Et veu tant de regrets, desquels je me lamente,
Tu t'esbahis souvent comment chanter je puis.

Je ne chante (Magny) je pleure mes ennuys :
Ou, pour le dire mieulx, en pleurant je les chante,
Si bien qu'en les chantant, souvent je les enchante,
Voyla pourquoy (Magny) je chante jours et nuicts.

Ainsi chante l'ouvrier en faisant son ouvrage,
Ainsi le laboureur faisant son labourage,
Ainsi le pelerin regrettant sa maison,

Ansi l'advanturier en songeant à sa dame,
Ainsi le marinier en tirant à la rame,
Ainsi le prisonnier maudissant sa prison.

XXXI

Heureux qui, comme Ulysse, a fait un beau voyage,
Ou comme cestuy là qui conquit la toison,
Et puis est retourné, plein d'usage et raison,
Vivre entre ses parents le reste de son aage !

Quand revoiray-je, helas, de mon petit village
Fumer la cheminee, et en quelle saison
Revoiray-je le clos de ma pauvre maison,
Qui m'est une province, et beaucoup d'avantage ?

Plus me plaist le sejour qu'ont basty mes ayeux,
Que des palais romains le front audacieux,
Plus que le marbre dur me plaist l'ardoise fine,

Plus mon Loyre gaulois, que le Tybre latin,
Plus mon petit Lyré, que le mont Palatin :
Et plus que l'air marin la douceur angevine.

LXXX

Si je monte au Palais, je n'y trouve qu'orgueil,
Que vice déguisé, qu'une cerimonie,
Qu'un bruit de tabourins, qu'une estrange harmonie,
Et de rouges habits un superbe appareil :

Si je descens en banque, un amas et recueil
De nouvelles je treuve, une usure infinie,

De riches Florentins une troppe banie,
Et de pauvres Sienois un lamentable dueil :

Si je vais plus avant, quelque part ou j'arrive,
Je treuve de Venus la grand' bande lascive
Dressant de tous costez mil appas amoureux :

Si je passe plus oultre, et de la Rome neufve
Entre en la vieille Rome, adonques je ne treuve
Que de vieux monuments un grand monceau pierreux.

LXXXVII

D'ou vient cela (Mauny) que tant plus on s'efforce
D'eschapper hors d'icy, plus le Dœmon du lieu
(Et que seroit-ce donc, si ce n'est quelque Dieu ?)
Nous y tient attachez par une doulce force ?

Seroit-ce point d'amour ceste allechante amorse,
Ou quelque autre venim, dont apres avoir beu
Nous sentons noz esprits nous laisser peu à peu,
Comme un corps qui se perd sous une neuve escorse ?

J'ay voulu mille fois de ce lieu m'estranger,
Mais je sens mes cheveux en fueilles se changer,
Mes bras en longs rameaux, et mes piedz en racine :

Bref, je ne suis plus rien qu'un vieil tronc animé,
Qui se plaint de se voir à ce bord transformé,
Comme le Myrte Anglois au rivage d'Alcine.

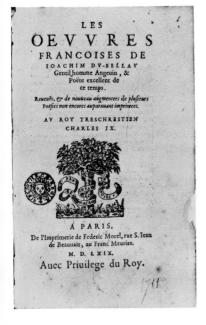

Contemporains des *Regrets*, les *Divers Jeux rustiques* célèbrent à l'exemple de la poésie antique la beauté et les produits de la nature :

D'UN VIGNERON A BACCHUS

Cette vigne tant utile,
Vigne de raysins fertile
Toujours coustumière d'estre
Fidele aux voeux de son maistre,
Ores qu'elle est bien fleurie,
Te la consacre, et dedie
Thenot, vigneron d'icelle,
Fay donq, Bacchus, que par elle
Ne soit trompé de l'attente,
Qu'il a d'une telle plante :
Et que mon Anjou foisonne
Par tout en vigne aussi bonne.

Œuvres poétiques françaises (7 vol.), éditées par H. Chamard, Didier.
Les Regrets et autres œuvres poétiques, Droz. *Sonnets de l'honnête
amour*, *Les Antiquités de Rome* et *Les Regrets* figurent dans *Poètes
du XVIe siècle*, présentés par A.-M. Schmidt, la Pléiade / Gallimard.
◊ V.-L. Saulnier, *Du Bellay*, Hatier. Michel Deguy, *Tombeau de Du
Bellay*, Gallimard.

pierre de·ronsard 1524-1585

La Possonière.

Par l'ampleur de son œuvre, la variété de ses thèmes, la maîtrise des rythmes les plus divers, Ronsard est bien l'astre majeur de cette Pléiade qu'il constitua avec son maître Dorat, ses amis Baïf, Du Bellay, Belleau, Jodelle et Tyard. Jamais poète officiel (il le fut à partir de 1558) ne représenta mieux l'art de son pays, ni ne fut plus révolutionnaire en son temps. Né en 1524 au manoir de Possonière en Vendômois, le jeune Ronsard suivit des chemins capricieux. Successivement page du prince Charles, de sa sœur Madeleine, épouse de Jacques V, du diplomate Lazare de Baïf, à quinze ans il connaissait l'Ecosse et l'Allemagne. Tonsuré en 1543, menant sur ses terres une vie de gentilhomme d'Eglise, il se lia bientôt avec Jacques Peletier, puis, en 1546, avec Du Bellay qu'il entraîna l'année suivante à Paris, chez Dorat, pour apprendre le grec. En 1550, les *Quatre Premiers Livres des Odes* où, prenant pour modèles Horace et Pindare, Ronsard chantait la nature, l'amour, la poésie, déroutèrent un public habitué aux marotiques, mais ravirent les jeunes poètes par la nouveauté de leur ton.

A CASSANDRE

Mignonne allons voir si la rose
Qui ce matin avait desclose
Sa robe de pourpre au soleil
A point perdu ceste vesprée
Les plis de sa robe pourprée,
Et son teint au vostre pareil.

Las ! voyez comme en peu d'espace,
Mignonne, elle a dessus la place,
Las ! las ! ses beautez laissé cheoir !
O vrayment marastre Nature,
Puis qu'une telle fleur ne dure
Que du matin jusques au soir !

Donc, si vous me croyez, mignonne,
Tandis que vostre âge fleuronne
En sa plus verte nouveauté,
Cueillez, cueillez vostre jeunesse :
Comme à ceste fleur la vieillesse
Fera ternir vostre beauté.

Cette ode célèbre contient tout Ronsard : le poète novateur d'abord, dont la subtile simplicité, le sens aigu de la vie, l'accord avec la nature devaient marquer son temps et, par-delà la période classique, les sensibilités romantique et moderne, mais aussi l'homme du

Tel fut Ronsard, autheur de cest ouurage,
Tel fut son œil, sa bouche et son visage,
Portraict au vif de deux crayons diuers:
Icy le Corps, et l'Esprit en ses vers.

L'Art la Nature exprimant
En ce pourtraict me faict belle
Mais si ne suis poinct telle
Qu'aux escrits de mõ amant.

Cl. Mellan. f.

XVIe siècle, humaniste retrouvant les rythmes antiques, renouant avec le *carpe diem* d'Horace, et cependant encore imprégné d'une vision du monde médiévale, moins rationnelle qu'affective et analogique. L'*Ode à Cassandre*, revendiquant le droit au plaisir au nom de l'angoisse de la mort, énonce un des grands thèmes de la poésie ronsardienne. En même temps elle annonce les deux attitudes préférées du poète : la méditation sur l'univers et sur le destin de l'homme, la célébration de l'amour (de la nature, de la vie). Cette célébration se déploie dans les livres des *Amours*, placés sous les signes de Cassandre, de Marie, d'Hélène et de quelques figures plus fugitives, livres dont le premier parut en 1552 et que, jusqu'à sa mort en 1585, Ronsard ne cessa de polir pour donner à l'ensemble perfection et unité.

AMOURS DE CASSANDRE

Ciel, air et ventz, plains et montz decouvers,
Tertres vineux et forestz verdoyantes,
Rivages tortz et sources ondoyantes,
Tailliz razez, et vous bocages verds,

Antres moussus à demyfront ouvers,
Prez, boutons, fleurs et herbes rousoyantes,
Vallons bossus et plages blondoyantes,
Et vous rochers, les hostes de mes vers,

Puisqu'au partir, rongé de soing et d'ire,
A ce bel oeil Adieu je n'ay sceu dire,
Qui pres et loing me detient en esmoi :

Je vous supply, Ciel, air, ventz, montz et plaines,
Tailliz, forestz, rivages et fontaines,
Antres, prez, fleurs, dictes le luy pour moy

SONNETS POUR HÉLÈNE

Dessin du Primatice.

Vous triomphez de moy, et pource je vous donne
Ce lierre qui coule et se glisse à l'entour
Des arbres et des murs, lesquels, tour dessus tour,
Plis dessus plis, il serre, embrasse et environne.

A vous de ce lierre appartient la couronne ;
Je voudrois, comme il fait, et de nuict et de jour,
Me plier contre vous, et languissant d'amour,
D'un noeud ferme enlacer vostre belle colonne.

Ne viendra point le temps que dessous les rameaux,
Au matin où l'aurore éveille toutes choses,
En un ciel bien tranquille, au caquet des oiseaux,

Je vous puisse baiser à lèvres demi-closes,
Et vous conter mon mal, et de mes bras jumeaux
Embrasser à souhait vostre yvoire et vos roses ?

Le soir qu'Amour vous fist en la salle descendre
Pour danser d'artifice un beau ballet d'Amour,
Vos yeux, bien qu'il fust nuict, ramenerent le jour,
Tant ils sceurent d'éclairs par la place respandre.

Le ballet fut divin qui se souloit reprendre,
Se rompre, se refaire, et tour dessus retour
Se mesler, s'escarter, se tourner à l'entour,
Contre-imitant le cours du fleuve de Meandre.

Ores il estoit rond, ores long, or estroit,
Or en poincte, en triangle, en la façon qu'on voit
L'escadron de la Gruë evitant la froidure.

Je faux, tu ne dansois, mais ton pied voletoit
Sur le haut de la terre : aussi ton corps s'estoit
Transformé pour ce soir en divine nature.

Même dans ses sonnets amoureux, tour à tour idéaliste et sensuel,
bucolique et mondain, Ronsard manifeste l'étendue de son inspiration.
Il n'est rien qu'il n'ait tenté de dire en poésie. Si *la Franciade* fut un
essai malheureux d'épopée, ses élégies, ses hymnes reflètent la science
de son temps et ses propres frémissements devant les mystères du

monde. La justesse de ses sentiments est aussi évidente dans une ode champêtre que dans l'*Elégie à Marie Stuart* dont Marcel Raymond dit : « Aucun poème peut-être, parmi les moins classiques, dont la perfection soit plus achevée et qui réalise mieux ses promesses. »

ODE

J'ay l'esprit tout ennuyé
D'avoir trop estudié
Les Phénomènes d'Arate.
Il est temps que je m'esbate,
Et que j'aille aux champs jouer.
Bons Dieux ! qui voudroit louer
Ceux qui collez sur un livre
N'ont jamais soucy de vivre ?

Que nous sert l'estudier,
Sinon de nous ennuyer ?
Et soin dessus soin accroistre
A nous qui seront peut-être
Ou ce matin, ou ce soir
Victime de l'Orque * noir ?   * Orcus, fleuve des enfers.
De l'Orque qui ne pardonne,
Tant il est fier, à personne.

Corydon, marche davant,
Sçache où le bon vin se vend,
Fay rafraischir la bouteille,
Cerche une ombrageuse treille
Pour sous elle me coucher :
Ne m'achète point de chair,
Car tant soit elle friande,
L'esté, je hay la viande.

Achete des abricôs,
Des pompons, des artichôs,
Des fraises et de la crême :
C'est en esté ce que j'aime,
Quand sur le bord d'un ruisseau,
Je la mange au bruit de l'eau.
Estendu sur le rivage,
Ou dans un antre sauvage.

Ores que je suis dispos
Je veux dire sans repos,
De peur que la maladie
Un de ces jours ne me die :
Je t'ay maintenant veincu,
Meurs, galland, c'est trop vescu.

ÉLÉGIE A MARIE STUART

[...] Bien que le trait de vostre belle face
Peinte en mon cuer par le temps ne s'efface
Et que tousjours je le porte imprimé

Comme un tableau vivement animé,
J'ay toutesfois pour la chose plus rare
(Dont mon estude et mes livres je pare)
Vostre portrait qui fait honneur au lieu,
Comme un image au temple d'un grand Dieu.

Vous n'estes pas en drap d'or habillée,
Ny les joyaux de l'Inde despouillée,
Riches d'émail et d'ouvrages, ne font
Luire un beau jour autour de vostre front :
Et vostre main, sans artifice belle,
N'a rien sinon sa blancheur naturelle :
Et vos beaux doigs, cinq arbres inegaux,
Ne sont ornez de bagues ny d'anneaux :
Et la beauté de votre gorge vive
N'a pour carquan que sa couleur naïve.

Un crespe long, subtil et delié,
Ply contre ply retors et replié,
Habit de dueil, vous sert de couverture
Depuis le chef jusques à la ceinture,
Qui s'enfle ainsi qu'un voile, quand le vent
Souffle la barque et la pousse en avant.
De tel habit vous estiez accoustrée,
Partant helas ! de la belle contrée
(Dont aviez eu le Sceptre dans la main)
Lors que pensive, et baignant vostre sein
Du beau cristal de voz larmes roulées,
Tristes marchiez par les longues allées
Du grand jardin de ce royal chasteau
Qui prend son nom de la source d'une eau.

Tous les jardins blanchissoient sous voz voilles,
Ainsi qu'au mast on voit blanchir les toilles
Et se courber bouffantes sur la mer,
Quand les forsats ont cessé de ramer :
Et la galere au gré du vent poussée
Flot desur flot s'en va toute elancée,
Sillonnant l'eau, et faisant d'un grand bruit
Pirouëter la vague qui la suit.

Lors les rochers, bien qu'ils n'eussent point d'âme,
Voyant marcher une si belle dame,
Et les deserts, les sablons et l'estang,
Et maint beau cygne habillé tout de blanc,
Et des hauts pins la cime de vert peinte
Vous contemploient comme une chose sainte,
Et pensoient voir, pour ne rien voir de tel,
Une déesse en habit d'un mortel
Se pourmener, quand l'Aurore estoit née,
Par ces jardins cueillant la matinée,
Et vers le soir, quand desja le Soleil
A chef baissé s'en alloit au Sommeil [...].

Eva Prima Pandora,
« Vanité » de J. Cousin, dit le Père.

Au soir de sa vie, Ronsard dit encore les ravages du temps.

Je n'ay plus que les os, un squelette je semble,
Decharné, denervé, demusclé, depoulpé,
Que le trait de la Mort sans pardon a frappé :
Je n'ose voir mes bras que de peur je ne tremble.

Apollon et son filz, deux grans maistres ensemble,
Ne me sçauroient guerir ; leur mestier m'a trompé.
Adieu, plaisant Soleil, mon oeil est estoupé,
Mon corps s'en va descendre où tout se desassemble.

Quel amy me voyant en ce point despouillé
Ne remporte au logis un oeil triste et mouillé,
Me consolant au lict et me baisant la face,

Et essuiant mes yeux par la Mort endormis ?
Adieu, chers compaignons, adieu, mes chers amis !
Je m'en vay le premier vous preparer la place.

Œuvres complètes (18 vol.) éditées par P. Laumonier, Société des textes de français moderne, Didier. *Les Amours*, éditées par H. Weber, classiques Garnier. *Les Amours*, Poésie/Gallimard. ◊ Raymond Lebègue, *Ronsard*, Hatier. Gilbert Gadoffre, *Ronsard par lui-même*, Ecrivains de toujours/Seuil. Henri Weber, *La Création poétique au XVIe siècle*, Nizet.

louise labé 1524?-1566

Qu'amie de Scève et amante de Magny, Louise Labé ait tissé le lien qui unit l'humanisme lyonnais à la Pléiade, on l'a souvent écrit, oubliant qu'elle n'usa avec maîtrise des formes poétiques à la mode que pour dire, de primesaut et d'une voix qui n'est qu'à elle, le mouvement de ses passions, la brûlure du désir ou, comme dans sa seconde élégie, la nostalgie amère, mortelle et voluptueuse de la séparation :

Tu es, tout seul, tout mon mal et mon bien :
Avec toy tout, et sans toy je n'ay rien :
Et, n'ayant rien qui plaise à ma pensée,
De tout plaisir me treuve délaissée,
Et, pour plaisir, ennui saisir me vient.
Le regretter et plorer me convient,
Et sur ce point entre en tel desconfort,
Que mille fois je souhaite la mort...

Louise Labé fut, déjà, une femme moderne qui, affirmant sa culture, son talent créateur, la liberté de son esprit et de sa vie, refusa les contraintes de la condition féminine, sans cependant renoncer aux prérogatives de son sexe ni aux avantages de la beauté. Fille d'un riche cordier, mariée à un autre cordier, Ennemond Perrin, cette Lyonnaise reçut une éducation brillante. Excellente écuyère — elle se compara elle-même à Marphise, l'héroïne de l'Arioste —, parfaite musicienne, familière des poètes néo-latins et italiens, la Belle Cordière, comme l'appelaient ses amis, aima être admirée, ne cacha point son amour pour Magny — mais que ne dirent sur son compte les nobles dames de Lyon ! — et fit entendre merveilleusement dans son œuvre (trois élégies et vingt-trois sonnets), à travers la prosodie savante de Pétrarque, la langue sensuelle de la vie.

I

O beaux yeux bruns, ô regards destournez,
O chaus soupirs, ô larmes espandues,
O noires nuits vainement attendues,
O jours luisans vainement retournez :

O tristes pleins, ô désirs obstinez,
O tems perdus, ô peines despendues,
O mile morts en mile rets tendues,
O pire maus contre moy destinez :

O ris, ô front, cheveux, bras, mains et doits :
O lut pleintif, viole, archet et vols :
Tant de flambeaux pour ardre une femmelle !

Concert champêtre,
peinture de l'école italienne.

De toy me plein, que, tant de feus portant,
En tant d'endrois, d'iceux mon cuer tatant,
N'en est sur toy volé quelque estincelle.

VIII

Tout aussitôt que je commence à prendre
Dans le mol lit le repos désiré,
Mon triste esprit hors de moy retiré,
S'en va vers toy incontinent se rendre.

Lors m'est avis que dedens mon sein tendre
Je tiens le bien, où j'ay tant aspiré,
Et pour lequel j'ay si haut souspiré
Que de sanglots ay souvent cuidé fendre.

O dous sommeil, ô nuit à moy heureuse !
Plaisant repos plein de tranquillité,
Continuez toutes les nuits mon songe :

Et si jamais ma povre ame amoureuse
Ne doit avoir de bien en vérité,
Faites au moins qu'elle en ait en mensonge.

XIII

Tant que mes yeux pourront larmes espandre
A l'heur passé avec toi regretter :
Et qu'aus sanglots et soupirs resister
Pourra ma voix, et un peu faire entendre :

Tant que ma main pourra les cordes tendre
Du mignart Lut, pour tes graces chanter :
Tant que l'esprit se voudra contenter
De ne vouloir rien fors que toy comprendre :

Je ne souhaitte encore point mourir.
Mais quand mes yeux je sentiray tarir,
Ma voix cassée, et ma main impuissante,

Et mon esprit en ce mortel séjour
Ne pouvant plus montrer signe d'amante :
Prirey la Mort noircir mon plus cler jour.

XVII

Baise m'encor, rebaise moy et baise :
Donne m'en un de tes plus savoureus,
Donne m'en un de tes plus amoureus :
Je t'en rendray quatre plus chaus que braise.

Las, te pleins tu ? ça que ce mal j'apaise,
En t'en donnant dix autres doucereus.
Ainsi meslans nos baisers tant heureus
Jouissons nous l'un de l'autre à notre aise.

Lors double vie à chacun en suivra.
Chacun en soy et son ami vivra.
Permets m'Amour penser quelque folie :

Toujours suis mal, vivant discrettement,
Et ne me puis donner contentement,
Si hors de moy ne fay quelque saillie.

XXIII

Ne reprenez, Dames, si j'ay aimé,
Si j'ay senti mile torches ardentes,
Miles travaux, mile douleurs mordentes.
Si, en pleurant, j'ay mon tems consumé,

Las ! que mon nom n'en soit par vous blamé,
Si j'ay failli, les peines sont presentes,
N'aigrissez point leurs pointes violentes :
Mais estimez qu'Amour, à point nommé,

Sans votre ardeur d'un Vulcan excuser,
Sans la beauté d'Adonis accuser,
Pourra s'il veut, plus vous rendre amoureuses,

En ayant moins que moy d'ocasion,
Et plus d'estrange et forte passion.
Et gardez vous d'estre plus malheureuses !

Elégies et Sonnets, dans *Poètes du XVIe siècle*, présentés par
A.-M. Schmidt, la Pléiade / Gallimard.

rémy belleau 1527?-1577

Né vers 1527 à Nogent-le-Rotrou, Rémy Belleau fut protégé sa vie durant (il mourut en 1577) par les ducs de Lorraine. Condisciple de Jodelle au collège de Boncourt, excellent helléniste, Belleau, après une traduction très ronsardienne d'Anacréon, publia en 1556 les *Petites Hymnes de son invention*. Dans ces poèmes blasons aux strophes légères, il décrit avec une précision de savant, autant qu'il chante en amoureux de la nature, la tortue, l'huître, l'ombre.

LA CERISE

[...] Rien ne se trouve plus semblable
Au cours de la Lune muable,
Rien plus n'imite son labeur
Que ce fruit, avant qu'il soit meur.

Tantost palle, tantost vermeille,
Tantost vers la terre sommeille,
Tantost au ciel leve son cours,
Tantost vieillit en son decours.
Quand le Soleil moüille sa tresse
Dans l'Ocean, elle se dresse :
Le jour, la nuit également
Ell' prend teinture en un moment.

Ainsi ce doux fruit prend naissance,
Prend sa rondeur, prend sa croissance,
Prend le beau vermeillon qui teint
La couleur palle de son teint.

O sage et gentille Nature
Qui contrains dessous la closture
D'une tant delicate peau,
Une gelee, une douce eau,
Une eau confitte, une eau succree,
Une glere si bien serree
De petis rameux entrelas,
Qu'à bon droit l'on ne diroit pas
Que la nature bien apprise
N'eust beaucoup plus en la Cerise
Pris de plaisir, qu'en autre fruit
Que de sa grâce nous produit [...].

Ronsard baptisa Belleau « Peintre de la nature » et l'accueillit dans la constellation poétique de la Pléiade. Après une trop ambitieuse *Bergerie*, Belleau porta son art à la perfection dans *les Amours et*

Nouveaux Eschanges des pierres precieuses, Vertus et Propriétés d'Icelles. Evoquant ses propriétés physiques, esthétiques, ses vertus médicales, astrologiques, il transforme chaque pierre en une sorte de personnage fabuleux dont il fait le plus exact des portraits.

L'ÉMERAUDE

[...] Pierre naïfve et verdoyante
Ainsi que l'herbe rosoyante
Sous la fraicheur d'un beau matin,
Ny blesmissante, ni haslee,
Mais loing du Soleil reculee
Pres d'un ruisselet argentin.

Couleur qui rassemble et rallie
La force des yeux affoiblie
Par trop longs, et soudains regards,
Et qui repaist de flammes douces
Les rayons mornes, las, ou mousses
De nostre oeil, quand ils sont espars.

Couleur belle et gayment brillante,
Couleur en qui se represente
Le fard qui rajeunist les ans,
Lors que les Graces par la pree
Troussent leur robe, diapree
Des honneurs d'un gaillard Printemps.

Couleur, dont jamais ne s'efface
Le teint verdoyant, ny la grace,
Peignant l'air de son lustre beau,
Qui n'affoiblist et ne s'offense
De l'ombre ny de la puissance
Des feux du celeste flambeau.

Couleur vrayment opiniastre,
Qu'on ne peut domter ny combatre,
Tant est constante en sa valeur :
Couleur qui jamais ne s'altere,
Mais tousjours qui demeure entiere
En sa gaye et gente verdeur [...].

Poètes du XVIe siècle, présentés par A.-M. Schmidt, la Pléiade.

étienne de la boétie 1530-1563

Les poèmes d'Etienne de La Boétie, mort à trente-deux ans en 1563, furent publiés d'abord sous le signe de l'amitié. Baïf, non sans les avoir polis (ternis), inséra six sonnets dans un de ses recueils. Montaigne cita au premier livre de ses *Essais* vingt-neuf sonnets que son ami « fit, dit-il, en sa plus verte jeunesse, et eschauffé d'une belle et noble ardeur ». En tout, du reste, La Boétie fut d'une étonnante précocité. Né à Sarlat le 1er novembre 1530, il écrivit entre seize et dix-huit ans un *Discours de la Servitude volontaire* qui fut fort remarqué. Licencié en droit de l'université d'Orléans, il fut nommé à vingt-trois ans conseiller au parlement de Bordeaux, où ses qualités lui valurent d'être chargé de missions délicates. Poète, il célèbre essentiellement, avant et après leur mariage en 1554, son amour pour Marguerite de Carle :

De chanter rien d'autruy meshuy qu'ay je que faire ?
Car de chanter pour moy je n'ay que trop à faire.
Or si je gaigne rien à ces vers que je sonne,

Madame, tu le sçais, ou si mon temps je pers :
Tels qu'ils sont, ils sont tiens : tu m'as dicté mes vers,
Tu les as faicts en moy, et puis je te les donne.

Si La Boétie joue habilement des figures amoureuses alors à la mode, il sait se garder de la préciosité ; de même son érudition ne freine pas un lyrisme aux vibrations sincères et graves.

C'estoit alors, quand les chaleurs passées
Le sale automne aux cuves va foulant,
Le raisin gras dessoubz le pied coulant,
Que mes douleurs furent encommencées.

Le paisan bat ses gerbes amassées,
Et aux caveaus ses bouillants muis roulant,
Et des fruitiers son autonne croulant,
Se vange lors des peines advancées.

Seroi-ce point un presage donné
Que mon espoir est des-ja moissonné ?
Non certes, non ! Mais pour certain je pense,

J'auray, si bien à deviner j'entends,
Si l'on peut rien prognostiquer du temps,
Quelque grand fruict de ma longue esperance.

Poètes du XVIe siècle, présentés par A.-M. Schmidt, la Pléiade.

jean-antoine de baïf 1532-1589

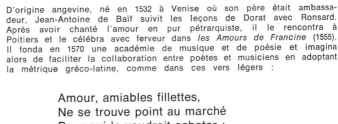

D'origine angevine, né en 1532 à Venise où son père était ambassadeur, Jean-Antoine de Baïf suivit les leçons de Dorat avec Ronsard. Après avoir chanté l'amour en pur pétrarquiste, il le rencontra à Poitiers et le célébra avec ferveur dans *les Amours de Francine* (1555). Il fonda en 1570 une académie de musique et de poésie et imagina alors de faciliter la collaboration entre poètes et musiciens en adoptant la métrique gréco-latine, comme dans ces vers légers :

Amour, amiables fillettes,
Ne se trouve point au marché
Pour qui le voudroit acheter :
— *Aymer il faut pour estre aymé.*
Amour à la penible chasse
Ne s'atrape pas à quester,
Toyles ny rez rien ne lui font :
— *Aymer il faut pour estre aymé.*

Mises en musique, les *Chansonnettes mesurées* charmèrent la cour et la ville. Mais le meilleur de Baïf est dans son adaptation des *Psaumes* et dans certains sonnets des *Amours de Francine.*

Ny m'esloigner du long des plus lointains rivages,
Ny par les monts déserts, tout seulet, m'escarter,
Ny dans les bois obscurs tout le jour m'arrester,
Ny entrer dans le creux des antres plus sauvages,

Ne m'ostent tant à moy, que de toy mille images
Ne viennent à mes yeux par tout se presenter,
Où que je sois caché, me venant tourmenter,
Navrans mes yeux de peur, mon cuer de mille outrages.

Si l'oeil se jette en l'eau, dedans l'eau je te voy ;
Tout arbre par le bois me semble que c'est toy,
Dans les antres, au mont, me recourt ton image.

Or il faut bien qu'Amour soit aislé comme on bruit,
Quand par tout où je fuy, léger il me poursuit,
Toujours devant mes yeux remettant ton visage.

Les Amours de Francine (2 vol.), présentés par E. Caldarini, Droz. *Le Psautier de 1587*, présenté par Yves Le Hir, P.U.F. *Chansonnettes mesurées,* dans *Poètes du XVIe siècle*, présentés par A.-M. Schmidt, la Pléiade / Gallimard.

étienne jodelle 1532-1573

A vingt ans, rénovateur de la tragédie, ordonnateur d'une fête à Dionysos au cours de laquelle de jeunes poètes humanistes offrirent un bouc au dieu païen, Jodelle fut glorieux. A quarante et un ans, en 1573, il mourut dans la misère, et presque oublié. Que s'était-il passé ? Né en 1532 à Paris, de famille bourgeoise, Jodelle fit ses études au collège de Boncourt, sous la direction de Muret, érudit et auteur de belles tragédies en latin. Ses premiers poèmes étonnèrent ses condisciples, Belleau et Grévin. En 1552, après le succès de sa tragédie, *Cléopâtre captive*, les faveurs de la cour lui furent acquises. Bientôt Jodelle gaspilla ses dons multiples de décorateur, metteur en scène et poète, à organiser des fêtes. L'échec d'un spectacle (trop hâtivement monté) que lui avaient commandé les échevins de Paris pour un festin offert à Henry II et au duc de Guise entraîna sa relative disgrâce. Dès lors, instable et douloureux, toujours endetté, il se livra parfois, pour obtenir subsides et pensions, à de tristes palinodies, allant, lui qui penchait pour la Réforme, jusqu'à célébrer les massacres de huguenots. Seules éclairaient sa vie, outre la fréquentation du salon de la maréchale de Retz, de difficiles et peut-être diverses amours dont il faisait confidence à ses vers.

CHANSON

Faut-il, Chanson, que je desemprisonne
Mon mal dans moy prisonnier si long temps ?
Faut-il, Chanson, qu'ores par toy je donne
L'air à ce feu, bourreau de tous mes sens ?
Faut-il restreindre aujourd'huy par les plaintes
La crainte, hélas ! qui les tenait estraintes ?

Faut-il encore, ô Chanson, que je pense
Que tu peux bien porter si loing mon dueil,
En jouyssant pour moy de la presence
De celle, helas ! dont j'ai banni mon oeil ?
Te vantes tu qu'en pouvant voir sa face
Tu pourras voir d'elle sur moy la grace ?

Ainsi qu'on voit dessous les nuicts plus sombres
Les voyageurs endurer mille ennuis :
Ainsi qu'on voit souffrir là-bas les ombres
Des pauvres morts aux infernales nuicts :
Et comme au cul des fosses plus obscures
Les prisonniers souffrent cent peines dures.

Depuis le temps que j'ay senti retraire
De moy les rais d'un flambeau nonpareil :
Depuis le temps que j'ai laissé ma Claire,

Dont la clarté sert d'un second Soleil,
Je sen tel dueil, je sen telles tenebres,
Que mes beaux jours ne sont que nuicts funebres.

Encore ceux-là qui sous la nuict fourvoyent,
Vont esperant de l'aube le retour :
Encor ceux là, qui aux fosses larmoyent,
Esperent voir de jour en jour le jour :
Mais las : mon ame errante et prisonniere
N'ose esperer liberté ne lumiere [...].

Cléopatre captive.
mise en scène de Henri Ronse, 1972

Au temps de la *Cléopâtre captive*, Jacques Tahureau fit un cri de
victoire de l'anagramme d'Etienne Jodelle : *Jo le Délien est né.*
Ronsard salua le génie du dramaturge, si proche du sien, puisque le
chœur de *Cléopâtre* chantant « Tout n'est qu'un songe, une risée /
Un fantosme, une fable, un rien / Qui tient nostre vie amusée / En ce
qu'on ne peut dire sien » module par avance le thème de son
Elégie à Robert de La Haye : « Bref ce n'est qu'inconstance et que
pur mensonge / De nostre pauvre vie, ainçois de nostre songe. »
Jodelle mort, Ronsard jugea que la publication de ses sonnets d'amour
et de contr'amours, placés sous le signe de Diane, la délienne sœur
d'Apollon, ne servait pas sa mémoire. Or ces sonnets où se consume
tout le mystère baroque, où toutes les figures, noires et blanches, de
la dialectique amoureuse trouvent leur exacte correspondance dans le
légendaire mythique, les cartes du ciel et les réseaux du cosmos, sont
sans doute son chef-d'œuvre.

Des astres, des forests, et d'Acheron l'honneur,
Diane, au Monde hault, moyen et bas preside,
Et ses chevaulx, ses chiens, ses Eumenides guide,
Pour esclairer, chasser, donner mort et horreur.

Tel est le lustre grand, la chasse et la frayeur
Qu'on sent sous ta beauté, claire, promte, homicide,
Que le haut Jupiter, Phebus et Pluton cuide
Son foudre moins pouvoir, son arc et sa terreur.

Ta beauté par ses rais, par son rets, par la craincte
Rend l'ame esprise, prise, et au martyre estreinte :
Luy moy, pren moy, tien moy, mais helas ne me pers

Des flambeaux forts et griefs, feux, filez et encombres,
Lune, Diane, Hécate, aux cieux, terre et enfers
Ornant, questant, génant nos Dieux, nous, et nos ombres.

Comme un qui s'est perdu dans la forest profonde
Loing de chemin, d'oree, et d'addresse, et de gens :
Comme un qui en la mer grosse d'horribles vens,
Se voit presque engloutir des grans vagues de l'onde :

Comme un qui erre aux champs, lors que la nuict au
Ravit tout clarté, j'avois perdu long temps   [monde
Voye, route, et lumiere, et presque avec le sens,
Perdu long temps l'object, où plus mon heur se fonde.

Mais quand on voit — ayant ces maux fini leur tour —
Aux bois, en mer, aux champs, le bout, le port, le jour,
Ce bien present plus grand que son mal on vient croire.

Moy donc qui ay tout tel en vostre absence esté,
J'oublie en revoyant vostre heureuse clarté,
Forest, tourmente, et nuict, longue, orageuse, et noire.

Chaque temple en ce jour donne argument fort ample
De joye, refaisant son haut feste sonner,
Et d'un chant gay son chœur et sa nef resonner,
Où chaque image à nu découverte on contemple.

En l'eglise je pren de l'eglise l'exemple,
Je veux le dueil, la peur, la peine abandonner,
Et en blancheur soudain telle noirceur tourner,
Si je te puis sans robe adorer dans ton temple.

Le grand jour de demain disposé d'estre beau
Peut avec un Printemps me tirer du tombeau,
Si de vaincre ma mort tu prens soudaine envie :

Je diray, sans vouloir rien à Dieu comparer,
Que s'il peut revivant nos vies reparer,
Revivant par toymesme, à toy je rendray vie.

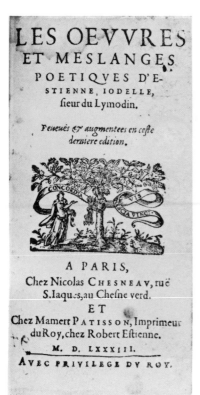

LES OEVVRES
ET MESLANGES
POETIQVES D'E-
STIENNE, IODELLE,
fieur du Lymodin.

Reueuës & augmentees en cefte
derniere edition.

CONCORDIA
NVLLA VINCO

A PARIS,
Chez Nicolas CHESNEAV, ruë
S. Iaqu:s, au Chefne verd.
ET
Chez Mamert PATISSON, Imprimeur
du Roy, chez Robert Eftienne.

M. D. LXXXIII.

AVEC PRIVILEGE DV ROY.

Œuvres complètes (2 vol.), édition établie par Enea Balmas, Gallimard.

jean passerat 1534-1602

Né à Troyes en 1534, Jean Passerat fit une brillante carrière d'humaniste. Elève du latiniste Jean Lescot, il devint professeur au collège
du Plessis, à Paris. Puis il se refit étudiant pour suivre à Bourges
les cours du grand juriste Cujas. En 1572, il fut nommé professeur
d'éloquence au Collège de France. Cet érudit fut sensible aux événements de son temps et dit son horreur des guerres de religion :

Je veus vivre et mourir en ma première foy :
Je ne veus point changer ny de lois ny de Roy :
Nonobstant tout cela je ne puis voir sans larmes

En moins de six estés le mal-heureus François,
Butin de l'estranger, pour la troisiesme fois
Aiguiser contre soy son courage et ses armes.

Poète engagé, il fut l'un des principaux rédacteurs de la *Satire
Ménippée*, dirigée contre ces mêmes ligueurs que ses épigrammes
acérées n'épargnaient pas. Mais Passerat aimait aussi les plaisirs,
les propos joyeux, le ton badin. Poète à la veine souvent facile, ses
meilleures réussites sont ses villanelles, ses chansons.

CHANSON

Belle, ta beauté s'enfuit :
Cueillons ensemble le fruit
De la jeunesse gaillarde.
Pendant qu'en avons le temps,
Rendons nos desirs contens :
Beauté n'est un fruit de garde.

L'âge ennemi des esbas
Tost le faict tomber à bas,
Comme un vent la rose ouverte.
L'amour se paye en aimant :
Aimant donc pareillement
Ne crains d'estre descouverte.

Si du bruit tu prens esmoi,
Nul ne cele mieus que moi
Toute amoureuse entreprise.
Un secret chasseur je suis,
Quand j'ay ce que je poursuis
Jamais je ne corne prise.

L'édition des œuvres poétiques de Passerat par Blanchemain datant
de 1880, on trouvera de ses poèmes dans diverses anthologies.

jacques grévin 1538-1570

Né en 1538 à Clermont-en-Beauvaisis, condisciple de Jodelle au collège
de Boncourt, à dix-huit ans maître ès arts, à vingt ans faisant représenter sa première comédie, Jacques Grévin s'imposa très tôt comme
un esprit étonnamment doué. Ronsard l'encouragea. Pas longtemps. Les
querelles religieuses ruinèrent leur naissante amitié. En 1560, le protestant Grévin, déjà auteur de l'*Olimpe,* dut se réfugier en Angleterre. Rentré en 1561 — entre-temps son éditeur avait été exécuté —, il
devint en 1562 docteur en médecine. Dès lors il polémiqua sur tous
les fronts, scientifique (contre Paracelse) et religieux, défendant les
huguenots contre Ronsard dans un pamphlet d'une violence corrosive.
En 1567, il dut fuir de nouveau. Il mourut en 1570 à Turin, où l'avait
accueilli Marguerite de France, duchesse de Savoie. Ses sonnets de la
Gelodacrye — ou mélange de rire et pleurs — expriment sa foi, et
son opposition à une société soucieuse de parade et éprise d'illusion :

Qu'est-ce de ceste vie ? un public eschafault,
Ou celuy qui sçait mieux jouer son personnage,
Selon ses passions eschangeant le visage,
Est tousjours bien venu, et rien ne luy default.

Et le poète, suppliant Dieu de lui accorder « D'avec la chose vraye
esplucher le mensonge / Qui se masque aisément du nom de
Vérité », répète au long de ses vers son angoisse et son espérance
de croyant.

DELIVRE MOY, Seigneur, de ceste mer profonde
Où je vogue incertain, tire moy dans ton port :
Environne mon cueur de ton rempart plus fort,
Et vien me deffendant des soldats de ce monde :

Envoy'moy ton esprit pour y faire la ronde,
A fin qu'en pleine nuict on ne me face tort,
Autrement, Seigneur Dieu, je voy, je voy la mort
Qui me tire vaincu sur l'oubli de son onde.

Les soldats ennemis qui me donnent l'assault,
Et qui de mon rempart sont montez au plus hault,
Ce sont les arguments de mon insuffisance :

La cause du debat, c'est que trop follement
J'ay voulu compasser en mon entendement
Ton estre, ta grandeur, et ta Toute-Puissance.

Poètes du XVIe siècle, présentés par A.-M. Schmidt, la Pléiade.

g. de salluste du bartas 1544-1590

Né à Montfort près d'Auch en 1544, fils d'un riche marchand qui prit et lui transmit le titre de Sieur Du Bartas, Guillaume de Salluste s'exerça très jeune aux armes et aux lettres. A Toulouse, ce futur cornette de cavalerie, reçut la Violette des jeux floraux (1565) et fut reçu docteur en droit (1567). De confession réformée, protégé par la reine de Navarre Jeanne d'Albret, Du Bartas fut officier de la cour de Navarre et plusieurs fois chargé de missions diplomatiques importantes. Il mourut à Condom en 1590. Ce soldat des guerres de religion, ce juriste actif, ce négociateur habile fut un poète d'une ampleur considérable. Dans sa *Judit*, long poème qui ouvre *la Muse chrestienne* (1574), si certains vers ont déjà des accents raciniens, la description de l'armée d'Holopherne, à l'égal de celles des troupes d'Hamilcar dans *Salammbô*, est une superbe fête sonore. Enfin, dans sa *Premiere Sepmaine* (1578), Du Bartas, sorte de génial Cecil B. De Mille de la poésie baroque, déploie comme un film à grand spectacle la geste de Dieu créant le monde :

[...] Ce premier monde estoit une forme sans forme,
Une pile confuse, un meslange difforme,
D'abismes un abisme, un corps mal compassé,
Un Chaos de Chaos, un tas mal entassé
Où tous les elemens se logeoient pesle-mesle,
Où le liquide avoit avec le sec querelle,
Le rond avec l'aigu, le froid avec le chaut,
Le dur avec le mol, le bas avec le haut,
L'amer avec le doux : brief, durant ceste guerre
La terre estoit au ciel, et le ciel en la terre.
La terre, l'air, le feu se tenoient dans la mer ;
La mer, le feu, la terre estoient logez dans l'air ;
L'air, la mer, et le feu dans la terre ; et la terre
Chez l'air, le feu, la mer. Car l'Archer du tonnerre,
Grand Mareschal de camp, n'avoit encor donné
Quartier à chacun d'eux. Le ciel n'estoit orné
De grand's touffes de feu ; les plaines esmaillees
N'espandoient leurs odeurs ; les bandes escaillees
N'entrefendoient les flots ; des oyseaux les souspirs
N'estoient encor portez sur l'aile des zephyrs.
    Tout estoit sans beauté, sans reglement, sans flame ;
Tout estoit sans façon, sans mouvement, sans ame.
Le feu n'estoit point feu, la mer n'estoit point mer,
La terre n'estoit terre, et l'air n'estoit point air.
Ou, si jà se pouvoit trouver en un tel monde

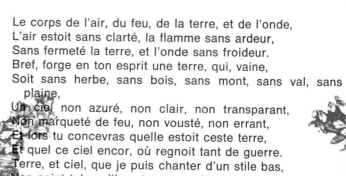

Le corps de l'air, du feu, de la terre, et de l'onde,
L'air estoit sans clarté, la flamme sans ardeur,
Sans fermeté la terre, et l'onde sans froideur.
Bref, forge en ton esprit une terre, qui, vaine,
Soit sans herbe, sans bois, sans mont, sans val, sans
    plaine,
Un ciel non azuré, non clair, non transparant,
Non marqueté de feu, non vousté, non errant,
Et lors tu concevras quelle estoit ceste terre,
Et quel ce ciel encor, où regnoit tant de guerre.
Terre, et ciel, que je puis chanter d'un stile bas,
Non point tels qu'ils estoyent, mais tels qu'ils n'estoient pas.
    Ce n'estoit donc le monde, ains l'unique matière
Dont il devoit sortir, la riche pepiniere
Des beautez de ce Tout, l'embryon qui devoit
Se former en six jours en l'estat qu'on le void.
Et de vray ce monceau confusement enorme
Estoit tel que la chair qui s'engendre, difforme,
Au ventre maternel, et par temps toutesfois
Se change en front, en yeux, en nez, en bouche, en doigts,
Prend icy forme longue, icy large, icy ronde,
Et de soy peu à peu fait naistre un petit monde.
Mais cestuy par le cours de nature se fait
De laid beau, de mort vif, et parfait d'imparfait ;
Et le monde jamais n'eust changé de visage,
Si du grand Dieu sans pair le tout-puissant langage
N'eust comme syringué dedans ses membres morts
Je ne scay quel esprit qui meut tout ce grand corps [...].

Du premier au septième jour, Du Bartas énumère toutes les **créations**
de Dieu (les fleuves, les mers, les saisons, les animaux) et résume en
un seul vers, admirable, l'opération — très chirurgicalement **décrite** — par
laquelle le Seigneur forma la femme d'une côte du premier homme
et la manière dont Adam et Eve se reconnurent comme couple :
« D'un corps Dieu fit deux corps, puis de deux corps un corps. »
« Dans ce cosmos, écrit Albert-Marie Schmidt, tout aspire, tout
s'essore, tout se convulse, tout frétille, tout progresse, tout évolue, tout
se métamorphose. » Ainsi, considérant la genèse comme grosse de tout
le futur, Du Bartas ne dit pas seulement l'apparition des phénomènes
physiques et des êtres vivants, il énumère les propriétés de chacun
ou encore, naviguant dans le temps, il raconte le déluge.

LES EFFETS DU GEL

    Quelquefois il advient que la force du froid
Gele toute la nue, et c'est alors qu'on void
Tomber à grands flocons une celeste laine.
Le bois devient sans fueille et sans herbe la plaine ;
L'univers n'a qu'un teint, et sur l'amas chenu
A grand peine du cerf paroist le chef cornu.
    D'autrefois il survient qu'aussi tost que la nue
Par un secret effort en goutes d'eau se mue,

Que de l'air du milieu l'excessive froideur
Les durcit en boulets, qui tombans de roideur
Quelquefois, o pitié ! sans faucilles moissonnent,
Vendangent sans cousteau, les fruictiers esbourgeonnent,
Desnichent les oiseaux, deshonorent noz bois,
Acravantent noz bœufs, et fracassent noz toicts.

LES VERTUS DE LA VIGNE

Jà la vigne amoureuse accole en mainte sorte
D'un bras entortillé son mary qui la porte —
Vigne qui cede autant à tout arbre en beauté,
Comme tout arbre cede à la vigne en bonté.
Son fruict pris par compas les esprits vivifie,
Enhardit un cuer mol, les cerveaux purifie,
Resveille l'appetit, redonne la couleur,
Les conduits desopile, augmente la chaleur,
Engendre le pur sang, le trouble subtilize,
Chasse les excremens, l'entendement aiguise,
Espierre la vessie et preserve nos corps
Du Lethé jà voisin de cent sortes de mort.

LE DÉLUGE

Jà la terre se perd, jà Neree est sans marge,
Les fleuves ne vont plus se perdre en la mer large,
Eux mesmes sont la mer, tant d'oceans divers
Ne font qu'un ocean, mesme cest univers
N'est rien qu'un grand estang, qui veut joindre son onde
Au demeurant des eaux qui sont dessus le monde.
L'estourgeon costoyant les cymes des chasteaux
S'esmerveille de voir tant de toits sous les eaux.
Le manat, le mulart, s'alongent sur les crouppes
Où n'aguere brouttoyent les sautelantes troupes
Des chevres porte-barbe, et les daufins camus
Des arbres montagnars razent les chefs ramus.
Rien ne sert au levrier, au cerf, à la tigresse,
Au lievre, au cavalot, sa plus viste vistesse :
Plus il cerche la terre, et plus, et plus, helas !
Il la sent, effroyé, se perdre sous ses pas.
Le bievre, la tortue, et le fier crocodile,
Qui jadis jouissoient d'un double domicile,
N'ont que l'eau pour maison, les loups et les agneaux,
Les lyons et les dains voguent dessus les eaux,
Flanc à flanc sans soupçon. Le vautour, l'arondele,
Apres avoir longtemps combatu de leur aile
Contre un certain trespas, enfin tombent lassez
(N'ayans où se percher) dans les flots courroucez.
Quant aux pauvres humains, pense que cestuy gaigne
La pointe d'une tour, l'autre d'une montaigne ;
L'autre pressant un cedre, or des pieds, or des mains,

Adam et Eve au paradis terrestre,
illustrations de l'édition de 1661
des œuvres de Du Bartas.

Ange pleureur de Blosset (1628).
Cathédrale d'Amiens.

A boutees gravit au plus haut de ses raims.
Mais las ! les flots montans, à mesure qu'ils montent,
Soudain qu'ils font arrests, soudain leur chef surmontent.
L'un sur un aiz flotant, hazardeux se commet,
L'autre vogue en un cofre, et l'autre en une met ;
L'autre encor mi-dormant sent de l'eau desbordee
Sa vie et son chalit ravir tout d'une ondee ;
L'autre de pieds et bras par mesure ramant
Resiste à la fureur du flot, qui freschement
A son flanc abisma ses germaines, sa mere,
Le plus cher de ses fils, sa compaigne et son pere.
Mais enfin il se rend, jà las de trop ramer,
A la discretion de l'indiscrete mer.

*Les Français ont un poète, Du Bartas,
qu'ils ne nomment plus ou nomment avec
dédain... Pourtant tout auteur français
devrait porter dans ses armes, sous un
symbole quelconque, comme l'Electeur de
Mayence porte la roue, les sept chants
de la Semaine de Du Bartas.* (Goethe)

Animé par un souffle qu'on ne retrouvera que chez d'Aubigné et
Hugo, l'œuvre torrentielle de Du Bartas, inégale sans doute, mais d'une
imagerie somptueuse, connut en son temps un tel retentissement
qu'elle porta ombre à la gloire de Ronsard. Entièrement occultée par
la réaction classique — au point de passer encore trop souvent pour
confuse et illisible —, elle conserva à l'étranger, notamment dans les
pays protestants, un prestige intact. Ce n'est donc pas hasard si la
seule édition moderne de Du Bartas est britannique.

The Works of G. de Salluste du Bartas, par U.T. Holmes, Chapel Hill,
Oxford (texte français, appareil critique en anglais). ◇ A.-M. Schmidt,
La Poésie scientifique en France au XVIᵉ siècle, Albin Michel.

philippe desportes 1546-1606

De tous les poètes de son temps, Philippe Desportes fut celui qui eut le plus à souffrir des attaques de Malherbe. Celui aussi dont le nom ne fut le moins oublié en raison même de ces attaques et des polémiques que soutint Mathurin Régnier, son neveu, contre le premier des classiques. Aujourd'hui encore, ses œuvres sont éditées avec, en notes, les commentaires de Malherbe, précis, acerbes, souvent injustes, mais armes d'une nouvelle poétique. Desportes, cependant, ne méritait pas tant d'inimitié. Ni tous les honneurs qu'il connut et qui lui valurent d'être pris pour cible. Né à Chartres en 1546, ce fils de négociant, doté d'une éducation d'humaniste et très tôt tonsuré, fit, après quelques aventures de jeunesse qui le menèrent jusqu'en Italie, une carrière brillante. Protégé par Henri III, puis par Henri IV, tout ensemble conseiller, négociateur et poète officiel, il accumula pensions et bénéfices. Sa fortune lui permit une retraite heureuse dans son abbaye de Bonport où il mourut en 1606. Si Malherbe lut de si près son œuvre, c'est qu'il pouvait voir en lui à la fois un mauvais exemple et un prédécesseur. Mauvais exemple en ceci que Desportes, plus soucieux de bien dire que de sentiments vrais (ses *Amours d'Hippolyte*, son chef-d'œuvre par l'éclat des images, furent écrits à la demande d'un gentilhomme amoureux de Marguerite de Valois), se perd dans le raffinement de la dialectique amoureuse. Mais exemple tout de même, car, s'attachant à simplifier le vocabulaire des baroques, à pratiquer une prosodie claire et rigoureuse, il fut bien l'initiateur de Malherbe.

ÉLÉGIE

[...] Or je sçay reconnoistre Amour pour mon vainqueur,
Comme on vit en aimant sans esprit et sans cuer,
Comme on peut receler une douleur mortelle :
Je sçay brûler de loin et geler aupres d'elle :
Je sçay comme le sang vers le cuer s'amassant,
De honte ou de frayeur rend un teint pallissant :
Je sçay de quels filés la liberté s'attache,
Je sçay comme un serpent parmi les fleurs se cache,
Comme on peut sans mourir mille morts esprouver,
Chercher mon ennemie et craindre à la trouver.

Je sçay comme l'amant en l'amante se change,
Et comme au gré d'autruy de soy mesme on s'estrange,
Comme on se plaist au mal, comme on veille en dormant,
Comme on change d'estat cent fois en un moment :
Je sçay comme Amour volle errant de place en place,
Comme il frappe les cuers avant qu'il les menace,
Comme il se paist de pleurs et de soupirs ardans,
Enfant dous de visage, et cruel au dedans
Qui de traits venimeux et de flames se jouë,
Et comme instablement il fait tourner sa rouë.

Je sçay des amoureux les changements divers,
Leurs pensers incertains, leurs desirs plus couvers,
Leur malheur asseuré, leur douteuse esperance,
Leurs mots entrerompus, leur prompte meffiance,
Leurs discordans accords, leurs regrets et leurs pleurs,
Et leurs trop courts plaisirs pour si longues douleurs.

Bref, je sçay pour mon mal, comme une telle vie,
Inconstante, incertaine, à tous maux asservie
S'égare au labyrinth de diverses erreurs,
Sujette à la rigueur de toutes les fureurs :
Et comme un chaud desir, qui l'esprit nous allume,
Enfielle un peu de miel de beaucoup d'amertume.

SONNET

Celui que l'Amour range à son commandement
Change de jour en jour de façon differente :
Helas ! j'en ai bien fait mainte preuve apparente,
Ayant été par lui changé diversement.

Je me suis vu muer, pour le commencement,
En cerf qui porte au flanc une flêche sanglante ;
Après je devins cygne, et d'une voix dolente,
Je presageai ma mort, me plaignant doucement.

Depuis, je devins fleur, languissante et penchée :
Puis je fus fait fontaine, aussi soudain sechée,
Epuisant par mes yeux toute l'eau que j'avois.

Or je suis salamandre et vis dedans la flamme :
Mais j'espere bientôt me voir changer en voix,
Pour dire incessamment les beautés de ma dame.

Toute l'œuvre profane de Desportes a été rééditée chez Droz par les soins de Victor E. Graham. Parmi les sept volumes, on lira de préférence : *Les Amours d'Hippolyte, Les Amours de Diane, Elégies, Cléonice et dernières amours.*

agrippa d'aubigné 1552-1630

De Scève à d'Aubigné, la poésie du XVIe siècle bascule du blanc au noir, d'un idéalisme sensuel à un réalisme visionnaire. Les deux poètes cependant, celui de la parole resserrée et celui de l'invective torrentielle, appartiennent au même monde, à la même culture humaniste et platonisante. Mais, dans le temps qui sépare la *Délie* des *Tragiques*, l'histoire a ouvert la terrible brèche des guerres de religion. Ces guerres, le protestant d'Aubigné les a vécues, et, bien qu'il ait occupé de hautes fonctions — maréchal de camp d'Henri de Navarre, gouverneur de Maillezais — et qu'il entendît le grec, les mathématiques et la théologie, il ne fut dans ses vers ni courtisan ni philosophe, mais bien un poète engagé. Né en 1552 en Saintonge, Théodore-Agrippa d'Aubigné avait huit ans quand, à Amboise, son père, lui montrant des têtes de huguenots accrochées à des potences, lui fit jurer de venger ces martyrs. A seize ans il rejoignait l'armée protestante et, en 1569, se battait vaillamment à La Roche d'Abeille et à Pons. En 1573, Henry de Navarre en fit son écuyer. L'année précédente, Agrippa, qui avait, par chance, échappé à la Saint-Barthélemy, s'étais épris de Diane Salviati, nièce de la Cassandre de Ronsard, et avait écrit pour elle les poèmes (*l'Hécatombe à Diane, Stances* et *Odes*) qu'il réunira dans *le Printemps*. Si ces vers, dans l'expression de l'amour, trahissent parfois l'admirateur de Ronsard, le lecteur de Desportes, le ton de d'Aubigné, le choix de ses images sont d'un poète pour qui le tragique de l'existence n'est pas une figure littéraire.

A DIANE

Auprès de ce beau teinct, le lys en noir se change,
Le laict est bazané auprès de ce beau teinct,
Du signe la blancheur auprès de vous s'esteinct
Et celle du papier où est vostre louange.

Le succre est blanc, et lorsqu'en la bouche on le range
Le goust plaist comme fait le lustre qui le peinct.
Plus blanc est l'arsenic, mais c'est un lustre feinct,
Car c'est mort, c'est poison à celuy qui le mange.

Vostre blanc en plaisir teint ma rouge douleur.
Soyez douce du goût comme belle en couleur,
Que mon espoir ne soit desmenty par l'espreuve,

Vostre blanc ne soit point d'aconite noircy,
Car ce sera ma mort, belle, si je vous trouve
Aussi blanche que neige et froide tout ainsi.

STANCES

[...] Les piteuses forestz pleurent de mes ennuys,
Les vignes, des ormeaux les cheres espousées,
Gemissent avecq' moy et font pleurer leurs fruitz

Diane chasseresse,
par Nicolo dell'Abate.

Mille larmes, au lieu des tandrettes rosées
Qui naissoient de l'aurore à la fuitte des nuitz.

Les grans arbres hautains au milieu des forestz
Oyant les arbrisseaux qui mes malheurs degoutent,
Mettent chef contre chef, et branches près après,
Murmurent par entre eux et mes peines s'acoutent,
Et parmy eux fremit le son de mes regretz.

Les rochers endurcis où jamais n'avaient beu
Les troupeaux alterez, avortez de mes pennes
Sont fondus en ruisseaux aussi tost qu'il m'ont veu.
Les plus steriles mons en ont ouvert leurs vaines
Et ont les durs rochers montré leur sang esmeu.

Les chesnes endurcis ont hors de leur saison
Sué, me ressentant aprocher, de cholere,
Et de couleur de miel pleurerent à foison,
Mais cest humeur estoit pareil à ma misere,
Essence de mon mal aigre plus que poison.

Les taureaux indomptez mugirent à la voix
Et les serpens esmeuz de leurs grottes sifflerent,
Leurs tortillons grouillans là sentirent les loix
De l'amour ; les lions, tigres et ours pousserent,
Meuz de pitié de moy, leurs cris dedans les bois.

Alors des cleres eaux l'estoumac herissé
Sentit jusques au fons l'horreur de ma presence,
Esloignant contre bas flot contre flot pressé ;
Je fuis contre la source et veulx par mon absence
De moy mesme fuyr, de moy mesme laissé.

Mon feu mesme embrasa le sein moite des eaux,
Les poissons en sautoient, les Nimphes argentines
Tiroient du fons de l'eau des violans flambeaux,
Et enflant d'un doux chant contre l'air leurs poitrines,
Par pitié gazouilloient le discours de mes maux.

O Saine ! di je alors, mais je n'y puis aller,
Tu vas, et si pourtant je ne t'en porte envie,
Pousser tes flotz sacrés, abbreuver et mouiller
Les mains, la bouche et l'oeil de ma belle ennemie.
Et jusques à son cueur tes undes devaler.

Quand Henry de Navarre, montant sur le trône de France, abjura le protestantisme, d'Aubigné, qui avait été à ses côtés dans tous les combats de la guerre civile, lui garda sa fidélité, mais prit ses distances, vivant à Maillezais et rédigeant dans le calme son *Histoire universelle*. En 1616, indigné par la paix de Loudun, il publia *les Tragiques*, long poème qu'il avait dicté en 1577, alors qu'il soignait les blessures reçues à Casteljaloux. En 1620, il s'exila à Genève où il mourut en 1630. Ecrits dans la souffrance et la colère, les sept chants des *Tragiques* disent la misère de la France, dénoncent les erreurs des princes et, dans le cinquième livre, *les Fers*, les horreurs des massacres, dont celui de la Saint-Barthélemy.

Voici venir le jour, jour que les destinees
Voyoyent à bas sourcils glisser de deux annees,
Le jour marqué de noir, le terme des appas,
Qui voulut estre nuict et tourner sur ses pas :
Jour qui avec horreur parmi les jours se conte,
Qui se marque de rouge et rougit de sa honte.
L'aube se veut lever, aube qui eut jadis
Son teint brunet orné des fleurs du paradis ;
Quand, par son treillis d'or, la rose cramoisie
Esclatoit, on disoit : « Voici ou vent, ou pluye. »
Cett'aube que la mort vient armer et coiffer
D'étincelants brasiers ou de tisons d'enfer,
Pour ne dementir point son funeste visage
Fit ses vents de souspirs, et de sang son orage.
Elle tire en tremblant du monde le rideau,
Et le soleil voyant le spectacle nouveau
A regret esleva son pasle front des ondes,
Transi de se mirer en nos larmes profondes,
D'y baigner ses rayons ; oui, le pasle soleil
Presta non le flambeau, mais la torche de l'oeil,
Encor pour n'y montrer le beau de son visage
Tira le voile en l'air d'un louche, espais nuage.
[...]
Ce jour voulut montrer au jour par telles choses

Quels sont les instrumens, artifices et causes
Des grands arrests du ciel. Or des-ja vous voyez
L'eau couverte d'humains, de blessez mi-noyez,
Bruyant contre ses bors la detestable Seine,
Qui, des poisons du siècle à ses deux chantiers pleine,
Tient plus de sang que d'eau ; son flot se rend caillé,
A tous les coups rompu, de nouveau resouïllé
Par les précipités : le premier monceau noye,
L'autre est tué par ceux que derniers on envoye ;
Aux accidens meslés de l'estrange forfait
Le tranchant et les eaux debattent qui l'a fait.
Le pont, jadis construit pour le pain de sa ville,
Devint triste eschafaut de la fureur civile :
On void à l'un des bouts l'huis funeste, choisi
Pour passage de mort, marqué de cramoisi ;
La funeste vallee, à tant d'agneaux meurtriere,
Pour jamais gardera le titre de Misere,
Et tes quatre bourreaux porteront sur leur front
Leur part de l'infamie et de l'horreur du pont,
Pont, qui eut pour ta part quatre cens precipices !
Seine veut engloutir, louve, tes édifices :
Une fatale nuict en demande huict cens,
Et veut aux criminels mesler les innocens.
[...]
Charles tournoit en peur par des regards semblables
De nos princes captifs les regrets lamentables,
Tuoit l'espoir en eux, en leur faisant sentir
Que le front qui menace est loin du repentir.
Aux yeux des prisonniers le fier changea de face,
Oubliant le desdain de sa fiere grimace,
Quand, apres la semaine, il sauta de son lict,
Esveilla tous les siens pour entendre à minuit
L'air abayant de voix, de tel esclat de plaintes
Que le tyran cuidant les fureurs non esteintes
Et qu'apres les trois jours pour le meurtre ordonnés
Se seroyent les felons encore mutinés,
Il despescha partout inutiles deffenses :
Il void que l'air seul est l'echo de ses offenses,
Il tremble, il fait trembler par dix ou douze nuicts
Les cuers des assistants, quels qu'ils fussent, et puis
Le jour effraye l'oeil quand l'insensé descouvre
Les corbeaux noircissans le pavillon du Louvre.

Au cœur de cette vision apocalyptique des massacres — la description de la Saint-Barthélemy n'étant qu'un épisode de ce cinquième livre où l'on voit les fleuves français se transformer en « déluges de sang » — la folie du roi est déjà signe de justice. Affirmation d'une foi, le long poème des *Tragiques*, avec sa démesure presque unique dans notre poésie et que ne sauront admettre les classiques, s'achève au septième livre par le Jugement Dernier : la résurrection des corps, le châtiment des tyrans, la récompense des justes.

Le massacre des protestants, à Vassy,
le 1ᵉʳ mars 1562.

LA RÉSURRECTION

C'est fait, Dieu vient regner : de toute prophetie
Se void la periode à ce poinct accomplie.
La terre ouvre son sein, du ventre des tombeaux
Naissent des enterrés les visages nouveaux :
Du pré, du bois, du champ, presque de toutes places
Sortent les corps nouveaux et les nouvelles faces.
Ici les fondemens des chasteaux rehaussés
Par les ressuscitans promptement sont percés ;
Ici un arbre sent des bras de sa racine
Grouiller un chef vivant, sortir une poictrine ;
Là l'eau trouble bouillonne, et puis s'esparpillant
Sent en soy des cheveux et un chef d'esveillant.
Comme un nageur venant du profond de son plonge,
Tous sortent de la mort comme l'on sort d'un songe.
Les corps par les tyrans autresfois deschirés
Se sont en un moment en leurs corps asserrés,
Bien qu'un bras ait vogué par la mer escumeuse
De l'Afrique bruslee en Tyle froiduleuse.
Les cendres des bruslés volent de toutes parts ;
Les brins plustots unis qu'ils ne furent espars

Viennent à leur posteau, en cette heureuse place,
Rians au ciel rians d'une agréable audace.
   Le curieux s'enquiert si le vieux et l'enfant
Tels qu'ils sont jouïront de l'estat triomphant,
Leurs corps n'estant parfaicts, ou desfaicts en vieillesse ?
Sur quoi la plus hardie ou plus haute sagesse
Ose presupposer que la perfection
Veut en l'aage parfait son eslevation,
Et la marquent au poinct des trente trois annees
Qui estoyent en Jesus clauses et terminees
Quand il quitta la terre et changea, glorieux,
La croix et le sepulchre au tribunal des cieux.
   Venons de cette douce et pieuse pensee
A celle qui nous est aux saincts escrits laissee.
   Voici le Fils de l'homme et du grand Dieu le Fils,
Le voici arrivé à son terme prefix.
Des-jà l'air retentit et la trompette sonne,
Le bon prend asseurance et le meschant s'estonne.
Les vivants sont saisis d'un feu de mouvement,
Ils sentent mort et vie en un prompt changement,
En une periode ils sentent leurs extremes ;
Ils ne se trouvent plus eux mesmes comme eux mesmes,
Une autre volonté et un autre sçavoir
Leur arrache des yeux le plaisir de se voir,
Le ciel ravit leurs yeux : des yeux premiers l'usage
N'eust pu du nouveau ciel porter le beau visage.
L'autre ciel, l'autre terre ont cependant fuï,
Tout ce qui fut mortel se perd esvanouï.
Les fleuves sont sechés, la grans mer se desrobe,
Il falloit que la terre allast changer de robe.
Montagnes, vous sentez douleurs d'enfantemens ;
Vous fuyez comme agneaux, ô simples elemens !
Cachez vous, changez vous ; rien mortel ne supporte
Le front de l'Eternel ni sa voix rude et forte.
Dieu paroist : le nuage entre luy et nos yeux
S'est tiré à l'escart, il s'est armé de feux ;
Le ciel neuf retentit du son de ses louanges ;
L'air n'est plus que rayons tant il est semé d'Anges,
Tout l'air n'est qu'un soleil ; le soleil radieux
N'est qu'une noire nuict au regard de ses yeux,
Car il brusle le feu, au soleil il esclaire,
Le centre n'a plus d'ombre et ne fuit sa lumière [...]

Œuvres, édition établie par H. Weber, la Pléiade / Gallimard. *Le Printemps* (2 vol. : *L'Hécatombe à Diane* par B. Gagnebain, *Stances et Odes* par E. Droz et F. Desonay), Droz. *Les Tragiques*, édition établie par Plattard et Garnier, Didier. *Les Tragiques*, présentés par J. Bailbé, Garnier-Flammarion. ◊ Jeanne Galzy, *Agrippa d'Aubigné*, « Leurs figures » / Gallimard. A.-M. Schmidt, *Aubigné, lyrique baroque*, Mazenod. Marguerite Yourcenar, *Sous bénéfice d'inventaire*, Gallimard. Jean Rousselot, *Agrippa d'Aubigné*, Seghers. J. Bailbé, *Agrippa d'Aubigné, poète des Tragiques*, faculté des Lettres de Caen.

m. de papillon de lasphrise 1555-1599

Le Paladin heureux couronnera son chef
De Palmes, de Lauriers de Myrtes & de Charmes
Il me suffit qu'ils soyent à l'entour de mes armes,
N'ayant eu pour tous biens qu'honorable méchef.

Marcus adest Papillon Dominum quem Sphrisia tellus
Noscit, qui genium noscere metra legat.

SI les poètes du XVIe siècle jouent pour chanter l'amour de toutes les figures d'une symbolique savante, le raffinement de leurs images, loin de la masquer, révèle souvent une sensualité violente. Mais, rejetant les pudeurs de convention, plus d'un (à commencer par Ronsard et Jodelle) se plaît à énumérer les délices de l'érotisme. Etranger aux milieux littéraires, mais lecteur de Ronsard, de Desportes et des pétrarquistes, Marc de Papillon, capitaine de Lasphrise, fut le poète du plaisir, qu'il exprima tantôt avec un franc réalisme, voire une verte crudité, tantôt, comme dans les *Stances de la délice d'Amour*, avec une élégance transparente :

Je ne desire pas que l'on cueille mon fruict
Comme un peuple ignorant dedans l'ombreuse nuict
Ni comme un courtisan tant à la desrobée
Au solitaire bois au gasouil des oiseaux
Il me plaist fort le jour et le soir aux ruisseaux
La Royne de beauté naquit de la marée

Le capitaine de Lasphrise (né près d'Amboise en 1555, mort en 1599) fut un soudard vigoureux du parti catholique, redoutablement connu durant les guerres civiles dans les provinces de l'Ouest. Mais, quand les armes reposaient, ce mercenaire lettré poursuivait d'autres conquêtes, disant en vers ses désirs, ainsi dans les poèmes de *l'Amour passionnée de Noémie* :

Jamais ne me verray-je apres tant de regrets
Nager à mon plaisir dedans l'Amoureuse onde,
Pignotant, frisottant ta chevelure blonde
Pressottant, sucçottant ta bouchette d'oeillets :

Mignottant, langottant, ammorcillant l'accés,
Mordillant ce teton — petite pomme ronde —
Baisottant ce bel oeil — digne Soleil du monde —
Follastrant dans ces draps delicatement nets ?

Ne sentiray-je point avec mille caresses
Le doux chatouillement des plus douces liesses ?
Ne seray-je Amoureux mignonnement aimé,

Recevant le guerdon de mes loyaux services,
Remuant, estreignant, mignardant les delices,
Haletant d'aise, espris, vaincu, perdu, pasmé ?

Poètes du XVIe siècle, présentés par A.-M. Schmidt, la Pléiade Gallimard. ◊ A.-M. Schmidt, *Etudes sur le XVIe siècle*, Albin Michel.

jean de sponde 1557-1595

Poète de l'inquiétude, de la tentation repoussée et de la sérénité fiévreusement poursuivie, ornement du baroque protestant, Jean de Sponde eut, après une carrière politique brillante, une fin misérable. Né à Mauléon en 1557, fils d'un fonctionnaire de la cour de Jeanne d'Albret, il obtient en 1580, d'Henry de Navarre, une bourse d'études pour Bâle où il se passionne pour l'alchimie. A cette époque, il écrit ses premiers poèmes, des *Amours* qu'il désavouera, mais où se manifeste à travers une rhétorique habilement empruntée son tempérament déchiré :

Un chagrin survenant mille chagrins m'attire,
Et me cuidant aider moy-mesme je me nuis ;
L'infini mouvement de mes roulans ennuis
M'emporte, et je le sens, mais je ne le puis dire.
Je suis cet Acteon de ses chiens deschiré !
Et l'esclat de mon ame est si bien attéré
Qu'elle, qui me devrait faire vivre, me tuë :

En 1582, se détournant des exercices futiles, il commence à rédiger ses belles *Méditations sur les Pseaumes* que, suivies de l'*Essay de quelques poèmes chrestiens* où s'affirme tout son génie, il dédiera au roi de Navarre dont il est conseiller et maître des requêtes. Cependant que son œuvre connaît un grand retentissement dans le monde calviniste, lui-même traverse des années de trouble spirituel marquées par deux emprisonnements comme hérétique (à Paris en 1589 et à Tours en 1593) et par d'amers déboires dans ses fonctions de lieutenant général de la sénéchaussée, à La Rochelle. En 1593, il se convertit au catholicisme, suivant ainsi l'exemple donné par son maître Henri IV, qui ne lui en sut nul gré. Sponde mourra dans la misère en 1595 à Bordeaux, alors qu'il travaillait à une réfutation du successeur de Calvin, Théodore de Bèze. Ses *Poèmes chrétiens*, dont une partie est méditation sur la mort, demeurèrent donc sa grande œuvre.

STANCES DE LA MORT

[...] Ce monde, qui croupist ainsi dedans soy-mesme,
N'esloigne point jamais son cuer de ce qu'il aime,
Et ne peut rien aimer que sa difformité.

Mon esprit, au contraire, hors du Monde m'emporte,
Et me fait approcher des Cieux en telle sorte
Que j'en fay desormais l'amour à leur beauté.

Mais je sens dedans moy quelque chose qui gronde,
Qui fait contre le Ciel le partisan du Monde,

Tombeau de René de Chalons,
par Ligier Richier,
église Saint-Pierre, Bar-le-Duc. ▷

84

Qui noircist ses clartez d'un ombrage touffu.

    L'Esprit, qui n'est que feu, de ses desirs m'enflamme,
Et la Chair, qui n'est qu'eau, pleut des eaux sur ma flamme,
Mais ces eaux là pourtant n'esteignent point ce feu.

    La Chair, des vanitez de ce Monde pipée,
Veut estre dans sa vie encor envelopée,
Et l'Esprit pour mieux vivre en souhaite la mort.

    Ces partis m'ont reduit en un peril extresme :
Mais, mon Dieu, prens parti dans ces partis toy-mesme,
Et je me rengeray du parti le plus fort.

    Sans ton aide, mon Dieu, ceste Chair orgueilleuse
Rendra de ce combat l'issuë perilleuse,
Car elle est en son regne, et l'autre est estranger.

    La Chair sent le doux fruit des voluptez presentes,
L'Esprit ne semble avoir qu'un espoir des absentes.
Et le fruit pour l'espoir ne se doit point changer.

    Et puis si c'est la main qui façonna le Monde,
Dont la riche Beauté à ta Beauté responde,
La Chair croit que le Tout pour elle fust parfait.

    Tout fust parfait pour elle, et elle d'avantage
Se vante d'estre, ô Dieu, de tes mains un ouvrage,
Hé ! defairois-tu donc ce que tes mains ont fait ?

    Voila comme l'effort de la charnelle ruse
De son bien pour son mal ouvertement abuse,
En danger que l'Esprit ne ploye en fin sous luy.

    Viens donc, et mets la main, mon Dieu, dedans ce trouble,
Et la force à l'Esprit par la force redouble :
Un bon droit a souvent besoin d'un bon appuy

SONNETS DE LA MORT

VI

Tout le monde se plaint de la cruelle envie
Que la Nature porte aux longueurs de nos jours :
Hommes, vous vous trompez, ils ne sont pas trop cours,
Si vous vous mesurez au pied de vostre vie.

Mais quoy ? je n'entens point quelqu'un de vous qui die :
Je me veux despestrer de ces fascheux destours,
Il faut que je revole à ces plus beaux sejours,
Où sejourne des Temps l'entresuitte infinie.

Beaux sejours, loin de l'oeil, pres de l'entendement,
Au prix de qui ce Temps ne monte qu'un moment,
Au prix de qui le jour est un ombrage sombre,

Vous estes mon desir : et ce jour, et ce Temps,
Où le Monde s'aveugle et prend son passetemps,
Ne me seront jamais qu'un moment et qu'une Ombre.

VIII

Voulez-vous voir ce trait qui si roide s'eslance
Dedans l'air qu'il poursuit au partir de la main ?
Il monte, il monte, il perd : mais helas ! tout soudain
Il retombe, il retombe, et perd sa violence.

C'est le train de nos jours, c'est ceste outrecuidance
Que ces Monstres de Terre allaittent de leur sein,
Qui baise ores des monts le sommet plus hautain,
Ores sur les rochers de ces vallons s'offence.

Voire, ce sont nos jours : quand tu seras monté
A ce poinct de hauteur, à ce poinct arresté
Qui ne se peut forcer, il te faudra descendre.

Le trait est empenné, l'air qu'il va poursuyvant
C'est le champ de l'orage : hé ! commence d'apprendre
Que ta vie est de Plume, et le monde de Vent.

XII

Tout s'enfle contre moy, tout m'assaut, tout me tente,
Et le Monde et la Chair, et l'Ange revolté,
Dont l'onde, dont l'effort, dont le charme inventé
Et m'abisme, Seigneur, et m'esbranle, et m'enchante.

Quelle nef, quel appuy, quelle oreille dormante,
Sans peril, sans tomber, et sans estre enchanté,
Me donras-tu ? Ton Temple où vit la Sainteté,
Ton invincible main, et ta voix si constante ?

Et quoy ? mon Dieu, je sens combattre maintesfois
Encor avec ton Temple, et ta main, et ta voix,
Cest Ange revolté, ceste Chair, et ce Monde.

Mais ton Temple pourtant, ta main, ta voix sera
La nef, l'appuy, l'oreille, où ce charme perdra,
Où mourra cest effort, où se perdra ceste onde.

Poésies, édition établie et présentée par F. Ruchon et A. Boase, Cailler.

jean-baptiste chassignet 1570-1635

Né à Besançon vers 1570, Chassignet était docteur en droit et fut jusqu'à sa mort, en 1635, conseiller et avocat fiscal au baillage de Gray. Son œuvre — qu'il écrivit très jeune — nous dit ses misères, ses obsessions, ses hantises. Après une adolescence vouée aux filles et qui le laisse malade (« A suivre des putains la convoiteuse amorse / Je n'ay plus de vigueur et mes ners affoiblis / Sans mouvemens recreus ne font plus leurs replis »), il découvre à vingt ans Dieu et le repentir. Il écrit, et publie en 1594, *le Mespris de la vie et consolation contre la mort*, longue suite de poèmes somptueux, violents, dramatiques et morbides où s'exaspère une imagination suprêmement baroque.

Toute chose aisément retourne à sa nature,
Ainsi la gresle en bas tombe d'un viste saut,
Ainsi le feu leger gaigne toujours le haut,
Et l'air pour saillir hors sous la terre murmure :

Ainsi l'esprit froissant la mortelle closture
Du cors appesantis, promt, leger, vif et chaud
Aspirant vers le ciel, fait que le cors deffaut
Comme lourd, et grossier, dedans la sepulture :

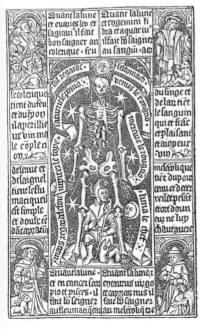

L'homme de terre né, en terre cheminant
Terrestre vit de terre, et vers terre inclinant
Retournant à la terre, en la terre se change ;

Attendant en tel point que l'esprit eternel
Devant un jour rentrer au monument charnel
Sa terre purifie, et le face un bel Ange.

Ce monde que tu crains, Mondain, n'est autre chose
Que ta mauvaise vie où, par le feu soudain,
Nous est représenté le convoiteus humain,
Et l'eau devant nos yeus l'inconstance propose ;

La terre est l'avarice en nos ames enclose,
L'air la legereté et le jugement vain,
Les rues et les caillous, l'orgueil et le dedain,
Nos esbas et plaisirs, la feuille d'une rose.

La mer ce sont nos cuers, nos pensers excitez
Sont les arbres hautains, en nos prosperitez
Le Soleil est conneu, la Lune vagabonde,

Ce sont nos changements, le prince, c'est Sathan
Qui, fait audacieus par la cheute d'Adam,
Fait à la fin mourir le monde dans le monde.

Dans le même temps, vers 1592, Chassignet rédigeait de sensuelles et subtiles variations sur le *Cantique des Cantiques*. Albert-Marie Schmidt en retrouva le manuscrit et publia, dans *les Lettres nouvelles*, des extraits de la première partie, *Amours de Salomon et de Sunamite*. Sunamite parle :

Que de mille baisers de sa bouche embasmée
Il restaure mon cuer Celui que j'aime tant
O Roi de mes désirs il n'est vin qui autant
Que tes sucrez amours plaise à ta bien-aimée

Par tes odeurs flairantz mille roses nouvelles
Tu te rens agreable et gracieus à tous
Ton nom ainsi que l'huile espandu semble dous
Et ravit tout partout les ames aus pucelles

Avec tes vifs attraits à toi la mienne attire
Et plus vite que vent je courrai devers toi
J'ai la faveur d'entrer au cabinet du Roi
Qui me reçoit toujours avec un dous sourire

J'aurai mille plaisirs de le voir face à face
Et de cent mille esbatz je me resjouirai
Pour ses friands baisers le vin je laisserai
Car tout cœur droiturier aspire avoir sa grace

O filles de Sion je suis brune mais belle
Aus tentes de Cedar ressemble ma beauté
Voire au poil roial de rubis marqueté
Du grand filz de David : mon roi m'aime bien telle

Plus loin, Salomon dit :

Je suis le beau Rosier prince des Violettes
Et le Lis qui sa teste aus vallons va haussant
Comme entre les buissons il monte en accroissant
Mamie est l'outrepasse et Reine des fillettes

Le Mespris de la vie et consolation contre la mort, édité par H.J. Lope, Droz. ◊ A.-M. Schmidt, *Etudes sur le XVI* siècle, Albin Michel.

jean de la ceppède 1550?-1622

Poète trop méconnu, mais l'un des plus grands de notre langue, dont il use comme d'une matière somptueuse pour donner corps à ses visions, sang et chair à son savoir, à ses extases, Jean de La Ceppède est un peu notre John Donne. Mais, poète métaphysique, ce méridional, ami de Malherbe qui préfaça ses *Théorèmes* et les admirait, se double d'un précieux ; Marcel Raymond le range justement parmi les maniéristes, au premier rang desquels son génie le place avec Sponde et Fiefmelin. Chez lui, comme chez les peintres de la Contre-Réforme, la quête du divin passe par l'exaltation des couleurs, des douleurs et du spectacle de la vie, spectacle dont l'histoire sainte apparaît comme la représentation exemplaire :

Les cornetes du Roy volent par la campaigne,
La Croix mystérieuse éclate un nouveau jour,
Où l'Autheur de la chair, de sa chair s'accompaigne
Et fait de son Gibet un Theatre d'Amour.

Après les *Imitations des Pseaumes de la penitence de David*, parues en 1594, La Ceppède publia à Toulouse la première partie de ses *Théorèmes spirituels* en 1613, la seconde en 1621. Méditation, épopée, fresque pathétique et savante sur la passion, la gloire et l'ascension du Christ, les *Théorèmes* se présentent comme une extraordinaire suite de poèmes dont chacun est suivi de son commentaire. Usant de la forme la plus close, La Ceppède a su faire de ses sonnets les fragments d'une continuité brisée et organiser leur succession comme un fantastique jeu de miroirs, à l'intérieur duquel les images s'appellent, se répondent, se poursuivent, sans que la perfection et l'intégrité d'aucune d'elles s'en trouvent jamais altérées.

Cette rouge sueur goutte à goutte roulante
Du corps de cet athlète en ce rude combat,
Peut estre comparée à cette eau douce et lente
Qui la sainte montagne en silence rebat.

L'aveugle nay (qui mit tous les siens en debat
Pour ses yeux) fut lavé de cette eau doux-coulante,
Et dans le chaud lavoir de cette onde sanglante
Toute l'aveugle race en liberté s'esbat.

Et l'un, et l'autre bain ont redonné la veuë.
Siloé du pouvoir dont le Christ la pourveuë :
Et cettuy-ci de sang de son propre pouvoir.

Aussi ce rare sang est la substance mesme
De son cuer, qui pour faire à nuict ce cher lavoir
Fond comme cire au feu de son amour extreme.

La Flagellation, peinte par Le Caravage, appartient au même esprit baroque que les poèmes de La Ceppède.

En cette angoisse donc le Messie eslançoit
Vers l'Olympe ses voeux pour franchir ce Calice
Et le vif sentiment de son prochain Supplice,
Son sang attenüé hors des vases poussoit.

La mort n'est pas pourtant ce qui plus le pressoit ;
Car bien qu'il la craignit elle estoit sa délice.
La scandale des siens, l'hebraïque malice,
La douleur maternelle au double l'offensoit.

Puis outre la douleur dont son ame est outrée,
Estant le vray Pontife et proche de l'entrée
Du nouveau Tabernacle, il lui faloit du sang.

Il en verse, mais c'est, non du sang des victimes
(Comme faisoient jadis ceux qui tenoient ce rang)
Mais de cil qu'il espreint de ses veines intimes.

A ces deux sonnets qui se suivent dans le premier livre font écho
dans le second ces deux autres, liés jusque dans le retour des rimes.

O Royauté tragique ! ô vestement infame !
O poignant Diademe ! ô Sceptre rigoureux !

O belle et chere teste ! ô l'amour de mon ame !
O mon Christ seul fidele, et parfait amoureux

On vous frappe, ô sainct chef, et ces coups douloureux
Font que vostre Couronne en cent lieux vous r'entame.
Bourreaux assenez le d'une tranchante lame,
Et versez tout à coup ce pourpre genereux.

Faut-il pour une mort qu'il en souffre dix mille ?
Hé ! voyez que le sang, qui de son chef distille
Ses prunelles detrempe, et rend leur jour affreux.

Ce pur sang, ce Nectar, prophané se mélange
A vos sales crachats, dont la sanglante fange
Change ce beau visage en celui d'un lepreux.

Mais que dis-je, ô mon Prince, ignorant je diffame
Vos ornemens royaux ? vostre cuer genereux
Et mon propre interest ne souffrent que je blâme
Ceux qui vous font pour moy tous ces maux rigoureux.

Ces coups vous sont, mon Christ, plus doux que douloureux
Puisqu'ils font distiller de vostre chef un Bâme,
Qui (pour cicatriser les playes de mon Ame)
Servira desormais d'appareil amoureux.

Ces crachats teints au sang, qui sur vos yeux distille,
Les couvrent de bourbier : ce bourbier est utile
A mes yeux, que l'horreur des pechez rend affreux.

La salive et la terre, (ô symbolique fange !)
Ont bien guery l'Aveugle : et ce nouveau mélange
De sang, et de crachat, guerira ce lepreux.

Mais chaque poème, consonant avec l'ensemble, a sa parfaite unité.

L'amour l'a de l'Olympe icy bas fait descendre,
L'amour l'a fait de l'homme endosser le peché,
L'amour lui a des-ja tout son sang fait espandre,
L'amour l'a fait souffrir qu'on ait sur luy craché,

L'amour a ces haliers à son chef attaché,
L'amour fait que sa Mere à ce bois le void pendre,
L'amour a dans ses mains ces rudes cloux fichés,
L'amour le va tantost dans le sépulchre estendre.

Son amour est si grand, son amour est si fort
Qu'il attaque l'Enfer, qu'il terrasse la mort,
Qu'il arrache à Pluton sa fidele Euridice.

Belle pour qui ce beau meurt en vous bien-aimant
Voyez s'il fut jamais un si cruel supplice,
Voyez s'il fut jamais un si parfait Amant.

J'estime La Ceppède, et l'honore et l'admire / Comme un des ornements les premiers de nos jours. (Malherbe)

Les Théorèmes, présentés par Jean Rousset, reproduction photographique de l'édition originale, Droz.

françois de malherbe 1555-1628

Longtemps, dans l'histoire de la poésie française, la place de Malherbe fut celle que lui avait assignée Boileau : la première. Après Boileau, les professeurs répétèrent volontiers que, Malherbe ayant mis de l'ordre dans la maison, tout commençait avec lui. De fait, s'il n'écrivit pas d'art poétique, par ses commentaires de Desportes, par les conseils donnés à ses disciples qu'il réunissait dans son logis de la rue Croix-des-Petits-Champs, enfin, par l'exemple même de ses vers, Malherbe fut bien le réformateur et le régent de la poésie. Mais il fut aussi celui qui, rejetant ses prédécesseurs, coupa la poésie de ses racines et la dessécha. Depuis le romantisme, toutes les générations de poètes que rebutait le souvenir scolaire de tant de vers solennels — mais troués de quelques éclats indestructibles (« Et les fruits passeront les promesses des fleurs » ou « Et Rose elle a vécu ce que vivent les roses / L'espace d'un matin ») — ont réhabilité contre lui Ronsard, les grotesques, Scève et les précieux. Pour ces poètes aussi, la place de Malherbe était claire : celle du pion. Mais à le relire, comme à considérer le mouvement culturel de son époque, les choses ne sont pas si simples. Même si Malherbe ne fût pas venu, il n'est pas certain, comme le fait remarquer Marcel Raymond, que l'évolution de la poésie eût été différente, en un temps où, avec le passage d'une vision analogique du monde à la pensée scientifique, s'opérait une grande révolution du savoir et du langage. D'autre part, Malherbe lui-même fut d'abord un baroque :

LES LARMES DE SAINT PIERRE

[...] Que je porte d'envie à la troupe innocente
De ceux qui massacrez d'une main violente
Veirent des le matin leur beau jour accourcy !
Le fer qui les tua leur donna ceste grace,
Que si de faire bien ils n'eurent pas l'espace,
Ils n'eurent pas le temps de faire mal aussi.

De ces jeunes guerriers la flotte vagabonde
Alloit courre fortune aux orages du monde,
Et des-ja pour voguer abandonnoit le bort :
Quand l'aguet d'un Pirate arresta le voyage :
Mais leur sort fut si bon, que d'un mesme naufrage
Ils se veirent sous l'onde et se veirent au port.

Ce furent de beaux lis, qui mieux que la nature,
Meslans à leur blancheur l'incarnate peinture,
Que tira de leur sein le cousteau criminel,
Devant que d'un hyver la tempeste et l'orage,
A leur teint delicat peussent faire dommage,
S'en allerent fleurir au printemps eternel.

Ces enfants bien-heureux (creatures parfaites.
Sans l'imperfection de leurs bouches muetes)
Ayans Dieu dans le cœur ne le peurent louër :
Mais leur sang leur en fut un tesmoin veritable,
Et moy pouvant parler, j'ay parlé miserable
Pour luy faire vergongne, et le desadvouër.

Le peu qu'ils ont vescu leur fut grand avantage,
Et le trop que je vei ne me fait que dommage,
Cruelle occasion du soucy qui me nuit :
Quand j'avois de ma foy l'innocence premiere,
Si la nuict de la mort m'eust privé de lumière,
Je n'aurois pas la peur d'une immortelle nuit [...]

Dans son âge mûr, le poète renia ces *Larmes de saint Pierre* qui lui avaient valu, en 1587, de recevoir cinq cents écus de Henri III. A cette date, Malherbe, gentilhomme normand né à Caen en 1555, fils d'un magistrat protestant dont il n'hérita pas les convictions mais à qui il devait de solides études aux universités de Heidelberg et de Bâle, venait de passer dix ans à Aix (où il s'était marié) au service de Henri d'Angoulême, gouverneur de Provence. La gratification royale ne lui ouvrit pas les portes de la cour et, en 1595, las de végéter dans sa province natale, il retourna en Provence où il jouissait d'une réputation de poète, que confirma, en 1600, son *Ode à la reine sur sa bienvenuë en France*, qu'il présenta à Marie de Médicis lors de son passage à Aix.

Comme Malherbe, Rubens célèbre Marie de Médicis de manière allégorique.

A LA REINE SUR SA BIEN-VENUË EN FRANCE

Peuples, qu'on mette sur la teste
Tout ce que la terre a de fleurs :
Peuples, que ceste belle feste
A jamais tarisse nos pleurs :
Qu'aux deux bous du monde se voye
Luire le feu de nostre joye :
Et soient dans les coupes noyez
Les soucis de tous ces orages,
Que pour nos rebelles courages
Les Dieux nous avoient envoyez.

A ce coup iront en fumee
Les voeux que faisoient nos mutins,
En leur Ame encor affamee
De massacres et de butins :
Nos doutes seront esclaircies :
Et mentiront les Propheties
De tous ces visages pallis,
Dont le vain estude s'applique
A chercher l'an climaterique
De l'eternelle Fleur de lys.

Aujourd'huy nous est amenee
Cette Princesse que la foy
D'Amour ensemble et d'Hymenee
Destine au lict de nostre Roy :

AIR

Vod'espines, Amour, accompagnent tes roses.

Que d'une aveugle erreur tu laisses toutes choses

ci du fort! Qu'en tes prosperités à bon droit on sou-

Vers composés par Malherbe
pour les amours de Henri IV,
mis en musique par A. Boesset.

La voicy la belle Marie,
Belle merveille d'Hetrurie,
Qui faict confesser au Soleil,
Quoy que l'âge passé raconte,
Que du Ciel depuis qu'il y monte,
Ne vit jamais rien de pareil.

Telle n'est point la Cytheree,
Quand d'un nouveau feu s'allumant,
Elle sort pompeuse et paree
Pour la conqueste d'un Amant :
Telle ne luit en sa carriere
Des mois l'inegale courriere :
Et telle dessus l'Orizon
L'Aurore au matin ne s'estale.
Quand les yeux mesmes de Cefale
En feroient la comparaison [...].

En 1605, enfin, le poète vint à Paris — et y demeura désormais jusqu'à sa mort en 1628. Henri IV, à qui le cardinal Du Perron avait assuré que ce gentilhomme normand « avait porté la poésie française à un si haut point que personne n'en pouvait approcher », lui commanda des vers. Ce fut la *Prière pour le roy allant en Limousin*, prière qui fit mieux que plaire puisque son auteur fut nommé poète officiel. Comme il ambitionnait, disait-il, d'être « un bon arrangeur de syllabes » ou, plus justement, d'opérer, selon l'heureuse formule de Francis Ponge, la confusion « du raisonnement et du résonnement », la louange convenait à Malherbe. Louant Dieu, le roi, la victoire ou l'amour, ce poète, souverainement soucieux de bien dire, ne célébrait jamais autre chose que le verbe. Bien que son dire importe plus que ce qu'il dit, sa manière nous touche davantage lorsqu'il chante l'amour. Alors, parlant pour le compte de Henri IV (Alcandre) amoureux de la princesse de Condé (Oranthe) ou pour le sien propre quand il était épris de la vicomtesse d'Auchy (Caliste), Malherbe n'est pas seulement l'épurateur de la langue, le parfait architecte du style ; à certain frémissement des vers, on reconnaît l'homme qui n'avait pas pour les femmes visage de régent, mais dont le charme était célèbre comme l'exigeante sensualité — avouée dans des poèmes érotiques — qui le fit surnommer Père Luxure.

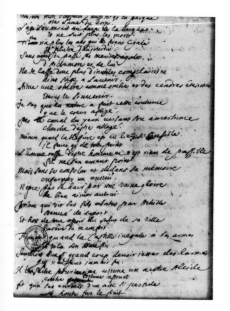

Texte manuscrit des *Stances*.

STANCES

Beauté, mon beau souci, de qui l'âme incertaine
A, comme l'Océan, son flux et son reflux,
Pensez de vous résoudre à soulager ma peine,
Ou je me vais résoudre à ne la souffrir plus.

Vos yeux ont des appas que j'aime et que je prise,
Et qui peuvent beaucoup dessus ma liberté :
Mais pour me retenir, s'ils font cas de ma prise,
Il leur faut de l'amour autant que de beauté.

Quand je pense être au point que cela s'accomplisse,
Quelque excuse toujours en empêche l'effet ;
C'est la toile sans fin de la femme d'Ulysse,
Dont l'ouvrage du soir au matin se défait.

Madame, avisez-y, vous perdez votre gloire
De me l'avoir promis et vous rire de moi.
S'il ne vous en souvient, vous manquez de mémoire :
Et s'il vous en souvient, vous n'avez point de foi.

J'avais toujours fait compte, aimant chose si haute,
De ne m'en séparer qu'avecque le trépas ;
S'il arrive autrement ce sera votre faute,
De faire des serments et ne les tenir pas.

A CALISTE

Il n'est rien de si beau comme Caliste est belle :
C'est une oeuvre où Nature a fait tous ses efforts ;
Et nostre âge est ingrat qui voit tant de tresors,
S'il n'esleve à sa gloire une marque éternelle.

La clarté de son teint n'est pas chose mortelle :
Le baume est dans sa bouche, et les Roses dehors :
Sa parole et sa voix ressuscitent les morts,
Et l'Art n'égalle point sa douceur naturelle.

La blancheur de sa gorge esbloüyt les regards :
Amour est en ses yeux, il y trempe ses dards,
Et la fait reconnoistre un miracle visible.

En ce nombre infiny de graces, et d'appas,
Qu'en dis-tu ma raison ? crois-tu qu'il soit possible
D'avoir du jugement, et ne l'adorer pas ?

Beaux et grands bastimens d'éternelle structure,
Superbes de matiere, et d'ouvrages divers,
Où le plus digne Roy qui soit en l'Univers
Aux miracles de l'Art fait ceder la Nature.

Beau Parc, et beaux Jardins, qui dans vostre closture,
Avez tousjours des fleurs, et des ombrages vers,
Non sans quelque Demon qui deffend aux hyvers
D'en effacer jamais l'agreable peinture.

Lieux qui donnez aux cuers tant d'aimables desirs,
Bois, fontaines, canaux, si parmy vos plaisirs
Mon humeur est chagrine, et mon visage triste :

Ce n'est point qu'en effet vous n'ayez des appas,
Mais quoy que vous ayez, vous n'avez point Caliste :
Et moy je ne voy rien quand je ne la voy pas.

Malherbe, d'une belle pierre grise, a pavé notre cour, établi les fondements et bâti la demeure où chaque mot a sa dimension juste. Il a tout ordonné, a coupé ce qu'il fallait des mots, les a assurés, équarris, ajustés et polis, juste comme il faut. Il a indiqué leur alignement. Jamais plus, sinon chez Montesquieu peut-être, la même ordonnance, la plus simplement superbe. (Francis Ponge)

Gravure d'Abraham Bosse.

POUR ALCANDRE
AU RETOUR D'ORANTHE A FONTAINEBLEAU

Revenez mes plaisirs, Madame est revenuë :
Et les veux que j'ay faicts pour revoir ses beaux yeux,
Rendant par mes souspirs ma douleur reconneuë,
    Ont eu grace des Cieux.

Les voicy de retour ces astres adorables
Où prend mon Ocean son flux et son reflux
Soucis retirez-vous, cherchez les miserables :
    Je ne vous connois plus.

Peut-on voir ce miracle, où le soin de Nature
A semé comme fleurs tant d'aimables appas,
Et ne confesser point qu'il n'est pire aventure
    Que de ne la voir pas ?

Certes l'autre Soleil d'une erreur vagabonde
Court inutilement par ses douze maisons :
C'est elle, et non pas luy, qui fait sentir au monde
    Le change des saisons.

Avecque sa beauté toutes beautez arrivent :
Ces deserts sont jardins de l'un à l'autre bout :
Tant l'extréme pouvoir des graces qui la suivent
    Les penetre par tout.

Ces bois en ont repris leur verdure nouvelle :
L'orage en est cessé, l'air en est esclaircy :
Et mesme ces canaux ont leur course plus belle
    Depuis qu'elle est icy.

De moy, que les respets obligent au silence,
J'ai beau me contrefaire, et beau dissimuler :
Les douceurs où je nage ont une violence
    Qui ne se peut celer.

Mais, ô rigueur du Sort, tandis que je m'arreste
A chatoüiller mon ame en ce contentement,
Je ne m'apperçois pas que le destin m'appreste
    Un autre partement.

Arriere ces pensers que la crainte m'envoye :
Je ne sçay que trop bien l'inconstance du Sort :
Mais de m'oster le goust d'une si chere joye,
    C'est me donner la mort.

Les Poésies (2 vol.), édition critique par Jacques Lavaud, Droz. *Œuvres poétiques* (2 vol.), texte établi et présenté par R. Fromilhague et R. Lebègue, Les Belles Lettres. ◇ René Fromilhague, *Malherbe, technique et création poétique*, Colin. *La Vie de Malherbe, apprentissage et luttes, 1555-1610*, Colin. Francis Ponge, *Pour un Malherbe*, Gallimard.

andré mage de fiefmelin 1560?-1603?

Publiées à Poitiers en 1601, les *Œuvres* du sieur de Fiefmelin ouvrent le XVIIᵉ siècle. Parfois même une strophe bien carrée, d'une limpide simplicité, fait songer à Malherbe, annonce la prosodie classique :

Pour leur diversité sont belles les saisons,
    Et de tous biens fertiles.
Phaebus mesme, en changeant chasque mois de maisons,
Nous profite et plaist mieux que les feux immobiles.

Cependant, proche des grands baroques protestants, le huguenot André Mage de Fiefmelin n'eut pas d'influence sur son temps. Né et mort (1560 ?-1603 ?) dans l'île d'Oléron, qu'il ne quitta guère que pour un voyage mouvementé en Allemagne (motivé sans doute par des raisons religieuses), il exerça les fonctions d'officier fiscal, et sa réputation de poète, malgré la protection d'Anne de Pons, grande dame érudite, s'étendit peu au-delà de sa province. Le silence se fit bientôt sur lui. De nos jours seulement, on découvre que ses *Œuvres*, divisées en deux parties *(l'Image du mage, le Spirituel)* et qui comptent le nombre appréciable de 55 000 vers, ruissellent d'admirables pépites. Fiefmelin, « poète peu connu, mais fort grand », dit Aragon, n'y renouvelle pas seulement une science du langage héritée de Ronsard et de Du Bartas, il dit avec une rigueur qu'on peut qualifier, tant son génie concilie les contraires, de sensuelle et de frémissante, sa quête difficile du salut et son savoir de Dieu, son appartenance éblouie et douloureuse à la terre et son désir de la béatitude céleste.

Heureux port où j'aspire en ce bas navigage,
Mon Nord, ma Tramontane, et saint phare des Saincts,
Doux vent de ma nacelle errant ez flots mondains,
Seule fin de ma vie au terrestre voyage :

Mon bien, mon heur, mon tout, mon Dieu que mon langage
Ne put bien exprimer en ses termes humains,
Tu es le seul que j'ayme, honore, sens et crains :
Et ne feray jamais à d'autres Dieux hommage.

Le temps qui tout nous oste et l'oubly, et le sort,
L'ennuy, l'impatience, et le mal, et la mort
N'osteront de mon cuer ton amour et ta crainte.

La mer sera sans eaux, le soleil sans clarté,
Sans tenebres les nuict, et sans chaleur l'Esté
Devant que d'autre Sainct mon âme soit atteinte.

Je descouvre en mes chants l'homme naissant mourable :
Je dis sa bien-venuë en ce vallon mondain,
Son sejour deplorable au mesme cours humain,
Et de sa vie à mort l'issuë plus damnable.

Je dis dequoy fut fait ce mortel miserable,
Ce qu'il fait ou peut faire en son vivre incertain ;
Qui, ramassé de terre a pour plus doux levain
De sa conception le peché né du Diable.

De l'homme donc formé la matière et subject
Fut pouldre, fange et cendre, ou sperme plus abject,
Qui en coulpe conçeu n'a que la chair pour mere.

Ainsi parfaict en faute, il naist à la douleur,
A la crainte, au travail, puis à la mort amere :
Si que la Parque à l'homme est tout le but et l'heure.

Ja la nuict couvroit l'air de ses ailes humides,
Et l'amour annuictoit de mon esprit les yeux :
Quand je sors en la rue, et cours me perdre ez lieux
Où m'appelait la femme ayant ses feux pour guides.

Homme de cœur failly, mais de sens non timides !
De jour je craignois l'œil du monde vitieux,
Non l'œil de Dieu jamais. Dont Christ voyant des Cieux
Mon naufrage, m'en sauve, et jette aux ports Hermides.

Puis me dardant à vie un œil de foudre clair,
Dont en l'eau de sa grâce avoit trempé l'esclair,
Qui les sens m'esblöüit et me foudroya l'ame :

Va-t-en, dit-il, en paix, ne peche. Et au dedans
M'eslança mille coups et mille feux ardens.
Donc m'en iray-je en paix tout en sang et en flamme ?

Images d'André Mage de Fiefmelin, poète baroque, textes choisis et présentés par Pierre Menanteau, Rougerie. On trouvera des poèmes de Fiefmelin dans les remarquables anthologies de Marcel Raymond, *La Poésie française et le maniérisme,* Droz et Minard, et Jean Rousset *Anthologie de la poésie baroque française,* Colin.

calligrammes

Les calligrammes qu'Apollinaire au XXe siècle remit en honneur, et d'une manière si inventive, sont un exercice de poésie dessinée ou de dessin par l'écriture qui remonte à l'Antiquité. Parmi les poètes grecs, Simmias avait représenté avec les lettres de ses poèmes des ailes, un œuf et une hache, Porphyrius un autel, une syrinx et un orgue. Au XVIe siècle, Melin de Saint Gelais et Rabelais avaient, à leur tour, pratiqué le calligramme. Deux poètes du début du XVIIe siècle, tous les deux normands, Jean Grisel dans *les Amours* et Robert Angot de l'Eperonnière dans *le Chef-d'œuvre poétique* créèrent des calligrammes en s'inspirant des modèles antiques.

Né à Rouen en 1567, mort en 1622, Grisel, dont on sait peu de chose, publia en 1599 *les Amours*, recueil de sonnets, d'odes, d'énigmes, et où se trouvent ses calligrammes. Ses vers, légers, teintés d'érotisme ou de mélancolie, s'inscrivent dans la descendance de Ronsard.

Le talent d'Angot de l'Eperonnière (1581 ?-1640 ?), qui vécut à Caen, fut plus varié et plus fort. Ses sonnets spirituels ne manquent pas de lyrisme, mais sa verve se déploie surtout dans ses satires, notamment dans *les Picoreurs*, où il dénonce violemment les exactions des troupes royales, et qui rivalisent dignement avec les meilleures pièces d'un Sigogne ou d'un d'Esternod.

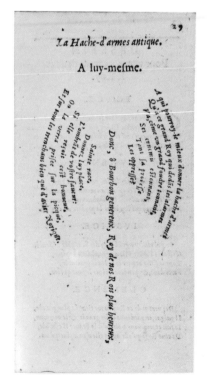

Calligramme d'Angot de l'Éperonnière.
Calligramme de Jean Grisel.

c. timoléon de sigogne 1560?-1611

Ses satires font de Charles-Timoléon de Beauxoncles de Sigogne, écuyer d'écurie d'Henri IV, né vers 1560, mort en 1611, un des maîtres du genre avec Régnier. Son art, d'une verdeur souvent très drue, ne dédaigne ni la pointe ni les élégances précieuses, comme dans *la Mesdisance* :

Le pot où l'on met les plumes,
Les lieux où sont les enclumes,
Les coffres semèz de clous,
Les chemins, les cimetières,
Les monts et les fondrières,
N'ont point tant d'aise que vous.

Les castelongnes *, les houppes,   * couvertures de laine fine
Les plumes et les estouppes,
Les oreillers de veloux,
Les heures * et les mitaines,   * brosses
Les peaux de vautour et laines
Sont bien plus fermes que vous.

Les vieils cacques de moruës,
Les tannières et les ruës,
Les privéz communs à tous,
Les dents à moytié pourries,
Les fïens * et les voiries,   * fientes
Sentent bien meilleur que vous.

Une chienne, une tygresse,
Une chatte, une singesse,
La femelle entre les loups,
Un Macquereau passé maistre,
Les Novices hors du Cloistre,
Sont bien plus chastes que vous.

Une veusve, une nourrice,
La tripe d'une saucisse,
La chausse d'un vieil jaloux,
Et les gaines roturières
Des cousteaux de ces tripières
Sont pucelles comme vous.

Œuvres satyriques, éditées par Fleuret et Perceau, 1920.

mathurin régnier 1573-1613

Régnier ou l'anti-Malherbe ? Oui, semble-t-il, puisque lui-même avait choisi ce rôle en répondant avec vigueur aux attaques du poète normand contre Desportes. Il ne pouvait pas faire moins. Né à Chartres en 1573, tonsuré à neuf ans, Régnier devait à son oncle Philippe Desportes d'avoir appris l'art des vers. La poésie du neveu cependant ne continuait pas celle de l'oncle. A Rome, où il fit de longs séjours comme attaché du cardinal de Joyeuse, puis de l'ambassadeur Philippe de Béthune, Régnier, lisant les œuvres burlesques de Berni, découvrit sa vocation de satiriste et, bientôt, l'affirma. L'héritage qu'il reçut de Desportes, en 1606, le laissa libre jusqu'à sa mort, en 1613, d'exercer son talent férocement enjoué. Sa verdeur, son goût de l'image forte, son respect pour la tradition de Rabelais en faisaient naturellement l'adversaire du purisme de Malherbe. Mais ce paresseux avait aussi le sens du vers bien martelé et de la phrase claire ; par là, comme Malherbe, mais d'une autre manière, il ouvrait la voie à Boileau. Celui-ci, qui lui reconnaît des « grâces nouvelles » et lui reproche surtout son vocabulaire de cabaret (Régnier était un pilier de la Pomme de Pin), lui doit plus qu'il ne l'avoue, et d'abord de savoir appeler un chat un chat. Dans la satire IX, plus qu'au génie propre de Malherbe (qu'il ne saurait égaler), Régnier s'en prend à sa poétique, dont l'avenir devait montrer les vertus stérilisantes.

SATIRE IX

Rapin, le favorit d'Apollon et des Muses,
Pendant qu'en leur mestier jour et nuict tu t'amuses,
Et que d'un vers nombreux, non encore chanté,
Tu te fais un chemin à l'immortalité,
Moy, qui n'ay ny l'esprit ny l'halaine assez forte
Pour te suivre de près et te servir d'escorte,
Je me contenteray, sans me precipiter,
D'admirer ton labeur, ne pouvant l'imiter,
Et pour me satisfaire au desir qui me reste,
De rendre cest hommage à chacun manifeste.
Par ces vers j'en prens acte, affin que l'avenir
De moy par ta vertu se puisse souvenir.
Et que ceste memoire à jamais s'entretienne,
Que ma Muse imparfaite eut en honneur la tienne,
Et que si j'eus l'esprit d'ignorance abatu,
Je l'eus au moins si bon, que j'aymay ta vertu,
Contraire à ces resveurs dont la Muse insolente,
Censurant les plus vieux, arrogamment se vante
De reformer les vers, non les tiens seulement,
Mais veulent deterrer les Grecs du monument,
Les Latins, les Hebreux et toute l'Antiquaille,

Et leur dire en leur nez qu'ils n'ont rien fait qui vaille.
Ronsard en son mestier n'estoit qu'un aprentif ;
Il avoit le cerveau fantastique et rétif ;
Des Portes n'est pas net, du Bellay trop facile ;
Belleau ne parle pas comme on parle à la ville.
Il a des mots hargneux, bouffis et relevez,
Qui du peuple aujourd'huy ne sont pas approuvez.
Comment ! Il nous faut doncq', pour faire une œuvre grande
Qui de la calomnie et du temps se deffende,
Qui trouve quelque place entre les bons autheurs,
Parler comme à sainct-Jean parlent les Crocheteurs !
Encore je le veux, pourveu qu'ils puissent faire
Que ce beau sçavoir entre en l'esprit du vulgaire :
Et quand les Crocheteurs seront Poëtes fameux,
Alors sans me facher je parleray comme eux.
Pensent-ils, des plus vieux offençant la memoire,
Par le mespris d'autry s'acquérir de la gloire,
Et pour quelque vieux mot, estrange ou de travers
Prouver qu'ils ont raison de censurer leurs vers ?
(Alors qu'une œuvre brille et d'art et de science,
La verve quelque fois s'egaye en la licence.)
Il semble en leurs discours hautains et genereux,
Que le Cheval volant n'ait pissé que pour eux ;
Que Phœbus à leur ton accorde sa vielle ;
Que la Mouche du Grec leurs lèvres emmielle ;
Qu'ils ont seuls icy bas trouvé la Pie au nit,

La Kermesse de Rubens est comme la version flamande et picturale des textes gaillards et joyeux des satiristes.

Et que des hauts esprits le leur est le zénit ;
Que seuls des grands secrets ils ont la cognoissance ;
Et disent librement que leur expérience
A rafiné les vers fantastiques d'humeur,
Ainsi que les Gascons ont fait le point d'honneur ;
Qu'eux tous seuls du bien dire ont trouvé la metode,
Et que rien n'est parfaict s'il n'est fait à leur mode.
Cependant leur sçavoir ne s'estend seulement
Qu'à regratter un mot douteux au jugement,
Prendre garde qu'un *qui* ne heurte une diphtongue,
Epier si des vers la rime est brève ou longue,
Ou bien si la voyelle, à l'autre s'unissant,
Ne rend point à l'oreille un vers trop languissant,
Et laissent sur le verd le noble de l'ouvrage.
Nul eguillon divin n'esleve leur courage ;
Ils rampent bassement, foibles d'inventions,
Et n'osent, peu hardis, tenter les fictions,
Froids à l'imaginer : car s'ils font quelque chose,
C'est proser de la rime et rimer de la prose,
Que l'art lime et relime, et polit de façon
Qu'elle rend à l'oreille un agréable son ;
Et voyant qu'un beau feu leur cervelle n'embrase,
Ils attifent leurs mots, enjolivent leur phrase,
Affectent leur discours tout si relevé d'art,
Et peignent leur defaux de couleur et de fard.
Aussi je les compare à ces femmes jolies
Qui par les Affiquets se rendent embelies,
Qui, gentes en habits et sades en façons,
Parmy leur point coupé tendent leurs hameçons ;
Dont l'œil rit molement avecque affeterie,
Et de qui le parler n'est rien que flaterie ;
De rubans piolez s'agencent proprement,
Et toute leur beauté ne gist qu'en l'ornement ;
Leur visage reluit de ceruse et de peautre,
Propres en leur coiffure, un poil ne passe l'autre ;
Où, ces divins esprits, hautains et relevez,
Qui des eaux d'Helicon ont les sens abreuvez,
De verve et de fureur leur ouvrage étincelle ;
De leurs vers tout divins la grace est naturelle,
Et sont, comme l'on voit, la parfaite beauté,
Qui, contente de soy, laisse la nouveauté
Que l'art trouve au Pallais ou dans le blanc d'Espagne.
Rien que le naturel sa grace n'acompagne ;
Son front, lavé d'eau claire, éclate d'un beau teint ;
De roses et de lys la Nature l'a peint,
Et, laissant là Mercure et toutes ses malices,
Les nonchalances sont ses plus grands artifices.

De ces maîtres savants disciple ingé-
nieux. / Régnier seul parmi nous formé
sur leur modèle, / Dans son vieux style
encore a des grâces nouvelles. / Heureux si ses discours, craints du chaste
lecteur, / Ne se sentaient des lieux où
fréquentait l'auteur, / Et si, du son
hardi de ses rimes cyniques, / Il n'alar-
mait souvent les oreilles pudiques.
(Boileau)

Œuvres complètes, présentées par J. Plattard, Les Belles Lettres.
Œuvres complètes, édition critique par G. Raybaud, Didier.

françois maynard 1583-1646

De tous ses disciples, Malherbe jugeait Maynard le plus doué, sinon le plus docile. Ce juriste, né à Toulouse en 1583, devenu en 1605 secrétaire de Marguerite de Valois chez qui il connut les meilleurs poètes du temps, avait une conscience ombrageuse de son talent. De 1633 à 1645, il se tint éloigné de Paris, pour des raisons familiales, certes, mais surtout parce qu'il n'avait pas obtenu les honneurs et pensions auxquels il estimait avoir droit. Auparavant, président depuis 1612 du tribunal d'Aurillac, il avait partagé son temps entre sa charge, son domaine de Saint-Céré et Paris, dont il courait les tavernes en compagnie de Saint-Amant, Théophile et Colletet ou de son ami Flotte avec qui il chantait : « Je veux mourir au cabaret / Entre le blanc et le clairet. » En 1645, nommé conseiller d'Etat, il revint dans la capitale, fréquenta l'Académie (dont il était de fondation), édita ses *Œuvres*, puis, triste de passer pour un malherbien attardé, rentra dans sa province pour mourir à la fin de 1646. Proche de Malherbe en effet par sa rigueur, par son souci de donner à chaque vers un sens complet, mais différent par son inspiration, il excella surtout dans l'épigramme, dans la satire brève et gaillarde, mais, au soir de sa vie, triompha enfin dans la sensibilité avec *la Belle Vieille*.

ÉPIGRAMME

Lyse, tu marches nuict et jour
Sous la foy d'une Maquerelle ;
Et quand je te parle d'Amour,
Tu baisses les yeux en pucelle.

Je croy bien que tu l'as esté,
Mais non pas qu'il t'en ressouvienne ;
Jamais fleur de virginité
Ne dura si peu que la tienne.

Tu dis pourtant que j'ay grand tort
De te persecuter si fort,
Pour te ravir un si beau gage.

Que tes discours sont impudens !
Perdis-tu pas ton pucelage
Avecque tes premieres dens ?

LA BELLE VIEILLE

Cloris, que dans mon cœur j'ay si longtemps servie
Et que ma passion montre à tout l'Univers,
Ne veux-tu pas changer le destin de ma vie,
Et donner de beaux jours à mes derniers hyvers !

N'oppose plus ton deüil au bon-heur où j'aspire.
Ton Visage est-il fait pour demeurer voilé ?
Sors de ta nuit funebre, et permets que j'admire
Les divines clairtez des Yeux qui m'ont brûlé.

Où s'enfuït ta Prudence acquise et naturelle ?
Qu'est-ce que ton Esprit a fait de sa vigueur ?
La folle vanité de paroistre fidelle
Aux cendres d'un Jaloux, m'expose à ta rigueur.

Eusses-tu fait le vœu d'un éternel vefvage
Pour l'honneur du Mary que ton lit a perdu,
Et trouvé des Cesars dans ton haut parentage,
Ton amour est un bien qui m'est justement dû.

Qu'on a veu revenir de malheurs et de joyes !
Qu'on a veu trébucher de Peuples et de Rois !
Qu'on a pleuré d'Hectors ! Qu'on a bruslé de Troyes,
Depuis que mon courage a fléchy sous tes Loix !

Ce n'est pas d'aujourd'huy que je suis ta Conqueste :
Huict Lustres ont suivy le jour que tu me pris ;
Et j'ay fidellement aymé ta belle Teste
Sous des cheveux chasteins, et sous des cheveux gris.

C'est de tes jeunes yeux que mon ardeur est née ;
C'est de leurs premiers traits que je fus abattu :
Mais, tant que tu bruslas du flambeau d'Hymenée,
Mon Amour se cacha pour plaire à ta Vertu.

Je sçay de quel respect il faut que je t'honore,
Et mes ressentimens ne l'ont pas violé.
Si quelquefois j'ay dit le soin qui me devore,
C'est à des Confidens qui n'ont jamais parlé.

Pour adoucir l'aigreur des peines que j'endure,
Je me plains aux Rochers et demande conseil
A ces vieilles Forests, dont l'espaisse verdure
Fait de si belles nuits en dépit du Soleil.

L'Ame pleine d'Amour et de Melancholie,
Et couché sur des Fleurs, et sous des Orangers,
J'ay monstré ma blessure aux deux Mers d'Italie,
Et fait dire ton nom aux Echos estrangers.

Ce Fleuve imperieux à qui tout fit hommage,
Et dont Neptune mesme endura le mépris,
A sçeu qu'en mon esprit j'adorois ton Image,
Au lieu de chercher Rome en ces vastes débris.

Cloris, la passion que mon cœur t'a jurée
Ne treuve point d'exemple aux siècles les plus vieux.
Amour et la Nature admirent la durée
Du feu de mes desirs, et du feu de tes Yeux.

La Beauté, qui te suit depuis ton premier âge,
Au déclin de tes jours ne veut pas te laisser ;

Esprit sur tout autre éclatant,
Tes doctes vers qui vallent tant,
A faire ne te coustent guères :
Au lieu que nos Rimeurs vulgaires
Se mettent pour en faire un peu
La cervelle et la teste en feu.
Souverain maistre de la rime,
Maynard que j'aime et que j'estime
Si fort qu'on ne peut aimer plus.
                              (Scarron)

La vue, d'après Abraham Bosse.

Et le temps, orgueilleux d'avoir fait ton Visage,
En conserve l'éclat, et craint de l'effacer.

Regarde sans frayeur la fin de toutes choses.
Consulte le Miroir avec des yeux contents.
On ne voit point tomber ny tes lys, ny tes roses ;
Et l'hyver de ta vie est ton second printemps.

Pour moy, je cede aux ans ; et ma teste chenuë
M'apprend qu'il faut quitter les hommes et le jour.
Mon sang se refroidit. Ma force diminuë ;
Et je serois sans feu, si j'estois sans Amour.

C'est dans peu de matins que je croistray le nombre
De ceux à qui la Parque a ravy la clairté.
O ! qu'on oyra souvent les plaintes de mon Ombre
Accuser tes mespris de m'avoir mal-traité.

Que feras-tu, Cloris, pour honnorer ma cendre ?
Pourras-tu sans regret oüyr parler de moy ?
Et le Mort, que tu plains, te pourra-il deffendre
De blâmer ta rigueur, et de loüer ma foy ?

Si je voyois la fin de l'âge qui te reste,
Ma raison tomberoit souz l'excez de mon dueïl :
Je pleurerois sans cesse un mal-heur si funeste ;
Et ferois, jour et nuit, l'Amour à ton Cercueïl.

Œuvres poétiques, présentées par G. Garrisson, 1885, reprints par les éditions Slatkine, 1970. Dans la première partie, des poèmes de François Mesnard ont été attribués à Maynard.

FRANÇOIS MAYNARD **107**

Le supplice de la roue,
par Jacques Callot.

étienne durand 1586-1618

Né à Paris en 1586, Etienne Durand n'avait pas vingt ans lorsqu'il publia un roman, *les Espines d'amour.* Devenu contrôleur provincial des guerres, il s'attacha à Marie de Médicis pour qui il écrivit des ballets. En 1618, sa participation à un complot avorté contre le duc de Luynes, favori de Louis XIII, lui valut de mourir sur la roue. Ses *Méditations* (1611) sont une des manifestations les plus pures du lyrisme amoureux. Mais il y célèbre aussi, après Du Perron qui voulait lui bâtir un temple et avant Scudéry (« Je change il est certain, mais c'est grande prudence / De savoir bien changer »), l'inconstance chère à tous les baroques.

STANCES A L'INCONSTANCE

Esprit des beaux esprits vagabonde inconstance,
Qu'Æole Roy des vens avec l'onde conceut,
Pour estre de ce monde une seconde essence,
Reçoy ces vers sacrez à ta seule puissance
Aussi bien que mon âme autrefois te receut.

Déesse qui par tout et nulle part demeure,
Qui préside à nos jours, et nous porte au tombeau,
Qui fais que le desir d'un instant naisse et meure,
Et qui fais que les Cieux se tournent à toute heure,
Encor qu'il ne soit rien ny si grand, ny si beau.

Si la terre pesante en sa base est contrainte,
C'est par le mouvement des atosmes divers,
Sur le dos de Neptun ta puissance est dépeinte,
Et les saisons font voir que ta Majesté saincte
Est l'âme qui soustient le corps de l'Univers.

Nostre esprit n'est que vent, et comme un vent volage,
Ce qu'il nomme constance est un branle rétif :
Ce qu'il pense aujourd'huy demain n'est qu'un ombrage,
Le passé n'est plus rien, le futur un nuage,
Et ce qu'il tient présent il le sent fugitif.

Je peindrois volontiers mes légères pensées,
Mais desjà le pensant mon penser est changé,
Ce que je tiens m'eschappe, et les choses passées,
Tousjours par le présent se tiennent effacées,
Tant à ce changement mon esprit est rangé. [...]

Anthologies Rencontre, Garnier-Flammarion, Rousset. ◊ Jean Tardieu, *Le Préclassicisme français.*

h. de bueil, seigneur de racan 1589-1670

A seize ans — en 1605 — le destin poétique de Racan était en partie joué : son inspiration serait bucolique, renouant avec les douceurs d'une enfance champêtre passée au château familial de la Roche-au-Majeur en Touraine ; sa technique serait celle de Malherbe qu'il venait de rencontrer chez son oncle, le duc de Bellegarde, et auprès de qui, pendant trois ans, il allait apprendre à lire, à critiquer vers à vers, les poètes anciens et modernes. Et aussi, évidemment, à écrire selon cette claire rigueur, cette logique bien sonnante qui éclatait dans les poèmes de son maître. De cela témoigne son ode sur *la Venue du printemps* :

Déjà les fleurs qui bourgeonnent
Rajeunissent les vergers ;
Tous les échos ne résonnent
Que de chansons de bergers ;
Les jeux, les ris et la danse
Sont partout en abondance ;
Les délices ont leur tour,
La tristesse se retire
Et personne ne soupire
S'il ne soupire d'amour.

D'abord Racan mena une double carrière. Né en 1589, page de la chambre du roi à treize ans, ce fils d'un maréchal de camp tué au combat devint officier et fit toutes les campagnes de Louis XIII. Lorsqu'en 1639, s'étant marié, il quitta le service pour partager son temps entre sa province et Paris (où il mourra en 1670), sa pastorale *les Bergeries* et ses premiers recueils avaient assuré sa notoriété. Dès lors ses travaux poétiques, dont une assez belle traduction des Psaumes, occupèrent sa retraite dont il avait par avance célébré les douceurs dans des *Stances,* qui comptent parmi ses vers les plus personnels et où le thème baroque de la fuite du temps s'inscrit dans une prosodie lumineusement classique.

STANCES

Thirsis il faut penser à faire la retraitte,
La course de nos jours est plus qu'à demy faite,
L'âge insensiblement nous conduit à la mort,
Nous avons assez veu sur la mer de ce monde
Errer au gré des flots nostre nef vagabonde,
Il est temps de joüir des delices du port.

Le bien de la fortune est un bien perissable,
Quand on bastit sur elle on bastit sur le sable,
Plus on est eslevé plus on court de dangers,

Les grands Pins sont en bute aux coups de la tempeste,
Et la rage des vents brise plustost le faiste
Des maisons de nos Roys, que des toicts des Bergers.

O bien-heureux celuy qui peut de sa memoire
Effacer pour jamais ce vain espoir de gloire,
Dont l'inutile soin traverse nos plaisirs,
Et qui loin retiré de la foule importune,
Vivant dans sa maison content de sa fortune
A selon son pouvoir mesuré ses desirs.

Il laboure le champ que labouroit son pere,
Il ne s'informe point de ce qu'on delibere
Dans ces graves conseils d'affaires accablez,
Il voit sans interest la mer grosse d'orages,
Et n'observe des vents les sinistres presages
Que pour le soin qu'il a du salut de ses bleds.

Roy de ses passions il a ce qu'il desire,
Son fertile domaine est son petit empire,
Sa cabanne est son Louvre, et son Fontainebleau.
Ses champs et ses jardins, sont autant de Provinces
Et sans porter envie à la pompe des Princes,
Se contente chez luy de les voir en tableau.

Il voit de toutes parts combler d'heur sa famille,
La javelle à plein poing tomber sous la faucille,
Le vendangeur ployer sous le faix des paniers,
Et semble qu'à l'envy les fertilles montagnes,
Les humides valons, et les grasses campagnes
S'efforcent à remplir sa cave et ses greniers.

Il suit aucunesfois un cerf par les foulees
Dans ces vieilles forests du peuple reculees,
Et qui mesme du jour ignorent le flambeau :
Aucunesfois des chiens il suit les voix confuses
Et voit enfin le lievre apres toutes ses ruses,
Du lieu de sa naissance en faire son tombeau.

Tantost il se promene au long de ses fontaines,
De qui les petits flots font luire dans les plaines
L'argent de leurs ruisseaux parmy l'or des moissons,

Tantost il se repose avecque les Bergeres
Sur des lits naturels de mousse et de fougères,
Qui n'ont autres rideaux que l'ombre des buissons.

Il souspire en repos l'ennuy de sa vieillesse,
Dans ce mesme foyer où sa tendre jeunesse
A veu dans le berceau ses bras emmaillotez,
Il tient par les moissons registre des années,
Et voit de temps en temps leurs courses enchaisnées
Vieillir avecque luy les bois qu'il a plantez.

Il ne va point foüiller aux terres inconnuës
A la mercy des vents et des ondes chenuës,
Ce que la nature avare a caché de tresors,
Et ne recherche point pour honorer sa vie,
De plus illustre mort ny plus digne d'envie,
Que de mourir au lit où ses peres sont morts.

Il contemple du port les insolentes rages
Des vents de la faveur auteurs de nos orages,
Allumer des mutins les desseins factieux :
Et voit en un clin d'œil par un contraire eschange,
L'un deschiré du peuple au milieu de la fange,
Et l'autre à mesme temps eslevé dans les Cieux.

S'il ne possède point ces maisons magnifiques,
Ces tours, ces chapiteaux, ces superbes portiques,
Où la magnificence estale ses attraits :
Il joüit des beautez qu'ont les saisons nouvelles,
Il voit de la verdure et des fleurs naturelles,
Qu'en ces riches lambris l'on ne voit qu'en portraits.

Croy moy, retirons nous hors de la multitude,
Et vivons desormais loin de la servitude
De ces Palais dorez où tout le monde accourt,
Sous un chesne eslevé les arbrisseaux s'ennuyent,
Et devant le Soleil tous les Astres s'enfuyent,
De peur d'estre obligez de luy faire la court.

Après qu'on a suivy sans aucune asseurance
Cette vaine faveur qui nous paist d'esperance,
L'envie en un moment tous nos desseins destruit,
Ce n'est qu'une fumée, il n'est rien de si fresle,
Sa plus belle moisson est sujette à la gresle.
Et souvent elle n'a que des fleurs pour du fruit.

Agreables deserts, sejour de l'innocence,
Où loin des vanitez, de la magnificence,
Commence mon repos et finit mon tourment,
Valons, fleuves, rochers, plaisante solitude,
Si vous fustes tesmoings de mon inquietude,
Soyez-le desormais de mon contentement.

Poésies (2 vol.), édition critique par Louis Arnould, Didier.

théophile de viau 1590-1626

Cadet de Malherbe qu'il admirait tout en refusant son autorité (« Malherbe a tres-bien fait, mais il a fait pour luy »), Théophile de Viau renouvela profondément la poésie baroque par le naturel de son lyrisme, la vivacité de son imagination et surtout par la manière dont il substitua à l'inspiration religieuse l'exaltation de la nature, la célébration d'un monde aux apparences parfois étranges, mais à la mesure de l'homme. S'il eût vécu plus de trente-six ans, dit-on parfois, l'évolution de la poésie en eût été changée. Sans doute non, car le triomphe du classicisme en littérature s'inscrit logiquement dans la révolution opérée par la philosophie rationaliste. Il est symptomatique que, pendant près de deux siècles, jusqu'à sa réhabilitation par Gautier dans *les Grotesques* en 1844, on ait généralement estimé Théophile moins pour son esthétique que pour son adhésion à la pensée libertine dont il faillit être un des martyrs. Né en 1590 près d'Agen, Théophile de Viau, après des études dans divers collèges protestants puis en Hollande, dut à son esprit et à son talent de briller à la cour à partir de 1617, mais à ses propos trop libres et à de mauvaises relations politiques d'être banni sous peine de mort en 1619. En 1620, rappelé d'un exil passé sur les terres familiales, Théophile servit dans les troupes royales à la bataille des Ponts-de-Cé. Il redevint l'homme à la mode et se fit des ennemis, entre autres les Jésuites qui l'accusèrent d'impiété, se fondant notamment sur des vers de la *Satyre première* qui nient l'essence divine de l'homme et prêchent la loi de la nature :

Toy que les Elemens ont faict d'air et de bouë,
Ordinaire suject où le malheur se jouë,
Sçache que ton filet, que le destin ourdit,
Est de moindre importance encor qu'on ne te dit.
Pour ne te point flatter d'une divine essence,
Voy la condition de ta sale naissance,
Que tiré tout sanglant de ton premier sejour,
Tu vois en gemissant la lumière du jour ;
Ta bouche n'est qu'aux cris et à la faim ouverte,
Ta pauvre chair naissante est toute descouverte,
Ton esprit ignorant encor ne forme rien,
Et moins qu'un sens brutal sçait le mal et le bien.
A grand peine deux ans t'enseignent un langage,
Et des pieds et des mains te font trouver usage.
Heureux au prix de toy les animaux des champs,
Ils sont les moins hays comme les moins meschans.
L'oyselet de son nid à peu de temps s'eschappe,
Et ne craint point les airs que de son aile il frappe
Les poissons en naissant commencent à nager ;
Et le poulet esclos chante et cherche à manger.

Nature douce mere à ces brutales races,
Plus largement qu'à toy leur a donné des graces ;
Leur vie est moins sujecte aux facheux accidens
Qui travaillent la tienne au dehors et dedans :
La beste ne sent point peste, guerre, ou famine,
Le remors d'un forfait en son corps ne la mine ;
Elle ignore le mal pour en avoir la peur,
Ne cognoist point l'effroy de l'Acheron trompeur.
Elle a la teste basse, et les yeux contre terre,
Plus pres de son repos, et plus loin du tonnerre :
L'ombre des trespassez n'aigrit son souvenir,
On ne voit à sa mort le desespoir venir :
Elle compte sans bruit et loing de toute envie
Le terme dont nature a limité sa vie,
Donne la nuict paisible aux charmes du sommeil,
Et tous les jours s'esgaye aux clartez du Soleil,
Franche de passions, et de tant de traverses,
Qu'on voit au changement de nos humeurs diverses...

Condamné à mort par le parlement de Paris pour crime de lèse-majesté divine, le 18 août 1623, et brûlé en effigie le lendemain, Théophile, qui se cachait à Chantilly chez le duc de Montmorency, tenta de gagner l'étranger. Arrêté à Saint-Quentin, transféré à Paris, il demeura un an dans un cachot sordide où il écrivit néanmoins d'admirables vers — ceux par exemple de la *Requeste au Roy* et de *la Maison de Sylvie* — jusqu'au jugement le bannissant à perpétuité. Protégé par Montmorency, il n'alla guère plus loin que le Berry et la Vendée avant de regagner Chantilly. Epuisé par ses fatigues, il mourut en septembre 1626, laissant une œuvre dramatique et poétique qui, après Gautier, fascinera Mallarmé.

Les Berceaux du Jardin de Silvie

LA MAISON DE SILVIE, ODE II

Un soir que les flots mariniers
Apprestoient leur molle littiere
Aux quatre rouges limonniers
Qui sont au joug de la lumiere,
Je penchois mes yeux sur le bord
D'un lict où la Naiade dort
Et regardant pescher Silvie,
Je voyois battre les poissons
A qui plus tost perdroit la vie
En l'honneur de ses hameçons.

D'une main defendant le bruit,
Et de l'autre jettant la line,
Elle fait qu'abordant la nuict
Le jour plus bellement decline.
Le Soleil craignoit d'esclairer,
Et craignoit de se retirer,
Les estoilles n'osaient paroistre,
Les flots n'osoient s'entrepousser,
Le Zephire n'osoit passer,
L'herbe se retenoit de croistre.

Ses yeux jettoient un feu dans l'eau :
Ce feu choque l'eau sans la craindre.
Et l'eau trouve ce feu si beau
Qu'elle ne l'oseroit esteindre.
Ces Elemens si furieux
Pour le respect de ses beaux yeux
Interrompirent leur querelle,
Et de crainte de la fascher
Se virent contraints de cacher
Leur inimitié naturelle.

Les tritons en la regardant
Au travers leurs vitres liquides,
D'abord à cet object ardant
Sentent qu'ils ne sont plus humides,
Et par estonnement soudain
Chacun d'eux dans un corps de dain
Cache sa forme despoüillee,
S'estonne de se voir cornu,
Et comment le poil est venu
Dessus son escaille moüillee.

Souspirant du cruel affront
Qui de Dieux les a fait des bestes
Et sous les cornes de leur front
A courbé leur honteuses testes,
Ils ont abandonné les eaux,
Et dans la rive où les rameaux
Leur ont fait un logis si sombre

Promenant leurs yeux esbahis,
N'osent plus fier que leur ombre
A l'estang qui les a trahis [...]

SONNETS

Quelque si doux espoir où ma raison s'appuie,
Un mal si descouvert ne se sçauroit cacher ;
J'emporte malheureux, quelque part où je fuie,
Un trait qu'aucun secours ne me peut arracher.

Je viens dans un desert mes larmes espancher,
Où la terre languit, où le Soleil s'ennuie,
Et d'un torrent de pleurs qu'on ne peut estancher
Couvre l'air de vapeur, et la terre de pluie.

Parmi ces tristes lieux trainant mes longs regrets,
Je me promene seul dans l'horreur des forests,
Où la funeste orfraie et le hibou se perchent,

La mort et la méditation sur les images de la mort étaient aussi familières aux peintres qu'aux poètes baroques. comme en témoigne cette « Vanité » de l'école française.

Là le seul reconfort qui peut m'entretenir,
C'est de ne craindre point que les vivants me cherchent,
Où le flambeau du jour n'osa jamais venir.

D'un sommeil plus tranquille à mes Amours resvant
J'esveille avant le jour mes yeux et la pensée,
Et ceste longue nuict si durement passée,
Je me trouve estonné dequoy je suis vivant.

Demy desesperé je jure en me levant
D'arracher cest object à mon ame insensée,
Et soudain de ses vœux ma raison offencée
Se desdit et me laisse aussi fol que devant.

Je sçay bien que la mort suit de pres ma folie,
Mais je voy tant d'appas en ma melancholie
Que mon esprit ne peut souffrir sa guerison.

Chacun à son plaisir doibt gouverner son ame,
Mytridate autrefois a vescu de poison,
Les Lestrigons de sang, et moy je vis de flame.

ODE

Un corbeau devant moy croasse,
Une ombre offusque mes regards
Deux bellettes, et deux renards,
Traversent l'endroit où je passe :
Les pieds faillent à mon cheval,
Mon laquay tombe du haut mal,
J'entends craqueter le tonnerre,
Un esprit se presente à moy,
J'oy Charon qui m'apelle à soy,
Je voy le centre de la terre.

Ce ruisseau remonte en sa source,
Un bœuf gravit sur un clocher,
Le sang coule de ce rocher,
Un aspic s'accouple d'une ourse.
Sur le haut d'une vieille tour
Un serpent deschire un vautour,
Le feu brusle dedans la glace,
Le Soleil est devenu noir,
Je voy la Lune qui va cheoir,
Cet arbre est sorti de sa place.

QUADRIN

Je nasquis au monde tout nud,
Je ne sçay combien je vivray,
Si je n'ay rien quand je mourray
Je n'auray gagné ni perdu.

Œuvres poétiques, édition par J. Streicher, Droz-Minard. ◊ A. Adam.
Théophile de Viau et la libre pensée française en 1620, Droz-Slatkine.

claude d'esternod 1592-1640

Claude d'Esternod, né en 1592 en Franche-Comté (alors province espagnole), fut gouverneur d'Ornans et mourut vers 1640. On suppose qu'il séjourna à Paris, trop tard peut-être pour qu'il pût rencontrer Régnier, Motin ou Sigogne. Son *Espadon satyrique* publié en 1619, réédité onze fois en un siècle, prouve qu'il les égala, voire les dépassa par sa prodigieuse invention verbale.

L'AMBITION DE CERTAINS COURTISANS NOUVEAUX VENUS

[...] Quand ils sont attachez à leurs pieces de fer,
Et qu'ils ont au costé (comme un Pedant sa verge)
Joyeuse, durandal, haute-claire, et flamberge,
Ils presument qu'ils sont tombez de Paradis,
Ils prisent les ducats pour les maravedis.
Les simulacres vains des faux Dieux de la Chine
Ne s'oseroyent frotter contre leur étamine,
Et Maugis le sorcier, prince des Sarrazins,
Ny le fameux Nembroth, n'est pas de leurs cousins ;
Bragardant en courtaut de cinq cents richetales,
Gringottants leur satin comme asnes leurs cimbales,
Piolez, riolez, fraisez, satinisez,
Veloutez, damassez et armoisinisez.
Relevant la moustache à coup de mousquetade,
Vont menaçant le ciel d'une prompte escalade,
Et de bouleverser, cracque ! dans un moment,
Arctos, et Antarctos, et tout le firmament.

La maison de Cecrops, d'Atrée, de Tantale,
Champignons d'une nuict, leur noblesse n'égale ;
Ils sont, en ligne oblique, issus de l'arc-en-ciel.
Leur bouche est l'alambic par où coule le miel;
Leurs discours nectarez sont sacrosaincts oracles,
Et, demi-Dieux ça bas, ne font que des miracles.
Mais un lion plutost me sortiroit du cu
Que de leur vaine bourse un miserable escu !

Ils blasphement plus gros, dans une hostellerie,
Que le tonnerre affreux de quelque artillerie :
« Chardious ! morbious ! de pocab-de-bious !
Est-ce là appresté honnestement pour nous ?
Torchez ceste vaisselle, ostez ce sale linge :

Il ne vaut seulement pour attifer un singe !
Fi, ce pain de Gonés ! apportez du mollet,
Grillez cet aucosté ; sus, à boire, valet !
Donne-moy ce chapon au valet de l'estable,
Car c'est un durandal, il est plus dur qu'un diable !
C'est quelque crocodil ! Tau, tau ! pille, levrier !
Que ce cocq-d'Inde est flac ! Va dire au cuisinier
S'il se dupe de nous, s'il sçait point qui nous sommes,
Et luy dis si l'on traite ainsi les gentils-hommes ! »

[...] A vray dire, ces fats sont quelquefois issus
D'un esperon, d'un lard, d'un ventre de merlus,
D'un clistere à bouchon, d'un soulier sans semelle,
D'une chausse à trois plis, d'un cheval, d'une selle,
D'un fripier, d'un gratteur de papier mal écrit,
D'un moine defroqué, d'un Juif, d'un Antechrist,
D'un procureur crotté, d'un pescheur d'écrevice,
D'un Sergent, d'un bourreau, d'un maroufle, d'un Suisse ;
Et cependant, ils font les beaux, les damerets,
Et ne pourroyent fournir que deux harencs sorets.

[...] O constance inconstante ! ô legere fortune !
Qui donne à l'un un œuf, et à l'autre une prune ;
Qui fais d'un Charpentier un brave Mareschal,
Et qui fais galoper les asnes à cheval ;
Qui fais que les palais deviennent des tavernes ;
Qui, sans miracles, fais que vessis sont lanternes ;
Qui fais que d'un vieil gant les Dames de Paris
Font des gaudemichis à faute de maris ;
Que le sceptre d'un Roi se fait d'un mercier l'aune ;
Que le blanc devient noir, et que le noir est jaune ;
Qui change quelquesfois les bonnets d'Arlequins
Aux couronnes des Roys, et des Roys en coquins,
Les marottes en sceptre, en tripes les andoüilles,
Les chaperons en houpe, en glaives les quenoüilles,
Le rosti en bouilli, une fille en garçon,
Le Loutre en bon castor et la buse en faucon. [...]

L'Espadon satyrique, édité par Fleuret et Perceau, Jean Fort, 1922.

m.-a. girard de saint-amant 1594-1661

Poète majeur de la période préclassique, poète inclassable et poète des contrastes — de l'outrance au raffinement —, illustrant à lui seul tous les élans et fantasmes du baroque, Saint-Amant fut longtemps victime de sa légende. Légende de franc viveur et d'aventurier que lui-même avait forgée, buvant sec, mangeant ferme, chevauchant et bourlinguant aux quatre coins de l'Europe. Né à Rouen, Saint-Amant fut attaché d'abord au duc de Retz, puis au comte d'Harcourt qu'il accompagna dans ses missions en Espagne, au Maroc, à Rome et en Angleterre. De 1649 à 1651, il séjourna en Pologne comme secrétaire des commandements de la reine. Au fil du temps son art évolua moins — dans la mesure où des thèmes : l'étrangeté du réel, la fugacité des choses, l'amour de la vie, déjà présents dans son premier recueil de 1629, traversent toute l'œuvre — qu'il ne poussa des pointes dans les directions les plus contraires. Son premier poème, *la Solitude,* annonçait une sensibilité, presque romantique, au fantastique :

Que j'aime à voir la décadence
De ces vieux châteaux ruinés,
Contre qui les ans mutinés
Ont déployé leur insolence !
Les sorciers y font leur sabbat ;
Les démons follets s'y retirent,
Qui d'un malicieux ébat
Trompent nos sens et nous martyrent ;
Là se nichent en mille trous
Les couleuvres et les hiboux.

Dans *le Contemplateur,* écrit à Belle-Isle, le jeune Saint-Amand témoigne d'un sentiment presque cosmique de la nature :

LE CONTEMPLATEUR

[...] Tantost nous allant promener
Dans quelque chaloupe à la rade,
Nous laissons après nous traisner
Quelque ligne pour la dorade.
Ce beau poisson, qui l'apperçoit,
Pipé de l'espoir qu'il conçoit,
Aussi tost nous suit à la trace.
Son cours est leger et bruyant,
Et la chose mesme qu'il chasse
En fin l'attrape en le fuyant.

Quelquefois, bien loin ecarté,
Je puise, pour apprendre à vivre,
L'histoire ou la moralité

Dans quelque venerable livre ;
Quelquefois, surpris de la nuit
En une plage où pour tout fruit
J'ay ramassé mainte coquille,
Je reviens au chasteau, resvant,
Sous la faveur d'un ver qui brille
Ou plustot d'un astre vivant.

O bon Dieu ! m'escriay-je alors,
Que ta puissance est nompareille
D'avoir en un si petit corps
Fait une si grande merveille !
O feu qui, tousjours allumé,
Brusles sans estre consumé !
Belle escarboucle qui chemines,
Ton éclat me plaist beaucoup mieux
Que celuy qu'on tire des mines,
Afin d'ensorceler nos yeux !

Tantost, saisi de quelque horreur
D'estre seul parmy les tenebres,
Abusé d'une vaine erreur,
Je me feins mille objets funebres ;
Mon esprit en est suspendu,
Mon coeur en demeure esperdu.
Le sein me bat, le poil me dresse,
Mon corps est privé de soustien,
Et, dans la frayeur qui m'oppresse,
Je croy voir tout, pour ne voir rien.

Tantost, délivré du tourment
De ces illusions nocturnes,
Je considère au firmament
L'aspect des flambeaux taciturnes ;
Et, voyant qu'en ces dous desers
Les orgueilleux tyrans des airs
Ont appaisé leur insolence,
J'escoute, à demy transporté,
Le bruit des ailes du Silence,
Qui vole dans l'obscurité. [...]

Dans son *Moise sauvé* (1655), Saint-Amant exprimera le même sens baroque de la réversibilité du monde et de ses images :

Le fleuve est un estang qui dort au pié des palmes
De qui l'ombre, plongée au fond des ondes calmes,
Sans agitation semble se rafraischir,
Et de fruits naturels le cristal enrichir ;
Le firmament s'y voit, l'astre du jour y roule ;
Il s'admire, il éclate en ce miroir qui coule,
Et les hostes de l'air, aux plumages divers,
Volans d'un bord à l'autre y nagent à l'envers.

Voyageurs dans une auberge
de Mathieu Le Nain.

Parallèlement à la poursuite du baroque cosmique ou, à l'occasion, de la préciosité amoureuse, Saint-Amant, avec le même génie d'invention, cultivait une veine satirique, pittoresque et paillarde. Emerveillé ou férocement moqueur, son regard se métamorphose comme les choses du monde elles-mêmes. Poète du sensible ou poète du grotesque, Il s'efforce toujours de saisir la couleur, violente ou tendre, de l'instant.

LA CHAMBRE DU DESBAUCHÉ

[...] Nostre Amy propre en Escholier,
Quoy qu'il n'entra jamais en classe,
Fait d'un flacon un chandelier,
Et d'un pot de chambre une tasse :
Sa longue rapiere au vieux lou,
Terreur de maint et maint Filou,
Luy sert le plus souvent de broche,
Et par-fois dessus le treteau
Elle jouë aussi sans reproche
Le personnage du couteau.

Sa cheminée a sur les bords
Quantité d'assez belles nippes,
Qui feroient bien toutes en corps,
Fagot de bouts de vieilles pippes :
L'odeur du tabac allumé
Y passe en l'air tout enfumé
Pour cassolette et pour pastille,
Si bien que dans les salles troux
Des noirs cachots de la Bastille
Le nez ne sent rien de plus doux.

Quant à la vertu, trois beaux dez
Sont ses livres d'Arithmetique,
Par lesquels maints points sont vuidez
Touchant le nombre d'or mistique :
Il est plein de devotion,
Dont la bonne application
Se fait voir en cette manière,
C'est qu'il a dans son cabinet
Des heures de Robert Beiniere
A l'usage du lansquenet.

Quant à du linge, en cét endroit
La toille n'est point espargnée,
Il en a plus qu'il ne voudroit,
Mais cela s'entend d'araignée :
Et quant à l'attirail de nuit,
Sa nonchalance le reduit
Au vray deshabiller d'un page,
Où le luxe mis hors d'arçon,
Ne monstre pour tout esquipage
Qu'un peigne dedans un chausson. [...]

SONNETS

Entrer dans le βορδελ d'une démarche grave,
Comme un Cocq qui s'appreste à joüer de l'ergot,
Demander Janneton, faire chercher Margot,
Ou la jeune Bourgeoise, à cause qu'elle est brave ;

Fureter tous les troux, jusqu'au fonds de la Cave,
Y rencontrer Perrette, et daubant du gigot
Dancer le bransle double au son du larigot,
Puis y faire festin d'une botte de rave :

N'y voir pour tous tableaux que quelque vieux rébus,
Ou bien quelque Almanach qui sema ses abus
L'An que Pantagruel desconfit les Andoüilles,

Et du haut jusqu'au bas pour tous meubles de pris,
Qu'une vieille paillasse, un pot et des quenoüilles ;
Voilà le passe-temps du Soudart de Cypris.

Assis sur un fagot, une pipe à la main,
Tristement accoudé contre une cheminée,
Les yeux fixes vers terre, et l'ame mutinée,
Je songe aux cruautés de mon sort inhumain.

L'espoir, qui me remet du jour au lendemain,
Essaye à gaigner temps sur ma peine obstinée,
Et. me venant promettre une autre destinée,
Me fait monter plus haut qu'un empereur romain.

Mais à peine cette herbe est-elle mise en cendre,
Qu'en mon premier estat il me convient descendre,
Et passer mes ennuis à redire souvent :

Non, je ne trouve point beaucoup de différence
De prendre du tabac à vivre d'espérance,
Car l'un n'est que fumée et l'autre n'est que vent.

Dans ses dernières années, Saint-Amant devenu pieux, méditant devant le crucifix, le décrit avec un réalisme de visionnaire :

J'y voy le sceptre amy des eaux,
J'y voy la mort aux grands ciseaux,
Dont son fil mesme est tributaire
En ce supplice volontaire.
J'y voy de ses bras estendus
Fremir la chair, les nerfs, les muscles et les veines,
Et des tourmens qui nous sont dus,
Son corps en chaque part faire ses propres peines.

Œuvres poétiques, édition critique, t. I par J. Bailbé, t. II, III et IV par J. Lagny, Didier. ◊ Françoise Gourier, *Etude des œuvres poétiques de Saint-Amant*, Droz. Jean Lagny, *Le Poète Saint-Amant*, Nizet Gérard Genette, *Figures*, Seuil, et, pour l'ensemble de cette période. le grand livre de Jean Rousset, *La Littérature de l'âge baroque en France*, Corti.

vincent voiture 1597-1648

MONSIEVR.
VOITVRE.

Voiture fut à l'origine, peut-être sans en avoir clairement conscience, d'une évolution notable de la poésie. Né à Amiens en 1597, ce fils de négociant qui se fit au collège de Boncourt d'utiles relations n'accordait qu'une importance relative à ses écrits (lesquels ne furent publiés qu'après sa mort). Son talent lui était un atout dans sa carrière politique et mondaine. Les charges qu'il remplit auprès de Gaston d'Orléans puis de Louis XIII lui assuraient revenus et loisirs ; et, dans le salon de la marquise de Rambouillet — avec qui il se brouilla peu avant sa mort, en 1648 —, son esprit faisait merveille. Là il écrivit des vers, pratiquant pour les parodier les formes anciennes :

Ma foi, c'est fait de moi : Car Isabeau
M'a conjuré de lui faire un Rondeau,
Cela me met en une peine extrême.
Quoi treize vers, huit en eau, cinq en éme !
Je lui ferois aussi-tôt un batteau.

Surtout, il désacralisa la poésie. Mieux — ou pire —, l'habileté comptant toujours plus que le sentiment, il transforma un art de cour en jeu de société où la louange se fait ironique, où les figures de la dialectique amoureuse sont dénoncées par le badinage du ton, comme dans les *Stances sur une dame dont la jupe fut retroussée en versant dans un carosse à la campagne :*

[...] Philis je suis dessous vos loix,
Et sans remede à cette fois
Mon ame est votre prisonnière ;
Mais sans justice et sans raison,
Vous m'avez pris par le derrière,
N'est-ce pas une trahison ?

Je m'étois gardé de vos yeux,
Et ce visage gracieux,
Qui peut faire pâlir le nôtre,
Contre moi n'ayant point d'appas,
Vous m'en avez fait voir un autre,
Dequoi je ne me gardois pas.

D'abord il se fit mon vainqueur,
Ses attraits percerent mon cœur,
Ma liberté se vit ravie,

Et le méchant en cet état,
S'étoit caché toute sa vie,
Pour faire cet assassinat.

Il est vrai que je fus surpris ;
Le feu passa dans mes esprits ;
Et mon cœur autrefois superbe,
Humble se rendit à l'Amour,
Quand il vit votre cu sur l'herbe,
Faire honte aux rayons du jour.

Le soleil confus dans les Cieux,
En le voyant si radieux,
Pensa retourner en arrière,
Son feu ne servant plus de rien ;
Mais ayant vû votre derrière,
Il n'osa pas montrer le sien.

En decouvrant tant de beautez,
Les Sylvains furent enchantez ;
Et Zephire voyant encore
D'autres appas que vous avez,
Même en la présence de Flore.
Vous baisa ce que vous sçavez [...].

Pareillement la poésie devient l'instrument d'une chronique plaisante où l'énumération des faits prend des airs insolites de comptine, comme dans cette réponse écrite pour Mlle de Rambouillet à M. de Montausier :

[...] Adieu, Monsieur, et pour nouvelles,
Les Tuileries sont fort belles ;
Monsieur prend le chemin de Tours ;
Nous aurons tantôt les courts jours :
Jamais on ne vit tant d'avoines,
De foin les granges seront pleines.
Les pois verds sont bien-tôt passez.
Les artichaux fort avancez ;
Le mauvais temps nous importune,
Demain sera nouvelle lune.
L'on prendra bientôt saint Omer,
L'on met trente vaisseaux en mer.
Nos Cannes ont fait sept Cannettes,
Dieu les preserve des Bellettes.
Veymard demande du renfort,
Le Corbeau de Voiture est mort.

M. de Voiture, qui pourrait lui refuser cette louange ? vint alors, avec un esprit très-galant et très-délicat et une mélancolie douce et ingénieuse, de celles qui cherchent sans cesse à s'égayer. (Paul Pellisson)

Anthologies Rencontre, Garnier-Flammarion, Tchou.

tristan l'hermite 1601-1655

Entre 1620 et 1640, avant de s'étioler dans les salons ou de se consumer dans la perfection inimitable du classicisme racinien, la poésie connut une extraordinaire vitalité. Elle emprunta toutes les routes, ne refusant ni le purisme malherbien, ni l'imagerie de Théophile, ni les élégances du cavalier Marin (l'Italien Marino), s'accommodant aussi des plus étranges contradictions, la plus flagrante étant l'accord du baroque, né de la Contre-Réforme, fondé sur les jeux de l'analogie, et d'une pensée libertine déjà matérialiste et scientifique. Dans cette période où tout était possible, où Maynard, Racan, Théophile, Saint-Amant et Voiture voisinaient avec Scudéry, Malleville, La Mesnadière, Marbeuf, Martial de Brives, François L'Hermite — qui changea son prénom en celui de Tristan — occupa une place remarquable. Né en 1601, dans une vieille famille aristocratique, Tristan eut une jeunesse — qu'il raconta dans *le Page disgracié* — digne d'un roman de cape et d'épée : duels, fuites, poursuites, voyages (en Ecosse, Norvège, Espagne), amours contrariées, prisons, blessure au siège de La Rochelle, rien n'y manque. Sa réputation de dramaturge — sa *Marianne*, en 1635, fit de lui l'un des maîtres du théâtre baroque avec Théophile, Rotrou et le jeune Corneille — fit ombrage à son œuvre poétique. A sa mort, en 1655 il passait déjà pour un poète d'un autre âge. Il fallut attendre la fin du XIXᵉ siècle pour qu'on redécouvre son génie qui concilie merveilleusement une langue d'une délicate pureté et la passion des baroques pour les miroirs, les métamorphoses, leur sens de la fugacité de l'instant, de la fragilité des apparences : « Je tremble en voyant ton visage / Floter avecque mes désirs / Tant j'ay de peur que mes soupirs / Ne lui facent faire naufrage », dit-il dans son célèbre *Promenoir des deux amants*. S'il aime l'artifice théâtral, les beautés inhabituelles ou voilées, les images ambiguës, Tristan L'Hermite manifeste également une sensibilité à la nature qui, loin de réduire celle-ci à n'être qu'un simple décor comme le feront les classiques, débouche sur un lyrisme frémissant ou cosmique.

LA MER

[...] Mais voici venir le montant,
Les ondes demi-courroucées
Peu à peu vont empiétant
Les bornes qu'elles ont laissées.
Les vagues, d'un cours diligent,
A longs plis de verre ou d'argent
Se viennent rompre sur la rive
Où leur débris fait à tous coups
Rejaillir une source vive
De perles parmi les cailloux.

Sur ces bords d'ossements blanchis
De pauvres pêcheurs font la ronde
Espérant bien d'être enrichis

127

Les premières peintures de marine,
comme ce port de Dieppe de
l'école française du XVIIe siècle,
sont contemporaines des poèmes de
Saint-Amant et de Tristan L'Hermite.

Par quelque largesse de l'onde.
Car la mer éternellement
Garde ce noble sentiment
Avecque son humeur brutale,
De n'engloutir aucuns trésors
Que d'une fougue libérale
Elle ne jette sur ses bords.

Quand les vagues s'enflent d'orgueil
Et se viennent crever de rage
Contre la pointe d'un écueil
Où cent barques ont fait naufrage,
Alors qu'une sombre vapeur
Imprime une mortelle peur
Avec ses présages funestes
Et que les vents séditieux,
Pour éteindre les feux célestes,
Portent l'eau jusques dans les cieux,

Le vaisseau poussé dans les airs
N'aperçoit point de feux propices :
On n'y voit au jour des éclairs
Que gouffres et que précipices.
Tantôt il est haut élancé,
Tantôt il se trouve enfoncé
Jusques sur les sablons humides,
Et se voit toujours investir
D'un gros de montagnes liquides
Qui s'avancent pour l'engloutlr.

L'orage ajoute une autre nuit
A celle qui vient dessus l'onde,
Et la mer fait un si grand bruit
Qu'elle en assourdit tout le monde
La foudre éclate incessamment,
Et, dans ce confus élément,
Il descend un si grand déluge,
Qu'à voir l'eau dans l'eau s'abîmer,
Il n'est personne qui ne juge
Qu'une mer tombe dans la mer. [...]

LA NÉGLIGENCE AVANTAGÉE

Je surpris l'autre jour la Nymphe que j'adore
Ayant sur une jupe un peignoir seulement ;
En la voyant ainsi, l'on eust dit proprement
Qu'il sortoit de son lit une nouvelle Aurore.

Ses yeux que le sommeil abandonnoit encore,
Ses cheveux autour d'elle errans confusément
Ne lierent mon cœur que plus estroitement,
Ne firent qu'augmenter le feu qui me devore.

Amour si mon Soleil brusle dès le matin,
Je ne puis esperer en mon cruel destin
De voir diminuer l'ardeur qui me tourmente.

Dieux ! Quelle est la beauté qui cause ma langueur ?
Plus elle est négligée et plus elle est charmante,
Plus son poil est espars, plus il presse mon cœur.

LA FORTUNE DE L'HERMAPHRODITE

Les Dieux me faisoient naistre, et l'on s'informe d'eux,
Quelle sorte de fruict accroistroit la famille,
Jupiter dit, un fils, Vénus dit, une fille,
Mercure, l'un et l'autre, et je fus tous les deux.

On leur demande encor quel seroit mon trespas :
Saturne d'un lacet, Mars d'un fer me menace,
Diane d'une eau trouble : et l'on ne croyoit pas
Qu'un divers prognosticq marquast mesme disgrace.

Je suis tombé d'un saule à costé d'un estang,
Mon poignard desgainé, m'a traversé le flanc,
J'ay le pied pris dans l'arbre, et la teste dans l'onde.

O sort dont mon esprit est encore effrayé !
Un poignard, une branche, une eau noire et profonde,
M'ont en un mesme temps meurtry, pendu, noyé.

L'ORPHÉE

[...] Mais ce rare instrument qu'il sceut si bien toucher,
De nouveaux ornemens embellit son Rocher ;
Car le son merveilleux de ses cordes divines
Obligea les forests d'enlever leurs recines,
Pour venir honorer de leurs ombrages frais
Ce mortel si sçavant à faire des regrets.
A ses premiers accords on veid soudain parestre
Le Noyer, le Cormier, le Tilleul et le Hestre,
Le Chesne qui jadis couronnoit le Veinqueur
D'une juste pitié s'y fendit jusqu'au cœur,
Le Cedre imperieux y vint baisser la teste
Suivi du vert Laurier qui brave les tempeste.
Le Palmier s'y pressa pour lui faire la Cour.
Cet exemple parfait de constance et d'amour,
Le Tremble y vint couvert de sa feüille timide,
Le Cypres y parut en verte Piramide :
Le Peuplier qui du Po rend les bords honorez,
Le Couldre deceleur des thresors enterrez,
L'Arbre qu'ayme Venus, celuy qu'ayme Diane,
L'Erable, le Sapin, le Tamarin, le Plane,
Le Cycomore noir, le Saule palissant,
Le Bouleau chevelu, l'Aubepin fleurissant,
L'Abricotier qui porte une moisson sucrée,
La Plante pacifique à Pallas consacrée ;
L'arbre délicieux qui produit les Pavis,
Le Grenadier chargé de ses tendres rubis :
Le Figuier, le Meurier, dont le fruit agreable
Fut coloré de sang par un sort deplorable.
Enfin depuis le Fresne ennemy des serpens
Jusques à l'humble vigne aux bras toujours rampans,
L'Orenger qui son fruit de sa fleur accompagne,
L'Encens, le Violier et le Jasmin d'Espagne,
Attirez par le son de ses charmans accords,
Furent de la partie et ne firent qu'un Corps,
Tout alentour d'Orphée en ordre se rengerent,
Et de son infortune ensemble s'affligerent,
Se mettans en devoir d'adoucir ses ennuis
En lui venant offrir ou des fleurs ou des fruits [...].

Les Vers héroïques, édition critique par Catherine Grisé, Droz-Minard.
Poésies choisies, Seghers. ◇ Amédée Carriat, *Tristan ou l'éloge d'un poète*, Rougerie.

adam billaut 1602-1662

Menuisier à Nevers et poète autodidacte, Adam Billaut (1602-1662) avait vingt-huit ans lorsque, venu à Paris pour un procès, il montra ses vers qui lui valurent plus qu'un succès de curiosité. Mais bientôt, las de la vie mondaine, il regagna sa maison. En 1644 il publia _les Chevilles_ où figurent, avec des vers de louange fort bien venus, de fraîches chansons à boire et des poèmes disant joliment sa condition d'artisan poète.

Pourveu qu'en rabotant ma diligence apporte
De quoy faire rouler la course d'un vivant,
Je serai plus content à vivre de la sorte,
Que si j'avois gagné tous les biens du Levant ;
S'eslève qui voudra sur l'inconstante roüe,
Dont la déesse aveugle en nous trompant se joüe ;
Je ne m'intrigue point dans son funeste accueil,
Elle couvre de miel une pillule amère,
Et sous l'ombre d'un port nous cachant un escueil,
Elle devient marastre aussi-tost qu'elle est mère.

Je ne recherche point cet illustre advantage
De ceux qui, tous les jours, sont dans des différens,
A disputer l'honneur d'un fameux parentage,
Comme si les humains n'estoient pas tous parens ;
Qu'on sçache que je suis d'une tige champestre,
Que mes prédécesseurs menoient les brebis paistre,
Que la rusticité fit naistre mes ayeux,
Mais que j'ay ce bon-heur en ce siècle où nous sommes,
Que bien que je sois bas au langage des hommes,
Je parle quand je veux le langage des Dieux.

La suite de mes ans est presque terminée,
Et quand mes premiers jours reprendroient leurs apas,
La course d'un mortel se voit si tost bornée,
Qu'il m'est indifférent d'estre ou de n'estre pas ;
Quand de ce tronc vivant l'ame sera sortie,
Que de mes éléments l'ordre ou l'antipatie,
Laisseront ma charongne à la mercy des vers,
Dans ces lieux éternels où l'esprit se doit rendre,
Il m'importera peu quel second Alexandre,
Se doit faire un autel du front de l'univers.

Les scieurs de long, par Jean Tassel.

Anthologies Rencontre, Garnier-Flammarion, Tchou, etc.

pierre corneille 1606-1684

A force d'être très connu, Corneille dramaturge fut longtemps mal connu ; morceaux choisis scolaires et mises en scène poussiéreuses, ignorant la fougue juvénile de ses œuvres baroques, le figeaient dans le rôle de premier des classiques, encore aux prises avec l'incommode règle des trois unités. Ainsi, au nom de l'auteur d'*Horace* et de *Polyeucte*, on rejetait celui, si charmant, de *la Place royale* ou, si fantastique, de *l'Illusion comique,* et on n'accordait guère d'attention au Corneille poète, se bornant au mieux à citer ces vers d'une impertinente préciosité :

Marquise, si mon visage
A quelques traits un peu vieux,
Souvenez-vous qu'à mon âge
Vous ne vaudrez guère mieux.

Or, en marge des trente-cinq pièces qu'il composa, Corneille (1606-1684) poursuivit toujours une activité purement poétique. Pour la plus grande part, celle-ci est d'inspiration religieuse et consiste en traductions des *Psaumes*, des *Hymnes* (de *sainte Geneviève*, du *Bréviaire romain*) et de l'*Imitation de Jésus-Christ.* Cette dernière compte plus de treize mille vers dont beaucoup d'admirables — et d'admirablement « corné- liens » :

Ne fais point confidence avec toutes personnes,
Regarde où tu répands les secrets de ton cœur,
Prends et suis les conseils de qui craint le Seigneur,
Choisis tes amitiés, et n'en fais que de bonnes,
Hante peu la jeunesse, et de ceux du dehors
    Souffre rarement les abords.

Maison de Corneille à Petit-Couronne.

Ses premières traductions parurent en 1651, mais il n'y a pas deux périodes — profane et religieuse — dans sa poésie. Si Corneille avouait : « J'ai fait autrefois de la bête, / J'avais des Philis dans la tête », il continua « grison » à trousser des vers galants et à chanter les louanges du roi, laissant là comme dans ses hymnes se déployer sa verve ou son lyrisme.

SONNET

D'un accueil si flatteur, et qui veut que j'espère,
Vous payez ma visite alors que je vous voi,
Que souvent à l'erreur j'abandonne ma foi,
Et crois seul avoir droit d'aspirer à vous plaire.

Mais si j'y trouve alors de quoi me satisfaire,
Ces charmes attirants, ces doux je ne sais quoi,
Sont des biens pour tout autre aussi bien que pour moi,
Et c'est dont un beau feu ne se contente guère.

D'une ardeur réciproque il veut d'autres témoins,
Un mutuel échange et de vœux et de soins,
Un transport de tendresse à nul autre semblable.

C'est là ce qui remplit un cœur fort amoureux :
Le mien le sent pour vous, le vôtre en est capable.
Hélas ! si vous vouliez, que je serais heureux !

CHANSON

Si je perds bien des maîtresses,
J'en fais encor plus souvent,
Et mes vœux et mes promesses
Ne sont que feintes caresses,
Et mes vœux et mes promesses
Ne sont jamais que du vent.

Quand je vois un beau visage,
Soudain je me fais de feu,
Mais longtemps lui faire hommage,
Ce n'est pas bien mon usage,
Mais longtemps lui faire hommage,
Ce n'est pas bien là mon jeu.

J'entre bien en complaisance
Tant que dure une heure ou deux,
Mais en perdant sa présence
Adieu toute souvenance :
Mais en perdant sa présence
Adieu soudain tous mes feux.

Plus inconstant que la lune
Je ne veux jamais d'arrêt ;
La blonde comme la brune
En moins de rien m'importune,
La blonde comme la brune
En moins de rien me déplaît.

Si je feins un peu de braise,
Alors que l'humeur m'en prend,
Qu'on me chasse ou qu'on me baise,
Qu'on soit facile ou mauvaise,
Qu'on me chasse ou qu'on me baise.
Tout m'est fort indifférent.

Mon usage est si commode,
On le trouve si charmant,
Que qui ne suit ma méthode,
N'est pas bien homme à la mode,
Que qui ne suit ma méthode
Passe pour un Allemand.

A MATINES (hymnes de sainte Geneviève)

Voici l'heureuse nuit qui précède la fête :
Par des feux redoublés elle imite le jour,
Et le temple éclairé veut que chacun s'apprête
A tromper le sommeil par des chants tous d'amour.

La sainte qui préside et qu'on sert dans ce temple,
Ainsi des saints martyrs veillait sur les tombeaux,
Joignait la nuit au jour, et par un haut exemple
Portait les cœurs sans cesse à des efforts nouveaux.

Vierges, vous le savez, elle allait la première :
La lumière à la main, elle y guidait vos pas ;
Et quoi qu'osât l'Enfer contre cette lumière,
Sa clarté triomphante en prenait plus d'appas.

Ainsi la vive foi, par des sacrés prodiges,
Ainsi le zèle ardent luit dans l'obscurité ;
Ainsi du Diable même il confond les prestiges,
Et fléchissant le ciel rend à tous la santé.

Toi, dont l'éclat plus vif que celui des étoiles
Brille parmi les saints au celeste lambris,
Vierge, en faveur des tiens romps ces funestes voiles
Dont l'indigne épaisseur offusque tant d'esprits.

Fais que les faux honneurs ni les soins de la terre
De leurs ombres jamais n'embarrassent nos sens,
Que jamais les plaisirs par leur flatteuse guerre
N'affaiblissent la foi dans les cœurs innocents.

Nous espérons de vous ce don par sa prière,
Père incompréhensible, Homme-Dieu comme nous,
Qui régnez au séjour de gloire et de lumière
Avec cet esprit saint qui n'est qu'un avec vous.

Œuvres complètes, l'Intégrale / Seuil.

paul scarron 1610-1660

Formé à l'école de Saint-Amant, Scarron fut le maître du burlesque : dans son *Roman comique*, son théâtre, ses poèmes et jusque dans ses épîtres à la reine. Né en 1610 à Paris, ce chroniqueur malicieux, parfois virulent, de la société de son temps, mena d'abord joyeuse vie. A vingt-huit ans, un accident bizarre le rendit impotent. Cela n'altéra pas sa gaieté ni ne l'empêcha d'épouser, en 1652, Françoise d'Aubigné, la future Mme de Maintenon. Et comme dans cette épigramme à l'ironie amère : « Je vous ay prise pour une autre. / Dieu garde tout homme de bien / D'un esprit fait comme le vôtre / Et d'un corps fait comme le mien », il sut toujours, jusqu'à sa mort en 1660, se prendre lui-même pour cible.

LE CHEMIN DU MAREST
AU FAUX-BOURG SAINCT GERMAIN.

Parbleu bon ! je vay par les rues.
Mais je n'y vay pas de mon chef,
Ny de mes pieds, qui par mechef
Sont parties tres-malotrues :
Je marche sur pieds empruntez.
Ceux dont mes membres sont portez
Sont à deux puissans porte-chaizes
Que je loue presque un escu.
Ha ! que les maroufles sont aizes,
Au prix de moy qui suis toujours dessus le cul !

Non que s'asseoir sur le derriere
Soit laide situation,
Car parmy toute Nation
On s'assied en cette maniere ;
Aussi ne dis-je que s'asseoir
Soit une chose laide à voir ;
Mais de dire qu'elle soit bonne,
C'est ce que je ne diray point,
Avec la douleur que me donne
Mon derrière pointu qui n'a plus d'enbonpoint.

Revenez, mes fesses perdues,
Revenez me donner un cu.
En vous perdant, j'ay tout perdu.
Helas ! qu'estes-vous devenues ?

Scène des carrosses de Claude Gillot,
d'après « la Foire de Saint-Germain »
de Regnard et Dufresny.

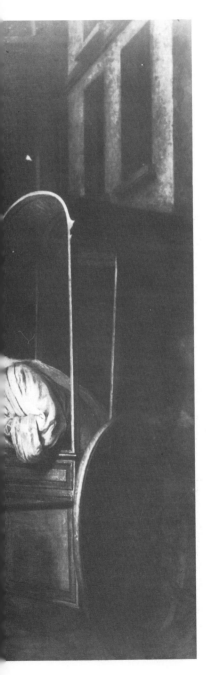

Appuy de mes membres perclus,
Cul que j'eus et que je n'ay plus,
Estant une piece si rare,
Que l'on devroit vous tenir cher !
Hé ! que la coustume est barbare,
De porter vestemens afin de vous cacher !

Que de la chaize qui me porte
J'apperçoy de gens cheminer !
Helas ! que me faut-il donner
Pour pouvoir marcher de la sorte !
Quiconque me fera marcher
Sçache que je n'ay rien de cher
Comme mes bourrelets de laine :
Je les luy donne de bon cœur,
De carmes main de papier pleine,
Et seray dessur tout son humble serviteur...

SONNET

Vous faites voir des os quand vous riez, Heleine,
Dont les uns sont entiers et ne sont gueres blancs ;
Les autres, des fragmens noirs comme de l'ebene
Et tous, entiers ou non, cariez et tremblans.

Comme dans la gencive ils ne tiennent qu'à peine
Et que vous esclattez à vous rompre les flancs,
Non seulement la toux, mais vostre seule haleine
Peut les mettre à vos pieds, deschaussez et sanglans.

Ne vous meslez donc plus du métier de rieuse ;
Frequentez les convois et devenez pleureuse :
D'un si fidel avis faites vostre profit.

Mais vous riez encore et vous branlez la teste !
Riez tout vostre soul, riez, vilaine beste :
Pourveu que vous creviez de rire, il me suffit.

Poésies diverses, édition critique par Maurice Cauchie, Droz.

jean-françois sarasin 1614-1654

Familier de l'hôtel de Rambouillet, mais plus encore des samedis de Mlle de Scudéry, protégé par le prince de Conti, célèbre pour ses dons d'amuseur et si aimé des dames qu'il mourut à quarante ans, en 1654, empoisonné par un mari jaloux, Jean-François Sarasin fut de ces beaux esprits qui donnèrent son tour le plus vif à la poésie mondaine. Mais, préocccupé aussi d'histoire et de philosophie, Sarasin négligea de rassembler ses poèmes. Ceux-ci furent publiés par ses amis après sa mort. Son art, plus soucieux du bien dire et de la pointe que du lyrisme, s'exerça dans tous les genres, mais broda avant tout sur l'amour ; ainsi sur l'inconstance de Sylvie :

Le zéphyr est moins agité ;
Enfin, elle est femme, mais telle
Que nulle autre en légèreté
Ne peut contester avec elle.

Non, je me trompe, et ma langueur
Me montre, en me faisant dédire,
Qu'elle est constante en sa rigueur,
Comme je suis en mon martyre.

S'il excelle dans la poésie légère et la cruauté de bon ton, il nous séduit plus lorsque, s'abandonnant à sa verve et au plaisir des mots, il se moque des coquettes (« L'Inde a moins d'or et moins de perroquets / Que Paris n'a de coquets et coquettes ; / La mode en est et jusqu'à nos laquais, /Qui sont trompez et trompent les soubrettes. ») ou joue aux proverbes avec une galante ironie :

Prime, homme, reversi, trictrac, échecs et hoc,
Quinquenove et piquet, allez paître de l'herbe ;
Chloris ne joue à rien, si ce n'est au proverbe,
Pour vous, cartes et dés, elle vous pend au croc.

Salomon fit ce jeu qui vous donne le choc,
Et même en écrivit mieux que n'eût fait Malherbe.
Chloris a lu son livre, et s'en tient si superbe
Qu'elle vous prise moins qu'une plume de coq.

Quand quelqu'un la va voir, soudain elle l'invite
De passer à ce jeu le temps de sa visite ;
Moi, qui ne le sais point, je fuis, je suis honteux.

Je pourrais bien pourtant sortir de cette alarme ;
Car, si Chloris voulait, nous joûrions bien tous deux,
Proverbialement, à *Baisez-moi, gendarme.*

Œuvres, éditées par P. Festugière, Champion. Anthologies Rencontre, Garnier-Flammarion, Rousset, etc.

bouts rimés

Divertissement de société, arme délicate ou perfide utilisée dans les débats amoureux et les querelles mondaines, la poésie des précieux remit à la mode des formes légères comme l'épigramme et le madrigal. Egalement, mais en préférant, à la clarté de l'argument, l'art de la pointe ou de l'équivoque, elle se complut dans des exercices hérités des rhétoriqueurs, ainsi le poème lisible dans plusieurs sens que le baroque Etienne Durand (1586-1618) pratiqua avec bonheur, et surtout elle en inventa de nouveaux comme les bouts-rimés qui firent fureur dans les salons et à la cour vers le milieu du siècle. De fins poètes comme Isaac de Benserade (1613-1691) et Georges de Brébeuf (1618-1661) excellèrent à ce jeu consistant à écrire un sonnet sur des rimes données et firent parfois ainsi des trouvailles exquises, insolites, aux limites du non-sens. Molière y sacrifia, réussissant à briller dans le genre tout en le dénonçant :

Que vous m'embarrassez avec votre grenouille
Qui traîne à ses talons le doux mot d' hypocras !
Je hais des bouts-rimés le puéril fatras,
Et tiens qu'il vaudrait mieux filer une quenouille.

Et Jean-François Sarasin (1614-1654) écrivit contre le genre *la Bataille des bouts-rimés,* une satire pleine, elle aussi, de virtuosité.

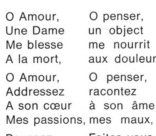

O Amour, O penser, ô désirs pleins de flame,
Une Dame un object un brasier que je sens
Me blesse me nourrit conduit mes jeunes ans
A la mort, aux douleurs au profond d'une lame :

O Amour, O penser, courez tost à Ma dame,
Addressez racontez monstrez comme présens
A son cœur à son âme à ses yeux tout puissans
Mes passions, mes maux, les douleurs de mon âme :

Poussez Faites vous voir forcez sa résistance
Sa beauté sa rigueur et sa fière constance
A pleindre à souspirer à recognoistre mieux

Les douleurs les ennuis les extrêmes supplices,
Que j'ay que je nourris que je tiens pour délices,
En aimant, en pensant, en desirant ses yeux.

(Etienne Durand)

Le tricheur à l'as de carreau,
de Georges de La Tour.

SUR L'AMOUR.

Ouy, l'Amour est le maître, et l'on est   chimérique
De croire y résister ; tantôt c'est un   mouton,
Tantôt une fureur bizare et   colérique
Qui déconcerteroit et Socrate et   Caton.

Son empire s'étend plus loin que l'   Amérique ;
De prés aux conquérans il serre le   bouton.
L'Amour est Médecin, l'Amour est   Empirique,
Et depuis l'éléphant descend jusqu'au   Raton.

Tel qui cache ses fers pour les rendre   invisibles,
Sans s'échapper, d'un mot fait des progrès   paisibles.
De mille billets doux, tendre et secret   Lecteur,

Tel qui mérite bien qu'on lui chante sa   game,
Ne se tient pas content des faveurs d'une   dame,
S'il ne parle aussi haut que le   Prédicateur.

(Isaac de Benserade)

CONTRE UN HOMME QUI AVAIT PERDU TOUT SON BIEN AU JEU

Marouffle qui mangez du pain bis et du   lard
Pour avoir trop roulé des dez de fine   yvoire.
A ne rien deguiser, et vous parler sans   fard,
Vous pouvez bien vous pendre ou lire le   grimoire.

Si Dieu n'a soin de vous, vous estes en   hazard
De laisser bien souvent reposer la   machoire,
Vous chauffant au Soleil, avecque le   lezard,
Et vendant pour disner jusqu'à la   decrotoire.

Vous allez estre seul, comme un pauvre   Hibou,
Chacun vous estimoit, chacun vous croira   fou,
Et vos meilleurs amis vous tourneront l'   échine ;

Prenez donc le galop, vers le fleuve de   Styx,
Ou du moins pour chasser la faim de la   babine,
Des Oyseaux du Pont-Neuf, devenez le   Phenix.

(Georges de Brébeuf)

épigrammes

Remise à la mode au XVIe siècle, l'épigramme, parfaite arme de salon, connut sa grande vogue au XVIIe siècle. La poésie, sauf exception, n'y avait guère de part. L'essentiel étant dans la pointe subtilement aiguisée, l'ironie, la méchanceté et la grivoiserie s'y exprimaient avec une perfide élégance. A ce jeu s'amusèrent les meilleurs poètes du siècle, de Malherbe à Racine. Brébeuf y brilla, mais aussi Sarasin et de moindres rimeurs : Gombaud (1570-1666), Charleval (1613-1693), Ménage (1613-1692), Sénécé (1643-1737). La Giraudière, connu seulement pour en avoir publié un recueil en 1634, et Jacques de Cailly (1604-1673), qui signait chevalier d'Arceilly, ne firent même rien d'autre.

L'ÉPIGRAMME

On dit que l'épigramme a pour tous des appas,
Que déjà l'on entend mieux que je ne m'explique,
Mais celui-là sans doute est bien sot qui s'en pique,
Et plus sot est celui qui ne s'en pique pas.

(Jean Ogier de Gombaud)

SUR LA « SATIRE CONTRE LES FEMMES » DE BOILEAU

Menacé d'un écrit fatal à son empire,
L'amour depuis dix ans a le cœur affligé :
Elle paraît enfin, cette froide satire ;
Amours, consolez-vous, le beau sexe est vengé.

(Antoine Bauderon de Sénécé)

A BERNARD

Mon ami, si l'horloge ment
N'y mettez pas votre assurance :
Quand elle tarde allez devant,
Allez après quand elle avance.

(Sieur de La Giraudière)

LESINE NOUVELLE

Par testament, dame Denise
Quoiqu'elle possédât un ample revenu,
Ordonna que son corps fût inhumé tout nu
Pour épargner une chemise.

(Chevalier d'Arceilly)

Je l'avoue ; il est vrai vos charmes
M'ont coûté des torrents de larmes.
Mais, Phillis, vous le savez bien,
Les larmes ne me coûtent rien.

(Gilles Ménage)

Mon bon Monsieur Nicolas,
Vous êtes beau comme un Ange,
Et prenez un soin estrange
A rehausser vos appas,
Quittez ce soucy frivole,
Soyez sage à l'avenir,
Ou vous allez devenir
Mademoiselle Nicole.

(Georges de Brébeuf)

Quelle putain lors sera morte
Et quel cocu sera veuf
Si jamais le grand Diable emporte
Vostre corps, qui n'est pas trop neuf.

(Paul Scarron)

Par ces quatre mots de prose
Je vous mets mon cœur en main ;
S'il est bien reçu, demain
J'y mettrai quelque autre chose.

(Jean-François Sarasin)

DE L'HYVER DU NORT

Comte, l'Hyver est tel sous l'Empire de l'Ourse,
Quand le rude Aquilon quitte son trou natal,
Que de l'urine chaude au sortir de sa source,
L'Outil peut faire en l'air une Arche de cristal.

(Saint-Amant)

le madrigal

Court poème voué surtout à l'expression du compliment amoureux, le
madrigal s'accommode aussi du badinage et de la pointe. Ainsi :

MADRIGAL POUR UNE FEMME GROSSE

Vous verrez dans cinq mois finir votre langueur :
Mais Dieux ! quand finira celle que dans mon cœur
Ont causé vos beaux yeux et votre tyrannie ?
Je seray dignement d'amour récompensé
    Quand ma peine sera finie
    Par où la vôtre a commencé.

(Isaac de Benserade)

En 1641, le marquis de Montausier, épris de Mlle de Rambouillet,
Julie Lucine d'Angennes — qu'il épousera en 1645 — lui offrit pour sa
fête *la Guirlande de Julie,* recueil de madrigaux écrits par lui-même
et par des poètes familiers de l'hôtel de Rambouillet : Germain Habert
de Cerisy (1615-1655), Claude de Malleville (1597-1647), Jean Desmarets de
Saint-Sorlin (1601-1675), Valentin Conrart (1603-1675), l'érudit au « silence
prudent », le joyeux et fort doué Guillaume Collettet (1608-1659), Georges
de Scudéry (1601-1667) et quelques autres.

LA ROSE

Alors que je me voy si belle et si brillante,
Dans ce teint dont l'éclat fait naistre tant de voeux,
L'excès de ma beauté moy-mesme me tourmente ;
Je languis pour moy-mesme et brusle de mes feux :
Et je crains qu'aujourd'huy la Rose ne finissse
Par ce qui fit jadis commencer le Narcisse.

(Germain Habert de Cerisy)

LA ROSE

Devant ce teint d'un beau sang animé,
Je ne parois que pour ne plus paroistre ;
Je n'ay plus rien de ce lustre enflammé
Que de Vénus le sang avoit fait naistre ;
Le vif éclat de ce teint nompareil
Me fait paslir, accuser le soleil,
Seicher d'envie et languir de tristesse :
O sort bizarre ! ô rigoureux effet !
Ce qu'a produit le sang d'une déesse,
Le sang d'une autre aujourd'hui le défait.

(Claude de Malleville)

145

ôtel de Lauzun, Paris.

LA VIOLETTE

Franche d'ambition, je me cache sous l'herbe,
Modeste en ma couleur, modeste en mon séjour ;
Mais si sur votre front je me puis voir un jour,
La plus humble des fleurs sera la plus superbe.

(Desmarets de Saint-Sorlin)

L'HYACINTHE

D'un éternel bon-heur ma disgrace est suivie ;
Je n'ay plus rien en moy qui marque mon ennuy,
Autres fois un soleil me fit perdre la vie ;
Mais un autre soleil me la rend aujourd'huy.

(Valentin Conrart)

LE SOUCY AU SOLEIL

Quoyque tu sois pourveu d'un éclat nompareil,
Ce n'est pas de ton feu que je suis embellie ;
Si je suis la fleur du soleil,
C'est du soleil qui luit dans les yeux de Julie.

(Guillaume Colletet)

LA PENSÉE

Vous qui suivez l'Amour, dont le feu vous égare,
Ne jettez point les yeux sur un objet si rare ;
C'est avecque respect qu'il en faut approcher :
Quoy que de ses beautez votre âme soit blessée,
Apprenez que les mains n'ont pas droit d'y toucher,
Et que cet heur n'est deu qu'à la seule Pensée.

(Guillaume Colletet)

LE PAVOT

Accordez moy le privilège
D'approcher de ce front de nège ;
Et si je suis placé (comme il est à propos)
Auprès de ces soleils que le soleil seconde,
Je leur donneray le repos
Qu'ils derobbent à tout le monde.

(Georges de Scudéry)

s. de cyrano de bergerac 1619-1655

SAVINIANVS DE CYRANO de Bergerac Nobilis

Fier bretteur, certes, de la célèbre compagnie des Gardes, Savinien de Cyrano de Bergerac, fut d'abord un libertin : joueur, buveur, mais surtout libre penseur. Mieux que ses poèmes dans la veine de Scarron, certaines de ses lettres, écrites pour le plaisir, disent ses dons poétiques.

[...] Je m'imagine que la nuit ayant noirci toutes les choses, le soleil les plonge dans l'eau pour les laver ; mais que dire de ce miroir fluide, de ce petit monde renversé, qui place les chênes au-dessous de la mousse, et le Ciel plus bas que les chênes ? Ne sont-ce point de ces vierges de jadis métamorphosées en arbres, qui désespérées de sentir encore violer leur pudeur par les baisers d'Apollon, se précipitent dans ce fleuve la tête en bas ? Ou n'est-ce point qu'Apollon lui-même, offensé qu'elles aient osé protéger contre lui la fraîcheur, les ait pendues par les pieds ? Aujourd'hui le poisson se promène dans les bois, et des forêts entières sont au milieu des eaux sans se mouiller ; un vieil orme, entre autres, vous feroit rire, qui s'est quasi couché jusque dessus l'autre bord, afin que son image prenant la même posture, il fît de son corps et de son portrait un hameçon pour la pêche. L'onde n'est pas ingrate de la visite que ces saules lui rendent ; elle a percé l'Univers à jour, de peur que la vase de son lit ne souillât leurs rameaux, et non contente d'avoir formé du cristal avec de la bourbe, elle a voûté des Cieux et des Astres par dessous, afin qu'on ne pût dire que ceux qui l'étaient venus voir eussent perdu le jour qu'ils avaient quitté pour elle. Maintenant nous pouvons baisser les yeux au Ciel, et par elle le jour se peut vanter que tout faible qu'il est à quatre heures du matin, il a pourtant la force de précipiter le Ciel dans les abîmes. Mais admirez l'empire que la basse région de l'Ame exerce sur la haute ; après avoir découvert que tout ce miracle n'est qu'une imposture des sens, je ne puis encore empêcher ma vue de prendre au moins ce Firmament imaginaire pour un grand lac sur qui la terre flotte. [...] *(Des miracles de rivière.)*

Voyage dans la lune, suivi de *Lettres diverses,* Garnier-Flammarion.
Pour les poèmes, Anthologies Rencontre, Garnier-Flammarion, Rousset.

jean de la fontaine 1621-1695

Depuis la parution des six premiers livres, en 1668, les *Fables* de La Fontaine ont connu une célébrité constante. Des générations d'écoliers ont su par cœur *la Cigale et la Fourmi, le Corbeau et le Renard* et bien d'autres fables qui ne leur cèdent en rien par la vivacité de la narration, la fantaisie de l'imagination et la précision du dire. Précision troublante à force de perfection, le conteur donnant une impression de nonchalance et de familiarité sans jamais employer un mot qui ne soit nécessaire. La nonchalance, il est vrai, était dans le tempérament de cet orfèvre, qui ne s'appliquait que dans son art. Né en 1621 à Château-Thierry, La Fontaine, qui tâta du barreau, fut un maître des Eaux et Forêts négligent et géra fort mal son patrimoine, n'eut de vraie tranquillité matérielle qu'une fois protégé et logé — à partir de 1673 — par Mme de La Sablière. Mais, léger en affaires et en amour, il était fidèle dans ses amitiés. Quand, en 1661, Fouquet fut arrêté et que les artistes qui avaient travaillé pour lui se rallièrent à Louis XIV, seul La Fontaine — à qui le surintendant avait octroyé une pension pour son *Adonis* — prit sa défense dans une *Ode au roi*, se fermant ainsi, pour longtemps, les portes de la cour. Du *Songe de Vaux*, demeuré inachevé et qui disait les merveilles du château et des jardins de Fouquet, il publia plus tard les fragments :

J'embellis les fruits et les fleurs :
Je sais parer Pomone et Flore ;
C'est pour moi que coulent les pleurs
Qu'en se levant verse l'Aurore.
Les vergers, les parcs, les jardins,
De mon savoir et de mes mains
Tiennent leurs grâce nonpareilles ;
Là j'ai des prés, là j'ai des bois ;
Et j'ai partout tant de merveilles
Que l'on s'égare dans leur choix.

Je donne au liquide cristal
Plus de cent formes différentes,
Et le mets tantôt en canal,
Tantôt en beautés jaillissantes ;
On le voit souvent par degrés
Tomber à flots précipités ;
Sur des glacis je fais qu'il roule,
Et qu'il bouillonne en d'autres lieux
Parfois il dort, parfois il coule,
Et toujours il charme les yeux.

Inégalable dans la fable, La Fontaine était à l'aise dans tous les genres, se fiant à sa facilité pour briller dans les jeux de la poésie mondaine, avouant dans son *Discours à Mme de La Sablière* :

Je m'avoue, il est vrai, s'il faut parler ainsi,
Papillon du Parnasse et semblable aux abeilles
A qui le bon Platon compare nos merveilles.
Je suis chose légère et vole à tout sujet ;
Je vais de fleur en fleur et d'objet en objet ;
A beaucoup de plaisirs je mêle un peu de gloire.
J'irais plus haut peut-être au temple de Mémoire
Si dans un genre seul j'avais usé mes jours ;
Mais quoi ! je suis volage en vers comme en amours.

S'il célébra volontiers les plaisirs et écrivit dans ses *Amours de Psyché* un hymne à la volupté, La Fontaine — qui, devenu pieux avant sa mort en 1695, reniera la grivoiserie de ses délicieux *Contes* — s'attacha surtout à être naturel, se plaisant plus au récit de ses fables qu'à leur moralité parfois conventionnelle. Son regard léger cachait une grande attention au réel, une véritable philosophie de la vie. Ainsi le plus limpide des classiques ne ressemble à aucun autre.

Mme de La Sablière.

LE PAON SE PLAIGNANT A JUNON

Le Paon se plaignait à Junon :
Déesse, disait-il, ce n'est pas sans raison
        Que je me plains, que je murmure :
        Le chant dont vous m'avez fait don
        Déplaît à toute la Nature ;
Au lieu qu'un Rossignol, chétive créature,
    Forme des sons aussi doux qu'éclatants,
        Est lui seul l'honneur du Printemps.
        Junon répondit en colère :
        Oiseau jaloux, et qui devrais te taire,
Est-ce à toi d'envier la voix du Rossignol,
Toi que l'on voit porter à l'entour de ton col
Un arc-en-ciel nué de cent sortes de soies ;
        Qui te panades, qui déploies
Une si riche queue, et qui semble à nos yeux
        La Boutique d'un Lapidaire ?
        Est-il quelque oiseau sous les Cieux
        Plus que toi capable de plaire ?
Tout animal n'a pas toutes propriétés.
Nous vous avons donné diverses qualités :
Les uns ont la grandeur et la force en partage ;
Le Faucon est léger, l'Aigle plein de courage ;
        Le Corbeau sert pour le présage,
La Corneille avertit des malheurs à venir ;
        Tous sont contents de leur ramage.
Cesse donc de te plaindre, ou bien, pour te punir,
        Je t'ôterai ton plumage.

Frontispice de Gustave Moreau pour les Fables.

LES GRENOUILLES QUI DEMANDENT UN ROI

Les Grenouilles, se lassant
De l'état démocratique,
Par leurs clameurs firent tant
Que Jupin les soumit au pouvoir monarchique.
Il leur tomba du Ciel un Roi tout pacifique :
Ce Roi fit toutefois un tel bruit en tombant
Que la gent marécageuse,
Gent fort sotte et fort peureuse,
S'alla cacher sous les eaux,
Dans les joncs, dans les roseaux,
Dans les trous du marécage,
Sans oser de longtemps regarder au visage
Celui qu'elles croyaient être un géant nouveau ;
Or c'était un Soliveau,
De qui la gravité fit peur à la première
Qui de le voir s'aventurant
Osa bien quitter sa tanière.
Elle approcha, mais en tremblant.
Une autre la suivit, une autre en fit autant,
Il en vint une fourmilière ;
Et leur troupe à la fin se rendit familière
Jusqu'à sauter sur l'épaule du Roi.
Le bon Sire le souffre, et se tient toujours coi.
Jupin en a bientôt la cervelle rompue.
Donnez-nous, dit ce peuple, un Roi qui se remue.
Le Monarque des Dieux leur envoie une Grue,
Qui les croque, qui les tue,
Qui les gobe à son plaisir,
Et Grenouilles de se plaindre ;
Et Jupin de leur dire : Et quoi ! votre désir
A ses lois croit-il nous astreindre ?
Vous avez dû premièrement
Garder votre Gouvernement ;
Mais, ne l'ayant pas fait, il vous devait suffire
Que votre premier roi fût débonnaire et doux :
De celui-ci contentez-vous,
De peur d'en rencontrer un pire.

Grandville.

L'ÉCOLIER, LE PÉDANT ET LE MAITRE D'UN JARDIN

Certain enfant qui sentait son Collège,
Doublement sot et doublement fripon
Par le jeune âge, et par le privilège
Qu'ont les Pédants de gâter la raison,
Chez un voisin dérobait, ce dit-on,
Et fleurs et fruits. Ce voisin, en Automne,
Des plus beaux dons que nous offre Pomone
Avait la fleur, les autres le rebut.
Chaque saison apportait son tribut :

Gustave Doré

Car au Printemps il jouissait encore
Des plus beaux dons que nous présente Flore.
Un jour dans son jardin il vit notre Ecolier
Qui grimpant sans égard sur un arbre fruitier,
Gâtait jusqu'aux boutons, douce et frêle espérance,
Avant-coureurs de biens que promet l'abondance.
Même il ébranchait l'arbre, et fit tant à la fin
    Que le possesseur du jardin
Envoya faire plainte au maître de la Classe.
Celui-ci vint suivi d'un cortège d'enfants.
    Voilà le verger plein de gens
Pires que le premier. Le Pédant, de sa grâce,
    Accrut le mal en amenant
    Cette jeunesse mal instruite :
Le tout, à ce qu'il dit, pour faire un châtiment
Qui pût servir d'exemple, et dont toute sa suite
Se souvînt à jamais comme d'une leçon.
Là-dessus il cita Virgile et Cicéron,
    Avec force traits de science.
Son discours dura tant que la maudite engeance
Eut le temps de gâter en cent lieux le jardin.
    Je hais les pièces d'éloquence
  Hors de leur place, et qui n'ont point de fin,
    Et ne sais bête au monde pire
    Que l'Ecolier, si ce n'est le Pédant.
Le meilleur de ces deux pour voisin, à vrai dire,
    Ne me plairait aucunement.

ADONIS

[...] Tout ce qui naît de doux en l'amoureux empire,
Quand d'une égale ardeur l'un pour l'autre on soupire,
Et que, de la contrainte ayant banni les lois,
On se peut assurer au silence des bois,
Jours devenus moments, moments filés de soie,
Agréables soupirs, pleurs enfants de la joie,
Vœux, serments et regards, transports, ravissements,
Mélange dont se fait le bonheur des amants,
Tout par ce couple heureux fut lors mis en usage.
Tantôt ils choisissoient l'épaisseur d'un ombrage :
Là, sous des chênes vieux où leurs chiffres gravés
Se sont avec les troncs accrus et conservés,
Mollement étendus ils consumoient les heures,
Sans avoir pour témoins, en ces sombres demeures,
Que les chantres des bois, pour confidents qu'Amour,
Qui seul guidoit leurs pas en cet heureux séjour.
Tantôt sur des tapis d'herbe tendre et sacrée
Adonis s'endormoit auprès de Cythérée,
Dont les yeux, enivrés par des charmes puissants,
Attachoient au héros leurs regards languissants.

Vénus et Adonis, par Chauveau.

Bien souvent ils chantoient les douceurs de leurs peines
Et quelquefois assis sur le bord des fontaines,
Tandis que cent cailloux, luttant à chaque bond,
Suivoient les longs replis du cristal vagabond,
« Voyez, disoit Vénus, ces ruisseaux et leur course ;
Ainsi jamais le Temps ne remonte à sa source :
Vainement pour les dieux il fuit d'un pas léger ;
Mais vous autres mortels le devez ménager,
Consacrant à l'Amour la saison la plus belle. »
Souvent, pour divertir leur ardeur mutuelle,
Ils dansoient aux chansons, de Nymphes entourés.
Combien de fois la lune a leurs pas éclairés,
Et, couvrant de ses rais l'émail d'une prairie,
Les a vus à l'envi fouler l'herbe fleurie !
Combien de fois le jour a vu les antres creux
Complices des larcins de ce couple amoureux !
Mais n'entreprenons pas d'ôter le voile sombre
De ces plaisirs amis du silence et de l'ombre.

RONDEAU REDOUBLÉ

Qu'un vain scrupule à ma flamme s'oppose,
Je ne le puis souffrir aucunement,
Bien que chacun en murmure et nous glose ;
Et c'est assez pour perdre votre amant.

Si j'avois bruit de mauvais garnement,
Vous me pourriez bannir à juste cause ;
Ne l'ayant point, c'est sans nul fondement
Qu'un vain scrupule à ma flamme s'oppose.

Que vous m'aimiez, c'est pour moi lettre close ;
Voire on diroit que quelque changement
A m'alléguer ces raisons vous dispose :
Je ne le puis souffrir aucunement.

Bien moins pourrois vous cacher mon tourment,
N'ayant pas mis au contrat cette clause ;
Toujours ferai l'amour ouvertement,
Bien que chacun en murmure et nous glose.

Ainsi s'aimer est plus doux qu'eau de rose :
Souffrez-le donc, Philis ; car, autrement,
Loin de vos yeux je vais faire une pose ;
Et c'est assez pour perdre votre amant.

Pourriez-vous voir ce triste éloignement ?
De vos faveurs doublez plutôt la dose.
Amour ne veut tant de raisonnement :
Ce point d'honneur, ma foi, n'est autre chose.
     Qu'un vain scrupule.

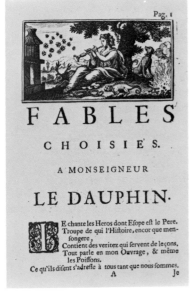

Pag. 1

FABLES
CHOISIES.
A MONSEIGNEUR
LE DAUPHIN.

JE chante les Heros dont Esope est le Pere,
Troupe de qui l'Histoire, encor que mensongere,
Contient des veritez qui servent de leçons,
Tout parle en mon Ouvrage, & même
   les Poissons.
Ce qu'ils disent s'adresse à tous tant que nous sommes.

A   Je

Les éditions des *Fables* ne manquent pas, y compris dans les collections de poche. L'édition des *Œuvres diverses* établie par Pierre Clarac pour la Pléiade est excellente ◊ Pierre Clarac, *La Fontaine*, Hatier, et *La Fontaine par lui-même*, Écrivains de toujours / Seuil.

molière 1622-1673

En dehors de son théâtre, Molière (1622-1673) n'écrivit que peu de vers, presque toujours de circonstance. *La Gloire du Val-de-Grâce*, qu'admirait Boileau, célèbre la peinture faite en 1669 par Mignard pour l'église fondée par la reine mère :

[...] Il nous explique à fond dans ses instructions,
L'union de la grâce et des proportions ;
Les figures partout doctement dégradées,
Et leurs extrémités soigneusement gardées ;
Les contrastes savants des membres agroupés,
Grands, nobles, étendus, et bien développés,
Balancés sur leur centre en beautés d'attitude,
Tous formés l'un pour l'autre avec exactitude
Et n'offrant point aux yeux ces galimatias
Où la tête n'est point de la jambe ou du bras ;
Leur juste attachement aux lieux qui les font naître,
Et les muscles touchés autant qu'ils doivent l'être ;
La beauté des contours observés avec soin,
Point durement traités, amples, tirés de loin,
Inégaux, ondoyants, et tenant de la flamme,
Afin de conserver plus d'action et d'âme ;
Les nobles airs de tête amplement variés,
Et tous au caractère avec choix mariés ;
Et c'est là qu'un grand peintre, avec pleine largesse,
D'une féconde idée étale la richesse,
Faisant briller partout de la diversité,
Et ne tombant jamais dans un air répété ;
Mais un peintre commun trouve une peine extrême
A sortir dans ses airs de l'amour de soi-même :
De redites sans nombre il fatigue les yeux,
Et, plein de son image, il se peint en tous lieux.
Il nous enseigne aussi les belles draperies,
De grands plis bien jetés suffisamment nourries,
Dont l'ornement aux yeux doit conserver le nu,
Mais qui, pour le marquer, soit un peu retenu,
Qui ne s'y colle point, mais en suive la grâce,
Et, sans la serrer trop, la caresse et l'embrasse.

Les bonnes éditions des *Œuvres complètes* de Molière donnent ses poèmes. Le texte entier de *La Gloire du Val-de-Grâce* figure dans les anthologies Rencontre et Garnier-Flammarion.

laurent drelincourt 1676-1680

Dernier grand poète religieux du XVIIe siècle, encore possédé de ces visions qui traversaient l'œuvre d'un Sponde, Laurent Drelincourt cependant fut le contemporain des classiques. Fils d'un pasteur réputé, il fréquenta d'abord les salons et s'initia aux arcanes de la poésie précieuse. Devenu pasteur à Niort, Drelincourt écrivit ses *Sonnets chrétiens* qui illustrent l'histoire sainte ou, à la lumière de la foi, décrivent les phénomènes naturels, le soleil, la lune, les rivières (« Verres tremblants, miroirs liquides, / Flots d'argent, veines de crystal / Qui de votre coulant métal, / Humectez les terres arides... ») et commentent les phases de la vie, de la naissance à la mort et à la résurrection : « Ne pleure point le Corps qui se change en poussière / Car, enfin, le Sauveur, lors qu'il viendra des Cieus, / Changera cette poudre en un Corps de Lumière »), ou, tout simplement, disent l'homme :

Simple Etre, par ton Existence ;
Plante, par ton Accroissement ;
Animal par ton Sentiment ;
Ange, par ton Intelligence :

Temple vivant, Monde abrégé,
Où le créateur a logé
Tant de différentes images...

Et, s'il lui arrive de céder aux coquetteries de la préciosité, il sait toujours saisir ensemble l'apparence sensible et l'essence spirituelle, bref l'appartenance à l'ordre universel de toutes choses et créatures.

SUR LES ARBRES ET LES PLANTES

Ouvrages merveilleux du Dieu de la Nature ;
Hauts Cèdres, dont le front s'élève jusqu'aux Cieus ;
Basse Hysope, Arbrisseaus, Baume, Encens précieus ;
Et de l'Herbe des prez éternelle Verdure :

Parterres émaillez, vivante Enluminure,
Qui charmez l'Odorat, en ravissant les yeus ;
Fils de Nature et d'Art, Jardins délicieus ;
Plantes pour la Santé, Fruits pour la Nourriture :

Vos Beautez, il-est-vray, présentent à mes Sens,
Par la bonté du Ciel, des Plaisirs innocens.
Mais, à-l'instant, je songe au Sort du premier Homme :

Je voy le triste Objet du Jardin plein d'apas,
Où le Poison mortel de la fatale Pomme
Saisit le Cœur d'Adam, et causa son Trépas.

Sonnets chrétiens, édités par A.-M. Schmidt, Chêne.

Chasse à courre, par Jean Wildens.

charles perrault 1628-1703

Charles Perrault (1628-1703) doit sa gloire à ses *Contes*, œuvre de sa vieillesse. Mais, depuis qu'au sortir du collège il avait avec son frère Claude composé *l'Enéide travestie*, il n'avait cessé d'avoir une activité d'écrivain. En 1687, son poème sur *le Siècle de Louis XIV*, déclencha la querelle des Anciens et des Modernes. Son épître à Fontenelle sur *le Génie* s'inscrit dans sa lutte contre Boileau.

[...] Que celui qui possède un don si précieux,
D'un encens éternel en rende grâce aux cieux ;
Eclairé par lui-même, et sans étude habile,
Il trouve à tous les arts une route facile ;
Le savoir le prévient et semble lui venir
Bien moins de son travail que de son souvenir.
Sans peine il se fait jour dans cette nuit obscure
Où se cache à nos yeux la secrète nature,
Il voit tous les ressorts qui meuvent l'univers ;
Et si le sort l'engage au doux métier des vers,
Par lui mille beautés à toute heure sont vues,
Que les autres mortels n'ont jamais aperçues ;
Quelque part qu'au matin il découvre des fleurs,
Il voit la jeune Aurore y répandre des pleurs ;
S'il jette ses regards sur les plaines humides,
Il y voit se jouer les vertes Néréides,
Et son oreille entend tous les différens tons
Que poussent dans les airs les conques des Tritons.
S'il promène ses pas dans une forêt sombre,
Il y voit des Silvains et des Nymphes sans nombre,
Qui, toutes, l'arc en main, le carquois sur le dos,
De leurs cors enroués réveillent les échos ;
Et, chassant à grands bruits, vont terminer leur course
Au bord des claires eaux d'une bruyante source.
Tantôt il les verra, sans arcs et sans carquois,
Danser durant la nuit, au silence des bois,
Et sous les pas nombreux de leur danse légère,
Faire à peine plier la mousse et la fougère,
Pendant qu'aux mêmes lieux, le reste des humains
Ne voit que des chevreuils, des biches et des daims.

Les éditions des *Contes* sont nombreuses, les poèmes ne sont que dans les anthologies. ◊ Marc Soriano, *Le Dossier Charles Perrault*, Hachette.

nicolas boileau 1636-1711

De tous les poètes du XVIIᵉ siècle, s'il n'est pas le plus grand, Boileau est, avec La Fontaine, le plus connu. Nombreux sont ses vers (« Le plus sot animal, à mon avis, c'est l'homme » ; « Le plus sage est celui qui ne pense point l'être » ; « Cent fois sur le métier remettez votre ouvrage ») qui sont passés en proverbes. Ses jugements sur les poètes, ses prédécesseurs ou ceux de son temps, ont fait longtemps autorité, d'autant que les professeurs appréciaient ce fournisseur de citations dont la poésie, ne s'embarrassant guère de métaphores, d'images troublantes et de modulations charmeuses, était facile à commenter. De tous nos poètes, Boileau est celui qui sent le plus l'école, peut-être parce que les collégiens ignorent les passages les plus savoureux de ses satires ou certaines épigrammes dont ils goûteraient l'humour un peu gros :

De six amants contents et non jaloux,
Qui tour à tour servaient madame Claude,
Le moins volage était Jean, son époux.
Un jour pourtant, d'humeur un peu trop chaude,
Serrait de près sa servante aux yeux doux,
Lorsqu'un des six lui dit : Que faites-vous ?
Le jeu n'est sûr avec cette ribaude :
Ah ! voulez-vous, Jean-Jean, nous gâter tous ?

Boileau fut en partie victime du rôle qu'il choisit d'exercer. Né en 1636, doté d'une petite rente qui lui permit fort jeune d'abandonner la profession d'avocat, lié dès 1663 avec Molière, La Fontaine et Racine, bientôt introduit dans les milieux aristocratiques, puis, après sa première *Epître au roi* en 1669, à la cour de Louis XIV, il voulut être auprès de ce souverain mécène une sorte d'Horace français, donnant à la poésie ses lois et lui assignant ses modèles. Nul, parmi les écrivains de son temps, ne fut plus préoccupé de poétique. Si même ses satires et épîtres sont truffées de réflexions sur la poésie, c'est que son œuvre fut un combat, contre les baroques et les précieux d'abord, contre les modernes ensuite, contre lui-même toujours. Certes, à vouloir fixer ce qui doit sans cesse être réinventé, il contribua à figer la poésie française dans un carcan étroitement discursif et rationaliste. Mais lui-même, à soixante ans, dans son *Epître à mon jardinier*, reconnaissait que son art est une poursuite perpétuelle.

ÉPITRE A MON JARDINIER

Laborieux valet du plus commode maître
Qui pour te rendre heureux ici-bas pouvait naître,
Antoine, gouverneur de mon jardin d'Auteuil,

Maison de Boileau à Auteuil.

Qui diriges chez moi l'if et le chèvrefeuil,
Et sur mes espaliers, industrieux génie
Sais si bien exercer l'art de La Quintinie ;
O ! que de mon esprit triste et mal ordonné,
Ainsi que de ce champ par toi si bien orné,
Ne puis-je faire ôter les ronces, les épines,
Et des défauts sans nombre arracher les racines !
   Mais parle : raisonnons. Quand, du matin au soir,
Chez moi poussant la bêche et portant l'arrosoir.
Tu fais d'un sable aride une terre fertile,
Et rends tout mon jardin à tes lois si docile ;
Que dis-tu de m'y voir rêveur, capricieux,
Tantôt baissant le front, tantôt levant les yeux,
De paroles dans l'air par élans envolées,
Effrayer les oiseaux perchés dans mes allées ?
Ne soupçonnes-tu point qu'agité du démon,
Ainsi que ce cousin des quatre fils Aimon,
Dont tu lis quelquefois la merveilleuse histoire,
Je rumine en marchant quelque endroit du grimoire ?
Mais non : tu te souviens qu'au village on t'a dit
Que ton maître est nommé pour coucher par écrit
Les faits d'un roi plus grand en sagesse, en vaillance,
Que Charlemagne aid édes douze pairs de France.

NICOLAS BOILEAU **159**

Tu crois qu'il y travaille, et qu'au long de ce mur
Peut-être en ce moment il prend Mons et Namur.
　Que penserais-tu donc, si l'on t'allait apprendre
Que ce grand chroniqueur des gestes d'Alexandre,
Aujourd'hui méditant un projet tout nouveau,
S'agite, se démène, et s'use le cerveau,
Pour te faire à toi-même en rimes insensées
Un bizarre portrait de ses folles pensées ?
Mon maître, dirais-tu, passe pour un docteur,
Et parle quelquefois mieux qu'un prédicateur.
Sous ces arbres pourtant, de si vaines sornettes
Il n'irait point troubler la paix de ces Fauvettes,
S'il lui fallait toujours. comme moi, s'exercer,
Labourer, couper, tondre, aplanir, palisser,
Et, dans l'eau de ces puits sans relâche tirée,
De ce sable étancher la soif démesurée.

　Antoine, de nous deux, tu crois donc, je le vois
Que le plus occupé dans ce jardin c'est toi ?
O ! que tu changerais d'avis et de langage,
Si deux jours seulement, libre du jardinage,
Tout à coup devenu poète et bel esprit,
Tu t'allais engager à polir un écrit
Qui dît, sans s'avilir, les plus petites choses ;
Fît des plus secs chardons des œillets et des roses ;
Et sût même aux discours de la rusticité
Donner de l'élégance et de la dignité ;
Un ouvrage, en un mot, qui, juste en tous ses termes,
Sût plaire à Daguesseau, sût satisfaire Termes,
Sût, dis-je, contenter, en paraissant au jour,
Ce qu'ont d'esprits plus fins et la ville et la cour !
Bientôt de ce travail revenu sec et pâle,
Et le teint plus jauni que de vingt ans de hâle,
Tu dirais, reprenant ta pelle et ton râteau :
J'aime mieux mettre encor cent arpents au niveau,
Que d'aller follement, égaré dans les nues,
Me lasser à chercher des visions cornues ;
Et, pour lier des mots si mal s'entr'accordants,
Prendre dans ce jardin la lune avec les dents.

　Approche donc, et viens : qu'un paresseux t'apprenne,
Antoine, ce que c'est que fatigue et que peine.
L'homme ici-bas, toujours inquiet et gêné,
Est, dans le repos même, au travail condamné.
La fatigue l'y suit. C'est en vain qu'aux poètes
Les neuf trompeuses sœurs dans leurs douces retraites
Promettent du repos sous leurs ombrages frais :
Dans ces tranquilles bois pour eux plantés exprès,
La cadence aussitôt, la rime, la césure,
La riche expression, la nombreuse mesure,
Sorcières dont l'amour sait d'abord les charmer,

De fatigues sans fin viennent les consumer.
Sans cesse poursuivant ces fugitives fées,
On voit sous les lauriers, haleter les Orphées.
Leur esprit toutefois se plaît dans son tourment,
Et se fait de sa peine un noble amusement.
Mais je ne trouve point de fatigue si rude
Que l'ennuyeux loisir d'un mortel sans étude,
Qui, jamais ne sortant de sa stupidité,
Soutient, dans les langueurs de son oisiveté,
D'une lâche indolence esclave volontaire,
Le pénible fardeau de n'avoir rien à faire.
Vainement offusqué de ses pensers épais,

Loin du trouble et du bruit il croit trouver la paix :
Dans le calme odieux de sa sombre paresse,
Tous les honteux plaisirs, enfants de la mollesse,
Usurpant sur son âme un absolu pouvoir,
De monstrueux désirs le viennent émouvoir,
Irritent de ses sens la fureur endormie,
Et le font le jouet de leur triste infamie.
Puis sur leurs pas soudain arrivent les remords,
Et bientôt avec eux tous les fléaux du corps,
La pierre, la colique et les gouttes cruelles ;
Guénaud, Rainssant, Brayer, presque aussi tristes qu'elles,
Chez l'indigne mortel courent tous s'assembler,
De travaux douloureux le viennent accabler ;
Sur le duvet d'un lit, théâtre de ses gênes,
Lui font scier des rocs, lui font fendre des chênes,
Et le mettent au point d'envier ton emploi.
Reconnais donc, Antoine, et conclus avec moi,
Que la pauvreté mâle, active et vigilante,
Est, parmi les travaux, moins lasse et plus contente
Que la richesse oisive au sein des voluptés.
    Je te vais sur cela prouver deux vérités :
L'une, que le travail, aux hommes nécessaire,
Fait leur félicité plutôt que leur misère ;
Et l'autre, qu'il n'est point de coupable en repos.
C'est ce qu'il faut ici montrer en peu de mots
Suis-moi donc. Mais je vois, sur ce début de prône,
Que ta bouche déjà s'ouvre large d'une aune,
Et que les yeux fermés, tu baisses le menton.
Ma foi, le plus sûr est de finir ce sermon.
Aussi bien j'aperçois ces melons qui t'attendent,
Et ces fleurs qui là-bas entre elles se demandent,
S'il est fête au village, et pour quel saint nouveau,
On les laisse aujourd'hui si longtemps manquer d'eau.

Œuvres complètes, éditées par Antoine Adam et Françoise Escal, la Pléiade / Gallimard. *Œuvres* (2 vol.), Garnier-Flammarion. ◊ Pierre Clarac, *Boileau*, Hatier.

jean racine 1639-1699

C'est vrai, et on l'a assez dit : Racine est, dans ses tragédies, le plus pur poète de notre langue. Inspiré par les passions de ses personnages mais visant lucidement à plaire et à toucher, équilibrant admirablement l'émotion profonde et le calcul de l'effet, la musique du vers et la rigueur du discours, il porta la lyrique classique à son plus haut point. Mais, chez lui, la création poétique se confondant avec la dramatique, Racine (né en 1639, mort en 1699) n'écrivit guère de poèmes que dans sa jeunesse et au soir de sa vie. A vingt ans, sa sensibilité s'exprimait déjà avec une claire simplicité dans les odes composant *le Paysage ou la Promenade de Port-Royal-des-Champs :*

> Là, l'hirondelle voltigeante,
> Rasant les flots clairs et polis,
> Y vient, avec cent petits cris,
> Baiser son image naissante.

En 1660, célébrant le mariage de Louis XIV et de Marie-Thérèse, *la Nymphe de la Seine à la reine* est la première des quelques odes de circonstance qui lui ouvriront les portes de la cour :

> [...] J'avois perdu toute espérance,
> Tant chacun croyoit malaisé
> Que jamais le ciel apaisé
> Dût rendre le calme à la France :
> Mes champs avoient perdu leurs moissons et leurs fleurs;
> Je roulois dans mon sein moins de flots que de pleurs ;
> La tristesse et l'effroi dominoient sur mes rives ;
> Chaque jour m'apportoit quelques malheurs nouveaux ;
> Mes Nymphes pâles et craintives
> A peine s'assuroient dans le fond de mes eaux.
>
> De tant de malheurs affligée,
> Je parus un jour sur mes bords,
> Pensant aux funestes discords
> Qui m'ont si longtemps outragée,
> Lorsque d'un vol soudain je vis fondre des cieux
> Amour, qui me flattant de la voix et des yeux :
> « Triste Nymphe, dit-il, ne te mets plus en peine ;
> Je te prépare un sort si charmant et si doux,
> Que bientôt je veux que la Seine
> Rende tout l'univers de sa gloire jaloux.
>
> « Je t'amène, après tant d'années,
> Une paix de qui les douceurs,

Sans aucun mélange de pleurs,
Feront couler tes destinées.
Mais ce qui doit passer tes plus hardis souhaits,
Une reine viendra sur les pas de la Paix,
Comme on voit le soleil marcher après l'Aurore.
Des rives du couchant elle prendra son cours ;
Et cet astre surpasse encore
Celui que l'Orient voit naître tous les jours... »

Pour polir cette ode, Racine avait demandé conseil à Chapelain. Mais il se brouilla bientôt avec ce premier maître, ainsi qu'en témoigne une de ses épigrammes — seuls poèmes qu'il écrivit, par jeu et sans les accepter dans son œuvre, en marge de son activité de dramaturge :

Froid, sec, dur, rude auteur, digne objet de satire,
De ne savoir pas lire oses-tu me blâmer ?
Hélas ! pour mes péchés, je n'ai su que trop lire
Depuis que tu fais imprimer.

Au temps de sa retraite, enfin, Racine mit au point une traduction des *Hymnes du Bréviaire romain* datant de ses débuts et composa pour la maison de Saint-Cyr quatre superbes *Cantiques spirituels*.

III. PLAINTE D'UN CHRÉTIEN, SUR LES CONTRARIÉTÉS QU'IL ÉPROUVE AU DEDANS DE LUI-MÊME

Mon Dieu, quelle guerre cruelle !
Je trouve deux hommes en moi :
L'un veut que plein d'amour pour toi
Mon cœur te soit toujours fidèle.
L'autre à tes volontés rebelle
Me révolte contre ta loi.

L'un tout esprit, et tout céleste,
Veut qu'au ciel sans cesse attaché,
Et des biens éternels touché,
Je compte pour rien tout le reste ;
Et l'autre par son poids funeste
Me tient vers la terre penché.

Hélas ! en guerre avec moi-même,
Où pourrai-je trouver la paix ?
Je veux, et n'accomplis jamais.
Je veux, mais, ô misère extrême !
Je ne fais pas le bien que j'aime,
Et je fais le mal que je hais.

O grâce, ô rayon salutaire,
Viens me mettre avec moi d'accord ;
Et domptant par un doux effort
Cet homme qui t'est si contraire,
Fais ton esclave volontaire
De cet esclave de la mort.

Mlle de La Vallière et ses enfants,
d'après Mignard.

IV. SUR LES VAINES OCCUPATIONS
DES GENS DU SIÈCLE

Quel charme vainqueur du monde
Vers Dieu m'élève aujourd'hui ?
Malheureux l'homme qui fonde
Sur les hommes son appui !
Leur gloire fuit, et s'efface
En moins de temps que la trace
Du vaisseau qui fend les mers,
Ou de la flèche rapide
Qui loin de l'œil qui la guide
Cherche l'oiseau dans les airs.

De la Sagesse immortelle
La voix tonne, et nous instruit.
« Enfants des hommes, dit-elle,
De vos soins quel est le fruit ?
Par quelle erreur, âmes vaines,
Du plus pur sang de vos veines
Achetez-vous si souvent,
Non un pain qui vous repaisse,
Mais une ombre qui vous laisse
Plus affamés que devant ?

« Le pain que je vous propose
Sert aux anges d'aliment :
Dieu lui-même le compose
De la fleur de son froment.
C'est ce pain si délectable
Que ne sert point à sa table
Le monde que vous suivez.
Je l'offre à qui me veut suivre.
Approchez. Voulez-vous vivre ?
Prenez, mangez, et vivez. »

O Sagesse, ta parole
Fit éclore l'univers,
Posa sur un double pôle
La terre au milieu des mers.
Tu dis, et les cieux parurent,
Et tous les astres coururent
Dans leur ordre se placer.
Avant les siècles tu règnes ;
Et qui suis-je, que tu daignes
Jusqu'à moi te rabaisser ?

Le Verbe, image du Père,
Laissa son trône éternel,
Et d'une mortelle mère
Voulut naître homme et mortel.
Comme l'orgueil fut le crime
Dont il naissoit la victime,
Il dépouilla sa splendeur,
Et vint, pauvre et misérable,
Apprendre à l'homme coupable
Sa véritable grandeur.

L'âme heureusement captive
Sous ton joug trouve la paix,
Et s'abreuve d'une eau vive
Qui ne s'épuise jamais.
Chacun peut boire en cette onde :
Elle invite tout le monde ;
Mais nous courons follement
Chercher des sources bourbeuses
Ou des citernes trompeuses
D'où l'eau fuit à tout moment.

Portrait de Racine par son fils.

Sur un autre mode que dans *Phèdre* se manifestent ici la perfection du génie racinien, son art de soumettre, sans les affaiblir, le tremblement de l'émotion et la vertu troublante des images aux lois de la raison et à l'ordre du discours. Mais Racine, dont la poésie marque à la fois un sommet et un achèvement, a si bien tendu la corde de la lyre inventée par Malherbe et dont son ami Boileau théorisa le mode d'emploi, qu'elle se brisa après lui, et pour longtemps.

Œuvres, t. 1, la Pléiade / Gallimard.

g. amfrye, abbé de chaulieu 1639-1720

Né en 1639 comme Racine, l'abbé de Chaulieu, qui mourut octogénaire en 1720, ne pratiqua l'art des vers que sur le tard et ses œuvres ne furent réunies en volume qu'en 1724, après sa mort. Par là, ce fils d'une riche famille d'origine anglaise, qui fut attaché aux princes de Vendôme et géra avec le même bonheur leurs affaires et leurs plaisirs, assure la transition entre le XVIIᵉ et le XVIIIᵉ siècle. De la poésie du XVIIIᵉ siècle, Chaulieu, disciple du médiocre Chapelle, annonce déjà l'esprit et les défauts : finesse et légèreté du ton, certes, mais absence de vrai lyrisme. Dans quelques poèmes seulement, où il médite sereinement sur la retraite ou la mort, on entend l'écho affaibli de Racan : « Là, pour ne point des ans ignorer les injures,/ Je consulte souvent le cristal d'un ruisseau, / Mes rides s'y font voir : par ces vérités dures/ J'accoutume mes sens à l'horreur du tombeau. » Cet abbé aimablement libertin fit surtout l'éloge de la volupté, de l'inconstance, ne célébra jamais un amour qui ne fût assorti des derniers dons. Avec lui, la poésie, renonçant à son pouvoir de fascination, de récréation, se fait badinage, devient discours, narration ou, dans le meilleur cas, subtil exercice de langage. Pour les poètes du XVIIIᵉ siècle, ce badinage, ce discours, ces exercices seront toute la poésie.

A MONSIEUR L'ABBÉ COURTIN
QUI AVOIT PRIÉ L'AUTEUR D'ALLER LE VOIR
DANS SA NOUVELLE MAISON

Bien connoissois d'officieux talents
Que sur ta bonne et facile nature
Avoit entés, dès tes plus jeunes ans,
Ce gentil dieu qu'on appelle Mercure ;
Dieu des fripons, des ribleurs et ribauds ;
Dieu, qui mieux est, d'autres rimes en *aux*,
Dont je faisois autrefois grande mise,
Mais qu'entre abbés je n'ose plus nommer ;
Tant par respect que l'on doit à l'église,
Que pour raison que de leur entremise
N'ai le besoin qui me les fit aimer.
Ce dieu, qui sait que tu cherches à plaire
A tes amis, t'a montré la façon
Dont convenoit de meubler ta maison,
Et tout ainsi qu'on les meuble à Cythère ;
Canapé large, amples et bons carreaux,
Sophas douillets, force lits de repos,
Dont plût à Dieu que pusse faire usage
Aussi fréquent que le voudroit mon cœur !

Que si n'ai plus ma première vigueur,
Ce qui m'en reste, et beaucoup de courage,
Me peut encor tirer avec honneur
D'un mauvais pas où mon penchant m'engage.
De plus, en moi l'Amour est beau parleur ;
Maître passé je suis en son langage,
Et sais très-bien d'un tendre badinage
L'amusement et le tour enchanteur :
Par quoi bien loin, dans le penchant de l'âge,
D'en éviter la fatale **douceur**,
Puissé-je encor trouver quelque charme vainqueur
Dont le pouvoir me rattache à la vie,
Et malgré moi remette dans mon cœur
Ce battement, cette douce chaleur
Qui sans pitié par les ans m'est ravie !
Malheureux qui bannit une si douce erreur,
Et que la peur du ridicule
Asservit aux leçons d'un triste raisonneur,
Dont tout le beau sermon d'un moment ne recule
L'instant où l'Achéron nous attend sur ses bords,
Et qui, de ses plaisirs se faisant un scrupule,
Meurt déchiré de cent remords !

Ah ! que Des-Yveteaux, la gloire de notre âge,
Et l'Epicure de son temps,
Connut bien mieux quel est l'usage
Que doit faire de ses moments
Le parfait philosophe et l'homme vraiment sage !
Jusques au dernier de ses jours
Il porta constamment panetière et houlette,
Et dans les bras de ses amours
Expira mollement au son de la musette,
Cherchant parmi ses doux accords,
Prêt à descendre chez les morts,
A se faire une route aisée.
Voluptueux, même en sa fin,
Il sema de fleurs le chemin
Qui le mena dans l'Elysée.

Mais sans vouloir tant raisonner,
Quand trouverai corps gentil et cœur tendre
Qui voudra bien la goutte me donner,
Je suis, abbé, tout prêt à la reprendre.

DIALOGUE ENTRE DEUX PERROQUETS,

Tôt, tôt, tôt, tôt, tôt, tôt,
Du rôt, du rôt, du rôt ;
Holà ! holà ! laquais,
Du vin aux perroquets.

Le vin qui monte à la tête
Fait jaser le perroquet ;
Ce n'est pas la seule bête
Dont le vin fait le caquet.

Mignon, ne songeons qu'à rire ;
Parlons tout le long du jour,
Sans rien penser, sans rien dire ;
C'est comme on parle à la cour.

De ceux que notre fête attire
Nous ne sommes pas les plus fous ;
De cent parleurs qu'on admire,
Trente parlent comme nous.

Tais-toi, le sultan s'apprête
A voir faire quelques tours,
Çà, pour honorer la fête,
Gambadez, messieurs les ours.

Perroquet de bonne mine,
Qui sait et rire et chanter,
Quand il est d'humeur badine,
Est en droit de plaisanter.

Anthologies Rencontre, Garnier-Flammarion.

jean-baptiste rousseau 1671-1741

Jean-Baptiste Rousseau fut tenu par nombre de ses contemporains pour le meilleur poète de son temps. En 1830, les adversaires du romantisme louaient encore son génie. Du moins, dans une génération dénuée de lyrisme, fut-il de ceux qui eurent le meilleur métier. Né en 1671, fils d'un cordonnier parisien, il apprit les préceptes du classicisme auprès de Boileau lui-même. Esprit aimable, il brilla bientôt dans la société mondaine, volontiers libertine, de la fin du siècle. Ses poèmes charmèrent, mais moins son théâtre, ce qui le rendit vindicatif. En 1712, une sombre histoire d'épigrammes calomnieuses lui valut d'être banni à vie par le Parlement. Il mourut à Bruxelles en 1741 sans avoir obtenu sa réhabilitation. Si son œuvre dramatique fut vite oubliée, à la fin du siècle Chénier admirait encore ses odes et ses cantates. On peut juger plus froidement ces poèmes à l'inspiration raisonnable.

ODE SUR UN COMMENCEMENT D'ANNÉE

[...] Si tel est le destin des hommes
Qu'un moment peut nous voir finir,
Vivons pour l'instant où nous sommes
Et non pour l'instant à venir.

Cet homme est vraiment déplorable,
Qui, de la fortune amoureux,
Se rend lui-même misérable,
En travaillant pour être heureux.

Dans des illusions flatteuses
Il consume ses plus beaux ans ;
A des espérances douteuses
Il immole des biens présents.

Insensés ! votre âme se livre
A de tumultueux projets ;
Vous mourrez sans avoir jamais
Pu trouver le moment de vivre.

De l'erreur qui vous a séduits
Je ne prétends pas me repaître ;
Ma vie est l'instant où je suis
Et non l'instant où je dois être.

Je songe aux jours que j'ai passés
Sans les regretter ni m'en plaindre :
Je vois ceux qui me sont laissés
Sans les désirer, ni les craindre.

Le joueur de flûte, de Watteau.

Ne laissons point évanouir
Des biens mis en notre puissance
Et que l'attente d'en jouir
N'étouffe point leur jouissance.

Le moment passé n'est plus rien ;
L'avenir peut ne jamais être :
Le présent est l'unique bien
Dont l'homme soit vraiment le maître.

CANTATE III : LE TRIOMPHE DE L'AMOUR.

Filles du Dieu de l'univers.
Muses, que je me plais dans vos douces retraites !
Que ces rivages frais, que ces bois toujours verts
Sont propres à charmer les ames inquiétes !
Quel cœur n'oublieroit ses tourments
Au murmure flatteur de cette onde tranquille ?
Qui pourroit résister aux doux ravissements
Qu'excite votre voix fertile ?
Non, ce n'est qu'en ces lieux charmants
Que le parfait bonheur a choisi son asile.

Heureux qui de vos doux plaisirs
Goûte la douceur toujours pure !
Il triomphe des vains desirs,
Et n'obéit qu'à la nature.

Il partage avec les héros
La gloire qui les environne ;
Et le puissant Dieu de Délos
D'un même laurier les couronne.

Heureux qui de vos doux plaisirs
Goûte la douceur toujours pure !
Il triomphe des vains desirs,
Et n'obéit qu'à la nature.

Mais que vois-je, grands Dieux ! quels magiques efforts
Changent la face de ces bords !
Quelles danses ! quels jeux ! quels concerts d'allégresse !
Les Graces, les Plaisirs, les Ris et la Jeunesse,
Se rassemblent de toutes parts.
Quel songe me transporte au-dessus du tonnerre ?
Je ne reconnois point la terre
Au spectacle enchanteur qui frappe mes regards.

Est-ce la cour suprême
Du souverain des Dieux ?
Ou Vénus elle-même
Descend-elle des cieux ?

Les compagnes de Flore
Parfument ces coteaux ;
Une nouvelle Aurore
Semble sortir des eaux ;
Et l'Olympe se dore
De ses feux les plus beaux.

Est-ce la cour suprême
Du souverain des Dieux ?
Ou Vénus elle-même
Descend-elle des cieux ?

Nymphes, quel est ce Dieu qui reçoit votre hommage ?
Pourquoi cet arc et ce bandeau ?
Quel charme en le voyant, quel prodige nouveau
De mes sens interdits me dérobe l'usage ?
Il s'approche, il me tend une innocente main :
Venez, cher tyran de mon ame ;
Venez, je vous fuirois en vain ;
Et je vous reconnois à ces traits pleins de flamme
Que vous allumez dans mon sein.
Adieu Muses, adieu : je renonce à l'envie
De mériter les biens dont vous m'avez flatté :
Je renonce à ma liberté :
Sous de trop douces lois mon ame est asservie,
Et je suis plus heureux dans ma captivité,
Que je ne le fus de ma vie
Dans le triste bonheur dont j'étois enchanté.

Anthologies Rencontre, Garnier-Flammarion.

alexis piron 1689-1773

Fils d'un apothicaire de Dijon qui rimait en patois bourguignon de plaisantes satires sur la vie locale, Piron, né en 1689, hérita de son père peu de biens mais une causticité qui fit merveille dans des épigrammes que Voltaire lui-même redoutait. Après avoir été avocat dans sa province, il vint à Paris, en 1718, où il vécut comme copiste, avant d'écrire pour le théâtre de foire, puis pour le Théâtre-Français. Là, sa tragédie *Gustave Wasa* et surtout sa comédie de *la Métromanie* connurent le succès. Familier du café Procope et des salons littéraires, cet homme aimable mourut en 1773 sans avoir pu entrer à l'Académie, le roi s'y étant opposé en raison de ses odes licencieuses. Sans être un lyrique, Piron poète avait de la verve et quelquefois, comme dans son ode à Mlle Chéré, un certain charme :

[...] Une autre félicité,
Après *Bénédicité*,
C'est de voir par la fenêtre
De notre salle à manger,
Cueillir, dans le potager,
La fraise qui vient de naître :
De voir la petite faulx
Moissonner à notre vue,
Là de jeunes artichaux ;
Ici la tendre laitue,
Le pourpier et l'estragon,
Qui tout à l'heure en salade,
Va piquer, près du dindon,
L'appétit le plus malade.

Du même endroit, nous voyons
Venir l'innocence même,
Lise, qui, sur des clayons
Nous apporte de la crème :
Blanche un peu plus que sa main :
Mais moins blanche que son sein,
Et que la perle enfantine
D'un ratelier des plus nets,
Que ne touchèrent jamais
Capperon, ni Carmeline.

C'est elle aussi qui, le soir,
En cent postures gentilles,
(Où, sans jupe ni mouchoir,
Vous seriez charmante à voir)

Dresse, et redresse nos quilles :
Jeu tout des plus innocens,
Où, pour aiguiser nos dents,
Quand la faim nous abandonne,
Nous nous exerçons un temps,
Avant que le souper sonne.

L'AMOUR ET LA FOLIE

J'avois juré d'être sage,
Mais avant peu j'en fus las ;
O raison ! c'est bien dommage,
Que l'ennui suive tes pas.

J'eus recours à la folie ;
Je nageai dans les plaisirs :
Le tems dissipa l'orgie
Et je perdis mes désirs.

Entre elles je voltigeai :
L'une et l'autre se ressemble,
Et je les apprivoisai
Pour les faire vivre ensemble.

Depuis dans cette union
J'écoule ma douce vie ;
J'ai pour femme la raison,
Pour maîtresse la folie.

Tour à tour, mon goût volage
Leur partage mes désirs ;
L'une a soin de mon ménage
Et l'autre de mes plaisirs.

ÉPITAPHE DE M. DE VOLTAIRE

Ci-gît qui méconnut et le ciel et son Maître ;
Esprit fécond, vif et brillant,
Il eût été beaucoup plus grand
S'il eût voulu moins le paraître.

Œuvres complètes (10 vol.), présentées par P. Dufay, F. Guillot, 1928.
Anthologies Rencontre, Garnier-Flammarion, Tchou.

charles-françois panard 1694-1765

Auteur populaire, Panard écrivit une centaine d'opéras-comiques, vaudevilles et parodies. S'il pratiqua presque tous les genres poétiques, de l'allégorie à l'épigramme, ce franc buveur fut surtout inventif dans la chanson et, entre Angot et Apollinaire, il maintint la tradition des calligrammes.

LE VERRE

Nous ne pouvons rien trouver sur la terre,
Qui soit si bon, ni si beau que le verre.
Du tendre amour berceau charmant,
C'est toi, champêtre fougere
C'est toi qui sers à faire
L'heureux instrument
Où souvent pétille,
Mousse et brille,
Le jus qui rend
Gai, riant,
Content.
Quelle douceur
Il porte au cœur !
Tôt,
Tôt,
Tôt,
Qu'on m'en donne,
Qu'on l'entonne;
Tôt,
Tôt,
Tôt;
Qu'on m'en donne
Vite et comme il faut;
L'on y voit, sur ses flots chéris,
Nâger l'Allégresse et les Ris.

voltaire 1694-1778

Avec une souveraine aisance, Voltaire brilla dans tous les genres, ou presque. Le romancier nous ravit, le philosophe et l'historien nous passionnent, le prosateur, partout et jusque dans la moindre page de sa correspondance, paraît un modèle d'élégante efficacité. Pareillement, le poète fait l'unanimité : Voltaire, dit-on, ne l'était pas ; ses tragédies eussent gagné à être écrites en prose, sa *Henriade* a une raideur scolaire, sa *Pucelle* la trivialité mais non la verve des satires de Sigogne, ses odes sont indigestes. Sans doute est-ce vrai. Mais Voltaire avait les qualités et les défauts des poètes de son temps. Peu lyrique et raisonneur, l'ironie et l'équivoque de l'épigramme lui convenaient mieux que l'élégie :

> De l'amour la métaphysique
> Est, je vous jure, un froid roman.
> Fanchon, reprenons la physique :
> Mais, las ! que j'y suis peu savant !

Ses pièces légères non plus ne manquaient pas de charme :

STANCES A MADAME DU CHATELET

Si vous voulez que j'aime encore,
Rendez-moi l'âge des amours ;
Au crépuscule de mes jours
Rejoignez, s'il se peut, l'aurore.

Des beaux lieux où le dieu du vin
Avec l'amour tient son empire,
Le Temps, qui me prend par la main,
M'avertit que je me retire.

De son inflexible rigueur
Tirons au moins quelque avantage.
Qui n'a pas l'esprit de son âge
De son âge a tout le malheur.

Laissons à la belle jeunesse
Ses folâtres emportements :
Nous ne vivons que deux moments ;
Qu'il en soit un pour la sagesse.

Quoi ! pour toujours vous me fuyez,
Tendresse, illusion, folie,
Dons du ciel qui me consoliez
Des amertumes de la vie !

On meurt deux fois, je le vois bien ;
Cesser d'aimer et d'être aimable
C'est une mort insupportable :
Cesser de vivre, ce n'est rien.

Ainsi je déplorais la perte
Des erreurs de mes premiers ans,
Et mon âme au désir ouverte
Regrettait ses égarements.

Du ciel alors, daignant descendre,
L'amitié vint à mon secours ;
Elle était peut-être aussi tendre,
Mais moins vive que les amours.

Touché de sa beauté nouvelle,
Et de sa lumière éclairé,
Je la suivis ; mais je pleurai
De ne pouvoir plus suivre qu'elle.

Voltaire jouant aux échecs par Jean Huber.

Voltaire, héritier d'Horace, de Malherbe et de Boileau, tenait la poésie pour un art de célébration, mais, homme de son siècle, ne voyait rien de plus glorieux à célébrer que la philosophie et la science. L'éloge qu'il fait de Newton dans d'autres stances à Mme du Châtelet, traductrice des *Principes mathématiques de la philosophie naturelle*, nous dit assez quelles étaient l'ambition et les limites de sa poétique :

Le charme tout-puissant de la philosophie
Elève un esprit sage au-dessus de l'envie.
Tranquille au haut des cieux que Newton s'est soumis,
Il ignore en effet s'il a des ennemis :
Je ne les connais plus. Déjà de la carrière
L'auguste Vérité vient m'ouvrir la barrière ;
Déjà ces tourbillons, l'un par l'autre pressés,
Se mouvant sans espace, et sans règle entassés,
Ces fantômes savants à mes yeux disparaissent.
Un jour plus pur me luit ; les mouvements renaissent.
L'espace, qui de Dieu contient l'immensité,
Voit rouler dans son sein l'univers limité,
Cet univers si vaste à notre faible vue,
Et qui n'est qu'un atome, un point dans l'étendue.
Dieu parle, et le chaos se dissipe à sa voix :
Vers un centre commun tout gravite à la fois.
Ce ressort si puissant, l'âme de la nature,
Etait enseveli dans une nuit obscure ;

...erney, par Jean Huber.

Le compas de Newton, mesurant l'univers,
Lève enfin ce grand voile, et les cieux sont ouverts.
Il déploie à mes yeux, par une main savante,
De l'astre des saisons la robe étincelante :
L'émeraude, l'azur, le pourpre, le rubis,
Sont l'immortel tissu dont brillent ses habits.
Chacun de ses rayons, dans sa substance pure,
Porte en soi les couleurs dont se peint la nature ;
Et, confondus ensemble, ils éclairent nos yeux ;
Ils animent le monde, ils emplissent les cieux.
      Confidents du Très-Haut, substances éternelles,
Qui brûlez de ses feux, qui couvrez de vos ailes
Le trône où votre maître est assis parmi vous,
Parlez : du grand Newton n'étiez-vous point jaloux ?
      La mer entend sa voix. Je vois l'humide empire
S'élever, s'avancer vers le ciel qui l'attire :
Mais un pouvoir central arrête ses efforts ;
La mer tombe, s'affaisse, et roule vers ses bords.
      Comètes, que l'on craint à l'égal du tonnerre,
Cessez d'épouvanter les peuples de la terre :
Dans une ellipse immense achevez votre cours ;
Remontez, descendez près de l'astre des jours ;
Lancez vos feux, volez, et, revenant sans cesse,
Des mondes épuisés ranimez la vieillesse.
      Et toi, soeur du soleil, astre qui, dans les cieux,
Des sages éblouis trompais les faibles yeux,
Newton de ta carrière a marqué les limites ;
Marche, éclaire les nuits, tes bornes sont prescrites.
      Terre, change de forme ; et que la pesanteur,
En abaissant le pôle, élève l'équateur ;
Pôle immobile aux yeux, si lent dans votre course,
Fuyez le char glacé des sept astres de l'Ourse :
Embrassez, dans le cours de vos longs mouvements,
Deux cents siècles entiers par delà six mille ans.
      Que ces objets sont beaux ! que notre âme épurée
Vole à ces vérités dont elle est éclairée !
Oui, dans le sein de Dieu, loin de ce corps mortel,
L'esprit semble écouter la voix de l'Eternel.

En dehors des monumentales éditions des *Œuvres complètes* de Voltaire,
ses poèmes ne figurent guère que dans des anthologies et des morceaux
choisis.

gentil-bernard 1708-1775

Né à Lyon, Bernard, que Voltaire surnomma Gentil, fut favorisé par la fortune sinon inspiré par les muses. Doté fort jeune d'une charge lucrative, il en obtint une plus brillante, de Mme de Pompadour, après le succès — dû surtout à la musique de Rameau — de son opéra *Castor et Pollux* (1737). Sa poésie, essentiellement narrative, échappe par instants à la froideur d'un discours convenu. Ainsi dans les chants de son *Art d'aimer* ou de *Phrosine et Mélidore*. Ici Phrosine s'exerce à la nage pour rejoindre son amant exilé dans une île.

Phrosine et Mélidore, vu par Eisen...

... et par Prudhon. △

La mer, bornant la maison Faventine,
Baignoit les murs qui renfermoient Phrosine ;
Un sûr asile, ignoré dans ces lieux,
Formoit pour elle un bain délicieux.
Là, chaque nuit, Phrosine descendue
Menoit Aly sa compagne assidue ;
Là, sans rougir, ses plus secrets appas
Souffroient des yeux qu'elle ne craignoit pas.
Des jours brûlants l'onde apaisoit la flamme
Sans apporter de remède à son âme.
Dans le sommeil ses esprits languissants
Avoient fait place à l'erreur de ses sens.
Des régions qu'habitent les mensonges
Etoit parti le plus heureux des songes ;
Non ce vieillard par des hiboux traîné,
Teint de pavots, de crêpe environné,
Mais un enfant sans voile et sans nuage,
Tout rayonnant de l'éclat du bel âge,
Au doux sourire, au teint frais et vermeil :
Il répandoit les roses du sommeil ;
Le mouvement de son aile divine
Rafraîchit l'air que respiroit Phrosine ;
Sa douce haleine embauma ce séjour :
Ce bel enfant, ce songe, étoit l'Amour.
Ce dieu, traçant de subtiles images,
Peint ses rideaux de riants paysages.
Il met la main sur son cœur, et lui dit :
« Sois attentive au sort qui t'est prédit :
Vois cet empire où Neptune préside,
Viens y briller, je t'y fais Néréide :
Nymphe nouvelle, ose en cet élément
Suivre l'Amour et chercher ton amant ;

Brave les flots, les rochers et l'orage ; »
Un dieu puissant va t'ouvrir le passage. »
Phrosine alors, dans ses destins nouveaux,
Crut se jouer, crut voguer sur les eaux.
L'amour guidoit sa course fortunée :
Au bord d'une île elle fut amenée.
« Tu dois, dit-il, y pénétrer un jour,
Et ton amant est roi de ce séjour. »
Là disparut l'Amour et son ouvrage.
Elle s'éveille, adorant ce présage ;
Et le cœur plein de ce rêve enchanteur,
Elle ose attendre un avenir flatteur.
Avec Aly de ce songe occupée,
Au bain surtout Phrosine en est frappée.
C'est toi, dit-elle, ô fatal élément,
Qui de mes bras éloignes mon amant !
A l'intérêt si des vagues dociles
Pour les mortels ont des routes faciles,
De ton pouvoir fais un plus digne emploi ;
Sers mon amour, élève, emporte-moi,
Unis Phrosine à son cher Mélidore.
En agitant les ondes qu'elle implore,
Soudain le sable échappe sous ses pas ;
Son corps s'étend, balancé sur ses bras ;
Ses pieds de l'onde atteignent la surface ;
Un fol espoir animoit son audace.
Aly trembloit : Phrosine s'égarant
Nageoit encor ; mais son cœur expirant,
Trop foible, hélas ! la rappelle au rivage.
« Aly, dit-elle, as-tu vu ? quel présage !
L'amour sans doute écoute mes désirs ;
Il soumet l'onde et commande aux zéphyrs.
J'irai plus loin. » Elle dit, et s'élance,
Bat, fend la mer, nage à plus de distance ;
Revient, retourne, et jouant sur les eaux,
S'exerce encore à des périls nouveaux.

Anthologies Rencontre, Garnier-Flammarion, Tchou.

jean-baptiste gresset 1709-1777

Gresset, qui finit couvert d'honneurs et dans la peau d'un moralisateur reniant la plupart de ses œuvres et combattant l'Encyclopédie, fut un agréable représentant de l'esprit ironique et galant de son siècle. Né en 1709, fils d'un échevin d'Amiens, il entra à seize ans dans la Compagnie de Jésus. Le ton de ses premiers poèmes *(Vert-Vert, le Lutrin vivant, le Carême impromptu)* étant plutôt irrespectueux à l'égard de la vie religieuse, ses supérieurs l'envoyèrent enseigner en province. N'ayant pas prononcé de vœux, il quitta l'ordre en 1735. Il écrivit alors pour le théâtre et connut le succès avec sa comédie *le Méchant*. Retiré à Amiens après 1750, il se maria et devint dévot. Son *Vert-Vert* conte l'histoire d'un perroquet qui, élevé chez les Visitandines de Nevers, acquiert un langage pieux. Envoyé à la maison mère de Nantes, il apprend sur le bateau descendant la Loire la langue imagée des bateliers, artisans et soldats, ce qui, à l'arrivée, fait scandale :

On voit enfin, on ne se peut repaître
Assez les yeux des beautés de l'oiseau :
C'était raison, car le fripon pour être
Moins bon garçon n'en était pas moins beau ;
Cet œil guerrier et cet air petit-maître
Lui prêtaient même un agrément nouveau.
Faut-il grand Dieu ! que sur le front d'un traître
Brillent ainsi les plus tendres attraits !
Que ne peut-on distinguer et connaître
Les cœurs pervers à de difformes traits !
Pour admirer les charmes qu'il rassemble,
Toutes les sœurs parlent toutes ensemble :
En entendant cet essaim bourdonner,
On eût à peine entendu Dieu tonner.
Lui cependant, parmi tout ce vacarme,
Sans daigner dire un mot de piété,
Roulait les yeux d'un air de jeune Carme.
Premier grief. Cet air trop effronté
Fut un scandale à la communauté.
En second lieu, quand la mère prieure,
D'un air auguste, en fille intérieure,
Voulut parler à l'oiseau libertin,
Pour premiers mots et pour toute réponse,
Nonchalamment et d'un air de dédain,
Sans bien songer aux horreurs qu'il prononce,
Mon gars répond, avec un ton faquin :

« Par la corbleu ! que les nonnes sont folles »
L'histoire dit qu'il avait en chemin,
D'un de la troupe entendu ces paroles.
A ce début, la sœur Saint-Augustin,
D'un air sucré, voulant le faire taire,
Et lui disant, fi donc, mon très cher frère !
Le très cher frère, indocile et mutin,
Vous la rima très richement en tain.
Vive Jésus ! il est sorcier, ma mère !
Reprend la sœur. Juste Dieu ! quel coquin !
Quoi ! c'est donc là ce perroquet divin ?
Ici Vert-Vert, en vrai gibier de Grève,
L'apostropha d'un : la peste te crève !
Chacune vient pour brider le caquet
Du grenadier, chacune eut son paquet :
Turlupinant les jeunes précieuses,
Il imitait leur courroux babillard ;
Plus déchaîné sur les vieilles grondeuses,
Il bafouait leur sermon nasillard.

Ce fut bien pis, quand, d'un ton de corsaire,
Las, excédé de leurs fades propos,
Bouffi de rage, écumant de colère,
Il entonna tous les horribles mots
Qu'il avait su rapporter des bateaux ;
Jurant, sacrant d'une voix dissolue,
Faisant passer tout l'enfer en revue,
Les B. les F. voltigeaient sur son bec.
Les jeunes sœurs crurent qu'il parlait grec.
« Jour de Dieu Mor... ! Mille pipes de diable ! »
Toute la grille, à ces mots effroyables,
Tremble d'horreur ! Les nonnettes sans voix
Font, en fuyant, mille signes de croix :
Toutes, pensant être à la fin du monde,
Courent en poste aux caves du couvent ;
Et sur son nez la mère Cunégonde
Se laissant choir perd sa dernière dent [...]

Anthologies Rencontre, Garnier-Flammarion, Tchou.

Les oiseaux, d'Oudry.

j.-j. lefranc de pompignan 1709-1784

Magistrat, auteur de *Poésies sacrées*, le marquis de Pompignan, lors de sa réception à l'Académie française, attaqua les encyclopédistes sur un ton qu'il reprit dans l'*Epître sur l'esprit du siècle* : « L'univers retentit de nouvelles maximes. / La vérité, l'erreur, les vertus et les crimes, / Et les mœurs et le goût, l'esprit et la raison, / Tout a changé de face, et de rang et de nom. » Ripostant, Voltaire le couvrit d'épigrammes. N'étant pas de taille à lutter, Pompignan se retira à Montauban, sa ville natale. Pourtant, s'il n'écrivait pas dans le goût du jour, son *Ode sur la mort de Jean-Baptiste Rousseau* valait bien les odes de celui-ci. Pompignan était aussi capable d'invention verbale et de fantaisie, comme en témoigne ce passage de son *Voyage en Languedoc* :

Nous fûmes donc au Château d'If.
C'est un lieu peu récréatif,
Défendu par le fer oisif
De plus d'un soldat maladif,
Qui de Guerrier jadis actif
Est devenu Garde passif.
Sur ce roc taillé dans le vif
Par bon ordre on retient captif
Dans l'enceinte d'un mur massif,
Esprit libertin, cœur rétif
Au salutaire correctif
D'un parent peu persuasif.
Le pauvre prisonnier pensif
A la triste lueur du suif,
Jouit pour seul soporatif
Du murmure non lénitif
Dont l'élément rébarbatif
Frappe son organe attentif.
Or pour être mémoratif
De ce domicile afflictif,
Je jurai d'un ton expressif
De vous le peindre en rime en if.
Ce fait, du Roc désolatif
Nous sortîmes d'un pas hâtif,
Et rentrâmes dans notre Esquif,
En répétant d'un ton plaintif,
Dieu nous garde du Château d'If.

Anthologies Rencontre, Garnier-Flammarion, Tchou. ◊ Jean Roudaut, *Poètes et Grammairiens au XVIIIe siècle*, Gallimard. Th. E.D. Braun, *Un ennemi de Voltaire : Le Franc de Pompignan*, Lettres modernes.

jean-jacques rousseau 1712-1778

Les poèmes légers de Chaulieu ou de Piron et ceux, philosophiques et scientifiques de Voltaire, Saint-Lambert, Delille ou Lebrun expriment parfaitement le goût d'un siècle pour qui la poésie devait être narrative ou didactique. Lorsqu'il lui arriva d'écrire des vers, Jean-Jacques Rousseau ne remit pas en question cette poétique et, par exemple, les couplets du *Devin de village* (« A voltiger de belle en belle, / On perd souvent l'heureux instant ; / Souvent un berger trop fidèle / Est moins aimé qu'un inconstant ») sont proches des chansons de Dorat ou de Laborde. Mais, prosateur, Rousseau sut donner à sa phrase d'admirables cadences. Au XVIIIe siècle, en fait, la poésie s'est réfugiée — mais pour y briller d'un éclat singulier qui éclairera la littérature jusqu'à nous — dans les romans de Laclos et de Sade, et plus encore chez Rousseau, dans les *Confessions* et dans les *Rêveries d'un promeneur solitaire*. De celles-ci, premier grand texte du préromantisme, nous retenons un passage de la cinquième promenade.

[...] Quand le lac agité ne me permettait pas la navigation, je passais mon après-midi à parcourir l'île, en herborisant à droite et à gauche, m'asseyant tantôt dans les réduits les plus riants et les plus solitaires pour y rêver à mon aise, tantôt sur les terrasses et les tertres, pour parcourir des yeux le superbe et ravissant coup d'œil du lac et de ses rivages, couronnés d'un côté par des montagnes prochaines, et, de l'autre, élargis en riches et fertiles plaines, dans lesquelles la vue s'étendait jusqu'aux montagnes bleuâtres, plus éloignées, qui la bordaient.

Quand le soir approchait, je descendais des cimes de l'île, et j'allais volontiers m'asseoir au bord du lac, sur la grève, dans quelque asile caché ; là, le bruit des vagues et l'agitation de l'eau, fixant mes sens et chassant de mon âme toute autre agitation, la plongeaient dans une rêverie délicieuse, où la nuit me surprenait souvent sans que je m'en fusse aperçu. Le flux et le reflux de cette eau, son bruit continu, mais renflé par intervalles, frappant sans relâche mon oreille et mes yeux, suppléaient aux mouvements internes que la rêverie éteignait en moi, et suffisaient pour me faire sentir avec plaisir mon existence, sans prendre la peine de penser. De temps à autre naissait quelque faible et courte réflexion sur l'instabilité des choses de ce monde, dont la surface des eaux m'offrait l'image ; mais bientôt ces impressions légères s'effaçaient dans l'uniformité du mouvement continu qui me berçait, et qui, sans aucun concours actif de mon âme, ne laissait pas de m'attacher au point qu'appelé par l'heure et par le signal convenu, je ne pouvais m'arracher de là sans efforts.

Après le souper, quand la soirée était belle, nous allions encore tous ensemble faire quelque tour de promenade sur la terrasse, pour y respirer l'air du lac et la fraîcheur. On se reposait dans le pavillon, on riait, on causait, on chantait quelque vieille chanson qui valait bien le tortillage moderne, et enfin l'on s'allait coucher content de sa journée, et n'en désirant qu'une semblable pour le lendemain.

La maison de Rousseau à Bienne.

Telle est, laissant à part les visites imprévues et importunes, la manière dont j'ai passé mon temps dans cette île, durant le séjour que j'y ai fait. Qu'on me dise à présent ce qu'il y a là d'assez attrayant pour exciter dans mon cœur des regrets si vifs, si tendres et si durables, qu'au bout de quinze ans il m'est impossible de songer à cette habitation chérie, sans m'y sentir à chaque fois transporté encore par les élans du désir.

J'ai remarqué dans les vicissitudes d'une longue vie que les époques des plus douces jouissances et des plaisirs les plus vifs ne sont pourtant pas celles dont le souvenir m'attire et me touche le plus. Ces courts moments de délire et de passion, quelque vifs qu'ils puissent être, ne sont cependant, et par leur vivacité même, que des points bien clairsemés dans la ligne de la vie. Ils sont trop rares et trop rapides pour constituer un état ; et le bonheur que mon cœur regrette n'est point composé d'instants fugitifs, mais un état simple et permanent, qui n'a rien de vif en lui-même, mais dont la durée accroît le charme, au point d'y trouver enfin la suprême félicité.

Tout est dans un flux continuel sur la terre. Rien n'y garde une forme constante et arrêtée, et nos affections qui s'attachent aux choses extérieures passent et changent nécessairement comme elles. Toujours en avant ou en arrière de nous, elles rappellent le passé, qui n'est plus, ou préviennent l'avenir, qui souvent ne doit point être : il n'y a rien là de solide à quoi le cœur se puisse attacher. Aussi n'a-t-on guère ici-bas que du plaisir qui passe ; pour le bonheur qui dure, je doute qu'il y soit connu. A peine est-il, dans nos plus vives jouissances, un instant où le cœur puisse véritablement nous dire : « *Je voudrais que cet instant durât toujours.* » Et comment peut-on appeler bonheur un état fugitif qui nous laisse encore le cœur inquiet et vide, qui nous fait regretter quelque chose avant, ou encore désirer quelque chose après ?

Les Rêveries d'un promeneur solitaire, Garnier et Garnier-Flammarion. *Œuvres complètes*, t. 1, la Pléiade / Gallimard.

JEAN-JACQUES ROUSSEAU **187**

j.-f. de saint-lambert 1716-1803

Bien que Saint-Lambert, son cadet de vingt-deux ans, eût été son rival heureux auprès de Mme du Châtelet, Voltaire l'admirait et plaçait son poème des *Saisons* (1769) au rang des « ouvrages de génie ». Si, au cours de sa longue vie, Saint-Lambert — originaire de Nancy et qui servit dans les gardes du roi de Lorraine — composa de nombreuses poésies légères, des fables, des contes et des essais, son œuvre majeure demeure *les Saisons*, où il s'efforce de lier l'impression de l'instant à une vision plus vaste de l'univers, ainsi lorsqu'il s'adresse au soleil :

Tu t'élevas bientôt sur la céleste voûte,
Et des traits plus ardens répandus sur ta route,
De l'équateur au pôle, ont pénétré les airs,
Le centre de la terre et l'abîme des mers.

A des êtres sans nombre ils donnent la naissance.
Tout se meut, s'organise et sent son existence ;
Le sable et le limon se sont-ils animés,
Dans les bois, dans les eaux, sur les monts enflammés.
Les germes des oiseaux, des poissons, des reptiles,
S'élancent à la fois de leurs prisons fragiles.
Ici, le faon léger se joue avec l'agneau ;
Là le jeune coursier bondit près du chevreau ;
Sur les bords opposés de ces feuilles légères
Résident des tribus l'une à l'autre étrangères ;
Les calices des fleurs, les fruits sont habités ;
Dans les humbles gazons s'élèvent des cités ;
Et des eaux de la nue une goutte insensible,
Renferme un peuple atôme, une foule invisible.

Comme un flot disparaît sous le flot qui le suit,
Un être est remplacé par l'être qu'il produit.
Ils naissent, Dieu puissant, lorsque ta voix féconde.
Les appelle à ton tour sur la scène du monde :
Dévorés l'un par l'autre, ou détruits par le temps,
Ils ont à tes desseins servi quelques instans.

Mais si l'été brûlant a prodigué la vie
A tant d'êtres nouveaux dont la terre est remplie,
Il augmente, il achève, il mûrit les trésors
Qu'un air plus tempéré fit naître sur nos bords.

Anthologies Rencontre, Garnier-Flammarion, Tchou.

jean-joseph vadé 1719-1757

Voltaire traitait Vadé de polisson. D'ordinaire les critiques citent ses vers les plus froids, se bornant à rappeler qu'il fut célèbre pour ses opéras-comiques et surtout pour ses poèmes écrits dans le langage poissard de La Courtille, quartier riche en guinguettes où le beau monde aimait s'encanailler. Dans *Poètes et Grammairiens au XVIIIe siècle* (Gallimard), présentant ce poète, Jean Roudaut dit : « De toutes les œuvres de poètes du XVIIIe siècle, celle de Vadé est sans doute la plus vivante » ; et il voit très justement l'annonce des romances de Bruant et Carco dans *la Pipe cassée*, poème « épitragipoissardi-héroïcomique », comme celle des inventions verbales de Prévert dans les « amphigouris ». Vadé nous séduit en ce qu'il échappe aux normes littéraires de son temps.

LA PIPE CASSÉE

[...] On sait que sur le Port aux Bleds
Maints Forts à bras sont assemblés,
L'un pour, sur ses épaules larges,
Porter ballots, fardeaux ou charges ;
Celui-ci pour les débarquer,
Et l'autre enfin pour les marquer.

On sait, ou peut-être on ignore,
Que tous les jours avant l'aurore
Ces beaux muguets à bran-de-vin
Vont chez la veuve Rabavin
Tremper leur cœur dans l'eau-de-vie.
Et fumer s'ils en ont envie.

Un jour que se trouvant bien-là,
Et que sur l'air du beau lanla
Ils chantoient à tour de mâchoire,
Maints et maints Cantiques à boire,
Que gueule fraîche et les pieds chauds,
Ils se fichoient de leurs bachots,
Sans réfléchir qu'un jour ouvrable
N'étoit point fait pour tenir table,
Hélas ! la femme de l'un d'eux,
Trouble plaisir et boutte-feux,
Arrive et retrousse ses manches ;
Déjà ses poings sont sur ses hanches,
Déjà tout tremble ; on ne dit mot ;
Plus de chansons ; chacun est sot...

AMPHIGOURI
sur l'air du Menuet d'Exaudet

Dom Pibrac,
Dans un lac
Près du Gange,
Faisoit raper du tabac
Pour gonfler l'estomach
Du pauvre Michelange.
Quand S. Roc
Sur un roc
Vit Euterpe,
Qui pour s'amuser beaucoup
Faisoit des vers à coup
De serpe.
Plus loin étoit Calliope
Qui lisoit le Misanthrope ;
Mais Santeuil
D'un cercueil
S'enveloppe
Crainte que Jacques Clément
Ne scut l'enlévement
D'Europe.
Si Noé
Fut noué,
C'est sa faute.
Que n'alloit-il à Chaillot
Se fair' mettre en maillot
Par la tante de Plaute.
Au Japon
Le jupon
D'Artemise
Sert aux Grands Seigneurs Persans
Quand à None ils vont sans
Chemise.

Anthologies Garnier-Flammarion, Tchou

p.-d. écouchard-lebrun 1729-1807

Surnommé Lebrun-Pindare par ses contemporains, ce qui dit assez quelle fut sa gloire, Ecouchard-Lebrun, né à Paris en 1729, célébra successivement les princes, Robespierre et Bonaparte. Sa fidélité, il la réservait à son art. Fade dans l'élégie, brillant dans l'épigramme, cet homme du siècle des Lumières voulut aussi, comme Delille et Voltaire, mettre la poésie au service de la connaissance. Dans *les Conquêtes de l'homme sur la nature,* il célèbre notamment les inventions récentes comme le scaphandre, le paratonnerre, le télégraphe Chappe et l'aérostat. Si son enthousiasme annonçait la modernité chère aux futuristes et à Apollinaire, sa volonté de didactisme ouvrait fâcheusement la voie à Sully-Prudhomme.

LES CONQUÊTES DE L'HOMME SUR LA NATURE

Son expérience fertile,
Dans une herbe autrefois stérile,
Surprit le germe des moissons :
Oui, Cérès est fille de l'homme ;
Et du grain qu'Eleusis renomme
Lui seul a doré nos sillons.

Il impose au coursier sauvage
Le frein d'un utile esclavage ;
Le bœuf féconde ses guérets :
Et pour fendre le sein des ondes
Changés en barques vagabondes
Les sapins quittent les forêts.

Son art sur des voûtes solides
Traverse les fleuves rapides :
Les monts altiers sont aplanis ;
Et par une route nouvelle,
A travers les flancs de Cybèle,
Les deux Neptune sont unis.

C'est peu de l'antique merveille
Des sons qui peignent à l'oreille
L'âme insensible en notre sein :
Par lui la parole est tracée ;
Il éternise la pensée
A l'aide d'un mobile airain.

Il lit sur le front des étoiles ;
Il emprisonne dans ses voiles

Eole aux souffles inconstans ;
L'heure même, si fugitive,
Vient dans un or qui la captive,
Lui révéler les pas du Temps...

[...] Ici, l'homme ceint du scaphandre
Franchit, plus heureux que Léandre,
La surface des flots mouvans :
Là, plongeant jusqu'aux Néréides,
Même au fond des tombeaux liquides,
Il imprime ses pas vivans...

[...] Franklin a pu dire au tonnerre :
« Cesse d'épouvanter la terre ;
Descends de l'Olympe calmé ! »
Soudain la foudre obéissante
A reconnu sa voix puissante,
Et Jupiter fut désarmé.

Renommée, abaisse tes ailes ;
Ferme tes bouches infidèles ;
Cesse tes rapports indiscrets :
Vois cette active vigilance
Des signaux qui, dans le silence,
Vont saisir au loin tes secrets...

[...] Que vois-je ? ô merveille suprême !
Un air plus léger que l'air même
Ravit l'homme au ciel le plus pur ;
La Seine, en frémissant, admire
Le cours de ce premier navire
Qui des airs fend le vaste azur.

Ah ! ne viens point, raison barbare,
Fière de la chute d'Icare,
Glacer nos Dédales français !
Ce n'est pas à toi de connaître
Les prodiges qui doivent naître
De ces mémorables essais !

Anthologies Rencontre, Garnier-Flammarion. ◊ Jean Roudaut, *Poètes et Grammairiens au XVIIIᵉ siècle*, Gallimard.

j.-c.-l. de c. de malfilâtre 1732-1767

« La faim mit au tombeau Malfilâtre ignoré », affirma Gilbert. Si Malfilâtre ne mourut pas de faim, mais de maladie, ce fut bien cependant dans la misère. Marmontel ayant fait publier son ode sur *le Soleil fixe au milieu des planètes*, le jeune poëte avait quitté Caen pour Paris. Peu mondain, il ne sut pas s'imposer d'emblée dans les milieux littéraires malgré sa traduction de Virgile et son long poème *Narcisse dans l'île de Vénus* dont nous donnons un fragment :

Applaudis-toi, grande divinité,
Applaudis-toi, contemple ton ouvrage :
D'un œil serein vois la félicité
De tant de cœurs qui te rendent hommage :
Vois cette scène et ces groupes épars.
Quel lieu jamais offrit à tes regards
De ton pouvoir un plus beau témoignage,
Et du bonheur une plus vive image ?
Où, cependant, où ne portes-tu pas
Et le bonheur et l'innocente joie ?
En quelque endroit que se tournent tes pas,
Sur tous les fronts la gaîté se déploie ;
La paix te suit, les flots séditieux,
Quand tu parais, retombent et s'apaisent,
L'aquilon fuit, les tonnerres se taisent,
Et le soleil revient, plus radieux,
Dorer l'azur dont se peignent les cieux.
A ton aspect, la Nature est émue ;
En rugissant, le lion te salue,
L'ours, en grondant, t'exprime ses plaisirs ;
L'oiseau léger te chante dans la nue ;
Et l'homme enfin, par la voix des soupirs,
Te rend honneur et t'offre ses désirs.
Rien ne t'échappe, et l'abîme des ondes
S'embrase aussi de tes flammes fécondes ;
Et sous tes traits, sous tes brûlants éclairs,
Pleins d'allégresse, en leurs grottes profondes,
Tu vois bondir tous les monstres des mers.
C'est toi par qui sont les êtres divers,
C'est toi, Vénus, qui rajeunis les mondes,
Et dont le souffle anime l'univers.

Anthologies Rencontre. Garnier-Flammarion. Tchou.

nicolas restif de la bretonne 1734-1806

Dans un temps de poésie rhétorique, le lyrisme se réfugiait dans la chanson. Restif de la Bretonne, sensible au génie populaire, a inséré dans ses romans de nombreuses chansons. Voici, tirée des *Contemporaines*, la *Jolie Fournalière* :

Nic. Ed. RESTIF, Fils-EdME.
1785.

Gentille boulangère,
Qui des dons de Cérès,
Sais d'une main légère
Nous donner du pain frais,
Des biens que tu nous livres
Doit-on se réjouir ?
Si ta main nous fait vivre,
Tes yeux nous font mourir.

De ta peau douce et fine
J'admire la fraîcheur ;
C'est la fleur de farine
Dans toute sa blancheur :
On aime la tournure
Des petits pains au lait
Que la simple nature
A mis dans ton corset.

De ces pains, ma mignonne,
L'amour a toujours soin ;
Si tu ne les lui donne
Permets en le larcin ;
Mais tu ne veux m'entendre ;
Tu ris de mes hélas !
Quand on vend du pain tendre,
Pourquoi ne l'être pas ?

D'une si bonne pâte
Ton cœur semble pétri !
Pourrait-il, jeune Agathe,
N'être pas attendri ?
Ne sois plus si sévère,
Sois sensible à l'amour
Et permets-lui, ma chère,
D'aller cuire à ton four.

Les poèmes sont épars dans les divers écrits de Restif de la Bretonne et ne figurant généralement pas dans les anthologies.

jacques delille 1738-1813

« Delille est mort et bien mort », affirmait Sainte-Beuve. De ce jugement, la poésie de l'aimable abbé — si peu abbé, bien qu'on lui en donnât le titre, qu'il épousa sa gouvernante — ne s'est guère relevée. Pourtant, de sa traduction des *Géorgiques*, en 1770, à ses funérailles triomphales en 1813, la gloire de Delille fut immense et son émigration après Thermidor ne l'empêcha pas à son retour, en 1802, de retrouver sa chaire au Collège de France. Curieusement, enfant illégitime, né à Aigueperse en 1738, et que, par respectabilité, sa mère, de noble condition, n'avait pu garder, Delille, qui connut très tôt les collèges parisiens, ne cessa de célébrer sa terre maternelle d'Auvergne et, par extension, la nature. Dans *les Jardins ou l'Art d'embellir les paysages* (1782), conseillant de ne pas brimer les beautés sauvages, il a parfois des accents préromantiques :

Les bois peuvent s'offrir sous des aspects sans nombre ;
Ici des troncs pressés rembruniront leur ombre ;
Là, de quelques rayons égayant ce séjour,
Formez un doux combat de la nuit et du jour ;
Plus loin marquant le sol de leurs feuilles légères,
Quelques arbres épars joûront dans les clairières,
Et, flottant l'un vers l'autre, et n'osant se toucher,
Paraîtront à la fois se fuir et se chercher.
Ainsi le bois pour vous perd sa rudesse austère ;
Mais n'en détruisez pas le grave caractère :
De détails trop fréquents, d'objets minutieux,
N'allez pas découper son ensemble à nos yeux.
Qu'il soit un, simple et grand, et que votre art lui laisse,
Avec toute sa pompe un peu de sa rudesse.
Montrez ces troncs brisés ; je veux des noirs torrens
Dans les creux des ravins suivre les flots errans.
Du temps, des eaux, de l'air, n'effacez point la trace ;
De ces rochers pendans respectez la menace ;
Et qu'enfin dans ces lieux empreints de majesté
Tout respire une mâle et sauvage beauté.

Bien qu'ailleurs il évoque « magiques retraites » et « romanesques lieux », Delille se méfie de l'émotion. Ce qu'il dit, c'est la connaissance de la nature et l'art de la maîtriser. Héritier des classiques, il est bien l'homme d'un siècle où la peu rêveuse bourgeoisie, après s'être assuré la puissance économique, et possédant le savoir scientifique et technique, s'empare enfin du pouvoir politique. Delille s'attache à décrire la réalité : les phénomènes naturels, les faits de la vie quotidienne.

Les pêcheurs, tapisserie d'Aubusson, XVIIIe.

S'il procède souvent par métaphores ou périphrases un peu lourdes (ainsi pour l'âne : « Il n'est pas conquérant, mais il est agricole »), son effort pour dire totalement, sans référence subjective, ce qui tombe sous son regard, n'est pas tellement éloigné de certaines recherches d'aujourd'hui. A ce jeu, certes, Delille paraît parfois plus ingénieur agronome que poète, encore que, dans *les Trois Règnes de la nature* (1809), il explique par images la croissance des végétaux :

Nous pouvons encore être sensibles à la musique de son vers (pour ses contemporains il fut un « dupeur d'oreilles ») mais nous ne devons surtout pas négliger son effort pour présenter le monde où nous nous agitons sans en faire le reflet de notre turbulence. (Jean Roudaut)

Quels qu'ils soient, l'Eternel à d'immuables lois
Soumet tous les enfants des vergers et des bois ;
Lui-même il les nourrit, il veille à leur défense.
Par quels soins prévoyants il soutient leur enfance !
Admirez par quel art le germe nouveau-né
Dans son propre aliment végète emprisonné ;
Comment à ses côtés deux feuilles protectrices,
De l'arbrisseau naissant défendant les prémices,
Allaitent d'un doux suc le jeune nourrisson ;
Comment il développe, en brisant sa prison,
La feuille d'un côté, de l'autre sa racine.
Chacune suit son sort ; des sucs qu'il lui destine,
L'une à son sol natal demande le trésor,
L'autre déjà dans l'air médite son essor.
Observez ses progrès, et quelle défiance
Retient la plante frêle et sans expérience.
Le génie indulgent du fragile arbrisseau
Ne l'abandonne pas au sortir du berceau ;
Il réprime l'élan de sa tige imprudente.
Malgré les doux tributs d'une sève abondante,
Des langes du maillot à peine déliés,
Ses membres délicats, l'un sur l'autre pliés,
N'osent prendre l'essor : enfin, l'air qui le frappe
Enhardissant l'arbuste, il s'élance, il s'échappe ;
Les rameaux sont sortis, la feuille a vu les cieux,
Et l'arbre tout entier se découvre à nos yeux.

S'il abuse de l'anthropomorphisme, Delille rappelle qu'il doit son savoir à Linné. Ce point de vue scientifique, il l'avait adopté aussi dans *l'Imagination* (1806), où il reprenait les thèses sensualistes et matérialistes de Condillac.

Ce n'est pas sans raison que de l'intelligence
Dans les sens ébranlés on plaça la naissance ;
Tout entre dans l'esprit par la porte des sens :
L'un écoute les sons, distingue les accens ;
L'autre des fruits, des fleurs, des arbres et des plantes,
Apporte jusqu'à nous les vapeurs odorantes ;
L'autre goûte des mets les sucs délicieux ;
L'œil, plus puissant, embrasse et la terre et les cieux :
Mais, tant que le toucher n'a pas instruit la vue,
Ses regards ignorans errent dans l'étendue ;

Les distances, les lieux, les formes, les grandeurs
Tout est douteux pour l'œil, excepté les couleurs.
Mais le toucher, grands dieux ! j'en atteste Lucrèce,
Le toucher, roi des sens, les surpasse en richesse ;
C'est l'arbitre des arts, le guide du désir,
Le sens de la raison et celui du plaisir.
Tous sont assujettis à ce maître suprême ;
Ou plutôt tous les sens sont le toucher lui-même.
Chacun de ses rivaux, dans son pouvoir borné,
A son unique emploi demeure confiné :
La puissance du tact est partout répandue ;
L'ouïe et l'odorat, et le goût, et la vue,
Sont encor le toucher, le plus noble des sens :
Présens, il les dirige, et les remplace absens.
Le mortel qui, sans yeux commençant sa carrière,
Pour ne la voir jamais, arrive à la lumière,
D'une main curieuse interroge les corps,
Ecoute du toucher les fidèles rapports.
Par lui, de leur couleur s'il perd la jouissance,
Il juge leur grandeur, leurs contours, leur distance.
    Que dis-je ! chaque sens, par un heureux concours,
Prête aux sens alliés un mutuel secours ;
Le frais gazon des eaux m'embellit le murmure ;
Leur murmure, à son tour, m'embellit la verdure.
L'odorat sert le goût, et l'œil sert l'odorat :
L'haleine de la rose ajoute à son éclat ;
Et d'un ambre flatteur la pêche parfumée
Paraît plus savoureuse à la bouche embaumée.
Voyez l'Amour heureux par un double larcin !
La main invite l'œil, l'œil appelle la main ;
Et d'une bouche fraîche où le baiser repose,
Le parfum est plus doux sur des lèvres de rose.
Ainsi tout se répond, et, doublant leurs plaisirs,
Tous les sens l'un de l'autre éveillent les désirs.

Anthologies Rencontre, Garnier-Flammarion, Tchou. ◊ Jean Roudaut, *Poètes et Grammairiens au XVIIIᵉ siècle*, Gallimard. J. Fabre, R. Mauzi, E. de Saint-Denis, J. Gillet, etc., *Delille est-il mort ?* collection Les écrivains d'Auvergne et Faculté des Lettres de Clermont-Ferrand.

nicolas gilbert 1750-1780

Grâce à Vigny qui, dans *Stello,* écrivit moins son histoire que sa légende, Gilbert fut le premier en titre des poètes maudits. Origine modeste, génie incompris, mort en pleine jeunesse : le destin de ce défenseur de Boileau fit de lui un héros romantique. Né en Lorraine, fils de cultivateurs qui l'envoyèrent au collège de Dôle, Gilbert, après ses études, vint à Paris. Au concours de 1772, l'Académie française ne couronna pas son *Poète malheureux* où sont liées les images de l'échec et de la mort. En 1773 elle ignora son ode sur *le Jugement dernier.* Alors qu'il avait dédié ses premiers vers à Voltaire, Gilbert se rallia à Fréron et aux adversaires de l'Encyclopédie. Sa satire sur le *Dix-huitième siècle,* publiée en 1775, reflète vigoureusement cette prise de parti :

[...] Vois-tu, parmi ces grands, leurs compagnes hardies
Imiter leurs excès, par eux-même applaudies,
Dans un corps délicat porter un cœur d'airain,
Opposer aux mépris un front toujours serein ;
Et, du vice endurci témoignant l'impudence,
Sous leur casque de plume étouffer la décence ?

Assise dans ce cirque où viennent tous les rangs
Souvent bâiller en loge, à des prix différents,
Cloris n'est que parée, et Cloris se croit belle.
En vêtements légers l'or s'est changé pour elle :
Son front luit, étoilé de mille diamants ;
Et mille autres encore, effrontés ornements,
Serpentent sur son sein, pendent à ses oreilles ;
Les arts, pour l'embellir, ont uni leurs merveilles :
Vingt familles enfin couleraient d'heureux jours,
Riches des seuls trésors perdus pour ses atours.
Malgré ce luxe affreux et sa fierté sévère,
Cloris, on le prétend, se montre populaire :
Oui, déposant l'orgueil de ses douze quartiers,
Madame en ses amours déroge volontiers :
Indulgente beauté, Zélis la justifie ;
Zélis qui, par bon ton, à la philosophie
Joint tous les goûts divers, tous les amusements,
Rit avec nos penseurs, pense avec ses amants ;
Enfant sophiste, au fond coquette pédagogue,

Qui gouverne la mode, à son gré met en vogue
Nos petits vers lâchés par gros in-octavo,
Ou ces drames pleureurs qu'on joue incognito,
Protège l'univers, et, rompue aux affaires,
Fournit vingt financiers d'importants secrétaires,
Lit tout, et même sait, par nos auteurs moraux,
Qu'il n'est certainement un Dieu que pour les sots.

Parlerai-je d'Iris ? Chacun la prône et l'aime ;
C'est un cœur, mais un cœur... c'est l'humanité même !
Si d'un pied étourdi quelque jeune éventé
Frappe, en courant, son chien qui jappe épouvanté,
La voilà qui se meurt de tendresse et d'alarmes ;
Un papillon souffrant lui fait verser des larmes :
Il est vrai ; mais aussi qu'à la mort condamné
Lally soit en spectacle à l'échafaud traîné,
Elle ira la première à cette horrible fête
Acheter le plaisir de voir tomber sa tête.

Dira-t-on qu'en des vers à mordre disposés
Ma muse prête aux grands des vices supposés ?
J'aurais pu te montrer nos duchesses fameuses,
Tantôt d'un histrion amantes scandaleuses,
Fières de ses soupirs obtenus à grand prix,
Elles-même aux railleurs dénonçant leurs maris ;
Tantôt, pour égayer leurs courses solitaires,
Imitant noblement ces grâces mercenaires,
Qui, par couples nombreux, sur le déclin du jour,
Vont aux lieux fréquentés colporter leur amour ;
Contents d'un héritier comme eux frêle et sans force,
Les époux, très-amis, vivant dans le divorce ;
Vainqueurs des préjugés, les pères bienfaisants
Du sérail de leurs fils eunuques complaisants ;
De nouvelles Sapho, dans le crime affermies,
Maris de nos beautés sous le titre d'amies ;
Et de galants marquis, philosophes parfaits,
En petite Gomorrhe érigeant leurs palais[...]

Ses idées plus que son talent — d'une veine assez rare pour l'époque — valurent à Gilbert une modeste pension de l'archevêque de Paris. Il ne mourut donc pas de misère. En 1780, il fut trépané à la suite d'une chute de cheval. Il agonisa longtemps dans un demi-délire, retrouvant cependant, huit jours avant sa mort, assez de lucidité pour composer l'émouvante :

ODE IMITÉE DE PLUSIEURS PSAUMES

J'ai révélé mon cœur au Dieu de l'innocence ;
    Il a vu mes pleurs pénitents.
Il guérit mes remords, il m'arme de constance ;
    Les malheureux sont ses enfants.

Mes ennemis, riant, ont dit dans leur colère :
    « Qu'il meure et sa gloire avec lui ! »
Mais à mon cœur calmé le Seigneur dit en père :
    « Leur haine sera ton appui.

« A tes plus chers amis ils ont prêté leur rage :
    Tout trompe ta simplicité ;
Celui que tu nourris court vendre ton image
    Noire de sa méchanceté.

« Mais Dieu t'entend gémir, Dieu vers qui te ramène
    Un vrai remords né des douleurs ;
Dieu qui pardonne enfin à la nature humaine
    D'être faible dans les malheurs.

« J'éveillerai pour toi la pitié, la justice
    De l'incorruptible avenir ;
Eux-même épureront, par leur long artifice,
    Ton honneur qu'ils pensent ternir. »

Soyez béni, mon Dieu ! vous qui daignez me rendre
    L'innocence et son noble orgueil ;
Vous qui, pour protéger le repos de ma cendre,
    Veillerez près de mon cercueil !

Au banquet de la vie, infortuné convive,
    J'apparus un jour, et je meurs.
Je meurs ; et, sur ma tombe où lentement j'arrive,
    Nul ne viendra verser des pleurs.

Salut, champs que j'aimais ! et vous, douce verdure !
    Et vous, riant exil des bois !
Ciel, pavillon de l'homme, admirable nature,
    Salut pour la dernière fois !

Ah ! puissent voir longtemps votre beauté sacrée
    Tant d'amis sourds à mes adieux !
Qu'ils meurent pleins de jours ! que leur mort soit pleurée !
    Qu'un ami leur ferme les yeux !

Anthologies Rencontre, Garnier-Flammarion, Tchou.

Boilly : le couple et l'oiseau envolé.

é.-d. de forges de parny 1753-1814

S'il appartenait à son temps par sa philosophie libertine, par son goût de la narration, par la claire et classique cadence de ses vers, Parny, cependant, manifesta dans ses élégies une sensibilité déjà lamartinienne : « J'ai cherché dans l'absence un remède à mes maux ; / J'ai fui les lieux charmants qu'embellit l'infidèle, / Caché dans ces forêts dont l'ombre est éternelle / J'ai trouvé le silence et jamais le repos. » Cette douceur troublée, cette langueur dans la plainte, Parny, né en 1753 dans l'île Bourbon, les devait peut-être à ses origines créoles. A Bourbon, où il retourna en 1773 après ses études au collège de Rennes et un séjour dans l'armée, il s'éprit d'une jeune femme qu'il ne put épouser. Revenu à Paris, il publia en 1778 sous le titre de *Poésies érotiques* le livre, voluptueux et désespéré, de cet amour impossible.

DEMAIN

Vous m'amusez par des caresses,
Vous promettez incessamment,
Et vous reculez le moment
Qui doit accomplir vos promesses.
DEMAIN, dites-vous tous les jours.
L'impatience me dévore ;
L'heure qu'attendent les Amours
Sonne enfin, près de vous j'accours ;
DEMAIN, répétez-vous encore.
Rendez grâce au dieu bienfaisant
Qui vous donna jusqu'à présent
L'art d'être tous les jours nouvelle :
Mais le Temps, du bout de son aile,
Touchera vos traits en passant ;
Dès DEMAIN vous serez moins belle,
Et moi peut-être moins pressant.

L'ABSENCE

Huit jours sont écoulés depuis que dans ces plaines
Un devoir importun a retenu mes pas.
Croyez à ma douleur, mais ne l'éprouvez pas.
Puissiez-vous de l'amour ne pas sentir les peines !

Le bonheur m'environne en ce riant séjour.
De mes jeunes amis la bruyante allégresse
Ne peut un seul moment distraire ma tristesse ;
Et mon cœur aux plaisirs est fermé sans retour.
Mêlant à leur gaité ma voix plaintive et tendre,
Je demande à la nuit, je redemande au jour
Cet objet adoré qui ne peut plus m'entendre.

Loin de vous autrefois je supportais l'ennui ;
L'espoir me consolait : mon amour aujourd'hui
Ne sait plus endurer les plus courtes absences.
Tout ce qui n'est pas vous me devient odieux.
Ah ! vous m'avez ôté toutes mes jouissances ;
J'ai perdu tous les goûts qui me rendaient heureux.
Vous seule me restez, ô mon Eléonore !
Mais vous me suffirez, j'en atteste les dieux ;
Et je n'ai rien perdu, si vous m'aimez encore.

ÉLÉGIE V

D'un long sommeil j'ai goûté la douceur.
Sous un ciel pur qu'elle embellit encore,
A mon réveil je vois briller l'aurore ;
Le dieu du jour la suit avec lenteur.
Moment heureux ! La nature est tranquille,
Zéphyre dort sur la fleur immobile,
L'air plus serein a repris sa fraîcheur,
Et le silence habite mon asile.
Mais quoi ! le calme est aussi dans mon cœur !
Je ne vois plus la triste et chère image
Qui s'offrait seule à ce cœur tourmenté ;
Et la raison par sa douce clarté
De mes ennuis dissipe le nuage.
Toi que ma voix implorait chaque jour,
Tranquillité si long-temps attendue,
Des cieux enfin te voilà descendue,
Pour remplacer l'impitoyable Amour.
J'allais périr au milieu de l'orage,
Un sûr abri me sauve du naufrage ;
De l'aquilon j'ai trompé la fureur ;
Et je contemple, assis sur le rivage,
Des flots grondans la vaste profondeur.
Fatal objet dont j'adorais les charmes ;
A ton oubli je vais m'accoutumer.
Je t'obéis enfin ; sois sans alarmes ;
Je sens pour toi mon âme se fermer.
Je pleure encor, mais j'ai cessé d'aimer ;
Et mon bonheur fait seul couler mes larmes.

Une fois perdue Eléonore, la poésie de Parny se fit plus galante qu'élégiaque. Après la Révolution, qui le ruina, son irreligieuse et paillarde *Guerre des dieux* (1799) connut un grand succès. Outre des poèmes libertins, Parny composa alors des épopées médiévales — moins romantiques de ton que l'*Organt* de Saint-Just — se déroulant en Scandinavie et en Grande-Bretagne *(les Rosecroix)*. Dans son *Goddam*, il introduisit la boxe, les combats de coqs et même le franglais (« le lourd pudding et le sanglant rost-beef »). Mais c'est en 1787, avec ses *Chansons madécasses*, inspirées par les chants de Bourbon, que Parny apporta sa contribution principale à l'évolution de la poésie, ouvrant à Aloysius Bertrand et à Baudelaire la voie du poème en prose.

CHANSON II

Belle Nélahé, conduis cet étranger dans la case voisine, étends une natte sur la terre, et qu'un lit de feuilles s'élève sur cette natte; laisse tomber ensuite le pagne qui entoure tes jeunes attraits. Si tu vois dans ses yeux un amoureux désir ; si sa main cherche la tienne, et t'attire doucement vers lui ; s'il te dit : Viens, belle Nélahé, passons la nuit ensemble ; alors assieds-toi sur ses genoux. Que sa nuit soit heureuse, que la tienne soit charmante ; et ne reviens qu'au moment où le jour renaissant te permettra de lire dans ses yeux tout le plaisir qu'il aura goûté.

CHANSON V

Méfiez-vous des blancs, habitans du rivage. Du temps de nos pères des blancs descendirent dans cette île ; on leur dit : Voilà des terres ; que vos femmes les cultivent. Soyez justes, soyez bons, et devenez nos frères.

Les blancs promirent, et cependant ils faisaient des retranchemens. Un fort menaçant s'éleva ; le tonnerre fut renfermé dans des bouches d'airain ; leurs prêtres voulurent nous donner un dieu que nous ne connaissons pas ; ils parlèrent enfin d'obéissance et d'esclavage : plutôt la mort ! Le carnage fut long et terrible ; mais, malgré la foudre qu'ils vomissaient, et qui écrasaient des armées entières, ils furent tous exterminés. Méfiez-vous des blancs.

Nous avons vu de nouveaux tyrans plus forts et plus nombreux planter leur pavillon sur le rivage. Le ciel a combattu pour nous ; il a fait tomber sur eux les pluies, les tempêtes et les vents empoisonnés. Ils ne sont plus, et nous vivons, et nous vivons libres. Méfiez-vous des blancs, habitans du rivage.

CHANSON VIII

Il est doux de se coucher durant la chaleur sous un arbre touffu, et d'attendre que le vent du soir amène la fraîcheur.

Femmes, approchez. Tandis que je me repose ici sous un arbre touffu, occupez mon oreille par vos accens prolongés ; repétez la chanson de la jeune fille, lorsque ses doigts tressent la natte, ou lorsque assise auprès du riz elle chasse les oiseaux avides.

Le chant plaît à mon âme ; la danse est pour moi presque aussi douce qu'un baiser. Que vos pas soient lents, qu'ils imitent les attitudes du plaisir et l'abandon de la volupté.

Le vent du soir se lève ; la lune commence à briller au travers des arbres de la montagne. Allez, et préparez le repas.

CHANSON IX

Une mère traînait sur le rivage sa fille unique pour la vendre aux blancs.

O ma mère ! ton sein m'a portée ; je suis le premier fruit de tes amours : qu'ai-je fait pour mériter l'esclavage ? j'ai soulagé ta vieillesse ; pour toi j'ai cultivé la terre ; pour toi j'ai cueilli des fruits ; pour toi j'ai fait la guerre aux poissons du fleuve; je t'ai garantie de la froidure ; je t'ai portée durant la chaleur sous des ombrages parfumés ; je veillais sur ton sommeil, et j'écartais de ton visage les insectes importuns. O ma mère, que deviendras-tu sans moi ? L'argent que tu vas recevoir ne te donnera pas une autre fille ; tu périras dans la misère, et ma plus grande douleur sera de ne pouvoir te secourir. O ma mère ! ne vends point ta fille unique.

Prières infructueuses ! elle fut vendue, chargée de fers, conduite sur le vaisseau ; et elle quitta pour jamais la chère et douce patrie.

Anthologies Rencontre, Garnier-Flammarion, Tchou.

j.-p. claris de florian 1755-1794

Né dans les Cévennes, Florian avait dix ans lorsqu'à Ferney Voltaire
— son grand-oncle par alliance — lui fit jouer des bergeries. Si,
plus tard, Florian fut officier d'artillerie puis de dragons, le goût des
Lettres lui demeura et il obtint un congé de réforme pour s'y consacrer.
Son roman *Galatée*, en 1783, son idylle pastorale *Estelle et Némorin*,
en 1787, connurent une grande vogue. Les critiques du temps n'avaient
peut-être pas tort de dire que ses bergeries manquaient de loup, si l'on
en juge par la douceur de cette romance : « Prairie où, dès nos premiers
ans, / Nous parlions déjà de tendresse, / Où, bien avant notre jeunesse /
Nous passions pour de vieux amans ; / Beaux arbres où nous allions
lire / Le nom que toujours j'y traçais, / (Le seul qu'alors je susse
écrire), / Je vais vous quitter pour jamais. » Le meilleur de Florian,
qui mourut à trente-neuf ans peu après avoir été libéré de prison par
le 9 Thermidor, est dans ses *Fables*, parues en 1792. S'il n'égale pas
celui de La Fontaine, son talent aimable, teinté de scepticisme voltai-
rien, illustre bien l'esprit de son siècle.

LES DEUX VOYAGEURS

Le compère Thomas et son ami Lubin
Allaient à pied tous deux à la ville prochaine.
    Thomas trouve sur son chemin
    Une bourse de louis pleine ;
Il l'empoche aussitôt. Lubin, d'un air content,
    Lui dit : « Pour nous la bonne aubaine !
    — Non, répond Thomas froidement,
Pour nous n'est pas bien dit ; *pour moi* : c'est différent. »
Lubin ne souffle mot ; mais en quittant la plaine,
Ils trouvent des voleurs cachés au bois voisin.
    Thomas tremblant, et non sans cause,
Dit : « Nous sommes perdus ! — Non, lui répond Lubin,
Nous n'est pas le vrai mot ; mais *toi* c'est autre chose. »
Cela dit, il s'échappe à travers le taillis.
Immobile de peur, Thomas est bientôt pris ;
    Il tire la bourse et la donne.

Qui ne songe qu'à soi quand la fortune est bonne,
    Dans le malheur n'a point d'amis.

LE LION ET LE LÉOPARD

Un valeureux lion, roi d'une immense plaine,
Désirait de la terre une plus grande part,
Et voulait conquérir une forêt prochaine,
    Héritage d'un léopard.
L'attaquer n'était pas chose bien difficile ;
Mais le lion craignait les panthères, les ours,

Qui se trouvaient placés juste entre les deux cours.
Voici comment s'y prit notre monarque habile :
Au jeune léopard, sous prétexte d'honneur,
    Il députe un ambassadeur :
C'était un vieux renard. Admis à l'audience,
Du jeune roi d'abord il vante la prudence,
Son amour pour la paix, sa bonté, sa douceur,
    Sa justice et sa bienfaisance ;
Puis, au nom du lion propose une alliance
    Pour exterminer tout voisin
    Qui méconnaîtra leur puissance.
Le léopard accepte ; et, dès le lendemain,
    Nos deux héros, sur leurs frontières,
Mangent à qui mieux mieux les ours et les panthères ;
Cela fut bientôt fait ; mais quand les rois amis,
    Partageant le pays conquis,
    Fixèrent leurs bornes nouvelles,
    Il s'éleva quelques querelles :
Le léopard lésé se plaignit du lion ;
    Celui-ci montra sa denture
    Pour prouver qu'il avait raison :
Bref, on en vint aux coups. La fin de l'aventure
    Fut le trépas du léopard :
    Il apprit alors, un peu tard,
Que contre les lions les meilleures barrières
Sont les petits Etats des ours et des panthères.

Gravures de Grandville.

LA VIPÈRE ET LA SANGSUE

La vipère disait un jour à la sangsue :
    Que notre sort est différent !
On vous cherche, on me fuit ; si l'on peut, on me tue,
    Et vous, aussitôt qu'on vous prend,
    Loin de craindre votre blessure,
    L'homme vous donne de son sang
    Une ample et bonne nourriture :
Cependant vous et moi faisons même piqûre.
    La citoyenne de l'étang
    Répond : Oh ! que nenni, ma chère ;
La vôtre fait du mal, la mienne est salutaire.
Par moi plus d'un malade obtient sa guérison ;
Par vous tout homme sain trouve une mort cruelle.
Entre nous deux, je crois, la différence est belle :
    Je suis remède, et vous poison.
    Cette fable aisément s'explique :
    C'est la satire et la critique.

Fables, Laffont. *Fables*, Club français du Livre.

augustin de piis 1755-1832

Modèle d'opportunisme, Augustin de Piis, après avoir servi et célébré la Révolution, l'Empire et Louis XVIII, retrouva auprès du comte d'Artois devenu Charles X le poste de secrétaire interprète qu'il avait occupé avant 1789. Vaudevilliste et chansonnier à succès, laudateur de Panard, adversaire des « singes de Young », Piis fut surtout un écrivain léger, pratiquant une poésie badine, excellant dans la fantaisie verbale : « Je donnerais sans colloque / Et montre et chaîne et breloque / Pour voir comme un basilic, / Pour nager ainsi qu'un phoque, / Et pour quand on me provoque / Lever ce que lève un cric... / Mettrai-je avec Bolingbrooke, / Avec Pascal, avec Locke, / Mon esprit à l'alambic ? / Plutôt que le loup me croque, / Ou mourir comme Archiloque, / Ou m'abreuver d'arsenic ! » Mais ce réjouissant cousin de Vadé, annonciateur de Prévert, affirma avant Mallarmé et Verlaine que la poésie est par excellence musique. Son poème sur *l'Harmonie imitative de la langue française* — dont les notes qui l'accompagnent se réfèrent au grammairien Court de Gébelin — dit : « Qu'un poète fidèle à l'onomatopée / Laisse bien autrement ma mémoire frappée ! / Pénétré de son plan, avec art établi, / Par une marche vague il n'est point affaibli. / Il parle, et dans l'instant le mot propre s'élance ; / Ses vers d'un pas égal s'alignent en cadence. » Le chant I énumère les vertus sonores des différentes lettres :

   [...] Le C rival de l'S, avec une cédille,
Sans elle, au lieu du Q, dans tous nos mots fourmille,
De tous les objets creux il commence le nom ;
Une cave, une cuve, une chambre, un canon,
Une corbeille, un cœur, un coffre, une carrière,
Une caverne enfin le trouvent nécessaire ;
Par-tout, en demi-cercle, il court demi-courbé,
Et le K, dans l'oubli, par son choc est tombé.

   [...] Fille d'un son fatal que souffle la menace
L'F en fureur frémit, frappe, froisse, fracasse ;
Elle exprime la fougue et la fuite du vent ;
Le fer lui doit sa force, elle fouille, elle fend ;
Elle enfante le feu, la flamme et la fumée,
Et féconde en frimats, au froid elle est formée ;
D'une étoffe qu'on froisse, elle fournit l'effet,
Et le frémissement de la fronde et du fouet.

   Le G, plus gai, voit l'R accourir sur ses traces ;
C'est toujours à son gré que se groupent les grâces ;
Un jet de voix suffit pour engendrer le G ;
Il gémit quelquefois dans la gorge engagé,
Et quelquefois à l'I dérobant sa figure,
En joutant à sa place, il jase, il joue, il jure ;

Mais son ton général qui gouverne par-tout,
Paraît bien moins gêné pour désigner le goût.
    L'H au fond du palais hasardant sa naissance
Halète au haut des mots qui sont en sa puissance ;
Elle heurte, elle happe, elle hume, elle hait,
Quelquefois par honneur, timide, elle se tait. [...]

Analysant ensuite les rapports du langage et des bruits de la nature,
Piis consacre le chant IV au ramage des oiseaux :

    Dans le fond des forêts, émule de l'orfraie,
Ermite d'un vieux tronc, que le hibou m'effraie ;
Que la chouette choisisse un ton plus déchirant,
Et que le vieux coucou, d'arbre en arbre courant,
D'un cri que la coutume érige en noir présage,
Aux maris courroucés fasse un lugubre hommage.
    Quand la nuit sur le globe étend son voile gris,
Je vous entends frémir, tristes chauve-souris :
Ah ! frôlez mon chapeau puisque c'est votre usage ;
Mais de ce pauvre au moins respectez le visage ;
Au déclin d'un beau jour, pour cesser de souffrir,
Il s'endort en plein champ sur la foi du zéphir.
Volez, volez plutôt par cette cheminée ;
Vous pourrez sans remords, ô filles de Minée !
De ce Midas qui ronfle ébranler les rideaux,
Raser sa longue oreille et flétrir ses pavots.
    Que le dindon glouton glousse en faisant la roue ;
Que la canne criarde en barbotant s'enroue ;
Que l'oie au Capitole oisive dans son coin,
En déployant sa voie avertisse au besoin ;
Que le merle et le geai jasent avec l'agasse ;
Seul dans un vers braillard que le corbeau croasse ;
Que la caille en trois temps siffle, et que la perdrix
Par des accens coupés convoque ses petits ;
Que le ramier plaintif, perché sur sa tourelle,
Du matin jusqu'au soir roucoule en sentinelle,
Et que la tourterelle en soupirs amoureux
S'exhale pour répondre à ses tons douloureux. [...]

Jean Roudaut, *Poètes et Grammairiens au XVIIIe siècle*, Gallimard.

andré chénier 1762-1794

Le XVIIIe siècle ignora le seul grand poète qu'il ait possédé : Chénier. Non par incompréhension, mais parce que Chénier, qui mourut sur l'échafaud à trente-deux ans pour avoir dénoncé les excès de la Terreur, ne publia de son vivant que des articles politiques, quelques textes de prose et deux poèmes célébrant la Révolution. Son œuvre poétique fut seulement éditée en 1819. Les jeunes romantiques bientôt saluèrent en Chénier leur prédécesseur, se reconnurent dans son goût frémissant de la nature, dans le sensualisme délicat de ses effusions amoureuses, et s'enthousiasmèrent pour l'audacieuse liberté de sa prosodie :

Et de ces grands tombeaux, la belle Liberté,
    Altière, étincelante, armée,

Sort. Comme un triple foudre éclate au haut des cieux,
    Trois couleurs dans sa main agile
Flottent en long drapeau. Son cri victorieux
Tonne...

Pourtant Chénier fut un homme de son temps. S'il eût pu les mener à bien, *Hermès* et *l'Amérique*, les grands poèmes encyclopédiques qu'il laissa à l'état d'ébauches et qui, après avoir expulsé la religion, eussent dit en s'appuyant sur les enseignements de Copernic, Newton et Buffon, le système du monde et l'aventure de l'homme, auraient fait de lui le brillant rival de Delille et d'Ecouchard-Lebrun :

Un Grec fut le premier dont l'audace affermie
Leva des yeux mortels sur l'idole ennemie.
Rien ne put l'étonner. Et ces Dieux tout-puissants,
Cet Olympe, ces feux, et ces bruits menaçants
Irritaient son courage à rompre la barrière
Où, sous d'épais remparts obscure et prisonnière,
La nature en silence étouffait sa clarté.
Ivre d'un feu vainqueur, son génie indompté,
Loin des murs enflammés qui renferment le monde,
Perça tous les sentiers de cette nuit profonde,
Et de l'immensité parcourut les déserts.
Il nous dit quelles lois gouvernent l'univers,
Ce qui vit, ce qui meurt, et ce qui ne peut être.
La religion tombe et nous sommes sans maître ;
Sous nos pieds à son tour elle expire ; et les cieux
Ne feront plus courber nos fronts victorieux.

Son œuvre étant ce qu'elle est, Chénier demeure le poète de l'éblouissement devant la vie, de l'angoisse devant sa fragilité. Alors que les romantiques s'inspireront de l'art gothique, auront la passion ténébreuse des forêts et des ruines, c'est une nature lumineuse qu'il redécouvrait à travers les poètes grecs. Mais lui-même, avant de passer son enfance dans le Midi et à Paris, n'était-il pas né en 1762 à Constantinople, d'un père languedocien et d'une mère grecque ?

Salut, Dieux de l'Euxin, Hellé, Sestos, Abyde,
Et Nymphe du Bosphore, et Nymphe Propontide,
Qui voyez aujourd'hui du barbare Osmanlin
Le croissant oppresseur toucher à son déclin ;
Hèbre, Pangée, Haemus, et Rhodope et Riphée ;
Salut, Thrace, ma mère, et la mère d'Orphée,
Galata, que mes yeux désiraient dès longtemps.
Car c'est là qu'une Grecque, en son jeune printemps,
Belle, au lit d'un époux nourrisson de la France,
Me fit naître français dans le sein de Byzance.

Le Temple antique,
peinture d'Hubert Robert

Si ses origines et sa culture expliquent les thèmes de ses poèmes,
sa sensibilité, aiguisée par les accidents de sa vie *(la Jeune
Captive* fut écrite à la prison Saint-Lazare), et sa maîtrise du vers font
de lui le premier annonciateur du grand réveil lyrique.

NÉÈRE

Mais telle qu'à sa mort, pour la dernière fois,
Un beau cygne soupire, et de sa douce voix,
De sa voix qui bientôt lui doit être ravie,
Chante, avant de partir, ses adieux à la vie,
Ainsi, les yeux remplis de langueur et de mort,
Pâle, elle ouvrit sa bouche en un dernier effort :
« O vous, du Sébethus Naïades vagabondes,
Coupez sur mon tombeau vos chevelures blondes.
Adieu, mon Clinias ; moi, celle qui te plus,
Moi, celle qui t'aimai, que tu ne verras plus.
O cieux, ô terre, ô mer, prés, montagnes, rivages,
Fleurs, bois mélodieux, vallons, grottes sauvages,
Rappelez-lui souvent, rappelez-lui toujours
Néère, tout son bien, Néère ses amours,
Cette Néère, hélas ! qu'il nommait sa Néère,
Qui pour lui criminelle abandonna sa mère ;
Qui pour lui fugitive, errant de lieux en lieux,
Aux regards des humains n'osa lever les yeux.
O ! soit que l'astre pur des deux frères d'Hélène
Calme sous ton vaisseau la vague ionienne ;
Soit qu'aux bords de Pœstum, sous ta soigneuse main,
Les roses deux fois l'an couronnent ton jardin,
Au coucher du soleil, si ton âme attendrie
Tombe en une muette et molle rêverie,
Alors, mon Clinias, appelle, appelle-moi.
Je viendrai, Clinias, je volerai vers toi.
Mon âme vagabonde à travers le feuillage
Frémira. Sur les vents ou sur quelque nuage
Tu la verras descendre, ou du sein de la mer,
S'élevant comme un songe, étinceler dans l'air ;
Et ma voix, toujours tendre et doucement plaintive,
Caresser en fuyant ton oreille attentive. »

LA JEUNE TARENTINE

Pleurez, doux alcyons, ô vous, oiseaux sacrés,
Oiseaux chers à Thétis, doux alcyons, pleurez.
Elle a vécu, Myrto, la jeune Tarentine.
Un vaisseau la portait aux bords de Camarine.
Là l'hymen, les chansons, les flûtes, lentement,
Devaient la reconduire au seuil de son amant.

Une clef vigilante a pour cette journée
Dans le cèdre enfermé sa robe d'hyménée
Et l'or dont au festin ses bras seraient parés
Et pour ses blonds cheveux les parfums préparés.
Mais, seule sur la proue, invoquant les étoiles,
Le vent impétueux qui soufflait dans les voiles
L'enveloppe. Etonnée, et loin des matelots,
Elle crie, elle tombe, elle est au sein des flots.
Elle est au sein des flots, la jeune Tarentine.
Son beau corps a roulé sous la vague marine.
Thétis, les yeux en pleurs, dans le creux d'un rocher
Aux monstres dévorants eut soin de le cacher.
Par ses ordres bientôt les belles Néréides
L'élèvent au-dessus des demeures humides,
Le portent au rivage, et dans ce monument
L'ont, au cap du Zéphir, déposé mollement.
Puis de loin à grands cris appelant leurs compagnes,
Et les Nymphes des bois, des sources, des montagnes,
Toutes frappant leur sein, et traînant un long deuil,
Répétèrent : « Hélas ! » autour de son cercueil.
Hélas ! chez ton amant tu n'es point ramenée.
Tu n'as point revêtu ta robe d'hyménée.
L'or autour de tes bras n'a point serré de nœuds.
Les doux parfums n'ont point coulé sur tes cheveux.

CAMILLE (5)

Et c'est Glycère, amis, chez qui la table est prête ?
Et la belle Saxonne est aussi de la fête ?
Et Rose, qui jamais ne lasse les désirs,
Et dont la danse molle aiguillonne aux plaisirs ?
Et sa sœur aux accents de sa voix la plus rare
Mêlera, dites-vous, les sons de la guitare ?
Et nous aurons Julie, au rire étincelant,
Au sein plus que l'albâtre et solide et brillant ?
Certe en pareille orgie autrefois je l'ai vue,
Ses longs cheveux épars, courante, demi-nue :
En ses bruyantes nuits Cithéron n'a jamais
Vu Ménade plus belle errer dans ses forêts.
J'y consens. Avec vous je suis prêt à m'y rendre.
Allons. Mais si Camille, ô Dieux ! vient à l'apprendre !
Quel orage suivra ce banquet tant vanté,
S'il faut qu'à son oreille un mot en soit porté !
Oh ! vous ne savez pas jusqu'où va son empire.
Si j'ai loué des yeux, une bouche, un sourire ;
Ou si, près d'une belle assis en un repas,
Nos lèvres en riant ont murmuré tout bas,
Elle a tout vu. Bientôt cris, reproches, injure.

Un mot, un geste, un rien, tout était un parjure.
« Chacun pour cette belle avait vu mes égards.
Je lui parlais des yeux ; je cherchais ses regards. »
Et puis des pleurs ! des pleurs ! que Memnon sur sa cendre
A sa mère immortelle en a moins fait répandre.
Que dis-je ? sa vengeance ose en venir aux coups.
Elle me frappe. Et moi, je feins dans mon courroux
De la frapper aussi, mais d'une main légère ;
Et je baise sa main impuissante et colère :
Car ses bras ne sont forts qu'aux amoureux exploits.
La fureur ne peut même aigrir sa douce voix.
Ah ! je l'aime bien mieux injuste qu'indolente.
Sa colère me plaît et décèle une amante.
Si j'ai peur de la perdre, elle tremble à son tour ;
Et la crainte inquiète est fille de l'amour.
L'assurance tranquille est d'un cœur insensible.
Loin, à mes ennemis une amante paisible.
Moi, je hais le repos. Quel que soit mon effroi
De voir de si beaux yeux irrités contre moi,
Je me plais à nourrir de communes alarmes.
Je veux pleurer moi-même, ou voir couler ses larmes ;
Accuser un outrage, ou calmer un soupçon ;
Et toujours pardonner ou demander pardon.

LA JEUNE CAPTIVE

L'épi naissant mûrit de la faux respecté ;
Sans crainte du pressoir, le pampre tout l'été
    Boit les doux présents de l'aurore ;
Et moi, comme lui belle, et jeune comme lui,
Quoi que l'heure présente ait de trouble et d'ennui,
    Je ne veux point mourir encore.

Qu'un stoïque aux yeux secs vole embrasser la mort :
Moi je pleure et j'espère. Au noir souffle du nord
    Je plie et relève ma tête.
S'il est des jours amers, il en est de si doux !
Hélas ! quel miel jamais n'a laissé de dégoûts ?
    Quelle mer n'a point de tempête ?

L'illusion féconde habite dans mon sein.
D'une prison sur moi les murs pèsent en vain,
    J'ai les ailes de l'espérance.
Echappée aux réseaux de l'oiseleur cruel,
Plus vive, plus heureuse, aux campagnes du ciel
    Philomèle chante et s'élance.

Est-ce à moi de mourir ? Tranquille je m'endors
Et tranquille je veille ; et ma veille aux remords
    Ni mon sommeil ne sont en proie.

Ingres : Baigneuse.

Ma bienvenue au jour me rit dans tous les yeux ;
Sur des fronts abattus, mon aspect dans ces lieux
    Ranime presque de la joie.

Mon beau voyage encore est si loin de sa fin !
Je pars, et des ormeaux qui bordent le chemin
    J'ai passé les premiers à peine,
Au banquet de la vie à peine commencé,
Un instant seulement mes lèvres ont pressé
    La coupe en mes mains encor pleine.

Je ne suis qu'au printemps, je veux voir la moisson,
Et comme le soleil, de saison en saison,
    Je veux achever mon année.
Brillante sur ma tige et l'honneur du jardin,
Je n'ai vu luire encor que les feux du matin ;
    Je veux achever ma journée.

O mort ! tu peux attendre ; éloigne, éloigne-toi ;
Va consoler les cœurs que la honte, l'effroi,
    Le pâle désespoir dévore.
Pour moi Palès encore a des asiles verts,
Les Amours des baisers, les Muses des concerts.
    Je ne veux point mourir encore. »

Ainsi, triste et captif, ma lyre toutefois
S'éveillait, écoutant ces plaintes, cette voix,
    Ces vœux d'une jeune captive ;
Et secouant le faix de mes jours languissants,
Aux douces lois des vers je pliai les accents
    De sa bouche aimable et naïve.

Ces chants, de ma prison témoins harmonieux,
Feront à quelque amant des loisirs studieux
    Chercher quelle fut cette belle.
La grâce décorait son front et ses discours,
Et comme elle craindront de voir finir leurs jours
    Ceux qui les passeront près d'elle.

Œuvres complètes, édition établie par Gérard Walter, la Pléiade / Gallimard.

marie-joseph chénier 1764-1811

Longtemps Marie-Joseph fut le plus célèbre des Chénier. Pour son
action politique — il fut membre de la Convention, du conseil des
Cinq cents et du Tribunat — mais surtout pour son œuvre d'écrivain.
Ses tragédies comme ses poèmes s'inscrivent dans la ligne de Voltaire
qui, dans ces domaines justement, n'était pas le meilleur modèle.
Parmi ses hymnes révolutionnaires, son *Chant du départ* a toujours des
admirateurs. Pour les romantiques, qui se reconnurent en André
Chénier, il était le parfait représentant de la froideur classique. Pourtant il eut parfois des accents émouvants, ainsi lorsque, se défendant contre ceux qui l'accusaient de n'avoir pas sauvé son frère, il
écrivit le *Discours de la calomnie :*

[...] J'entends crier encor le sang de leurs victimes,
Je lis en traits d'airain la liste de leurs crimes,
Et c'est eux qu'aujourd'hui l'on voudrait excuser !
Qu'ai-je dit ? On les vante ! et l'on m'ose accuser !
Moi, jouet si long-temps de leur tâche insolence,
Proscrit pour mes discours, proscrit pour mon silence,
Seul, attendant la mort quand leur coupable voix
Demandait à grands cris du sang et non des lois !
Ceux que la France a vus ivres de tyrannie,
Ceux-là même dans l'ombre armant la calomnie,
Me reprochent le sort d'un frère infortuné
Qu'avec la calomnie ils ont assassiné !
L'injustice agrandit une âme libre et fière.
Ces reptiles hideux, sifflant dans la poussière,
En vain sèment le trouble entre son ombre et moi :
Scélérats, contre vous elle invoque la loi.
Hélas ! pour arracher la victime aux supplices,
De mes pleurs chaque jour fatiguant vos complices,
J'ai courbé devant eux mon front humilié :
Mais ils vous ressemblaient, ils étaient sans pitié.
Si le jour où tomba leur puissance arbitraire,
Des fers et de la mort je n'ai sauvé qu'un frère,
Qu'au fond des noirs cachots Dumont avait plongé,
Et qui deux jours plus tard périssait égorgé,
Auprès d'André Chénier avant que de descendre,
J'élèverai la tombe où manquera sa cendre,
Mais où vivront du moins et son doux souvenir,
Et sa gloire, et ses vers dictés pour l'avenir.

Anthologies Garnier-Flammarion, Rencontre, Tchou.

louis de saint-just 1767-1794

Le jeune poète qui, en 1789, au fil d'une épopée frénétique et burlesque en vingt chants, entraînait ses lecteurs dans un univers médiéval peuplé de magiciens, devait se révéler bientôt le plus implacable logicien et l'orateur le plus concis, le plus coupant (« On ne règne pas innocemment ») de la Révolution. Pourtant, avec *Organt*, qu'il préfaça ainsi : « J'ai vingt ans ; j'ai mal fait ; je pourrai faire mieux », Saint-Just fut déjà un romantique. Alors que *le Château d'Otrante* de Walpole, publié en France dès 1767 (l'année même de la naissance de Saint-Just à Decize) et les récits de Cazotte n'avaient encore qu'un petit public (la vogue des romans noirs date du Directoire), *Organt* se déroule à l'époque de Charlemagne et, prenant des libertés avec l'histoire, nous conte parallèlement les aventures amoureuses, héroïques et fantastiques du chevalier Organt et la guerre contre les Infidèles. Certes, dans cet ouvrage séduisant mais imparfait, Saint-Just s'emploie à transposer les idées de son temps ou, à travers les portraits de ganaches seigneuriales et de moines violeurs, à railler les mœurs dissolues de la cour et de l'Eglise. Mais son imagerie, son goût de l'étrangeté et jusqu'à son vocabulaire donnent à ses meilleures pages un caractère évidemment romantique. Ainsi lorsque Organt, au chant XIV, pénètre dans un palais gothique :

Le Paladin se trouva, sur la brune,
Près d'une eau claire où se mirait la Lune ;
Il suit sa course, allant au petit trot,
Et le hasard, qui fait tout dans le monde,
Le conduisit, par la pente de l'onde,
Vers un châtel dessiné par un Goth.
Quelques buissons de vieilles aubépines,
Avec tristesse égayaient ses ruines ;
Là, d'une tour les combles mutilés,
Humiliés sous une ronce altière ;
Ici le Temps a tapissé de lierre,
D'un mur pendant les débris isolés ;
Là paraissaient de gothiques statues
De vieux Héros, de Beautés disparues.
  Le Chevalier suspend son palefroi,
Et pénétré de langueur et d'effroi,
Il réfléchit sur l'altière bassesse
Et le néant de l'humaine faiblesse.
« Ce pont-levis, sur son axe rouillé,
Rappelle au cœur les pas qui l'ont foulé.
Dans les langueurs d'une amoureuse absence,
Quelque Beauté, du haut de cette tour,

Le Cheval de Troie, de Monsu Desiderio.

Chercha des yeux l'objet de son amour.
Cette terrasse a vu rompre la lance !
Il gît peut-être en ces débris moussus
Quelques Beautés qui ne souriront plus.
Cette déserte et tranquille tourelle,
Vit soupirer un Amant et sa Belle ;
Elle entendit leurs baisers, leurs soupirs.
Las ! où sont-ils ces momens, ces plaisirs ?
C'est donc ainsi que la Parque ennemie
Rend au néant les songes de la vie ?
Ce vieux palais fut peut-être habité
Par la Licence et l'Inhumanité,
Par un tyran qui dévasta la terre,
Par un ingrat qui trahit l'amitié.
Un orphelin lâchement dépouillé
Vint sur ce seuil déplorer sa misère,
Et sur ces tours appela le tonnerre. »
Comme il parlait, dans ces vastes débris
Il entendit de lamentables cris ;
Il vit après une dame éperdue
Entre les bras d'un perfide *Enchanteur,*
Sur un cheval s'élever dans la nue.
Organt poursuit ce lâche ravisseur ;
Il le défie, et jure en sa colère
Qu'il le suivra jusqu'au bout de la terre,
Pour immoler un perfide larron,
Dont la bassesse et la décourtoisie
Osent ravir un aimable tendron.
« *Nice,* dit-il, ainsi me fut ravie.
Tu périras, coupable Négromant,
Et ton trépas expiera mon tourment. »
Or vous saurez que mon *Antoine Organt,*
En cris perdus exhalant sa colère,
Ne voyait rien qu'une belle chimère,
Que la terreur de ce bord effrayant
Avait soufflée en son cerveau brûlant.

Au chant XX, les Infidèles assiègent Paris :

Le *Roi de Saxe* et celui des *Alains*
Bloquaient Paris, ses tendrons, et ses Saints ;
Une forêt de lances infidèles,
A Charenton ressuscitait Arbelles,
Les champs étaient couverts de Chevaliers ;
L'on élevait des tours et des béliers ;
Sur des chariots on enlève les chênes,
Aïeux sacrés des amours de Vincennes,
Où les Bourgeois, dans un temps plus serein,
Venaient baiser la femme du voisin.
Les ormes verts sous la hache frémissent,
Les vallons creux de leur chute gémissent.
Les Chefs poudreux haranguent le Soldat,
En lui vantant le profit du combat,
En lui parlant des Dieux, de la vengeance,
Du vin, de l'or, et des tetons de France.
De leur côté, l'on voit les assiégés
Sur les remparts en bataille rangés.
Zéphyre fait ondoyer les panaches,
Et l'on entend gringoter les rondaches.
Le mouvement de ce vaste appareil
Etincelant aux rayons du soleil,
Semble une mer et tranquille et perfide,
Qui, dans les plis de son frissonnement,
Roule les feux de l'Olympe liquide,
Et dans ses flots dissout le firmament.
Le son aigu des instrumens de guerre,
Les palefrois, les évolutions,
Des ennemis les barbares chansons,
Les sabres longs, les béliers, la poussière,
Les Fantassins, les Sapeurs, les Housards ;
Tout annonçait et la Sottise et Mars.
Du haut des tours on voit les Infidèles,
Armés de dards, de piques, et d'échelles,
Coiffés de fer et l'écu sur le dos,
Devers les murs se porter à grands flots. [...]

L'édition des *Œuvres complètes* de Saint-Just par **M.** Vellay étant
déjà ancienne, le texte d'*Organt* est introuvable en librairie.

marceline desbordes-valmore 1786-1859

Marceline Desbordes-Valmore donna à la poésie du XIXᵉ siècle sa grande voix féminine. Hugo, Lamartine, Sainte-Beuve l'admirèrent. Quand, après sa mort en 1859, Baudelaire affirma : « Jamais aucun poète ne fut plus naturel », Marceline était déjà à demi oubliée. Si elle n'a toujours pas la place qui lui revient, peut-être est-ce dû au fait que, romantique d'instinct, écrivant selon son cœur — et ses souffrances —, elle demeure inclassable. Elle était née Marie-Félicité-Josèphe Desbordes, en 1786, à Douai. Très jeune elle goûta au malheur : la Révolution ruina son père ; sa mère, qu'elle avait accompagnée, mourut à La Guadeloupe en 1801 et elle dut revenir seule. Le bonheur même fut trompeur : comédienne à l'Opéra-Comique et à l'Odéon, elle vécut une liaison éblouie avec celui qui hantera ses poèmes sous le nom d'Olivier (vraisemblablement Henri de Latouche, l'éditeur de Chénier), et dont elle dira l'absence : « Ma demeure est haute, / Donnant sur les cieux ; / La lune en est l'hôte / Pâle et sérieux. / En bas que l'on sonne, / Qu'importe aujourd'hui ? / Ce n'est plus personne, / Quand ce n'est pas lui ! » Olivier l'abandonna, avec un fils né en 1810 et qui mourut à cinq ans. En 1817, elle épousa le comédien Valmore. En 1823, elle abandonna la scène pour le suivre dans ses tournées et s'occuper de leurs enfants (dont un seul lui survécut). Mais déjà, en 1819, son premier recueil, *Elégies et Romances*, avait révélé son talent singulier et sensible que, des nouvelles *Elégies* à *Pauvres Fleurs*, confirmèrent ses œuvres suivantes.

ÉLÉGIE

J'étais à toi peut-être avant de t'avoir vu.
Ma vie, en se formant, fut promise à la tienne ;
Ton nom m'en avertit par un trouble imprévu ;
Ton âme s'y cachait pour éveiller la mienne.
Je l'entendis un jour et je perdis la voix ;
Je l'écoutai longtemps, j'oubliai de répondre ;
Mon être avec le tien venait de se confondre ;
Je crus qu'on m'appelait pour la première fois.
Savais-tu ce prodige ? Eh bien, sans te connaître,
J'ai deviné par lui mon amant et mon maître,
Et je le reconnus dans tes premiers accents,
Quand tu vins éclairer mes beaux jours languissants.
Ta voix me fit pâlir, et mes yeux se baissèrent.
Dans un regard muet nos âmes s'embrassèrent ;
Au fond de ce regard ton nom se révéla,
Et sans le demander j'avais dit : « Le voilà ! »
Dès lors il ressaisit mon oreille étonnée ;
Elle y devint soumise, elle y fut enchaînée.
J'exprimais par lui seul mes plus doux sentiments,
Je l'unissais au mien pour signer mes serments.

Je le lisais partout, ce nom rempli de charmes,
    Et je versais des larmes.
D'un éloge enchanteur toujours environné,
A mes yeux éblouis il s'offrait couronné.
Je l'écrivais... bientôt je n'osai plus l'écrire.
Et mon timide amour le changeait en sourire.
Il me cherchait la nuit, il berçait mon sommeil,
Il résonnait encore autour de mon réveil :
Il errait dans mon souffle, et, lorsque je soupire,
C'est lui qui me caresse et que mon cœur respire.
Nom chéri ! nom charmant ! oracle de mon sort !
Hélas ! que tu me plais, que ta grâce me touche !
Tu m'annonças la vie, et, mêlé dans la mort,
Comme un dernier baiser tu fermeras ma bouche.

Monticelli : Dans un parc.

LE MAL DU PAYS

Je veux aller mourir aux lieux où je suis née ;
Le tombeau d'Albertine est près de mon berceau ;
Je veux aller trouver son ombre abandonnée ;
Je veux un même lit près du même ruisseau.

Je veux dormir. J'ai soif de sommeil, d'innocence,
D'amour ! d'un long silence écouté sans effroi,
De l'air pur qui soufflait au jour de ma naissance,
Doux pour l'enfant du pauvre et pour l'enfant du roi.

J'ai soif d'un frais oubli, d'une voix qui pardonne.
Qu'on me rende Albertine ! elle avait cette voix
Qu'un souvenir du ciel à quelques femmes donne ;
Elle a béni mon nom... autre part... autrefois !

Autrefois !... qu'il est loin le jour de son baptême !
Nous entrâmes au monde un jour qu'il était beau :
Le sel qui l'ondoya fut dissous sur moi-même,
Et le prêtre pour nous n'alluma qu'un flambeau.

D'où vient-on quand on frappe aux portes de la terre ?
Sans clarté dans la vie, où s'adressent nos pas ?
Inconnus aux mortels qui nous tendent les bras,
Pleurants, comme effrayés d'un sort involontaire.

Où va-t-on quand, lassé d'un chemin sans bonheur,
On tourne vers le ciel un regard chargé d'ombre ?
Quand on ferme sur nous l'autre porte, si sombre !
Et qu'un ami n'a plus que nos traits dans son cœur ?

Ah ! quand je descendrai rapide, palpitante,
L'invisible sentier qu'on ne remonte pas,
Reconnaîtrai-je enfin la seule âme constante
Qui m'aimait imparfaite et me grondait si bas ?

Te verrai-je, Albertine ! Ombre jeune et craintive ?
Jeune, tu t'envolas peureuse des autans :
Dénouant pour mourir ta robe de printemps,
Tu dis : « Semez ces fleurs sur ma cendre captive. »

Oui ! je reconnaîtrai tes traits pâles, charmants,
Miroir de la pitié qui marchait sur tes traces,
Qui pleurait dans ta voix, angélisait tes grâces,
Et qui s'enveloppait dans tes doux vêtements !

Oui, tu ne m'es qu'absente, et la mort n'est qu'un voile,
Albertine ! et tu sais l'autre vie avant moi,
Un jour, j'ai vu ton âme aux feux blancs d'une étoile ;
Elle a baisé mon front, et j'ai dit : « C'est donc toi ! »

Viens encor, viens ! j'ai tant de choses à te dire !
Ce qu'on t'a fait souffrir, je le sais ! j'ai souffert.
O ma plus que sœur, viens ! ce que je n'ose écrire,
Viens le voir palpiter dans mon cœur entr'ouvert !

*Si quelqu'un a été soi dès le début,
c'est bien elle : elle a chanté comme
l'oiseau chante, comme la tourterelle
gémit, sans autre science que l'émotion
du cœur, sans autre moyen que la note
naturelle.* (Sainte-Beuve)

Les éditions les plus récentes de poèmes choisis de Marceline
Desbordes-Valmore sont *Poèmes*, Tchou ; *Poésies*, Livre club du libraire.

alphonse de lamartine 1790-1869

« Ce fut une révélation », dira plus tard Sainte-Beuve de la publication en 1820 des *Méditations poétiques et religieuses*. Ce qu'apportait Lamartine, à qui la prose de Chateaubriand et la vogue de Byron avaient ouvert la voie, était plus qu'un frisson nouveau : une rupture de la continuité poétique. Tournant le dos au rationalisme classique, à la poésie rhétorique et didactique de Delille ou de Marie-Joseph Chénier, lui-même s'avouera bientôt porté, traversé par le grand souffle de l'inspiration : « Jamais aucune main sur la corde sonore / Ne guida dans ses jeux ma main novice encore. / L'homme n'enseigne pas ce qu'inspire le ciel ; / Le ruisseau n'apprend pas à couler dans sa pente... » Lamartine, né à Mâcon en 1790 et qui avait grandi au manoir de Milly dans une famille légitimiste (il fut garde de Louis XVIII sous la première Restauration), chantait ses sentiments, ses amours — Antoniella (le modèle de Graziella) rencontrée en Italie et Mme Charles sur les bords du Léman —, son goût de la nature et de la solitude.

LE VALLON

Mon cœur, lassé de tout, même de l'espérance,
N'ira plus de ses vœux importuner le sort ;
Prêtez-moi seulement, vallons de mon enfance,
Un asile d'un jour pour attendre la mort.

Voici l'étroit sentier de l'obscure vallée :
Du flanc de ces coteaux pendent des bois épais
Qui, courbant sur mon front leur ombre entremêlée,
Me couvrent tout entier de silence et de paix.

Là, deux ruisseaux cachés sous des ponts de verdure
Tracent en serpentant les contours du vallon ;
Ils mêlent un moment leur onde et leur murmure,
Et non loin de leur source ils se perdent sans nom.

La source de mes jours comme eux s'est écoulée,
Elle a passé sans bruit, sans nom, et sans retour :
Mais leur onde est limpide, et mon âme troublée
N'aura pas réfléchi les clartés d'un beau jour.

La fraîcheur de leurs lits, l'ombre qui les couronne,
M'enchaînent tout le jour sur les bords de ruisseaux ;
Comme un enfant bercé par un chant monotone,
Mon âme s'assoupit au murmure des eaux.

Ah ! c'est là qu'entouré d'un rempart de verdure,
D'un horizon borné qui suffit à mes yeux,
J'aime à fixer mes pas, et, seul dans la nature,
A n'entendre que l'onde, à ne voir que les cieux.

Lamartine est mort. C'était le plus grand des Racine, sans excepter Racine. (Hugo)

J'ai trop vu, trop senti, trop aimé dans ma vie,
Je viens chercher vivant le calme du Léthé ;
Beaux lieux, soyez pour moi ces bords où l'on oublie :
L'oubli seul désormais est ma félicité.

Mon cœur est en repos, mon âme est en silence !
Le bruit lointain du monde expire en arrivant,
Comme un son éloigné qu'affaiblit la distance,
A l'oreille incertaine apporté par le vent.

D'ici je vois la vie, à travers un nuage,
S'évanouir pour moi dans l'ombre du passé ;
L'amour seul est resté : comme une grande image
Survit seule au réveil dans un songe effacé.

Repose-toi, mon âme, en ce dernier asile,
Ainsi qu'un voyageur, qui, le cœur plein d'espoir,
S'assied avant d'entrer aux portes de la ville,
Et respire un moment l'air embaumé du soir.

Comme lui, de nos pieds secouons la poussière ;
L'homme par ce chemin ne repasse jamais :
Comme lui, respirons au bout de la carrière
Ce calme avant-coureur de l'éternelle paix.

Tes jours, sombres et courts comme des jours d'automne,
Déclinent comme l'ombre au penchant des coteaux ;
L'amitié te trahit, la pitié t'abandonne,
Et, seule, tu descends le sentier des tombeaux.

Mais la nature est là qui t'invite et qui t'aime ;
Plonge-toi dans son sein qu'elle t'ouvre toujours ;
Quand tout change pour toi, la nature est la même,
Et le même soleil se lève sur tes jours.

De lumière et d'ombrage elle t'entoure encore ;
Détache ton amour des faux biens que tu perds ;
Adore ici l'écho qu'adorait Pythagore,
Prête avec lui l'oreille aux célestes concerts.

Suis le jour dans le ciel, suis l'ombre sur la terre,
Dans les plaines de l'air vole avec l'aquilon,
Avec les doux rayons de l'astre du mystère
Glisse à travers les bois dans l'ombre du vallon.

Dieu, pour le concevoir, a fait l'intelligence :
Sous la nature enfin découvre son auteur !
Une voix à l'esprit parle dans son silence,
Qui n'a pas entendu cette voix dans son cœur ?

Dans les *Nouvelles Méditations* (1823) et les *Harmonies poétiques et religieuses* (1830), ce premier maître du romantisme, qui cultivait parfois sa douleur avec une mélodieuse complaisance, développa les mêmes thèmes, passant constamment de la vision cosmique à la célébration des lieux familiers, comme dans cette ouverture de *Milly ou la terre natale*.

Pourquoi le prononcer ce nom de la patrie ?
Dans son brillant exil mon cœur en a frémi ;
Il résonne de loin dans mon âme attendrie,
Comme les pas connus ou la voix d'un ami.

Montagnes que voilait le brouillard de l'automne,
Vallons que tapissait le givre du matin,
Saules dont l'émondeur effeuillait la couronne,
Vieilles tours que le soir dorait dans le lointain,

Murs noircis par les ans, coteaux, sentier rapide,
Fontaine où les pasteurs accroupis tour à tour
Attendaient goutte à goutte une eau rare et limpide,
Et, leur urne à la main, s'entretenaient du jour,

Chaumière où du foyer étincelait la flamme,
Toit que le pèlerin aimait à voir fumer,
Objets inanimés, avez-vous donc une âme
Qui s'attache à notre âme et la force d'aimer ?

J'ai vu des cieux d'azur, où la nuit est sans voiles,
Dorés jusqu'au matin sous les pieds des étoiles,
Arrondir sur mon front dans leur arc infini
Leur dôme de cristal qu'aucun vent n'a terni !
J'ai vu des monts voilés de citrons et d'olives
Réfléchir dans les eaux leurs ombres fugitives,
Et dans leurs frais vallons, au souffle du zéphyr,
Bercer sur l'épi mûr le cep prêt à mûrir ;
Sur des bords où les mers ont à peine un murmure,
J'ai vu des flots brillants l'onduleuse ceinture
Presser et relâcher dans l'azur de ses plis
De leurs caps dentelés les contours assouplis,
S'étendre dans le golfe en nappes de lumière,
Blanchir l'écueil fumant de gerbes de poussière,
Porter dans le lointain d'un occident vermeil
Des îles qui semblaient le lit d'or du soleil,
Ou, s'ouvrant devant moi sans rideau, sans limite,
Me montrer l'infini que le mystère habite !
J'ai vu ces fiers sommets, pyramides des airs,
Où l'été repliait le manteau des hivers,
Jusqu'au sein des vallons descendant par étages,
Entrecouper leurs flancs de hameaux et d'ombrages,
De pics et de rochers ici se hérisser,
En pentes de gazon plus loin fuir et glisser,
Lancer en arcs fumants, avec un bruit de foudre,
Leurs torrents en écume et leurs fleuves en poudre,
Sur leurs flancs éclairés, obscurcis tour à tour,
Former des vagues d'ombre et des îles de jour,
Creuser de frais vallons que la pensée adore,
Remonter, redescendre, et remonter encore,
Puis des derniers degrés de leurs vastes remparts,
A travers les sapins et les chênes épars

Dans le miroir des lacs qui dorment sous leur ombre
Jeter leurs reflets verts ou leur image sombre,
Et sur le tiède azur de ces limpides eaux
Faire onduler leur neige et flotter leurs coteaux !
J'ai visité ces bords et ce divin asile
Qu'a choisis pour dormir l'ombre du doux Virgile,
Ces champs que la Sibylle à ses yeux déroula,
Et Cume et l'Elysée ; et mon cœur n'est pas là !

A partir de 1830, les voyages, la diplomatie, la politique (de royaliste, il devint républicain) occupèrent Lamartine autant — et plus — qu'une épopée sur l'homme, dont le trop doucereux *Jocelyn* constitue l'un des fragments. La Révolution de 1848, qui fit de lui le ministre des Affaires étrangères du gouvernement provisoire, marqua l'apogée de sa carrière politique, et bientôt sa fin, avec un échec retentissant aux élections présidentielles. Dès lors, ruiné, Lamartine vécut de sa plume, publiant pour régler ses dettes récits autobiographiques et ouvrages de vulgarisation. Dans ses derniers poèmes, il reprend, souvent avec bonheur, comme dans ce passage de *la Vigne et la Maison*, des images anciennes.

Le mur est gris, la tuile est rousse,
L'hiver a rongé le ciment ;
Des pierres disjointes la mousse
Verdit l'humide fondement ;
Les gouttières, que rien n'essuie,
Laissent, en rigoles de suie,
S'égoutter le ciel pluvieux,
Traçant sur la vide demeure
Ces noirs sillons par où l'on pleure,
Que les veuves ont sous les yeux ;

La porte où file l'araignée,
Qui n'entend plus le doux accueil,
Reste immobile et dédaignée
Et ne tourne plus sur son seuil ;
Les volets que le moineau souille,
Détachés de leurs gonds de rouille,
Battent nuit et jour le granit ;
Les vitraux brisés par les grêles
Livrent aux vieilles hirondelles
Un libre passage à leur nid !

Leur gazouillement sur les dalles
Couvertes de duvets flottants
Est la seule voix de ces salles
Pleines des silences du temps.
De la solitaire demeure
Une ombre lourde d'heure en heure
Se détache sur le gazon :
Et cette ombre, couchée et morte,
Est la seule chose qui sorte
Tout le jour de cette maison !

En 1889, Verlaine s'amusa à faire le portrait charge de Lamartine.

Œuvres poétiques complètes, éditées par M.F. Guyard, la Pléiade / Gallimard. *Jocelyn*, Garnier-Flammarion. ◊ H. Guillemin, *Lamartine, l'homme et l'œuvre*, Boivin.

alfred de vigny 1797-1863

toportrait.

Après avoir été l'un de ses principaux initiateurs, Alfred de Vigny finit par être le poète le plus solitaire du romantisme. De ses premiers textes, publiés en 1820 dans *le Conservateur littéraire* des frères Hugo, jusqu'en 1830, il participa à l'essor du « cénacle romantique ». Tout, alors, le rapprochait de Hugo : l'admiration pour Byron et Shakespeare, l'impression d'appartenir à une génération frustrée de la gloire des armes, les sentiments légitimistes enfin ; Vigny, né en 1897 dans une famille de petite noblesse, était en effet depuis le premier retour de Louis XVIII un officier de la Restauration, et il le fut jusqu'en 1827. A partir de 1830, des rivalités littéraires, surtout le glissement de Hugo vers des idées républicaines, éloignèrent l'un de l'autre les deux poètes ; en 1851, Vigny, depuis longtemps à l'écart de ses anciens compagnons, se rallia à Napoléon III. Homme solitaire, certes, mais non point reclus dans une tour d'ivoire, et dont les liaisons amoureuses compensèrent un mariage mal équilibré, Vigny fut un poète singulier, hanté par les grands thèmes, touchant parfois au sublime, mais capable — alors que la prose de ses romans est toujours soutenue — de tomber dans la facilité. En 1822, ses premiers poèmes ne reflétaient qu'imparfaitement son ambition de concilier l'épique et la métaphysique. Mais, en 1824, avec *Eloa*, cet incroyant tourmenté par l'idée de Dieu, fasciné par le mythe de la Chute, trouva sa juste cadence. Ainsi dans ce passage du chant II, celui de la séduction par Satan de l'archange féminin :

Je suis celui qu'on aime et qu'on ne connaît pas.
Sur l'homme j'ai fondé mon empire de flamme
Dans les désirs du cœur, dans les rêves de l'âme,
Dans les liens des corps, attraits mystérieux,
Dans les trésors du sang, dans les regards des yeux.
C'est moi qui fais parler l'épouse dans ses songes ;
La jeune fille heureuse apprend d'heureux mensonges ;
Je leur donne des nuits qui consolent des jours,
Je suis le Roi secret des secrètes amours.
J'unis les cœurs, je romps les chaînes rigoureuses,
Comme le papillon sur ses ailes poudreuses
Porte aux gazons émus des peuplades de fleurs,
Et leur fait des amours sans périls et sans pleurs.
J'ai pris au Créateur sa faible créature ;
Nous avons, malgré lui, partagé la Nature :
Je le laisse, orgueilleux des bruits du jour vermeil,
Cacher des astres d'or sous l'éclat d'un Soleil ;
Moi, j'ai l'ombre muette, et je donne à la terre
La volupté des soirs et les biens du mystère.

Es-tu venue, avec quelques Anges des cieux,
Admirer de mes nuits le cours délicieux ?
As-tu vu leurs trésors ? Sais-tu quelles merveilles
Des Anges ténébreux accompagnent les veilles ?

Sitôt que balancé sous le pâle horizon
Le Soleil rougissant a quitté le gazon,
Innombrables Esprits, nous volons dans les ombres
En secouant dans l'air nos chevelures sombres :
L'odorante rosée alors jusqu'au matin
Pleut sur les orangers, les lilas et le thym.
La Nature, attentive aux lois de mon empire,
M'accueille avec amour, m'écoute et me respire ;
Je redeviens son âme, et pour mes doux projets
Du fond des éléments j'évoque mes sujets.
Convive accoutumé de ma nocturne fête,
Chacun d'eux en chantant à s'y rendre s'apprête.
Vers le ciel étoilé, dans l'orgueil de son vol,
S'élance le premier l'éloquent rossignol ;
Sa voix sonore, à l'onde, à la terre, à la nue,
De mon heure chérie annonce la venue ;
Il vante mon approche aux pâles alisiers,
Il la redit encore aux humides rosiers ;
Héraut harmonieux, partout il me proclame ;
Tous les oiseaux de l'ombre ouvrent leurs yeux de flamme.
Le vermisseau reluit ; son front de diamant
Répète auprès des fleurs les feux du firmament,
Et lutte de clartés avec le météore
Qui rôde sur les eaux comme une pâle aurore.
L'étoile des marais, que détache ma main,
Tombe et trace dans l'air un lumineux chemin.

En 1829, *Moïse, Eloa, le Déluge*, qui ouvrent les *Poèmes antiques et modernes*, dominent le livre tout entier. Cette même inspiration, Vigny, après un long silence, la retrouvera, amplifiée, à partir de *la Mort du loup* (1838). Les poèmes qu'il regroupa avant de mourir (en 1863) sous le titre *les Destinées* le prouvent. Par son ampleur, par la variété de ses thèmes (l'amour, la nature, l'art, la création — et même la machine à vapeur), *la Maison du berger* reste la pièce majeure de ce recueil, notamment pour des strophes comme celles-ci (de la première partie), que Baudelaire, évidemment, a lues, et qu'admirait Breton :

La Nature t'attend dans un silence austère ;
L'herbe élève à tes pieds son nuage des soirs,
Et le soupir d'adieu du soleil à la terre
Balance les beaux lys comme des encensoirs.
La forêt a voilé ses colonnes profondes,
La montagne se cache, et sur les pâles ondes
Le saule a suspendu ses chastes reposoirs.

Le crépuscule ami s'endort dans la vallée,
Sur l'herbe d'émeraude et sur l'or du gazon,
Sous les timides joncs de la source isolée
Et sous le bois rêveur qui tremble à l'horizon,
Se balance en fuyant dans les grappes sauvages,
Jette son manteau gris sur le bord des rivages,
Et des fleurs de la nuit entr'ouvre la prison.

Il est sur ma montagne une épaisse bruyère
Où les pas du chasseur ont peine à se plonger,
Qui plus haut que nos fronts lève sa tête altière,
Et garde dans la nuit le pâtre et l'étranger.
Viens y cacher l'amour et ta divine faute ;
Si l'herbe est agitée ou n'est pas assez haute,
J'y roulerai pour toi la Maison du Berger.

Corot : Souvenir de Mortefontaine.

Elle va doucement avec ses quatre roues,
Son toit n'est pas plus haut que ton front et tes yeux ;
La couleur du corail et celle de tes joues
Teignent le char nocturne et ses muets essieux.
Le seuil est parfumé, l'alcôve est large et sombre,
Et là, parmi les fleurs, nous trouverons dans l'ombre,
Pour nos cheveux unis, un lit silencieux.

Je verrai, si tu veux, les pays de la neige,
Ceux où l'astre amoureux dévore et resplendit,
Ceux que heurtent les vents, ceux que la mer assiège,
Ceux où le pôle obscur sous sa glace est maudit.
Nous suivrons du hasard la course vagabonde.
Que m'importe le jour ? que m'importe le monde ?
Je dirai qu'ils sont beaux quand tes yeux l'auront dit.

Le discours à Eva qui clôt le poème est un des hauts moments d'un art
qui veut aller au-delà du dire harmonieux et de l'effusion sentimentale :

Gustave Moreau : Eve.

Viens donc, le ciel pour moi n'est plus qu'une auréole
Qui t'entoure d'azur, t'éclaire et te défend ;
La montagne est ton temple et le bois sa coupole ;
L'oiseau n'est sur la fleur balancé par le vent,
Et la fleur ne parfume et l'oiseau ne soupire
Que pour mieux enchanter l'air que ton sein respire ;
La terre est le tapis de tes beaux pieds d'enfant.

Eva, j'aimerai tout dans les choses créées,
Je les contemplerai dans ton regard rêveur
Qui partout répandra ses flammes colorées,
Son repos gracieux, sa magique saveur :
Sur mon cœur déchiré viens poser ta main pure,
Ne me laisse jamais seul avec la Nature ;
Car je la connais trop pour n'en pas avoir peur.

Elle me dit : « Je suis l'impassible théâtre
Que ne peut remuer le pied de ses acteurs ;
Mes marches d'émeraude et mes parvis d'albâtre,
Mes colonnes de marbre ont les dieux pour sculpteurs.
Je n'entends ni vos cris ni vos soupirs ; à peine
Je sens passer sur moi la comédie humaine
Qui cherche en vain au ciel ses muets spectateurs.

« Je roule avec dédain, sans voir et sans entendre,
A côté des fourmis les populations ;
Je ne distingue pas leur terrier de leur cendre,
J'ignore en les portant les noms des nations.
On me dit une mère et je suis une tombe.
Mon hiver prend vos morts comme son hécatombe,
Mon printemps ne sent pas vos adorations.

« Avant vous j'étais belle et toujours parfumée,
J'abandonnais au vent mes cheveux tout entiers,

Je suivais dans les cieux ma route accoutumée,
Sur l'axe harmonieux des divins balanciers.
Après vous, traversant l'espace où tout s'élance,
J'irai seule et sereine, en un chaste silence
Je fendrai l'air du front et de mes seins altiers. »

C'est là ce que me dit sa voix triste et superbe,
Et dans mon cœur alors je la hais, et je vois
Notre sang dans son onde et nos morts sous son herbe
Nourrissant de leurs sucs la racine des bois.
Et je dis à mes yeux qui lui trouvaient des charmes :
— Ailleurs tous vos regards, ailleurs toutes vos larmes,
Aimez ce que jamais on ne verra deux fois.

Oh ! qui verra deux fois ta grâce et ta tendresse,
Ange doux et plaintif qui parle en soupirant ?
Qui naîtra comme toi portant une caresse
Dans chaque éclair tombé de ton regard mourant,
Dans les balancements de ta tête penchée,
Dans ta taille indolente et mollement couchée,
Et dans ton pur sourire amoureux et souffrant ?

Vivez, froide Nature, et revivez sans cesse
Sous nos pieds, sur nos fronts, puisque c'est votre loi ;
Vivez, et dédaignez, si vous êtes déesse,
L'homme, humble passager, qui dut vous être un roi ;
Plus que tout votre règne et que ses splendeurs vaines,
J'aime la majesté des souffrances humaines,
Vous ne recevrez pas un cri d'amour de moi.

Mais toi, ne veux-tu pas, voyageuse indolente,
Rêver sur mon épaule, en y posant ton front ?
Viens du paisible seuil de la maison roulante
Voir ceux qui sont passés et ceux qui passeront.
Tous les tableaux humains qu'un Esprit pur m'apporte
S'animeront pour toi, quand, devant notre porte,
Les grands pays muets longuement s'étendront.

Nous marcherons ainsi, ne laissant que notre ombre
Sur cette terre ingrate où les morts ont passé ;
Nous nous parlerons d'eux à l'heure où tout est sombre,
Où tu te plais à suivre un chemin effacé,
A rêver, appuyée aux branches incertaines,
Pleurant comme Diane au bord de ses fontaines,
Ton amour taciturne et toujours menacé.

Œuvres complètes, t. I, éditées par F. Baldensperger, la Pléiade /
Gallimard. *Œuvres complètes*, présentées par P. Viallaneix, l'Intégrale /
Seuil. *Poésies complètes*, présentées par A. Dorchain, Garnier. *Les
Destinées*, Poésie / Gallimard. ◊ Henri Guillemin, *M. de Vigny,
homme d'ordre et poète*, Gallimard. François Germain, *L'Imagination
d'Alfred de Vigny*, Corti. Paul Viallaneix, *Vigny par lui-même*, Ecrivains
de toujours / Seuil. Marc Eigeldinger, *Alfred de Vigny*, Ecrivains d'hier
et d'aujourd'hui / Seghers.

victor hugo 1802-1885

Un grand esprit en marche a ses rumeurs, ses houles,
Ses chocs, et fait frémir profondément les foules,
Et remue en passant le monde autour de lui.

Hugo domine son siècle. Marcheur infatigable, toujours présent sur les chemins de l'histoire, de plus en plus à l'écoute des voix populaires et des rumeurs cosmiques, il le traversa superbement. Ce faisant, il le marqua de sa griffe, orchestrant la révolution romantique de 1830, donnant le ton à la sensibilité des années Quarante avec *les Rayons et les Ombres*, puis, sous le Second Empire, une voix aux opposants *(les Châtiments)* et aux opprimés *(les Misérables)*, enfin offrant un fabuleux répertoire d'images aux petits enfants des écoles de la Troisième République. Certes, parmi les poètes du XIXᵉ siècle, ses contemporains, ce sont ses cadets — Baudelaire, Rimbaud, Lautréamont — qui ont opéré la révolution ouvrant les voies de la poésie moderne. Mais, pour ceux-ci, Hugo était le grand vivant, le phare, la référence, celui qui avait tout essayé, tout poussé à la limite dans le champ de la prosodie classique et après qui il ne restait plus qu'à libérer l'inconscient et à briser le vers. Son œuvre, en effet, est un monde. Par son ampleur, par les thèmes qu'elle brasse et qui recouvrent les merveilles de la nature, les événements de la vie, le savoir des bibliothèques. Dès les *Odes et Ballades* (1822-1826) et *les Orientales* (1829), la prodigieuse diversité du génie hugolien se manifesta : avec l'apparition de grands mythes (l'Histoire, l'Orient, le Poète) qui se déploieront dans la suite, mais surtout dans un art de maîtriser les cadences, d'assouplir l'alexandrin, de construire *les Djinns* comme une partition musicale où chante déjà l'impair verlainien : « D'étranges syllabes / Nous viennent encor ; / Ainsi des Arabes / Quand sonne le cor, / Un chant sur la grève / Par instant s'élève... » Cette virtuosité sera dans *la Légende des siècles* celle de la *Chanson des aventuriers de la mer* qui, elle, annonce Apollinaire : « A Notre-Dame de la Garde / Nous eûmes un charmant tableau ; / Lucca Diavolo par mégarde / Prit sa femme à Pier'Angelo. » Mais le plus grand Hugo est le lyrique qui dit sa présence au monde, sa soif de savoir, sa foi dans l'avenir, ses visions cosmiques. C'est celui que nous avons choisi de faire entendre à travers trois poèmes de sa maturité, conçus à Jersey, et dont le dernier appartient à l'admirable recueil posthume publié en 1886, *la Fin de Satan* :

PAROLES SUR LA DUNE.

Maintenant que mon temps décroît comme un flambeau,
    Que mes tâches sont terminées ;
Maintenant que voici que je touche au tombeau
    Par les deuils et par les années,

Et qu'au fond de ce ciel que mon essor rêva,
    Je vois fuir, vers l'ombre entraînées,
Comme le tourbillon du passé qui s'en va,
    Tant de belles heures sonnées ;

Maintenant que je dis : — Un jour, nous triomphons ;
    Le lendemain, tout est mensonge ! —
Je suis triste, et je marche au bord des flots profonds,
    Courbé comme celui qui songe.

Je regarde, au-dessus du mont et du vallon,
    Et des mers sans fin remuées,
S'envoler, sous le bec du vautour aquilon,
    Toute la toison des nuées ;

J'entends le vent dans l'air, la mer sur le récif,
    L'homme liant la gerbe mûre ;
J'écoute, et je confronte en mon esprit pensif
    Ce qui parle à ce qui murmure ;

Et je reste parfois couché sans me lever
    Sur l'herbe rare de la dune,
Jusqu'à l'heure où l'on voit apparaître et rêver
    Les yeux sinistres de la lune.

Elle monte, elle jette un long rayon dormant
    A l'espace, au mystère, au gouffre ;
Et nous nous regardons tous les deux fixement,
    Elle qui brille et moi qui souffre.

Où donc s'en sont allés mes jours évanouis ?
    Est-il quelqu'un qui me connaisse ?
Ai-je encor quelque chose en mes yeux éblouis,
    De la clarté de ma jeunesse ?

Tout s'est-il envolé ? Je suis seul, je suis las ;
    J'appelle sans qu'on me réponde :
O vents ! ô flots ! ne suis-je aussi qu'un souffle, hélas !
    Hélas ! ne suis-je aussi qu'une onde ?

Ne verrai-je plus rien de tout ce que j'aimais ?
    Au dedans de moi le soir tombe.
O terre, dont la brume efface les sommets,
    Suis-je le spectre, et toi la tombe ?

Ai-je donc vidé tout, vie, amour, joie, espoir ?
    J'attends, je demande, j'implore ;
Je penche tour à tour mes urnes pour avoir
    De chacune une goutte encore !

Comme le souvenir est voisin du remord !
    Comme à pleurer tout nous ramène !
Et que je te sens froide en te touchant, ô mort,
    Noir verrou de la porte humaine !

Et je pense, écoutant gémir le vent amer,
    Et l'onde aux plis infranchissables ;
L'été rit, et l'on voit sur le bord de la mer
    Fleurir le chardon bleu des sables.

Victor Hugo, grand, terrible, immense comme une création mythique, cyclopéen pour ainsi dire, représente les forces de la nature et leur lutte harmonieuse (Baudelaire)

Tel poème de Hugo (la Fin de Satan) est une partie de billard sans la moindre folie. Rien de plus strictement mécanique. De 5 heures du matin à douze heures, cet homme carambolait de rime à image, d'image à rime. Il vociférait avec une régularité d'horloge. (Valéry)

Dessin de Victor Hugo. 1866.

LES MAGES

VI

Oui, grâce aux penseurs, à ces sages,
A ces fous qui disent : Je vois !
Les ténèbres sont des visages,
Le silence s'emplit de voix !
L'homme, comme âme, en Dieu palpite,
Et, comme être, se précipite
Dans le progrès audacieux ;
Le muet renonce à se taire ;
Tout luit ; la noirceur de la terre
S'éclaire à la blancheur des cieux.

Ils tirent de la créature
Dieu par l'esprit et le scalpel ;
Le grand caché de la nature
Vient hors de l'antre à leur appel ;
A leur voix, l'ombre symbolique
Parle, le mystère s'explique,
La nuit est pleine d'yeux de lynx ;
Sortant de force, le problème
Ouvre les ténèbres lui-même,
Et l'énigme éventre le sphinx.

Oui, grâce à ces hommes suprêmes,
Grâce à ces poëtes vainqueurs,
Construisant des autels poëmes
Et prenant pour pierres les cœurs,
Comme un fleuve d'âme commune,
Du blanc pilône à l'âpre rune,
Du brahme au flamine romain,
De l'hiérophante au druide,
Une sorte de Dieu fluide,
Coule aux veines du genre humain.

VII

Le noir cromlech, épars dans l'herbe,
Est sur le mont silencieux ;
L'archipel est sur l'eau superbe ;
Les pléiades sont dans les cieux ;

O mont ! ô mer ! voûte sereine !
L'herbe, la mouette, l'âme humaine.
Que l'hiver désole ou poursuit,
Interrogent, sombres proscrites,
Ces trois phrases dans l'ombre écrites
Sur les trois pages de la nuit.

« O vieux cromlech de la Bretagne,
Qu'on évite comme un récif,
Qu'écris-tu donc sur la montagne ? »
« Nuit ! » répond le cromlech pensif.
« Archipel où la vague fume,
Quel mot jettes-tu dans la brume ? »
« Mort ! » dit la roche à l'alcyon.
« Pléiades, qui percez nos voiles,
Qu'est-ce que disent vos étoiles ? »
« Dieu ! » dit la constellation.

C'est, ô noirs témoins de l'espace,
Dans trois langues le même mot !
Tout ce qui s'obscurcit, vit, passe,
S'effeuille et meurt, tombe là-haut.
Nous faisons tous la même course.
Etre abîme, c'est être source.
Le crêpe de la nuit en deuil,
La pierre de la tombe obscure,
Le rayon de l'étoile pure,
Sont les paupières du même œil !

L'unité reste, l'aspect change ;
Pour becqueter le fruit vermeil,
Les oiseaux volent à l'orange
Et les comètes au soleil ;
Tout est l'atome et tout est l'astre ;
La paille porte, humble pilastre,
L'épi d'où naissent les cités ;
La fauvette à la tête blonde
Dans la goutte d'eau boit un monde...
Immensités ! immensités !

Seul, la nuit, sur sa plate-forme,
Herschell poursuit l'être central
A travers la lentille énorme,
Cristallin de l'œil sidéral ;
Il voit en haut Dieu dans les mondes,
Tandis que, des hydres profondes
Scrutant les monstrueux combats,
Le microscope formidable,
Plein de l'horreur de l'insondable,
Regarde l'infini d'en bas !

in de Victor Hugo.

L'ENTRÉE DANS L'OMBRE

II

Tout avait disparu. L'onde montait sur l'onde.
Dieu lisait dans son livre et tout était détruit.
Dans le ciel par moments on entendait le bruit
Que font en se tournant les pages d'un registre.
L'abîme seul savait, dans sa brume sinistre,
Ce qu'étaient devenus l'homme, les voix, les monts.
Les cèdres se mêlaient sous l'onde aux goëmons ;
La vague fouillait l'antre où la bête se vautre.
Les oiseaux fatigués tombaient l'un après l'autre.
Sous cette mer roulant sur tous les horizons
On avait quelque temps distingué des maisons,
Des villes, des palais difformes, des fantômes
De temples dont les flots faisaient trembler les dômes ;
Puis l'angle des frontons et la blancheur des fûts

S'étaient mêlés au fond de l'onde en plis confus ;
Tout s'était effacé dans l'horreur de l'eau sombre.
Le gouffre d'eau montait sous une voûte d'ombre ;
Par moments, sous la grêle, au loin, on pouvait voir
Sur le blême horizon passer un coffre noir ;
On eût dit qu'un cercueil flottait dans cette tombe.
Les tourbillons hurlants roulaient l'écume en trombe.
Des lueurs frissonnaient sur la rondeur des flots.
Ce n'était ni le jour ni la nuit. Des sanglots,
Et l'ombre. L'orient ne faisait rien éclore.
Il semblait que l'abîme eût englouti l'aurore.
Dans les cieux, transformés en gouffres inouïs,
La lune et le soleil s'étaient évanouis ;
L'affreuse immensité n'était plus qu'une bouche
Noire et soufflant la pluie avec un bruit farouche.
La nuée et le vent passaient en se tordant.
On eût dit qu'au milieu de ce gouffre grondant
On entendait les cris de l'horreur éternelle.
Soudain le bruit cessa. Le vent ploya son aile.
Sur le plus haut sommet où l'on pouvait monter
La vague énorme enfin venait de s'arrêter,
Car l'élément connaît son mystère et sa règle.
Le dernier flot avait noyé le dernier aigle.
— Plus rien. — On ne vit plus, dans l'univers puni,
Que l'eau qui se taisait dans l'ombre, ayant fini.
Et le silence emplit la lugubre étendue.
La terre, sphère d'eau dans le ciel suspendue,
Sans cri, sans mouvement, sans voix, sans jour, sans bruit,
N'était plus qu'une larme immense dans la nuit.

Œuvres complètes (18 vol.), éditées par Jean Massin, Club français du livre. *Œuvres poétiques* (3 vol.) et *La Légende des siècles*, la Pléiade / Gallimard. *Poésies complètes*, l'Intégrale / Seuil. ◊ H. Guillemin, *Victor Hugo par lui-même*, Ecrivains de toujours / Seuil. André Maurois, *Olympio ou la vie de Victor Hugo*, Hachette. J.B. Barrère, *La Fantaisie de Victor Hugo*, Corti. P. Albouy, *La Création mythologique chez Victor Hugo*, Corti.

aloysius bertrand 1807-1841

« J'ai essayé de créer un nouveau genre de prose », écrivait Aloysius Bertrand au sculpteur David d'Angers. Mais, après une existence besogneuse de correcteur d'imprimerie et de petit journaliste, Louis-Jacques-Napoléon Bertrand, qui prit le prénom d'Aloysius, mourut de phtisie à trente-quatre ans, en 1841, avant la parution de son *Gaspard de la nuit* qui témoignait de sa réussite. Parny sans doute l'avait inspiré — comme le prouvaient déjà les cadences légères de ses ballades médiévales, ma.s *Gaspard de la nuit,* plus sûrement que les *Chansons madécasses,* fondait le poème en prose. Baudelaire ne s'y trompa point qui voulut, avec *le Spleen de Paris,* « tenter quelque chose d'analogue ». Et Mallarmé appréciait ce romantique au discours dépouillé de toute superfluité.

LE MAÇON

Le maçon Abraham Knupfer chante, la truelle à la main, dans les airs échafaudé, — si haut que, lisant les vers gothiques du bourdon, il nivelle de ses pieds, et l'église aux trente arcs-boutants, et la ville aux trente églises.

Il voit les tarasques de pierre vomir l'eau des ardoises dans l'abîme confus des galeries, des fenêtres, des pendentifs, des clochetons, des tourelles, des toits et des charpentes, que tache d'un point gris l'aile échancrée et immobile du tiercelet.

Il voit les fortifications qui se découpent en étoile, la chandelle qui se rengorge comme une géline dans un tourteau, les cours des palais où le soleil tarit les fontaines, et les cloîtres des monastères où l'ombre tourne autour des piliers.

Les troupes impériales se sont logées dans le faubourg. Voilà qu'un cavalier tambourine là-bas. Abraham Knupfer distingue son chapeau à trois cornes, ses aiguillettes de laine rouge, sa cocarde traversée d'une ganse, et sa queue nouée d'un ruban.

Ce qu'il voit encore, ce sont des soudards qui, dans le parc empanaché de gigantesques ramées, sur de larges pelouses d'émeraude, criblent de coups d'arquebuse un oiseau de bois fiché à la pointe d'un mai.

Et le soir, quand la nef harmonieuse de la cathédrale s'endormit, couchée les bras en croix, il aperçut, de

243

l'échelle, à l'horizon, un village incendié par des gens de guerre, qui flamboyait comme une comète dans l'azur.

LES CINQ DOIGTS DE LA MAIN

Le pouce est ce gras cabaretier flamand, d'humeur goguenarde et grivoise, qui fume sur sa porte, à l'enseigne de la double bière de mars.

L'index est sa femme, virago sèche comme une merluche, qui, dès le matin, soufflette sa servante dont elle est jalouse, et caresse la bouteille dont elle est amoureuse.

Le doigt du milieu est leur fils, compagnon dégrossi à la hache, qui serait soldat s'il n'était brasseur, et qui serait cheval s'il n'était homme.

Le doigt de l'anneau est leur fille, leste et agaçante, Zerbine qui vent des dentelles aux dames, et ne vend pas ses sourires aux cavaliers.

Et le doigt de l'oreille est le benjamin de la famille, marmot pleureur qui toujours se brimbale à la ceinture de sa mère comme un petit enfant pendu au croc d'une ogresse.

Les cinq doigts de la main sont la plus mirobolante giroflée à cinq feuilles qui ait jamais brodé les parterres de la noble cité de Harlem.

SCARBO

Que tu meures absous ou damné, marmottait Scarbo cette nuit à mon oreille, tu auras pour linceul une toile d'araignée, et j'ensevelirai l'araignée avec toi !

— Oh ! que du moins j'aie pour linceul, lui répondais-je les yeux rouges d'avoir tant pleuré, une feuille du tremble dans laquelle me bercera l'haleine du lac.

— Non ! ricanait le nain railleur, tu serais la pâture de l'escargot qui chasse, le soir, aux moucherons aveuglés par le soleil couchant.

— Aimes-tu donc mieux, lui répliquais-je larmoyant toujours, aimes-tu donc mieux que je sois sucé d'une tarentule à la trompe d'éléphant ?

— Eh bien, ajouta-t-il, console-toi, tu auras pour linceul les bandelettes tachetées d'or d'une peau de serpent, dont je t'emmailloterai comme une momie.

Et de la crypte ténébreuse de Saint-Bénigne, où je te coucherai debout contre la muraille, tu entendras à loisir les petits enfants pleurer dans les limbes.

Gaspard de la nuit, Nouvelle Bibliothèque romantique / Flammarion.

gérard de nerval 1808-1855

Pour ses contemporains, pour ses amis même, Gautier ou Dumas, que navraient ses accès de « bizarrerie », Nerval passa surtout pour un homme aimable, bon compagnon, grand voyageur, brillant journaliste, auteur de contes délicieux et de poèmes étranges. Bref une figure mineure en un siècle dominé par la stature de Hugo. Aujourd'hui, par la richesse de son œuvre qui, malgré une apparente limpidité, nous entraîne jusqu'au vertige au-delà de la réalité, dans les régions dangereuses du songe et de l'invisible, par son influence sur toute la littérature moderne, Nerval apparaît comme un poète essentiel, celui qui, en son temps, renoua le mieux avec la poésie du XVIe siècle (il redécouvrit Du Bartas) et fut le plus proche des grands romantiques allemands comme en témoigne ce poème des *Petits Châteaux de Bohême* (1853).

LES CYDALISES

Où sont nos amoureuses ?
Elles sont au tombeau :
Elles sont plus heureuses,
Dans un séjour plus beau !

Elles sont près des anges,
Dans le fond du ciel bleu,
Et chantent les louanges
De la mère de Dieu !

O blanche fiancée !
O jeune vierge en fleur !
Amante délaissée,
Que flétrit la douleur !

L'éternité profonde
Souriait dans vos yeux...
Flambeaux éteints du monde
Rallumez-vous aux cieux !

L'amour perdu, la fascination de la mort, la quête de l'absolu animent ce poème aux airs de romance naïve, annoncent les grands mythes des *Chimères*. Pour déchiffrer ces mythes, la biographie de Gérard Labrunie — qui prit le nom de Nerval — ne donne que quelques repères. Né à Paris en 1808, Gérard fut d'abord élevé par son oncle maternel à Mortefontaine, en Valois : son père était médecin militaire en Pologne où sa mère mourut. Habitant Paris avec son père après 1814, il devint bientôt le condisciple de Gautier au lycée Charlemagne. A dix-neuf ans, sa traduction du *Faust* de Goethe lui ouvrit les portes du cénacle romantique. Ayant hérité d'une forte somme en 1834, il voyagea en Italie puis, en 1836, fonda *le Monde dramatique*, voué à la louange d'une comédienne dont il était épris : Jenny

Colon. En 1836, ruiné par sa revue, il devint journaliste au *Figaro*, puis à *la Presse*. Désormais, jusqu'à cette nuit « noire et blanche » du 26 janvier 1855 où il se pendit rue de la Vieille-Lanterne, et, entre les crises — la première date de 1841 — qui le conduisirent plusieurs fois dans la maison de santé du docteur Blanche, Gérard vécut plus ou moins mal de ses articles, de ses pièces, de ses récits de voyage (en Allemagne, en Orient), de ses essais *(les Illuminés*, 1852), de ses contes *(Sylvie*, 1853). Mais l'œuvre est liée au mouvement de sa vie intérieure. Les paysages du Valois, le regret de la mère qu'il ne connut pas, son amour malheureux pour Jenny Colon, enfin la litté-rature ésotérique y jouent sans doute un rôle majeur. Mais les faits chez Nerval sont toujours transposés ; la mère et Jenny se métamorpho-sent, s'identifient à des figures mythiques. La nostalgie et le rêve ouvrent à cet errant qui, lorsqu'il ne parcourait pas le monde, déambulait dans Paris ou dans les livres, les portes d'autres errances, dans le monde invisible, le conduisent dans les sonnets des *Chimères*, placés sous le signe des dieux antiques, de Pythagore ou du Christ, à nous parler par énigmes ou métaphores des vérités qu'il a entrevues, mais dans la langue la plus claire, la plus harmonieuse et la plus troublante qui soit.

Jenny Colon par Léon Noël.

MYRTHO

Je pense à toi, Myrtho, divine enchanteresse,
Au Pausilippe altier, de mille feux brillant,
A ton front inondé des clartés d'Orient,
Aux raisins noirs mêlés avec l'or de ta tresse.

C'est dans ta coupe aussi que j'avais bu l'ivresse,
Et dans l'éclair furtif de ton œil souriant,
Quand aux pieds d'Iacchus on me voyait priant,
Car la Muse m'a fait l'un des fils de la Grèce.

Je sais pourquoi là-bas le volcan s'est rouvert...
C'est qu'hier tu l'avais touché d'un pied agile,
Et de cendres soudain l'horizon s'est couvert.

Depuis qu'un duc normand brisa tes dieux d'argile,
Toujours, sous les rameaux du laurier de Virgile,
Le pâle hortensia s'unit au myrte vert !

ARTÉMIS

La Treizième revient... C'est encor la première ;
Et c'est toujours la seule, — ou c'est le seul moment ;
Car es-tu reine, ô toi ! la première ou dernière ?
Es-tu roi, toi le seul ou le dernier amant ?...

Aimez qui vous aima du berceau dans la bière ;
Celle que j'aimai seul m'aime encor tendrement :
C'est la mort — ou la morte... O délice ! ô tourment !
La rose qu'elle tient, c'est la *Rose trémière*.

Sainte napolitaine aux mains pleines de feux,
Rose au cœur violet, fleur de sainte Gudule :
As-tu trouvé ta croix dans le désert des cieux ?

Roses blanches, tombez ! vous insultez nos dieux,
Tombez, fantômes blancs, de votre ciel qui brûle :
— La sainte de l'abîme est plus sainte à mes yeux !

Manuscrit original du *Destin*

Le Destin.

Je suis le Ténébreux, — le Veuf, — l'Inconsolé
Le Prince d'Aquitaine à la Tour abolie :
Ma Seule Etoile est morte, — et mon luth constellé
Porte le Soleil noir de la Melancholie.

Dans la nuit du Tombeau, Toi qui m'as consolé,
Rends moi le Pausilippe et la mer d'Italie
La fleur[2] qui plaisait tant à mon cœur desolé
Et la treille où le pampre à la Rose s'allie[3]

Suis-je amour ou Phebus ?... Lusignan ou Biron ?
Mon front est rouge encor du baiser de la Reine[4]
J'ai rêvé dans la Grotte où nage la Syrène...

Et j'ai deux fois vainqueur traversé l'Acheron :
Modulant tour à tour sur la lyre d'Orphée
Les soupirs de la Sainte et les cris de la Fée.[5]

(1) ... prince, Olim: Mausole[3][2] l'ancolie [3°] Jardin du Vatican
Reine Candace[5] mélusine ou Manto.

Germination, par Odilon Redon.

LE CHRIST AUX OLIVIERS

V

C'était bien lui, ce fou, cet insensé sublime...
Cet Icare oublié qui remontait les cieux,
Ce Phaéton perdu sous la foule des dieux,
Ce bel Atys meurtri que Cybèle ranime !

L'augure interrogeait le flanc de la victime,
La terre s'enivrait de ce sang précieux...
L'univers étourdi penchait sur ses essieux,
Et l'Olympe un instant chancela vers l'abîme.

« Réponds ! criait César à Jupiter Ammon,
Quel est ce nouveau dieu qu'on impose à la terre ?
Et si ce n'est un dieu, c'est au moins un démon... »

Mais l'oracle invoqué pour jamais dut se taire ;
Un seul pouvait au monde expliquer ce mystère :
— Celui qui donna l'âme aux enfants du limon.

VERS DORÉS

Eh quoi ! tout est sensible. Pythagore.

Homme, libre penseur ! te crois-tu seul pensant
Dans ce monde où la vie éclate en toute chose ?
Des forces que tu tiens ta liberté dispose,
Mais de tous tes conseils l'univers est absent.

Respecte dans la bête un esprit agissant :
Chaque fleur est une âme à la Nature éclose ;
Un mystère d'amour dans le métal repose ;
« Tout est sensible ! » Et tout sur ton être est puissant.

Crains, dans le mur aveugle, un regard qui t'épie :
A la matière même un verbe est attaché...
Ne la fais pas servir à quelque usage impie !

Souvent dans l'être obscur habite un Dieu caché ;
Et comme un œil naissant couvert par ses paupières,
Un pur esprit s'accroît sous l'écorce des pierres !

Dans *Aurélia*, sa dernière œuvre, texte fabuleux, à la fois journal, poème, exorcisme, Nerval, évoquant avec une lucidité extrême les épreuves qu'il avait traversées, franchit délibérément et considère comme abolies (afin d'intégrer à notre connaissance les révélations de la folie) les frontières qui séparent le songe de la réalité. Rarement écriture fut douée d'un tel pouvoir poétique. Nous citons ici intégralement le chapitre VI de la première partie. Auparavant le songe a permis au narrateur d'entrer dans le monde de l'existence éternelle, celui des morts.

Un rêve que je fis encore me confirma dans cette pensée. Je me trouvai tout à coup dans une salle qui faisait partie de la demeure de mon aïeul. Elle semblait s'être agrandie seulement. Les vieux meubles luisaient d'un poli merveilleux, les tapis et les rideaux étaient comme remis à neuf, un jour trois fois plus brillant que le jour naturel arrivait par la croisée et par la porte, et il y avait dans l'air une fraîcheur et un parfum des premières matinées du printemps. Trois femmes travaillaient dans cette pièce, et représentaient, sans leur ressembler absolument, des parentes et des amies de ma jeunesse. Il semblait que chacune eût les traits de plusieurs de ces personnes. Les contours de leurs figures variaient comme la flamme d'une lampe, et à tout moment quelque chose de l'une passait dans l'autre ; le sourire, la voix, la teinte des yeux, de la chevelure, la taille, les gestes familiers, s'échangeaient comme si elles eussent vécu de la même vie, et chacune était ainsi un composé de toutes, pareilles à ces types que les peintres imitent de plusieurs modèles pour réaliser une beauté complète.
La plus âgée me parlait avec une voix vibrante et mélodieuse que je connaissais pour l'avoir entendue dans l'enfance, et je ne sais ce qu'elle me disait qui

me frappait par sa profonde justesse. Mais elle attira ma pensée sur moi-même, et je me vis vêtu d'un petit habit brun de forme ancienne, entièrement tissé à l'aiguille de fils ténus comme ceux des toiles d'araignées. Il était coquet, gracieux et imprégné de douces odeurs. Je me sentais tout rajeuni et tout pimpant dans ce vêtement qui sortait de leurs doigts de fée, et je les remerciai en rougissant, comme si je n'eusse été qu'un petit enfant devant de grandes belles dames. Alors l'une d'elles se leva et se dirigea vers le jardin.

Chacun sait que, dans les rêves, on ne voit jamais le soleil, bien qu'on ait souvent la perception d'une clarté beaucoup plus vive. Les objets et les corps sont lumineux par eux-mêmes. Je me vis dans un petit parc où se prolongeaient des treilles en berceaux chargés de lourdes grappes de raisins blancs et noirs ; à mesure que la dame qui me guidait s'avançait sous ces berceaux, l'ombre des treillis croisés variait pour mes yeux ses formes et ses vêtements. Elle en sortit enfin, et nous nous trouvâmes dans un espace découvert. On y apercevait à peine la trace d'anciennes allées qui l'avaient jadis coupé en croix. La culture était négligée depuis de longues années et des plants épars de clématites, de houblon, de chèvrefeuille, de jasmin, de lierre, d'aristoloche, étendaient entre des arbres d'une croissance vigoureuse leurs longues traînées de lianes. Des branches pliaient jusqu'à terre chargées de fruits, et parmi des touffes d'herbes parasites s'épanouissaient quelques fleurs de jardin revenues à l'état sauvage.

De loin en loin s'élevaient des massifs de peupliers, d'acacias et de pins, au sein desquels on entrevoyait des statues noircies par le temps. J'aperçus devant moi un entassement de rochers couverts de lierre d'où jaillissait une source d'eau vive, dont le clapotement harmonieux résonnait sur un bassin d'eau dormante à demi voilée des larges feuilles du nénuphar.

La dame que je suivais, développant sa taille élancée dans un mouvement qui faisait miroiter les plis de sa robe en taffetas changeant, entoura gracieusement de son bras nu une longue tige de rose trémière, puis elle se mit à grandir sous un clair rayon de lumière, de telle sorte que peu à peu le jardin prenait sa forme, et les parterres et les arbres devenaient les rosaces et les festons de ses vêtements ; tandis que sa figure et les bras imprimaient leurs contours aux nuages pourprés du ciel. Je la perdais ainsi de vue à mesure qu'elle se transfigurait, car elle semblait s'évanouir dans sa propre grandeur. « Oh ! ne fuis pas ! m'écriai-je... Car la nature meurt avec toi ! »

Portrait imaginaire d'Aurélia,
par Léonor Fini.

Disant ces mots, je marchais péniblement à travers les ronces, comme pour saisir l'ombre agrandie qui m'échappait : mais je me heurtai à un pan de mur dégradé, au pied duquel gisait un buste de femme. En le relevant, j'eus la persuasion que c'était *le sien*... Je reconnus des traits chéris, et, portant les yeux autour de moi, je vis que le jardin avait pris l'aspect d'un cimetière. Des voix disaient : « L'Univers est dans la nuit. »

Œuvres complètes (2 vol.), édition établie par A. Béguin et J. Richer, la Pléiade / Gallimard. *Œuvres*, présentées par H. Lemaître, Garnier. *Les Filles du feu, Les Chimères*, Garnier-Flammarion. ◊ Albert Béguin, *Gérard de Nerval*, Corti. Jean Richer, *Gérard de Nerval*, Poètes d'aujourd'hui / Seghers, et surtout : *Nerval, Expérience et Création*, Hachette.

petrus borel 1809-1859

« Le lycanthrope. » Dans la préface de *Rhapsodies* en 1831, Petrus Borel disait : « Mon républicanisme, c'est de la lycanthropie. » Le surnom lui resta. Pierre Borel d'Hauterive, qui devait finir inspecteur des colonies à Mostaganem, avait alors vingt-deux ans. Révolté et romantique, il célébrait le poignard de l'insurgé et le goût de la mort.

L'AVENTURIER

Ce désert étouffant est donc infranchissable ?...
Voilà bientôt deux nuits que j'ai quitté les bords ;
De l'aube à l'Occident je marche, et n'en suis hors.
Mes deux pieds lourdement s'enfoncent dans le sable,
Et mon bambou se rompt sous le poids de mon corps.

Harassé, je m'assieds, mourant et solitaire,
Ainsi qu'une ombre errante aux débris d'un château.
Rien ! pas un seul carbet sur ce vaste plateau.
D'un stupide regard je mesure la terre,
Qui se déploie au loin comme un large manteau.

Rien, que ma soif et moi : quel horrible silence !
Je n'entends que mon râle et le bruit de mon cœur.
Je penche, je faiblis courbé par la douleur.
Dieu ! que l'homme est piteux en un désert immense !
Dieu ! que l'homme est débile au souffle du malheur !

Blasphème, aventurier, pleure, et te désespère,
Au réveil trop cruel d'un trop court songe d'or...
Mon sort est mérité, pour être pire encor ;
Dans la tombe en partant j'ai poussé mon vieux père :
Je voulais l'opulence, et j'embrasse la mort.

En 1839, dans le prologue en vers de son roman *Madame Putiphar*, les trois cavaliers qui se heurtent « dans sa poitrine sombre » illustrent parfaitement le romantisme frénétique :

Le premier cavalier est jeune, frais, alerte ;
Il porte élégamment un corselet d'acier,
Scintillant à travers une résille verte
Comme à travers des pins des crystaux d'un glacier,
Son œil est amoureux ; sa belle tête blonde
A pour coiffure un casque, orné de lambrequins,
Dont le cimier touffu l'enveloppe et l'inonde
Comme fait le lampas autour des palanquins.

Son cheval andalous agite un long panache
Et va caracolant sous ses étriers d'or,
Quand il fait rayonner sa dague et sa rondache
Avec l'agilité d'un vain toréador.
Le second, cavalier ainsi qu'un reliquaire,
Est juché gravement sur le dos d'un mulet,
Qui feroit le bonheur d'un gothique antiquaire ;
Car sur son râble osseux, anguleux chapelet,
Avec soin est jetée une housse fanée ;
Housse ayant affublé quelque vieil escabeau,
Ou caparaçonné la blanche haquenée
Sur laquelle arriva de Bavière Isabeau.
Il est gros, gras, poussif ; son aride monture
Sous lui semble craquer et pencher en aval :
Une vraie antithèse, — une caricature
De carême - prenant proprement carnaval !
Or, c'est un pénitent, un moine, dans sa robe
Traînante enseveli, voilé d'un capuchon,
Qui pour se vendre au Ciel ici-bas se dérobe ;
Béat sur la vertu très à califourchon.
Mais Sabaoth l'inspire, il peste, il jure, il sue ;
Il lance à ses rivaux de superbes défis,
Qu'il appuie à propos d'une lourde massue :
Il est taché de sang et baise un crucifix.
Pour le tiers cavalier, c'est un homme de pierre,
Semblant le Commandeur, horrible et ténébreux ;
Un hyperboréen ; un gnôme sans paupière,
Sans prunelle et sans front, qui résonne le creux
Comme un tombeau vidé lorsqu'une arme le frappe.
Il porte à sa main gauche une faulx dont l'acier
Pleure à grands flots le sang, puis une chausse-trape
En croupe où se faisande un pendu grimacier,
Laid gibier de gibet ! Enfin pour cimeterre
Se balance à son flanc un énorme hameçon
Embrochant des filets pleins de larves de terre,
Et de vers de charogne à piper le poisson.

Pétrus Borel se situe admirablement entre Sade et Lautréamont. Son œuvre présente le même caractère d'absolu et d'audace que la leur. (Paul Eluard)

Madame Putiphar, Régine Desforges. Anthologie Rencontre.

xavier forneret 1809-1884

Ignoré de son temps, Xavier Forneret, riche provincial de Beaune, fit jouer ses pièces à ses frais et publia à compte d'auteur ses recueils : *Sans titre, Pièce des pièces, Vapeurs*, etc. Ses poèmes insolites, ses proses étranges (comme la nouvelle *le Diamant de l'herbe* dont nous donnons le début) fascineront les surréalistes.

Picasso : Le Mendiant.

UN PAUVRE HONTEUX

Il l'a tirée
De sa poche percée,
L'a mise sous ses yeux ;
Et l'a bien regardée
En disant : « Malheureux ! »

Il l'a soufflée
De sa bouche humectée ;
Il avait presque peur
D'une horrible pensée
Qui vint le prendre au cœur.

Il l'a mouillée
D'une larme gelée
Qui fondit par hasard ;
Sa chambre était trouée
Encor plus qu'un bazar.

Il l'a frottée,
Ne l'a pas réchauffée,
A peine il la sentait ;
Car, par le froid pincée
Elle se retirait.

Il l'a pesée
Comme on pèse une idée,
En l'appuyant sur l'air.
Puis il l'a mesurée
Avec du fil de fer.

Il l'a touchée
De sa lèvre ridée. —
D'un frénétique effroi
Elle s'est écriée :
Adieu, embrasse-moi !

Il l'a baissée,
Et après l'a croisée
Sur l'horloge du corps,
Qui rendait, mal montée,
De mats et lourds accords.

Il l'a palpée
D'une main décidée
A la faire mourir. —
— Oui, c'est une bouchée
Dont on peut se nourrir.

Il l'a pliée,
Il l'a cassée,
Il l'a placée,
Il l'a coupée ;
Il l'a lavée,
Il l'a portée,
Il l'a grillée,
Il l'a mangée.

— Quand il n'était pas grand, on lui avait dit :
Si tu as faim, mange une de tes mains.

LE DIAMANT DE L'HERBE

Selon, je crois, des dires, le ver luisant annonce par
son apparition plus ou moins lumineuse, plus ou moins
renouvelée, plus ou moins près de certain endroit, plus
ou moins multipliée, car, toujours selon les dires, il se
meut sous l'influence de ce qui doit advenir, le ver luisant présage, ou une tempête sur mer, ou une révolution
sur terre : alors, il est sombre, se rallume et s'éteint ;
puis un miracle : alors on le voit à peine ; puis un
meurtre : il est rougeâtre ; puis de la neige : ses pattes
deviennent noires ; du froid : il est d'un vif éclat sans
cesse ; de la pluie : il change de place ; des fêtes
publiques : il frémit dans l'herbe et s'épanche en innombrables petits jets de lumière ; de la grêle : il se remue
par saccades ; du vent : il semble s'enfoncer en terre ;
un beau ciel pour le lendemain : il est bleu ; une belle
nuit : il étoile l'herbe à peu près comme pour les fêtes
publiques, seulement, il ne frémit pas. Pour un enfant qui
naît, le ver est blanc ; enfin, à l'heure où s'accomplit
une étrange destinée, le ver luisant est jaune...

Sans titre et autres textes, Arcanes. ◊ E. Kaye, *Xavier Forneret, dit l'Homme noir*, Droz.

maurice de guérin 1810-1839

Maurice de Guérin mourut, phtisique, à vingt-neuf ans. Sa vie s'était déroulée sous le signe de la quête (il eut d'abord une vocation religieuse) et fut traversée par plusieurs figures féminines : sa sœur Eugénie avec qui il entretint une correspondance passionnée, Marie de La Morvonnais, dont la mort en 1835 l'incita à un profond retour sur lui-même (« Je suis avide de douleurs et de funestes savoirs », dit-il alors), enfin la jeune créole qu'il épousa peu avant de mourir. Son journal (le Cahier vert), commencé en 1832, au moment où il se détournait de la foi vers la poésie, dit sa difficulté d'être au monde, mais aussi sa découverte exaltée de la nature : « J'habite avec les éléments intérieurs des choses, je remonte le rayon des étoiles et le courant des fleuves jusqu'au sein des mystères de leur génération. » De telles lignes annoncent le sentiment cosmique de la nature qui anime ses poèmes en prose, le Centaure et la Bacchante.

LE CENTAURE

[...] L'usage de ma jeunesse fut rapide et rempli d'agitation. Je vivais de mouvement et ne connaissais pas de borne à mes pas. Dans la fierté de mes forces libres, j'errais, m'étendant de toutes parts dans ces déserts. Un jour que je suivais une vallée où s'engagent peu les centaures, je découvris un homme qui côtoyait le fleuve sur la rive contraire. C'était le premier qui s'offrît à ma vue, je le méprisai. Voilà tout au plus, me dis-je, la moitié de mon être ! Que ses pas sont courts et sa démarche malaisée ! Ses yeux semblent mesurer l'espace avec tristesse. Sans doute c'est un centaure renversé par les dieux et qu'ils ont réduit à se traîner ainsi.

Je me délassais souvent de mes journées dans le lit des fleuves. Une moitié de moi-même, cachée dans les eaux, s'agitait pour les surmonter, tandis que l'autre s'élevait tranquille et que je portais mes bras oisifs bien au-dessus des flots. Je m'oubliais ainsi au milieu des ondes, cédant aux entraînements de leur cours qui m'emmenait au loin et conduisait leur hôte sauvage à tous les charmes des rivages. Combien de fois, surpris par la nuit, j'ai suivi les courants sous les ombres qui se répandaient, déposant jusque dans le fond des vallées l'influence nocturne des dieux ! Ma vie fougueuse se tempérait alors au point de ne laisser plus qu'un léger sentiment de mon existence répandu par tout mon être avec une égale mesure, comme, dans les eaux où je nageais, les lueurs de la déesse qui parcourt les nuits. Mélampe, ma vieillesse regrette les fleuves ; paisibles la plupart et monotones, ils suivent leur destinée avec plus de calme que les centaures, et une sagesse plus bienfaisante que celle des hommes. Quand je sortais de leur sein, j'étais suivi de leurs dons qui m'accompagnaient des jours entiers et ne se retiraient qu'avec lenteur, à la manière des parfums.

Une inconstance sauvage et aveugle disposait de mes pas. Au milieu des courses les plus violentes, il m'arrivait de rompre subitement mon galop, comme si un abîme se fût rencontré à mes pieds, ou bien un dieu debout devant moi. Ces immobilités soudaines me laissaient ressentir ma vie tout émue par les emportements où j'étais. Autrefois j'ai coupé dans les forêts des rameaux qu'en courant j'élevais par-dessus ma tête ; la vitesse de la course suspendait la mobilité du feuillage qui ne rendait plus qu'un frémissement léger ; mais au moindre repos le vent et l'agitation rentraient dans le rameau, qui reprenait le cours de ses murmures. Ainsi ma vie, à l'interruption subite des carrières impétueuses que je fournissais à travers ces vallées, frémissait dans tout mon sein. Je l'entendais courir en bouillonnant et rouler le feu qu'elle avait pris dans l'espace ardemment franchi. Mes flancs animés luttaient contre ses flots dont ils étaient pressés intérieurement, et goûtaient dans ces tempêtes la volupté qui n'est connue que des rivages de la mer, de renfermer sans aucune perte une vie montée à son comble et irritée. Cependant, la tête inclinée au vent qui m'apportait le frais, je considérais la cime des montagnes devenues lointaines en quelques instants, les arbres des rivages et les eaux des fleuves, celles-ci portées d'un cours traînant, ceux-là attachés dans le sein de la terre, et mobiles seulement par leurs branchages soumis aux souffles de l'air qui les font gémir. « Moi seul, me disais-je, j'ai le mouvement libre, et j'emporte à mon gré ma vie de l'un à l'autre bout de ces vallées. Je suis plus heureux que les torrents qui tombent des montagnes pour n'y plus remonter. Le roulement de mes pas est plus beau que les plaintes des bois et que les bruits de l'onde ; c'est le retentissement du centaure errant et qui se guide lui-même. » Ainsi, tandis que mes flancs agités possédaient l'ivresse de la course, plus haut j'en ressentais l'orgueil, et, détournant la tête, je m'arrêtais quelque temps à considérer ma croupe fumante. [...]

Œuvres complètes (2 vol.), les Belles Lettres. ◊ M. Schärer-Nussberger, *Maurice de Guérin, L'Errance et la Demeure*, Corti.

alfred de musset 1810-1857

Dandy au cœur blessé, Musset n'avait ni les envolées de Lamartine, ni la fabuleuse splendeur de Hugo, ni le génie méditatif de Vigny, mais cet éternel adolescent, brillant dans l'insolence, émouvant dans le désespoir, sut mieux que tout autre vivre et cultiver le mal du siècle avant d'en être finalement la victime. Par abus des plaisirs autant que par complaisance à ses chagrins, il s'épuisa vite et n'écrivit plus guère passé quarante ans (il mourut à quarante-sept ans en 1857). Ses débuts avaient été éblouissants. Né à Paris, fils d'un fonctionnaire lettré, Musset composa ses premiers vers à quatorze ans, alors qu'il était un brillant élève du collège royal Henri IV. A dix-huit ans il publia une ballade dans un journal de Dijon et bientôt fut admis chez Hugo dans le cénacle romantique. En 1829, ses *Contes d'Espagne et d'Italie* révélèrent son talent :

VENISE

Dans Venise la rouge,
Pas un bateau qui bouge,
Pas un pêcheur dans l'eau,
   Pas un falot.

Seul, assis à la grève,
Le grand lion soulève,
Sur l'horizon serein,
   Son pied d'airain.

Autour de lui, par groupes,
Navires et chaloupes,
Pareils à des hérons
   Couchés en ronds,

Dorment sur l'eau qui fume,
Et croisent dans la brume,
En légers tourbillons,
   Leurs pavillons.

La lune qui s'efface
Couvre son front qui passe
D'un nuage étoilé
   Demi-voilé.

Ainsi, la dame abbesse
De Sainte-Croix rabaisse
Sa cape aux larges plis
   Sur son surplis.

Et les palais antiques
Et les graves portiques,
Et les blancs escaliers
    Des chevaliers,

Et les ponts, et les rues,
Et les mornes statues,
Et le golfe mouvant
    Qui tremble au vent,

Tout se tait, fors les gardes
Aux longues hallebardes,
Qui veillent aux créneaux
    Des arsenaux.

— Ah ! maintenant plus d'une
Attend, au clair de lune,
Quelque jeune muguet,
    L'oreille au guet.

Pour le bal qu'on prépare,
Plus d'une qui se pare,
Met devant son miroir
    Le masque noir.

Sur sa couche embaumée,
La Vanina pâmée
Presse encor son amant,
    En s'endormant ;

Et Narcissa, la folle,
Au fond de sa gondole,
S'oublie en un festin
    Jusqu'au matin.

Et qui, dans l'Italie,
N'a son grain de folie ?
Qui ne garde aux amours
    Ses plus beaux jours ?

Laissons la vieille horloge,
Au palais du vieux doge,
Lui compter de ses nuits
    Les longs ennuis.

Comptons plutôt, ma belle,
Sur ta bouche rebelle
Tant de baisers donnés...
  Ou pardonnés.

Comptons plutôt tes charmes
Comptons les douces larmes
Qu'à nos yeux a coûté
  La volupté.

A cette époque, dira-t-il en 1843, « Je brochais des ballades, l'une /
A la lune, / L'autre à des yeux noirs et jaloux, / Andalous ». Mais
s'il garda le goût de la provocation, s'amusant dans *Namouna* à une
apologie de la nudité, s'il aima toujours le clinquant et les contrastes,
écrivant coup sur coup, en 1838, un lourd poème métaphysique et une
charmante défense de la valse, Musset, poète, se rapprocha bientôt
de Lamartine. Laissant sa finesse psychologique et son ironie se
déployer dans son théâtre et ses contes, il fit de ses poèmes le
lieu de ses hantises (le « double » dans *la Nuit de décembre*)
et de ses souffrances. Adolescent, il avait connu un amour malheureux.
La trahison qui mit fin en 1834 à sa liaison, violente et brève, avec
George Sand, lui parut répéter, avec une acuité accrue, cette première
expérience. Dès lors ses amours nombreuses firent de lui un récidiviste
de l'échec sentimental et un lyrique de la douleur, convaincu que toute
vraie poésie vient du cœur. Tout l'art, selon lui, est dans la sincérité
de l'émotion. C'est ce que — non sans comparaisons morbides — dit la
muse au poète dans la dernière partie de :

LA NUIT DE MAI

Crois-tu donc que je sois comme le vent d'automne,
Qui se nourrit de pleurs jusque sur un tombeau,
Et pour qui la douleur n'est qu'une goutte d'eau ?
O poète ! un baiser, c'est moi qui te le donne.
L'herbe que je voulais arracher de ce lieu,
C'est ton oisiveté ; ta douleur est à Dieu.
Quel que soit le souci que ta jeunesse endure,
Laisse-la s'élargir, cette sainte blessure
Que les noirs séraphins t'ont faite au fond du cœur ;
Rien ne nous rend si grands qu'une grande douleur.
Mais, pour en être atteint, ne crois pas, ô poète,
Que ta voix ici-bas doive rester muette.
Les plus désespérés sont les chants les plus beaux,
Et j'en sais d'immortels qui sont de purs sanglots.
Lorsque le pélican, lassé d'un long voyage,
Dans le brouillard du soir retourne à ses roseaux,
Ses petits affamés courent sur le rivage
En le voyant au loin s'abattre sur les eaux.
Déjà, croyant saisir et partager leur proie,
Ils courent à leur père avec des cris de joie
En secouant leurs becs sur leurs goîtres hideux.
Lui, gagnant à pas lents une roche élevée,
De son aile pendante abritant sa couvée,
Pêcheur mélancolique, il regarde les cieux.
Le sang coule à longs flots de sa poitrine ouverte ;

En vain il a des mers fouillé la profondeur ;
L'océan était vide et la plage déserte ;
Pour toute nourriture il apporte son cœur.
Sombre et silencieux, étendu sur la pierre,
Partageant à ses fils ses entrailles de père,
Dans son amour sublime il berce sa douleur,
Et, regardant couler sa sanglante mamelle,
Sur son festin de mort il s'affaisse et chancelle,
Ivre de volupté, de tendresse et d'horreur.
Mais parfois, au milieu du divin sacrifice,
Fatigué de mourir dans un trop long supplice,
Il craint que ses enfants ne le laissent vivant ;
Alors il se soulève, ouvre son aile au vent,
Et, se frappant le cœur avec un cri sauvage,
Il pousse dans la nuit un si funèbre adieu,
Que les oiseaux des mers désertent le rivage,

Et que le voyageur attardé sur la plage,
Sentant passer la mort, se recommande à Dieu.
Poète, c'est ainsi que font les grands poètes.
Ils laissent s'égayer ceux qui vivent un temps ;
Mais les festins humains qu'ils servent à leurs fêtes
Ressemblent la plupart à ceux des pélicans.
Quand ils parlent ainsi d'espérances trompées,
De tristesse et d'oubli, d'amour et de malheur,
Ce n'est pas un concert à dilater le cœur.
Leurs déclamations sont comme des épées :
Elles tracent dans l'air un cercle éblouissant,
Mais il y pend toujours quelque goutte de sang.

TRISTESSE

J'ai perdu ma force et ma vie
Et mes amis et ma gaieté ;
J'ai perdu jusqu'à la fierté
Qui faisait croire à mon génie.

Quand j'ai connu la Vérité,
J'ai cru que c'était une amie ;
Quand je l'ai comprise et sentie,
J'en étais déjà dégoûté.

Et pourtant elle est éternelle,
Et ceux qui se sont passés d'elle
Ici-bas ont tout ignoré.

Dieu parle, il faut qu'on lui réponde.
Le seul bien qui me reste au monde
Est d'avoir quelquefois pleuré.

L'HEURE DE MA MORT

L'heure de ma mort, depuis dix-huit mois,
De tous les côtés sonne à mes oreilles,
Depuis dix-huit mois d'ennuis et de veilles,
Partout je la sens, partout je la vois.

Plus je me débats contre ma misère,
Plus s'éveille en moi l'instinct du malheur ;
Et, dès que je veux faire un pas sur terre,
Je sens tout à coup s'arrêter mon cœur.

Ma force à lutter s'use et se prodigue.
Jusqu'à mon repos, tout est un combat ;
Et, comme un coursier brisé de fatigue,
Mon courage éteint chancelle et s'abat.

Don Juan
allant emprunter
dix sous,
pour payer
son idéal et enfoncer Biron

Musset par lui-même.

Œuvres complètes, présentées par Ph. Van Tieghem, l'Intégrale /
Seu`l. *Œuvres complètes*, présentées par M. Allem, t. 1, la Pléiade /
Gallimard. *Premières Poésies et Poésies nouvelles* (2 vol.), Garnier. ◇
M. Allem, *Alfred de Musset*, Arthaud. E. Henriot, *L'Enfant du siècle*,
Hachette. J.-P. Richard, *Études sur le romantisme*, Seuil.

théophile gautier 1811-1872

Baudelaire admirait Gautier. On s'en étonne parfois, ne voyant pas ce qui peut unir l'auteur des *Fleurs du mal*, fasciné par le gouffre, et celui d'*Emaux et Camées* qui invitait le poète à se faire orfèvre ou sculpteur : « Sculpte, lime, cisèle ; / Que ton rêve flottant / Se scelle / Dans le bloc résistant ! » Si Baudelaire partageait avec lui la religion du Beau, il aimait Gautier, prosateur et poète, pour sa diversité, pour son imagination fantastique qui se déploie dans *la Comédie de la mort* ou dans *le Capitaine Fracasse*, comme pour son souci de perfection qui en fit le modèle des parnassiens. De fait, Gautier, né à Tarbes en 1811, condisciple de Nerval au lycée Charlemagne, à Paris, et qui hésita un temps entre poésie et peinture avant de faire une carrière d'écrivain Protée (journaliste, chroniqueur, critique d'art et de théâtre, romancier, dramaturge, mémorialiste), fut d'abord tapageusement romantique. En 1830, ses *Poésies*, comme son gilet rouge, l'attestaient : « Quand je vais poursuivant mes courses poétiques, / Je m'arrête souvent aux vieux châteaux gothiques. » En 1832, *Albertus*, poème où « sans cesse, dit Serge Fauchereau, le texte tire la langue au lecteur », s'affirmait à la fois comme un des chefs-d'œuvre et une splendide parodie du genre frénétique.

CVIII

— La vieille fit : Hop ! hop ! et par la cheminée
De reflets flamboyants soudain illuminée,
Deux manches à balai, tout bridés, tout sellés,
Entrèrent dans la salle avec force ruades,
Caracoles et sauts, voltes et pétarades,
Ainsi que des chevaux par leur maître appelés.
— C'est ma jument anglaise et mon coureur arabe,
Dit la sorcière ouvrant ses griffes comme un crabe
Et flattant de la main ses balais sur le col.
Un crapaud hydropique, aux longues pattes grêles,
Tint l'étrier. - Housch ! Housch ! - comme des sauterelles
    Les deux balais prirent leur vol.

CIX

Trap ! trap ! ils vont, ils vont comme le vent de bise ;
— La terre sous leurs pieds file rayée et grise,
Le ciel nuageux court sur leur tête au galop ;
A l'horizon blafard d'étranges silhouettes
Passent. — Le moulin tourne et fait des pirouettes,
La lune en son plein luit rouge comme un falot ;
Le donjon curieux de tous ses yeux regarde,
L'arbre étend ses bras noirs ; — la potence hagarde

Balzac et Gautier,
caricature de Platier.

Gravure de Célestin Nanteuil,
pour *Albertus*.

Montre le poing et fuit emportant son pendu ;
Le corbeau qui croasse et flaire la charogne
Fouette l'air lourdement, et de son aile cogne
    Le front du jeune homme éperdu.

CX

Chauves-souris, hiboux, chouettes, vautours chauves,
Grands-ducs, oiseaux de nuit aux yeux flambants et fauves,
Monstres de toute espèce et qu'on ne connaît pas,
Stryges au bec crochu, Goules, Larves, Harpies,
Vampires, Loups-garous, Brucolaques impies,
Mammouths, Léviathans, Crocodiles, Boas,
Cela grogne, glapit, siffle, rit et babille,
Cela grouille, reluit, vole, rampe et sautille ;
Le sol en est couvert, l'air en est obscurci.
— Des balais haletants la course est moins rapide,
Et de ses doigts noueux tirant à soi la bride,
    La vieille cria : — C'est ici.

CXI

Une flamme jetant une clarté bleuâtre,
Comme celle du punch, éclairait le théâtre.
— C'était un carrefour dans le milieu d'un bois.
Les nécromants en robe et les sorcières nues,
A cheval sur leurs boucs, par les quatre avenues,
Des quatre points du vent débouchaient à la fois.
Les approfondisseurs de sciences occultes,
Faust de tous les pays, mages de tous les cultes,
Zingaros basanés, et rabbins au poil roux,
Cabalistes, devins, rêvasseurs hermétiques,
Noirs et faisant râler leurs soufflets asthmatiques,
    Aucun ne manque au rendez-vous.

*Gautier, c'est l'amour exclusif du Beau,
avec toutes ses subdivisions, exprimé
dans le langage le mieux approprié.*
(Charles Baudelaire)

Cette superbe désinvolture qu'on retrouvera dans *la Comédie de la
mort* et presque toujours dans ses romans, Gautier s'en garda bientôt,
mais sans renier sa fantaisie. Même dans des vers sacrifiant à la mode,
il réussissait souvent à concilier habileté, humour et poésie.

CHINOISERIE

Ce n'est pas vous, non, madame, que j'aime,
Ni vous non plus, Juliette, ni vous,
Ophélia, ni Béatrix, ni même
Laure la blonde, avec ses grands yeux doux.

Celle que j'aime, à présent, est en Chine ;
Elle demeure avec ses vieux parents,
Dans une tour de porcelaine fine,
Au fleuve Jaune, où sont les cormorans.

Elle a des yeux retroussés vers les tempes,
Un pied petit à tenir dans la main,
Le teint plus clair que le cuivre des lampes,
Les ongles longs et rougis de carmin.

Par son treillis elle passe sa tête,
Que l'hirondelle, en volant, vient toucher,
Et, chaque soir, aussi bien qu'un poète,
Chante le saule et la fleur du pêcher.

Publiés pour la première fois en 1852, augmentés de pièces nouvelles
lors des rééditions suivantes, *Emaux et Camées* représente la perfection
d'un art de bien dire, limité sans doute dans ses ambitions, mais
qu'anime le frisson d'une sensibilité ou le sourire de l'ironiste. Ainsi
dans les petits bijoux descriptifs de *Fantaisies d'hiver* ou dans cette
Carmen qu'admiraient T.S. Eliot et Ezra Pound.

Dessin de Constantin Guys.

FANTAISIES D'HIVER

II

Dans le bassin des Tuileries,
Le cygne s'est pris en nageant,
Et les arbres comme aux féeries,
Sont en filigrane d'argent.

Les vases ont des fleurs de givre,
Sous la charmille aux blancs réseaux ;
Et les arbres comme aux féeries,
Les pas étoilés des oiseaux.

Au piédestal où, court-vêtue,
Vénus coudoyait Phocion,
L'Hiver a posé pour statue
La Frileuse de Clodion.

III

Les femmes passent sous les arbres
En martre, hermine et menu-vair,
Et les déesses, frileux marbres,
Ont pris aussi l'habit d'hiver.

La Vénus Anadyomène
Est en pelisse à capuchon ;
Flore, que la brise malmène,
Plonge ses mains dans son manchon.

Et pour la saison, les bergères
De Coysevox et de Coustou,
Trouvant leurs écharpes légères,
Ont des boas autour du cou.

CARMEN

Carmen est maigre, — un trait de bistre
Cerne son œil de gitana.
Ses cheveux sont d'un noir sinistre,
Sa peau, le diable la tanna.

Les femmes disent qu'elle est laide,
Mais tous les hommes en sont fous,
Et l'archevêque de Tolède
Chante la messe à ses genoux ;

Car sur sa nuque d'ambre fauve
Se tord un énorme chignon
Qui, dénoué, fait dans l'alcôve
Une mante à son corps mignon.

Et, parmi sa pâleur, éclate
Une bouche aux rires vainqueurs ;
Piment rouge, fleur écarlate,
Qui prend sa pourpre au sang des cœurs.

Ainsi faite, la moricaude
Bat les plus altières beautés,
Et de ses yeux la lueur chaude
Rend la flamme aux satiétés.

Elle a, dans sa laideur piquante,
Un grain de sel de cette mer
D'où jaillit, nue et provocante,
L'âcre Vénus du gouffre amer.

Personnage mythique de la littérature romantique, de Hugo et Mérimée à Gautier et Baudelaire, la gitane inspira aussi les peintres, dont Manet. △

Poésies complètes (3 vol.), publiées par René Jasinski, Nizet. *Emaux et Camées*, les Lettres modernes / M'nard. ◇ René Jasinski, *Les Années romantiques de Théophile Gautier*, Vuibert. Serge Fauchereau, *Théophile Gautier*, les Lettres nouvelles / Denoël. Bernard Delvaille, *Théophile Gautier*, Seghers.

charles leconte de lisle 1818-1894

Leconte de Lisle, comme Baudelaire, admirait Gautier, mais tout ce que Baudelaire entendait expulser de la poésie, la science, la morale, l'enseignement — sans doute s'agissait-il surtout du discours nécessairement prosaïque de ces disciplines — il voulait en faire la matière même de son art. Avec ce maître des parnassiens, la poésie devenait un art de la synthèse, non du symbole : synthèse de la description et de la méditation, les développements philosophiques (sur les dieux, la vie, le néant) s'enracinant toujours dans un temps et un lieu, mais aussi d'une pensée rigoureuse et d'un dire impeccable. Visant à décrire la réalité, à transmettre une vérité, le matérialiste Leconte de Lisle souhaitait inscrire sa pensée dans une langue aussi résistante que le marbre. Mais parfois, décrivant l'antiquité grecque, latine ou hébraïque, évoquant l'Islam ou l'Inde, le poète érudit, qui devait finir bibliothécaire au Sénat et académicien, se souvenait des lumières, des couleurs ou des parfums exotiques de sa jeunesse, à la Réunion où il était né en 1818, de ses voyages aux Indes et aux îles de la Sonde ; ou bien, dépassant le ton oratoire qui était souvent le sien — défaut qui, après les *Poèmes antiques* (1852) et les *Poèmes barbares* (1862), ira s'accentuant —, il s'abandonnait à son émotion ou au pouvoir de son imagination et alors, oubliant ses théories, s'affirmait poète.

NOX

Sur la pente des monts les brises apaisées
Inclinent au sommeil les arbres onduleux ;
L'oiseau silencieux s'endort dans les rosées,
Et l'étoile a doré l'écume des flots bleus.

Aux contours des ravins, sur les hauteurs sauvages,
Une molle vapeur efface les chemins ;
La lune tristement baigne les noirs feuillages ;
L'oreille n'entend plus les murmures humains.

Mais sur le sable au loin chante la Mer divine,
Et des hautes forêts gémit la grande voix,
Et l'air sonore, aux cieux que la nuit illumine,
Porte le chant des mers et le soupir des bois.

Montez, saintes rumeurs, paroles surhumaines,
Entretien lent et doux de la Terre et du Ciel !
Montez, et demandez aux étoiles sereines
S'il est pour les atteindre un chemin éternel.

O mers, ô bois songeurs, voix pieuses du monde,
Vous m'avez répondu durant mes jours mauvais ;
Vous avez apaisé ma tristesse inféconde,
Et dans mon cœur aussi vous chantez à jamais !

Leconte de Lisle, par Verlaine. △

Hercule au lac Stymphale,
de Gustave Moreau.

HÉRAKLÈS SOLAIRE

Dompteur à peine né, qui tuais dans tes langes
Les Dragons de la Nuit ! Cœur-de-Lion ! Guerrier,
Qui perças l'Hydre antique au souffle meurtrier
Dans la livide horreur des brumes et des fanges,
Et qui, sous ton œil clair, vis jadis tournoyer
Les Centaures cabrés au bord des précipices !
Le plus beau, le meilleur, l'aîné des Dieux propices !
Roi purificateur, qui faisais en marchant
Jaillir sur les sommets le feu des sacrifices,
Comme autant de flambeaux, d'orient au couchant !
Ton carquois d'or est vide, et l'Ombre te réclame.
Salut, Gloire-de-L'Air ! Tu déchires en vain,
De tes poings convulsifs d'où ruisselle la flamme,
Les nuages sanglants de ton bûcher divin,
Et dans un tourbillon de pourpre tu rends l'âme !

KAÏN

[...] Silence, ô Cavalier de la Géhenne ! O Bêtes
Furieuses, qu'il traîne après lui, taisez-vous !
Je veux parler aussi, c'est l'heure, afin que tous
Vous sachiez, ô hurleurs stupides que vous êtes,
Ce que dit le Vengeur Kaïn au Dieu jaloux.

Silence ! Je revois l'innocence du monde.
J'entends chanter encore aux vents harmonieux
Les bois épanouis sous la gloire des cieux ;
La force et la beauté de la terre féconde
En un rêve sublime habitent dans mes yeux.

Le soir tranquille unit aux soupirs des colombes,
Dans le brouillard doré qui baigne les halliers,
Le doux rugissement des lions familiers ;
Le terrestre Jardin sourit, vierge de tombes,
Aux Anges endormis à l'ombre des palmiers.

L'inépuisable joie émane de la Vie ;
L'embrassement profond de la terre et du ciel
Emplit d'un même amour le cœur universel ;
Et la Femme, à jamais vénérée et ravie,
Multiplie en un long baiser l'Homme immortel.

Et l'aurore qui rit avec ses lèvres roses,
De jour en jour, en cet adorable berceau,
Pour le bonheur sans fin éveille un dieu nouveau ;
Et moi, moi, je grandis dans la splendeur des choses,
Impérissablement jeune, innocent et beau !

Compagnon des Esprits célestes, origine
De glorieux enfants créateurs à leur tour,
Je sais le mot vivant, le verbe de l'amour ;
Je parle et fais jaillir de la source divine,
Aussi bien qu'Elohim, d'autres mondes au jour !

Eden ! ô Vision éblouissante et brève,
Toi dont, avant les temps, j'étais déshérité !
Eden, Eden ! voici que mon cœur irrité
Voit changer brusquement la forme de son rêve,
Et le glaive flamboie à l'horizon quitté.

Eden ! ô le plus cher et le plus doux des songes,
Toi vers qui j'ai poussé d'inutiles sanglots !
Loin de tes murs sacrés éternellement clos
La malédiction me balaye, et tu plonges
Comme un soleil perdu dans l'abîme des flots.

Les flancs et les pieds nus, ma mère Héva s'enfonce
Dans l'âpre solitude où se dresse la faim.
Mourante, échevelée, elle succombe enfin,
Et dans un cri d'horreur enfante sur la ronce
Ta victime, Iahvèh ! celui qui fut Kaïn...

Poèmes antiques, Poèmes barbares, Poèmes tragiques, Lemerre.

Trop de Hachures.
D'ailleurs la bouche est mauvaise
avec quelques hachures, différemm.
Sobrement, on fait le modelé!
Ceci ne doit donc être regardé
que pour la pose et l'effet
lumineux

Jeanne.
Bruxelles
27 fév.
1851

quærens
quem
devoret.

vision céleste à l'usage
de Paul Chenavard

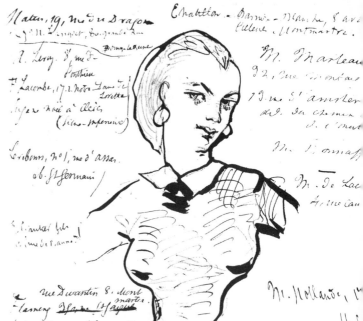

charles baudelaire 1821-1867

Avec Baudelaire, un nouvel âge de la poésie commence. A l'exception de quelques-uns, ses contemporains, loin de voir en lui le premier des modernes, furent surtout sensibles à ses « scandaleuses audaces ». A la suite de la publication des *Fleurs du mal* en 1857, sa condamnation pour outrage à la morale publique et aux bonnes mœurs, par un tribunal stupide, ajouta à une réputation d'extravagance que lui-même avait cultivée en affichant son dandysme, son goût du paradoxe, ses amours tumultueuses avec la mulâtresse Jeanne Duval. Cette affectation cachait une conscience aiguë de sa singularité et une expérience réelle de la souffrance. Jusqu'au jour de 1866 où la paralysie et l'aphasie le frappèrent (il mourut l'année suivante), il égrena dans ses lettres à sa mère la litanie de ses misères : physiques, matérielles (sa jeunesse dépensière lui valut d'être doté d'un conseil judiciaire et ses gains d'auteur, de critique ne comblaient pas ses dettes), morales enfin : douleur d'être incompris, regret du temps de son enfance parisienne où, jeune veuve et non encore remariée (avec le général Aupick qu'il détestait), sa mère était toute à lui.

MOESTA ET ERRABUNDA

Dis-moi, ton cœur, parfois, s'envole-t-il, Agathe,
Loin du noir océan de l'immonde cité,
Vers un autre océan où la splendeur éclate,
Bleu, clair, profond, ainsi que la virginité ?
Dis-moi, ton cœur, parfois, s'envole-t-il, Agathe ?

La mer, la vaste mer, console nos labeurs !
Quel démon a doté la mer, rauque chanteuse
Qu'accompagne l'immense orgue des vents grondeurs,
De cette fonction sublime de berceuse ?
La mer, la vaste mer, console nos labeurs !

Emporte-moi, wagon ! enlève-moi, frégate !
Loin ! loin ! ici la boue est faite de nos pleurs !
— Est-il vrai que parfois le triste cœur d'Agathe
Dise : Loin des remords, des crimes, des douleurs,
Emporte-moi, wagon, enlève-moi, frégate ?

Comme vous êtes loin, paradis parfumé,
Où sous un clair azur tout n'est qu'amour et joie,
Où tout ce que l'on aime est digne d'être aimé,
Où dans la volupté pure le cœur se noie !
Comme vous êtes loin, paradis parfumé !

Mais le vert paradis des amours enfantines,
Les courses, les chansons, les baisers, les bouquets,
Les violons vibrant derrière les collines,
Avec les brocs de vin, le soir, dans les bosquets,
— Mais le vert paradis des amours enfantines,

L'innocent paradis, plein de plaisirs furtifs,
Est-il déjà plus loin que l'Inde et que la Chine ?
Peut-on le rappeler avec des cris plaintifs,
Et l'animer encor d'une voix argentine,
L'innocent paradis plein de plaisirs furtifs ?

De ses désirs, de ses angoisses, de ses amours, sordides (Jeanne) ou idéalisées (Mme Sabatier), Baudelaire fit la matière de son œuvre. Eprouvant, comme « tout homme », « deux postulations simultanées, l'une vers Dieu, l'autre vers Satan », il rêvait de fusion dans l'universelle correspondance ou bien, fasciné par le gouffre, de plonger « au fond de l'inconnu pour trouver du nouveau ». Mais, le poète se doublant chez lui — ses textes critiques en témoignent — d'un étonnant analyste des moyens et des buts de la poésie, c'est avec une parfaite lucidité qu'il mit à nu ses fantasmes, et son cœur. S'il adopta la religion du Beau de son maître Gautier, ce fut pour deux raisons : exclure de la poésie tout ce qui, morale ou enseignement, lui était étranger ; étendre considérablement son domaine en révélant que la beauté est présente dans

Delacroix : Femmes d'Alger dans leur appartement.

son envers même : la laideur et le mal. Il ne s'agissait pas d'un retour au grotesque mais bien — *les Fleurs du mal* et, à leur suite, les poèmes en prose du *Spleen de Paris* le prouvent — de faire du langage poétique le lieu de dévoilement et de transmutation de toutes les réalités de l'existence, celui aussi de la présence obsédante de l'imaginaire, de la poursuite infinie de l'ailleurs et de l'innommable.

LA VIE ANTÉRIEURE

J'ai longtemps habité sous de vastes portiques
Que les soleils marins teignaient de mille feux
Et que leurs grands piliers droits et majestueux,
Rendaient pareils, le soir, aux grottes basaltiques.

Les houles, en roulant les images des cieux,
Mêlaient d'une façon solennelle et mystique
Les tout-puissants accords de leur riche musique
Aux couleurs du couchant reflété par mes yeux.

C'est là que j'ai vécu dans les voluptés calmes,
Au milieu de l'azur, des vagues, des splendeurs
Et des esclaves nus tout imprégnés d'odeurs,

Qui me rafraîchissaient le front avec des palmes,
Et dont l'unique soin était d'approfondir
Le secret douloureux qui me faisait languir.

RÉVERSIBILITÉ

Ange plein de gaieté, connaissez-vous l'angoisse,
La honte, les remords, les sanglots, les ennuis,
Et les vagues terreurs de ces affreuses nuits
Qui compriment le cœur comme un papier qu'on froisse ?
Ange plein de gaieté, connaissez-vous l'angoisse ?

Ange plein de bonté, connaissez-vous la haine,
Les poings crispés dans l'ombre et les larmes de fiel,
Quand la vengeance bat son infernal rappel,
Et de nos facultés se fait le capitaine ?
Ange plein de bonté, connaissez-vous la haine ?

Ange plein de santé, connaissez-vous les Fièvres,
Qui, le long des grands murs de l'hospice blafard,
Comme des exilés s'en vont d'un pas traînard,
Cherchant le soleil rare et remuant les lèvres ?
Ange plein de santé, connaissez-vous les Fièvres ?

Ange plein de beauté, connaissez-vous les rides,
Et la peur de vieillir, et ce hideux tourment
De lire la secrète horreur du dévouement
Dans des yeux où longtemps burent nos yeux avides ?
Ange plein de beauté, connaissez-vous les rides ?

Ange plein de bonheur, de joie et de lumières,
David mourant aurait demandé la santé
Aux émanations de ton corps enchanté ;
Mais de toi je n'implore, ange, que tes prières,
Ange plein de bonheur, de joie et de lumières !

LA MORT DES PAUVRES

C'est la Mort qui console, hélas ! et qui fait vivre ;
C'est le but de la vie, et c'est le seul espoir
Qui, comme un élixir, nous monte et nous enivre,
Et nous donne le cœur de marcher jusqu'au soir ;

A travers la tempête, et la neige, et le givre,
C'est la clarté vibrante à notre horizon noir ;
C'est l'auberge fameuse inscrite sur le livre,
Où l'on pourra manger, et dormir, et s'asseoir ;

C'est un Ange qui tient dans ses doigts magnétiques
Le sommeil et le don des rêves extatiques,
Et qui refait le lit des gens pauvres et nus ;

C'est la gloire des Dieux, c'est le grenier mystique,
C'est la bourse du pauvre et sa patrie antique,
C'est le portique ouvert sur les Cieux inconnus !

RECUEILLEMENT

Sois sage, ô ma Douleur, et tiens-toi plus tranquille.
Tu réclamais le Soir ; il descend ; le voici :
Une atmosphère obscure enveloppe la ville,
Aux uns portant la paix, aux autres le souci.

Pendant que des mortels la multitude vile,
Sous le fouet du Plaisir, ce bourreau sans merci,
Va cueillir des remords dans la fête servile,
Ma Douleur, donne-moi la main ; viens par ici,

Loin d'eux. Vois se pencher les défuntes Années,
Sur les balcons du ciel, en robes surannées ;
Surgir du fond des eaux le Regret souriant ;

Le Soleil moribond s'endormir sous une arche,
Et, comme un long linceul traînant à l'Orient,
Entends, ma chère, entends la douce Nuit qui marche.

UN CHEVAL DE RACE

Elle est bien laide. Elle est délicieuse pourtant !
Le Temps et l'Amour l'ont marquée de leurs griffes et
lui ont cruellement enseigné ce que chaque minute et
chaque baiser emportent de jeunesse et de fraîcheur.
Elle est vraiment laide ; elle est fourmi, araignée,
si vous voulez, squelette même ; mais aussi elle est breuvage, magistère, sorcellerie ! en somme elle est exquise.
Le Temps n'a pu rompre l'harmonie pétillante de sa
démarche ni l'élégance indestructible de son armature.
L'Amour n'a pas altéré la suavité de son haleine d'enfant ; et le Temps n'a rien arraché de son abondante
crinière d'où s'exhale en fauves parfums toute la vitalité

endiablée du Midi français : Nîmes, Aix, Arles, Avignon, Narbonne, Toulouse, villes bénies du soleil, amoureuses et charmantes !

Le Temps et l'Amour l'ont vainement mordue à belles dents ; ils n'ont rien diminué du charme vague, mais éternel, de sa poitrine garçonnière.

Usée peut-être, mais non fatiguée, et toujours héroïque, elle fait penser à ces chevaux de grande race que l'œil du véritable amateur reconnaît, même attelés à un carrosse de louage ou à un lourd chariot.

Et puis elle est si douce et si fervente ! Elle aime comme on aime en automne ; on dirait que les approches de l'hiver allument dans son cœur un feu nouveau, et la servilité de sa tendresse n'a jamais rien de fatigant.

Baudelaire fumant du haschisch, autoportrait.

LES FENÊTRES

Celui qui regarde du dehors à travers une fenêtre ouverte ne voit jamais autant de choses que celui qui regarde une fenêtre fermée. Il n'est pas d'objet plus profond, plus mystérieux, plus fécond, plus ténébreux, plus éblouissant qu'une fenêtre éclairée d'une chandelle. Ce qu'on peut voir au soleil est toujours moins intéressant que ce qui se passe derrière une vitre. Dans ce trou noir ou lumineux vit la vie, rêve la vie, souffre la vie.

Par-delà des vagues de toits, j'aperçois une femme mûre, ridée déjà, pauvre, toujours penchée sur quelque chose, et qui ne sort jamais. Avec son visage, avec son vêtement, avec son geste, avec presque rien, j'ai refait l'histoire de cette femme, ou plutôt sa légende, et quelquefois je me la raconte à moi-même en pleurant.

Si c'eût été un pauvre vieux homme, j'aurais refait la sienne tout aussi aisément.

Et je me couche, fier d'avoir vécu et souffert dans d'autres que moi-même.

Peut-être me direz-vous : « Es-tu sûr que cette légende soit la vraie ? » Qu'importe ce que peut être la réalité placée hors de moi, si elle m'a aidé à vivre, à sentir que je suis et ce que je suis ?

ANYWHERE OUT OF THE WORLD
N'IMPORTE OÙ HORS DU MONDE

Cette vie est un hôpital où chaque malade est possédé du désir de changer de lit. Celui-ci voudrait souffrir en face du poêle, et celui-ci croit qu'il guérirait à côté de la fenêtre.

Il me semble que je serais toujours bien là où je ne suis pas, et cette question de déménagement en est une que je discute sans cesse avec mon âme.

« Dis-moi, mon âme, pauvre âme refroidie, que penserais-tu d'habiter Lisbonne ? Il doit y faire chaud, et tu t'y ragaillardirais comme un lézard. Cette ville est au bord de l'eau ; on dit qu'elle est bâtie en marbre et que le peuple y a une telle haine du végétal, qu'il arrache tous les arbres. Voilà un paysage selon ton goût ; un paysage fait avec la lumière et le minéral, et le liquide pour les réfléchir ! »

Mon âme ne répond pas.

« Puisque tu aimes tant le repos, avec le spectacle du mouvement, veux-tu venir habiter la Hollande, cette terre béatifiante ? Peut-être te divertiras-tu dans cette contrée dont tu as souvent admiré l'image dans les musées. Que penserais-tu de Rotterdam, toi qui aimes les forêts de mâts, et les navires amarrés au pied des maisons ? »

Mon âme reste muette.

« Batavia te sourirait peut-être davantage ? Nous y trouverions d'ailleurs l'esprit de l'Europe marié à la beauté tropicale. »

Pas un mot. — Mon âme serait-elle morte ?

« En es-tu donc venue à ce point d'engourdissement que tu ne te plaises que dans ton mal ? S'il en est ainsi, fuyons vers les pays qui sont les analogies de la Mort. — Je tiens notre affaire, pauvre âme ! Nous ferons nos malles pour Tornéo. Allons plus loin encore, à l'extrême bout de la Baltique ; encore plus loin de la vie, si c'est possible ; installons-nous au pôle. Là le soleil ne frise qu'obliquement la terre, et les lentes alternatives de la lumière et de la nuit suppriment la variété et augmentent la monotonie, cette moitié du néant. Là, nous pourrons prendre de longs bains de ténèbres, cependant que, pour nous divertir, les aurores boréales nous enverront de temps en temps leurs gerbes roses, comme des reflets d'un feu d'artifice de l'Enfer ! »

Enfin, mon âme fait explosion, et sagement elle me crie : « N'importe où ! Pourvu que ce soit hors du monde ! »

Baudelaire est une origine. En premier lieu, parce qu'il crée une Poésie française après des siècles de fadeurs et de discours ; mais encore parce que sa création annonce la grande mutation des valeurs — du rationnel à l'irrationnel, du prosaïsme de la pensée au mystère de l'invention. (Pierre Jean Jouve)

Œuvres complètes, éditées par Y.-G. Le Dantec, la Pléiade / Gallimard. *Œuvres complètes*, présentées par Marcel A. Ruff, l'Intégrale / Seuil. *Les Fleurs du Mal*, Garnier-Flammarion. *Le Spleen de Paris*, Garnier-Flammarion. ◊ Sartre, *Baudelaire*, Idées / Gallimard. Pierre Jean Jouve, *Tombeau de Baudelaire*, Seuil. Georges Blin, *Baudelaire*, Gallimard. Pierre Emmanuel, *Baudelaire*, Desclée de Brouwer. M. A. Ruff, *L'Esprit du mal et l'esthétique baudelairienne*, Colin. J.-P. Richard, *Poésie et Profondeur*, Seuil. P. Pia, *Baudelaire par lui-même*, Écrivains de toujours / Seuil.

pierre dupont 1821-1870

On ne lit plus Pierre Dupont (où, en effet, trouver ses œuvres ?). Les histoires de la littérature l'ignorent ou ne le mentionnent qu'en raison de l'intérêt (bizarrerie d'esthète) que Baudelaire lui portait. Pierre Dupont, il est vrai, n'appartenait pas aux milieux littéraires, n'était pas un poète poli au contact des écoles savantes, mais un ancien canut lyonnais devenu chansonnier populaire, chantant lui-même ses chansons qui disaient les misères, les révoltes des paysans et des ouvriers. La veine de ce poète prolétarien était naturellement réaliste et révolutionnaire comme en témoigne son *Chant des ouvriers* dont Baudelaire avouait qu'il l'avait profondément ému et qui annonçait aussi les poèmes d'un autre prolétaire, le *Jean Misère* (1880) d'Eugène Pottier où il est dit : « Je fus bon ouvrier tailleur. / Vieux, que suis-je ? / Une loque immonde. / C'est l'histoire du travailleur, / Depuis que notre monde est monde. / Ah ! mais... / Ça ne finira donc jamais ? » Pierre Dupont, qui fut la voix populaire de son temps, mérite bien notre attention.

LE CHANT DES OUVRIERS

1

Nous dont la lampe, le matin
Au clairon du coq se rallume,
Nous tous qu'un salaire incertain
Ramène avant l'aube à l'enclume,
Nous qui, des bras, des pieds, des mains,
De tout le corps luttons sans cesse,
Sans abriter nos lendemains
Contre le froid de la vieillesse,

Aimons-nous, et quand nous pouvons
Nous unir pour boire à la ronde,
Que le canon se taise ou gronde,
    Buvons (ter)
A l'indépendance du Monde !

2

Nos bras, sans relâche tendus
Aux flots jaloux, au sol avare,
Ravissent leurs trésors perdus,
Ce qui nourrit et ce qui pare :
Perles, diamants et métaux,
Fruit du coteau, grain de la plaine ;

Pauvres moutons, quels bons manteaux
Il se tisse avec notre laine !
(Refrain.)

3

Quel fruit tirons-nous des labeurs
Qui courbent nos maigres échines ?
Où vont les flots de nos sueurs ?
Nous ne sommes que des machines.
Nos Babels montent jusqu'au ciel,
La terre nous doit ses merveilles :
Dès qu'elles ont fini le miel,
Le maître chasse les abeilles.
(Refrain.)

4

Au fils chétif d'un étranger
Nos femmes tendent leurs mamelles
Et lui, plus tard, croit déroger
En daignant s'asseoir auprès d'elles ;
De nos jours, le droit du seigneur
Pèse sur nous plus despotique :
Nos filles vendent leur honneur
Aux derniers courtauds de boutique.
(Refrain.)

5

Mal vêtus, logés dans des trous,
Sous les combles, dans les décombres,
Nous vivons avec les hiboux
Et les larrons amis des ombres,
Cependant notre sang vermeil
Coule impétueux dans nos veines ;
Nous nous plairions au grand soleil
Et sous les rameaux verts des chênes.
(Refrain.)

6

A chaque fois que par torrents
Notre sang coule sur le monde,
C'est toujours pour quelqués tyrans
Que cette rosée est féconde ;
Ménageons-le dorénavant,
L'amour est plus fort que la guerre,
En attendant qu'un meilleur vent
Souffle du ciel ou de la terre.
(Refrain.) [...]

Illustration de l'auteur
pour *le Chant des ouvriers*, 1846.

Michel Ragon, *Histoire de la littérature prolétarienne*, Albin Michel.

frédéric mistral 1830-1914

Né à Maillane, Bouches-du-Rhône, en 1830, Mistral, dès la fin de ses études, choisit de s'exprimer dans sa langue natale, le provençal, donnant en marge de ses textes, pour le public français, une traduction littérale. En 1859, *Mireille (Mirèio)*, long poème d'amour et de mort tout imprégné de la nature et des coutumes de son pays, **le rendit célèbre**. Dès lors, par ses poèmes *(les Iles d'or, les Olivades)* et par ses actes (l'organisation du Félibrige), le poète — qui reçut le prix Nobel en 1906 — se consacra à la défense de la langue et de la culture occitanes. Dans le passage du chant VIII que nous citons, Mireille, qui a fui le toit paternel pour rejoindre son amant, traverse la Crau :

> Diéu duerb la man ; e lou Maistre,
> Emé lou Tron, emé l'Auristre,
> De sa man, coume d'aiglo, an parti touti très ;
> De la mar founso, e de si vabre,
> E de si toumple, van, alabre,
> Espeirega lou lié de mabre,
> E 'm acò s'enaurant, coume un lourd sagarès,

> [Dieu ouvre la main ; et le Mistral, / avec la Foudre et l'Ouragan, / de sa main, comme des aigles, sont partis tous trois ; / de la mer profonde, et de ses ravins, / et de ses abîmes, ils vont, avides, / épierrer le lit de marbre ; / et ensuite s'élevant comme un lourd brouillard,]

> L'Aguieloun, lo ou Tron e l'Aurise,
> D'un vaste curbecèu de sistre
> Amassolon a qui lis oumenas... La Crau,
> I douge vènt la Crau duberto,
> La mudo Crau, la Crau deserto,
> A conserva l'orro cuberto...
> Mirèio sèmpre mai, dôu terradou peirau

> [L'Aquilon, la Foudre et l'Ouragan, / d'un vaste couvercle de poudingue / assomment là les colosses... La Crau, / la Crau ouverte aux douze vents, / la Crau muette. la Crau déserte, / a conservé l'horrible couverture... / De plus en plus, Mireille, du terroir paternel]

> Prenié l'alongui. Li raiado
> Et lou dardai di souleiado
> Empuravon dins l'èr un lusènt tremoulun ;

279

E di cigalo garrigaudo,
Que grasihavo l'erbo caudo,
Li cimbaleto fouligaudo
Repetavon sèns fin soun long cascarelun.

[S'éloignait. Les rayonnances / et l'éjaculation ardente du soleil / attisaient dans l'air un luisant tremblement ; / et des cigales de la lande, / que grillait l'herbe chaude, / les petites cymbales folles / répétaient sans fin leur long claquettement.]

Mireille, par Pierre Cot.

Ni d'aubre, ni d'oumbro, ni d'amol
Car, de l'estiéu fugènt la flamo,
Li noumbrous abeié que rasclon, dins l'ivèr,
L'erbeto courto, mai goustouso,
De la grand plano sôuvertouso,
Is Aupo fresco e sanitouso
Èron ana cerca de pasquié sèmpre verd.

[Ni arbre, ni ombre, ni âme ! / car, fuyant la flamme de l'été, / les nombreux troupeaux qui tondent en hiver / l'herbette courte, mais savoureuse, / de la grande plaine sauvage, / aux Alpes fraîches et salubres / étaient allés chercher des pâturages toujours verts.]

Souto li fiò que Jun escampo,
Mirèio lampo, e lampo, e lampo.
E li rassado griso, au revès de si trau,
S'entre-disien : Fau èstre folo
Pèr barrula li clapeirolo,
Em' un soulèu que sus li colo
Fai dansa li mourven, e li code à la Crau !

[Sous les feux que juin verse, / comme l'éclair Mireille court, et court, et court. / Et les grands lézards gris, au rebord de leurs trous, / disaient entre eux : « Il faut être folle / pour vaguer dans les cailloux, / par un soleil qui sur les collines / fait danser les morvens, et les galets dans la Crau ! »]

E li prègo-Diéu, à l'oumbrino
Dis argelas : O pelerino,
Entourno, entourno-te ! ié venien. Lou bon Diéu
A mes i font d'aigo clareto,
Au front dis aubre a mes d'oumbreto
Pèr apara ti couloureto,
E tu, rimes ta caro à l'uscle de l'estiéu !

[Et les mantes religieuses, à l'ombrette / des ajoncs : « O pèlerine, / retourne, retourne-toi ! lui disaient-elles. Le bon Dieu / a mis aux sources de l'eau claire, / au front des arbres a mis de l'ombre / pour protéger les couleurs de tes joues, / et toi, tu brûles ton visage au hâle de l'été ! »]

Le Poème du Rhône, Les Olivades ont paru chez Lemerre. Editions récentes : *Les Iles d'or*, Didier. *Mireille*, Rencontre.

sully-prudhomme 1839-1907

Des jeunes poètes qui furent parnassiens entre 1860 et 1870, aucun n'assuma entièrement l'héritage de Leconte de Lisle, mais chacun, — à l'exception de Verlaine qui vogua vite vers d'autres eaux — en prit ce qui lui convenait : Heredia, Dierx, Catulle-Mendès se firent ciseleurs ; Coppée donna dans le réalisme jusqu'à sombrer dans l'élégie boutiquière ; seul Sully-Prudhomme (René-François-Armand Prud'homme, qui fut clerc de notaire, poursuivit l'ambition d'une poésie philosophique et scientifique *(la Justice, le Prisme)*. Son réalisme, son didactisme s'accordaient au scientisme alors en vogue dans la bourgeoisie et lui valurent les honneurs du prix Nobel en 1902. Même lorsque dans *le Tourment divin* — dont nous donnons la troisième partie —, il s'interroge sur le sens de l'univers, son art manque d'images, d'émotion, de souffle cosmique.

De la pierre à la fleur, de la fleur à la bête,
Jusqu'à l'homme, en chaque être ici-bas quelque instinct
L'incite à regarder au-dessus de sa tête
Vers l'être plus vivant que jamais il n'atteint.

Quelque lambeau du ciel en tous les yeux miroite ;
Chaque être en voit sa part, mais sent le reste ailleurs,
Et ceux qui n'ont d'en bas qu'une éclaircie étroite
Admirent l'ample azur des yeux supérieurs :

Le caillou, plus aveugle encore que la plante,
Voudrait autour du lis ramper, s'il remuait,
Chercher son ombre au bord de la route brûlante
Et l'appeler son Dieu, s'il n'était pas muet ;

Et peut-être, à son tour, la fleur adore, émue,
Les yeux du papillon, sans se dire : « Je sens. »
Peut-être, quand il passe, elle aspire et salue
Et de tout son parfum lui fait presque un encens ;

Et quand un enfant rôde au milieu des pervenches,
Les papillons jamais n'osent baiser ses yeux,
Et même quand il dort, sous ses paupières blanches
Ils semblent respecter un ciel mystérieux ;

C'est le respect sacré qu'inspire aux bêtes l'homme.
Les bêtes ont un Dieu qui ne se cache pas ;
Aussi, de quelque nom que notre orgueil le nomme,
Leur culte est le plus vieux des cultes d'ici-bas.

Les *Poésies (Les Epreuves et les Solitudes, Le Prisme, le Bonheur,* etc.), publiées chez Lemerre, n'ont pas été rééditées récemment. ◊ Martino, *Parnasse et Symbolisme,* Colin.

françois coppée 1842-1908

Bibliothécaire du Sénat, archiviste de la Comédie-Française, critique dramatique, membre de l'Académie française à quarante-deux ans, Coppée fut longtemps proposé par les manuels scolaires comme un des modèles de notre poésie. Sa gloire, qui nous étonne, vint de son réalisme familier. D'abord parnassien *(le Reliquaire)*, il choisit vite, s'enfonçant dans le prosaïsme, de célébrer la vie quotidienne *(Intimités)*, les métiers modestes *(les Humbles)*, les bons sentiments. Il combla d'autant plus les goûts d'une bourgeoisie peu artiste qu'il savait faire le « portrait d'un brave homme (« Il avait ce qu'il faut pour un bon épicier : / Il était ponctuel, sobre, chaste, économe. ») et manier à la fois le couplet moralisateur et la gauloiserie discrète :

Vous êtes dans le vrai, canotiers, calicots !
Pour voir des boutons d'or et des coquelicots
Vous partez, le dimanche, et remplissez les gares
De femmes, de chansons, de joie et de cigares,
Et, pour être charmants et faire votre cour,
Vous savez imiter les cris de basse-cour.
Vous avez la gaîté peinte sur la figure.
Pour vous, le soir qui vient, c'est la tonnelle obscure
Où, bruyants et grivois, vous prenez le repas ;
Et le soleil couchant ne vous attriste pas.

LA FAMILLE DU MENUISIER

Le marchand de cercueil vient de trousser ses manches,
Et rabote en sifflant, les pieds dans les copeaux.
L'année est bonne ; il n'a pas le moindre repos
Et même il ne boit plus son gain tous les dimanches.

Tout en jouant parmi les longues bières blanches,
Ses enfants, deux blondins tout roses et dispos,
Quand passe un corbillard lui tirent leurs chapeaux,
Et bénissent la mort qui fait vendre des planches.

La mère supputant de combien s'accroîtra
Son épargne, s'il vient un nouveau choléra,
Tricote en souriant, au seuil de la boutique ;

Et ce groupe joyeux dans l'or d'un soir d'été,
Offre un tableau de paix naïve et domestique
De bien-être honorable et de bonne santé.

Publiées chez Lemerre, les œuvres de Coppée *(Intimités, Les Humbles, Promenades et Intérieurs,* etc.) n'ont pas été rééditées récemment.

charles cros 1842-1888

Cros fut le plus bohême des savants. Né dans l'Aude, à Fabrezan, en 1842, fils de professeur, Hortensius Emile Charles Cros, bachelier à quatorze ans, connaissait passablement l'hébreu, le sanscrit et les mathématiques lorsqu'il devint, à dix-huit ans, répétiteur à l'Institut des sourds-muets. Il fit alors des recherches sur la photographie en couleurs et présenta à l'Exposition universelle de 1867 un télégraphe automatique. En 1877, il inventa le phonographe en même temps qu'Edison qui, meilleur homme d'affaires, sut imposer son procédé. Depuis 1869, Cros avait découvert la poésie. Durant la Commune, il avait hébergé Rimbaud ; en 1873, il avait publié *le Coffret de santal*. Fréquentant les cafés avec les « hydropathes » (Allais, Kahn, Laforgue), fondateur des « zutistes », Cros mena — malgré son mariage en 1878 — une vie de plus en plus désordonnée. Il mourut en 1888, laissant une œuvre délicate, à l'humour doux amer, à la fantaisie pessimiste.

LE HARENG SAUR

à Guy

Il était un grand mur blanc — nu, nu, nu,
Contre le mur une échelle — haute, haute, haute,
Et, par terre, un hareng saur — sec, sec, sec.

Il vient, tenant dans ses mains — sales, sales, sales,
Un marteau lourd, un grand clou — pointu, pointu, pointu,
Un peloton de ficelle — gros, gros, gros.

Alors il monte à l'échelle — haute, haute, haute,
Et plante le clou pointu — toc, toc, toc,
Tout en haut du grand mur blanc — nu, nu, nu.

Il laisse aller le marteau - qui tombe, qui tombe, qui tombe,
Attaché au clou la ficelle — longue, longue, longue,
Et au bout le hareng saur — sec, sec, sec.

Il redescend de l'échelle — haute, haute, haute,
L'emporte avec le marteau — lourd, lourd, lourd ;
Et puis, il s'en va ailleurs, — loin, loin, loin.

Et, depuis, le hareng saur — sec, sec, sec,
Au bout de cette ficelle — longue, longue, longue,
Très lentement se balance — toujours, toujours, toujours.

J'ai composé cette histoire — simple, simple, simple,
Pour mettre en fureur les gens — graves, graves, graves,
Et amuser les enfants — petits, petits, petits.

Beraud : La colonne Morris.

PLAINTE

Vrai sauvage égaré dans la ville de pierre,
A la clarté du gaz je végète et je meurs.
Mais vous vous y plaisez et vos regards charmeurs
M'attirent à la mort, parisienne fière.

Je rêve de passer ma vie en quelque coin
Sous les bois verts ou sur les monts aromatiques,
En Orient, ou bien près du pôle, très loin,
Loin des journaux, de la cohue et des boutiques.

Mais vous aimez la foule et les éclats de voix,
Le bal de l'Opéra, le gaz et la réclame.
Moi, j'oublie à vous voir, les rochers et les bois,
Je me tue à vouloir me civiliser l'âme.

Je vous ennuie à vous le dire si souvent :
Je mourrai, papillon brûlé, si cela dure...
Vous feriez bien pourtant, vos cheveux noirs au vent,
En clair peignoir ruché, sur un fond de verdure !

Le modèle de la femme à l'éventail
de Manet était Nina de Villard
dont Charles Cros fréquentait le salon.

LIBERTÉ

Le vent impur des étables
Vient d'Ouest, d'Est, du Sud, du Nord,
On ne s'assied plus aux tables
Des heureux, puisqu'on est mort.

Les princesses aux beaux râbles
Offrent leurs plus doux trésors.
Mais on s'en va dans les sables
Oublié, méprisé, fort.

On peut regarder la lune
Tranquille dans le ciel noir.
Et quelle morale ?... aucune.

Je me console à vous voir,
A vous étreindre ce soir
Amie éclatante et brune.

Œuvres complètes, Pauvert, *Le Coffret de santal*, Poésie / Gallimard.
◊ Jacques Brenner, *Charles Cros*, Poètes d'aujourd'hui / Seghers.

josé-maria de heredia 1842-1905

Gautier donnait le sculpteur pour modèle au poète. « Est-elle en marbre ou non la Vénus de Milo ? » demandait le jeune Verlaine. Mais, tandis que Gautier avait volontiers l'imagination fantastique et que Verlaine bien vite préféra le modèle musical, José-Maria de Heredia, le plus pur des parnassiens, prit résolument le parti du marbre. Né à Santiago de Cuba en 1842, ce descendant des conquistadors était de mère française. Après des études faites au collège de Senlis et à l'Ecole des Chartes, il se fixa à Paris et devint l'ami de Coppée et de Leconte de Lisle. Il reconnaissait celui-ci pour son maître, mais, s'il fut loin d'égaler son ampleur, s'il ne s'aventura point dans la poésie philosophique, il poussa à l'extrême sa théorie du beau, polissant des sonnets impeccables, expression parfaite d'un art impassible, qu'il réunit seulement en 1893 sous le titre *les Trophées*. Cet unique recueil eut un succès considérable et lui valut en 1894 d'entrer à l'Académie française. Bijoux admirables, mais admirablement académiques, ses sonnets, selon les bons principes de la rhétorique, s'ouvrent sur une attaque vigoureuse et s'achèvent sur un final éclatant. Si, dans les poèmes consacrés à « la nature et au rêve », Heredia ne trouva pas toujours la distance nécessaire à son talent descriptif (mais parfois, alors, un frisson passe), sa manière atteint à la perfection dans les thèmes inspirés de l'Antiquité ou par l'histoire des conquistadors.

LE RÉVEIL D'UN DIEU

La chevelure éparse et la gorge meurtrie,
Irritant par les pleurs l'ivresse de leurs sens,
Les femmes de Byblos, en lugubres accents,
Mènent la funéraire et lente théorie.

Car sur le lit jonché d'anémone fleurie
Où la mort avait clos ses longs yeux languissants,
Repose, parfumé d'aromate et d'encens,
Le jeune homme adoré des vierges de Syrie.

Jusqu'à l'aurore ainsi le chœur s'est lamenté.
Mais voici qu'il s'éveille à l'appel d'Astarté,
L'époux mystérieux que le cinname arrose.

Il est ressuscité l'antique adolescent !
Et le ciel tout en fleur semble une immense rose
Qu'un Adonis céleste a teinté de son sang.

ANTOINE ET CLÉOPATRE

Tous deux ils regardaient de la haute terrasse,
L'Egypte s'endormir sous un ciel étouffant,
Et le fleuve, à travers le Delta noir qu'il fend,
Vers Bubaste ou Saïs rouler son onde grasse.

Et le Romain sentait sous la lourde cuirasse,
Soldat captif berçant le sommeil d'un enfant,
Ployer et défaillir sur son cœur triomphant
Le corps voluptueux que son étreinte embrasse.

Tournant sa tête pâle entre ses cheveux bruns
Vers celui qu'enivraient d'invincibles parfums,
Elle tendit sa bouche et ses prunelles claires ;

Et sur elle courbé, l'ardent Impérator
Vit dans ses larges yeux étoilés de points d'or
Toute une mer immense où fuyaient des galères.

UN PEINTRE

Il a compris la race antique aux yeux pensifs
Qui foule le sol dur de la terre bretonne,
La lande rase, rose et grise et monotone
Où croulent les manoirs sous le lierre et les ifs.

Des hauts talus plantés de hêtres convulsifs,
Il a vu, par les soirs tempétueux d'automne,
Sombrer le soleil rouge en la mer qui moutonne ;
Sa lèvre s'est salée à l'embrun des récifs.

Il a peint l'Océan splendide, immense et triste,
Où le nuage laisse un reflet d'améthyste,
L'émeraude écumante et le calme saphir ;

Et fixant l'eau, l'air, l'ombre et l'heure insaisissables,
Sur une toile étroite il a fait réfléchir
Le ciel occidental dans le miroir des sables.

Les Trophées, Lemerre. *Les Trophées*, **Poésie** Club / Belfond.

stéphane mallarmé 1842-1898

Contrairement à tant de poètes qui, de Rutebeuf à Verlaine, firent de leur vie tourmentée la matière de leur œuvre, l'homme Mallarmé s'effaça derrière son art. Mais, pas plus qu'il ne se mit directement en scène, il ne prétendit être absent de sa poésie à la manière de ceux, dogmatiques ou formalistes, qui usent du vers comme d'un moyen de dire le vrai, de raconter une histoire ou de prouver leur virtuosité prosodique. La poésie — le problème de l'expression poétique, de l'inscription du perçu comme de l'idée dans le mouvement des mots, de la réalisation enfin d'un Livre (idéal et jamais écrit) qui serait comme l'analogue du monde — fut l'aventure qui consuma sa vie. Qu'importent alors les détails de sa biographie — sa naissance à Paris, son mariage en 1863, ses trente ans de professorat d'anglais à Tournon (1863), Besançon, Avignon puis, après 1871, Paris, ou encore qu'il ait eu un cercle d'amis et d'admirateurs — puisque la modestie, voulue, de son existence fut la condititon de sa quête. Baudelaire d'abord, à l'évidence, éclaira celle-ci :

BRISE MARINE

La chair est triste, hélas ! et j'ai lu tous les livres.
Fuir ! là-bas fuir ! Je sens que des oiseaux sont ivres
D'être parmi l'écume inconnue et les cieux !
Rien, ni les vieux jardins reflétés par les yeux
Ne retiendra ce cœur qui dans la mer se trempe
O nuits ! ni la clarté déserte de ma lampe
Sur le vide papier que la blancheur défend
Et ni la jeune femme allaitant son enfant.
Je partirai ! Steamer balançant ta mâture,
Lève l'ancre pour une exotique nature !
Un Ennui, désolé par les cruels espoirs,
Croit encore à l'adieu suprêmes des mouchoirs !
Et, peut-être, les mâts, invitant les orages
Sont-ils de ceux qu'un vent penche sur les naufrages
Perdus, sans mâts, sans mâts, ni fertiles îlots...
Mais, ô mon cœur, entends le chant des matelots !

Turner : Pluie, vapeurs, vitesse.

Dans un poème en prose comme *le Démon de l'analogie* — où la syntaxe est encore à peine remodelée — les influences baudelairiennes sont infléchies vers une symbolique qui a pour objet même le langage et ses figures, leur possible disparition comme leur sens inépuisable :

LE DÉMON DE L'ANALOGIE

Des paroles inconnues chantèrent-elles sur vos lèvres, lambeaux maudits d'une phrase absurde ?

Je sortis de mon appartement avec la sensation propre d'une aile glissant sur les cordes d'un instrument, traînante et légère, que remplaça une voix prononçant les mots sur un ton descendant : « La Pénultième est morte », de façon que

La Pénultième

finit le vers et

Est morte

se détacha de la suspension fatidique plus inutilement en le vide de signification. Je fis des pas dans la rue et reconnus en le son *nul* la corde tendue de l'instrument de musique, qui était oublié et que le glorieux Souvenir certainement venait de visiter de son aile ou d'une palme et, le doigt sur l'artifice du mystère, je souris et implorai de vœux intellectuels une spéculation différente. La phrase revint, virtuelle, dégagée d'une chute antérieure de plume ou de rameau, dorénavant à travers la voix entendue, jusqu'à ce qu'enfin elle s'articula seule, vivant de sa personnalité. J'allais (ne me contentant plus d'une perception) la lisant en fin de vers, et, une fois, comme un essai, l'adaptant à mon parler ; bientôt la prononçant avec un silence après « Pénultième » dans lequel je trouvais une pénible jouissance : « La Pénultième » puis la corde de l'instrument, si tendue en l'oubli sur le son *nul*, cassait sans doute et j'ajoutais en manière d'oraison : « Est morte. » Je ne discontinuai pas de tenter un retour à des pensées de prédilection, alléguant, pour me calmer, que, certes, pénultième est le terme du lexique qui signifie l'avant-dernière syllabe des vocables, et son apparition, le reste mal abjuré d'un labeur de linguistique par lequel quotidiennement sanglote de s'interrompre ma noble faculté poétique : la sonorité même et l'air de mensonge assumé par la hâte de la facile affirmation étaient une cause de tourment. Harcelé, je résolus de laisser les mots de triste nature errer eux-mêmes sur ma bouche, et j'allai murmurant avec l'intonation susceptible de condoléance : « La Pénultième est morte, elle est morte, bien morte, la désespérée Pénultième », croyant par là satisfaire l'inquiétude, et non sans le secret espoir de l'ensevelir en l'amplification de la psalmodie quand, effroi ! — d'une

Mallarmé est le premier qui se soit placé devant l'extérieur, non pas comme devant un spectacle, ou comme un thème à devoirs français, mais comme devant un texte, avec cette question : Qu'est-ce que cela veut dire ? (Claudel)

La plus grande gloire et le plus grand vice de Mallarmé est de former un système complet en lui-même : avoir essayé d'être un système absolu. (Valéry)

magie aisément déductible et nerveuse — je sentis que j'avais, ma main réfléchie par un vitrage de boutique y faisant le geste d'une caresse qui descend sur quelque chose, la voix même (la première, qui indubitablement avait été l'unique).

Mais où s'installe l'irrécusable intervention du surnaturel, et le commencement de l'angoisse sous laquelle agonise mon esprit naguère seigneur c'est quand je vis, levant les yeux, dans la rue des antiquaires instinctivement suivie, que j'étais devant la boutique d'un luthier vendeur de vieux instruments pendus au mur, et, à terre, des palmes jaunes et les ailes enfouies en l'ombre, d'oiseaux anciens. Je m'enfuis, bizarre, personne condamnée à porter probablement le deuil de l'inexplicable Pénultième.

Mallarmé fut donc le poète, non du cœur ou de la nature, mais de la poésie. Ce retournement de la poésie sur elle-même qui confère à ses textes leur irréductible fascination ne nous entraîne pas, loin de là, dans l'abstraction pure : jusque dans les sonnets les plus clos fulgurent des images érotiques ; grâce aux mots clés de son vocabulaire, on peut, J.-P. Richard l'a fait, décrire le paysage imaginaire du poète avec ses flammes, ses glaces, ses grottes, ses lustres et ses diamants ; enfin les mots eux-mêmes sont ici des éléments concrets qu'on n'assemble pas selon les seules lois du sens. Mettant ainsi l'accent sur le langage, sur son pouvoir de véhiculer les images et les concepts comme de faire surgir une autre réalité, celle du poème, Mallarmé opérait une des grandes révolutions de la poésie — et aussi de la pensée — modernes.

llarmé, par Manet.

PROSE
POUR DES ESSEINTES

Hyperbole ! de ma mémoire
Triomphalement ne sais-tu
Te lever, aujourd'hui grimoire
Dans un livre de fer vêtu :

Car j'installe, par la science,
L'hymne des cœurs spirituels
En l'œuvre de ma patience,
Atlas, herbiers et rituels.

Nous promenions notre visage
(Nous fûmes deux, je le maintiens)
Sur maints charmes de paysage,
O sœur, y comparant les tiens.

L'ère d'autorité se trouble
Lorsque, sans nul motif, on dit
De ce midi que notre double
Inconscience approfondit

Que, sol des cent iris, son site,
Ils savent s'il a bien été,
Ne porte pas de nom que cite
L'or de la trompette d'Eté.

Oui, dans une île que l'air charge
De vue et non de visions
Toute fleur s'étalait plus large
Sans que nous en devisions

Telles, immenses, que chacune
Ordinairement se para
D'un lucide contour, lacune
Qui des jardins la sépara.

Gloire du long désir, Idées
Tout en moi s'exaltait de voir
La famille des iridées
Surgir à ce nouveau devoir,

Mais cette sœur sensée et tendre
Ne porta son regard plus loin
Que sourire et, comme à l'entendre
J'occupe mon antique soin.

Oh ! sache l'Esprit de litige,
A cette heure où nous nous taisons,
Que de lis multiples la tige
Grandissait trop pour nos raisons

Et non comme pleure la rive,
Quand son jeu monotone ment
A vouloir que l'ampleur arrive
Parmi mon jeune étonnement

D'ouïr tout le ciel et la carte
Sans fin attestés sur mes pas,
Par le flot même qui s'écarte,
Que ce pays n'exista pas.

L'enfant abdique son extase
Et docte déjà par chemins
Elle dit le mot : Anastase !
Né pour d'éternels parchemins,

Avant qu'un sépulcre ne rie
Sous aucun climat son aïeul,
De porter ce nom : Pulchérie !
Caché par le trop grand glaïeul.

SONNETS

Le vierge, le vivace et le bel aujourd'hui
Va-t-il nous déchirer avec un coup d'aile ivre
Ce lac dur oublié que hante sous le givre
Le transparent glacier des vols qui n'ont pas fui !

Mallarmé, par Picasso.

mé, par Gauguin.

Un cygne d'autrefois se souvient que c'est lui
Magnifique mais qui sans espoir se délivre
Pour n'avoir pas chanté la région où vivre
Quand du stérile hiver a resplendi l'ennui.

Tout son col secouera cette blanche agonie
Par l'espace infligé à l'oiseau qui le nie,
Mais non l'horreur du sol où le plumage est pris.

Fantôme qu'à ce lieu son pur éclat assigne,
Il s'immobilise au songe froid de mépris
Que vêt parmi l'exil inutile le Cygne.

Victorieusement fui le suicide beau
Tison de gloire, sang par écume, or, tempête !
O rire si là-bas une pourpre s'apprête
A ne tendre royal que mon absent tombeau.

Quoi ! de tout cet éclat pas même le lambeau
S'attarde, il est minuit, à l'ombre qui nous fête
Excepté qu'un trésor présomptueux de tête
Verse son caressé nonchaloir sans flambeau,

La tienne si toujours le délice ! la tienne
Oui seule qui du ciel évanoui retienne
Un peu de puéril triomphe en t'en coiffant

Avec clarté quand sur les coussins tu la poses
Comme un casque guerrier d'impératrice enfant
Dont pour te figurer il tomberait des roses.

Surgi de la croupe et du bond
D'une verrerie éphémère
Sans fleurir la veillée amère
Le col ignoré s'interrompt.

Je crois bien que deux bouches n'ont
Bu, ni son amant ni ma mère,
Jamais à la même Chimère,
Moi, sylphe de ce froid plafond !

Le pur vase d'aucun breuvage
Que l'inexhaustible veuvage
Agonise mais ne consent,

Naïf baiser des plus funèbres !
A rien expirer annonçant
Une rose dans les ténèbres.

Œuvres complètes, texte établi et annoté par H. Mondor et J.-G. Aubry, la Pléiade / Gallimard. *Poésies*, préfacées par J.-P. Sartre, Poésie / Gallimard. ◊ Henri Mondor, *Vie de Mallarmé*, Gallimard. J.-P. Richard, *L'Univers imaginaire de Mallarmé*, Seuil. Ch. Mauron, *Mallarmé par lui-même*, Ecrivains de toujours / Seuil. Chadwick, *Mallarmé, sa pensée, sa poésie*, Corti. Guy Michaud, *Mallarmé*, Hatier. P.-O. Walzer, *Mallarmé*, Poètes d'aujourd'hui / Seghers.

paul verlaine 1844-1896

Né à Metz, tôt venu à Paris, Paul-Marie, fils du capitaine Verlaine, fut un personnage fabuleux et pitoyable : bon jeune homme entré dans l'Administration, il se dissipa bien vite. A peine marié, et fort bourgeoisement, il se révéla communard et se laissa enlever par un adolescent génial. Homosexuel, revendiquant le droit d'aimer pour « ceux-là que sacre le haut Rite », il joua auprès de Rimbaud le rôle de l'amante déçue qui sort son revolver et tire ; pêcheur repenti et dévôt au sortir de la prison belge où il avait été jeté après avoir blessé son ami (lequel ne porta pas plainte), il ne tarda pas à retrouver son instabilité naturelle pour finir, dans ses dernières années, ruiné, épuisé par l'absinthe, ballotté entre deux maîtresses (« la femme m'aura repris tout entier », dit un de ses derniers poèmes). La légende du « pauvre Lélian », le fait qu'après 1876 il lui arriva trop souvent de sombrer dans la religiosité niaise ou la pornographie gamine ne doivent pas masquer son apport qui, pour être moins décisif que ceux de Rimbaud et de Mallarmé, contribua singulièrement à la libération de la prosodie. Dès *les Poèmes saturniens*, en 1866, et bien que le livre fût, dans son épilogue et son prologue, placé sous le signe du Parnasse et de la beauté marmoréenne, certains poèmes annonçaient déjà l'inimitable fluidité verlainienne.

L'HEURE DU BERGER

La lune est rouge au brumeux horizon ;
Dans un brouillard qui danse la prairie
S'endort fumeuse, et la grenouille crie
Par les joncs verts où circule un frisson ;

Les fleurs des eaux referment leurs corolles ;
Des peupliers profilent aux lointains,
Droits et serrés, leurs spectres incertains ;
Vers les buissons errent les lucioles ;

Les chats-huants s'éveillent, et sans bruit
Rament l'air noir avec leurs ailes lourdes,
Et le zénith s'emplit de lueurs sourdes.
Blanche, Vénus émerge, et c'est la Nuit.

Rimbaud ne s'y trompa pas qui, dans *les Fêtes galantes* parues en 1869, reconnut le « voyant », l'inventeur de formes nouvelles.

Scène de parc, de Monticelli.

COLLOQUE SENTIMENTAL

Dans le vieux parc solitaire et glacé,
Deux formes ont tout à l'heure passé.

Leurs yeux sont morts et leurs lèvres sont molles,
Et l'on entend à peine leurs paroles.

Dans le vieux parc solitaire et glacé,
Deux spectres ont évoqué le passé.

— Te souvient-il de notre extase ancienne ?
— Pourquoi voulez-vous donc qu'il m'en souvienne ?

— Ton cœur bat-il toujours à mon seul nom ?
Toujours vois-tu mon âme en rêve ? — Non.

— Ah ! les beaux jours de bonheur indicible
Où nous joignions nos bouches ! — C'est possible.

— Qu'il était bleu, le ciel, et grand, l'espoir !
— L'espoir a fui, vaincu, vers le ciel noir.

Tels ils marchaient dans les avoines folles,
Et la nuit seule entendit leurs paroles.

Après la rencontre avec Rimbaud, Verlaine, cassant le cou à la rhétorique — dont il sera plus tard, de nouveau, la victime —, fondant le rêve dans la musique, dissolvant le récit ou le raisonnement dans un réseau de notations légères, aériennes, d'une langueur délicate, parfois secrètement tragique, fit entendre, dans les *Romances sans paroles* et plus généralement dans les poèmes écrits en cellule et qui sont répartis dans divers recueils (*Jadis et Naguère, Sagesse, Parallèlement*), un chant qui n'est qu'à lui et qui illustre son *art poétique* : « De la musique avant toute chose / Et pour cela préfère l'Impair / Plus vague et plus soluble dans l'air... »

ARIETTES OUBLIÉES

II

Je devine, à travers un murmure,
Le contour subtil des voix anciennes
Et dans les lueurs musiciennes,
Amour pâle, une aurore future !

Et mon âme et mon cœur en délires
Ne sont plus qu'une espèce d'œil double
Où tremblote à travers un jour trouble
L'ariette, hélas ! de toutes lyres !

O mourir de cette mort seulette
Que s'en vont, — cher amour qui t'épeures, —
Balançant jeunes et vieilles heures !
O mourir de cette escarpolette !

CHARLEROI

Dans l'herbe noire
Les Kobolds vont.
Le vent profond
Pleure, on veut croire.

Quoi donc se sent ?
L'avoine siffle.
Un buisson gifle
L'œil au passant.

Plutôt des bouges
Que des maisons.
Quels horizons
De forges rouges !

On sent donc quoi ?
Des gares tonnent,
Les yeux s'étonnent,
Où Charleroi ?

Parfums sinistres !
Qu'est-ce que c'est ?
Quoi bruissait
Comme des sistres ?

Verlaine à Londres,
dessin de Félix Régamey.

Sites brutaux !
Oh ! votre haleine,
Sueur humaine,
Cris des métaux !

Dans l'herbe noire
Les Kobolds vont.
Le vent profond
Pleure, on veut croire.

KALÉIDOSCOPE

A Germain Nouveau.

Dans une rue, au cœur d'une ville de rêve,
Ce sera comme quand on a déjà vécu :
Un instant à la fois très vague et très aigu...
O ce soleil parmi la brume qui se lève !

O ce cri sur la mer, cette voix dans les bois !
Ce sera comme quand on ignore des causes ;
Un lent réveil après bien des métempsychoses :
Les choses seront plus les mêmes qu'autrefois

Dans cette rue, au cœur de la ville magique
Où des orgues moudront des gigues dans les soirs.
Où les cafés auront des chats sur les dressoirs,
Et que traverseront des bandes de musique.

Ce sera si fatal qu'on en croira mourir :
Des larmes ruisselant douces le long des joues,
Des rires sanglotés dans le fracas des roues,
Des invocations à la mort de venir,

Des mots anciens comme un bouquet de fleurs fanées !
Les bruits aigres des bals publics arriveront,
Et des veuves avec du cuivre après leur front,
Paysannes, fendront la foule des traînées

Qui flânent là, causant avec d'affreux moutards
Et des vieux sans sourcils que la dartre enfarine,
Cependant qu'à deux pas, dans des senteurs d'urine,
Quelque fête publique enverra des pétards.

Ce sera comme quand on rêve et qu'on s'éveille,
Et que l'on se rendort et que l'on rêve encor
De la même féerie et du même décor,
L'été, dans l'herbe, au bruit moiré d'un vol d'abeille.

L'ESPOIR LUIT...

L'espoir luit comme un brin de paille dans l'étable.
Que crains-tu de la guêpe ivre de son vol fou ?
Vois, le soleil toujours poudroie à quelque trou.
Que ne t'endormais-tu, le coude sur la table ?

Pauvre âme pâle, au moins cette eau du puits glacé,
Bois-la. Puis dors après. Allons, tu vois, je reste,

Et je dorloterai les rêves de ta sieste,
Et tu chantonneras comme un enfant bercé.

Midi sonne. De grâce, éloignez-vous, madame.
Il dort. C'est étonnant comme les pas de femme
Résonnent au cerveau des pauvres malheureux.

Midi sonne. J'ai fait arroser dans la chambre.
Va, dors ! L'espoir luit comme un caillou dans un creux.
Ah ! quand refleuriront les roses de septembre !

GASPARD HAUSER CHANTE :

Je suis venu, calme orphelin,
Riche de mes seuls yeux tranquilles,
Vers les hommes des grandes villes :
Ils ne m'ont pas trouvé malin.

A vingt ans un trouble nouveau,
Sous le nom d'amoureuses flammes,
M'a fait trouver belles les femmes :
Elles ne m'ont pas trouvé beau.

Bien que sans patrie et sans roi
Et très brave ne l'étant guère,
J'ai voulu mourir à la guerre :
La mort n'a pas voulu de moi.

Suis-je né trop tôt ou trop tard ?
Qu'est-ce que je fais en ce monde ?
O vous tous, ma peine est profonde :
Priez pour le pauvre Gaspard !

UN GRAND SOMMEIL...

Un grand sommeil noir
Tombe sur ma vie :
Dormez, tout espoir,
Dormez, toute envie !

Je ne vois plus rien,
Je perds la mémoire
Du mal et du bien...
O la triste histoire !

Je suis un berceau
Qu'une main balance
Au creux d'un caveau :
Silence, silence !

Dessins de Verlaine.

Œuvres poétiques complètes, présentées par Y.-G. Le Dantec, la Pléiade / Gallimard. *Fêtes galantes, Romances sans paroles*, Poésie / Gallimard. ◊ A. Adam, *Verlaine*, Hatier. J.-H. Bornecque, *Verlaine par lui-même*, Ecrivains de toujours / Seuil. O. Nadal, *Paul Verlaine*, Mercure de France. J.-P. Richard, *Poésie et Profondeur*, Seuil. J. Richer, *Paul Verlaine*, Poètes d'aujourd'hui / Seghers.

tristan corbière 1845-1875

Autoportrait,
frontispice de l'édition de 1873.

« Où que je meure : ma patrie / S'ouvrira bien, sans qu'on l'en prie, / Assez grande pour mon linceul... / Un linceul encor : pour que faire ?... / Puisque ma patrie est en terre / Mon os ira bien là tout seul... / » Cet humour désespéré, cette manière tragique de jouer avec le langage peuvent rappeler Baudelaire ou Borel. Mais ils ne sont qu'à Corbière. Ils sont le cri d'une existence qui, dès l'adolescence et les premières attaques de la maladie, se sentit condamnée. Le **28 février 1875,** Edouard-Joachim dit Tristan Corbière, qui était au dernier degré de la phtisie, demanda qu'on apporte dans sa chambre une brassée de bruyère. Le lendemain, il mourait, à trente ans. Sa vie, hors des voyages dans le Midi et en Italie (pour les vertus du soleil) et de longs séjours à Paris, il l'avait passée dans la maison de vacances de ses parents (son père fut marin, journaliste, romancier) à Roscoff. Là, il courait la mer sur son cotre *le Négrier,* rêvait à d'impossibles amours, luttait contre son mal. Là, comme à Paris, il écrivait. En 1873 il publia *les Amours jaunes* à compte d'auteur. Il fallut plus de dix ans pour que Verlaine, sensible à la musique d'un poète parfois si proche de lui (« Il fait noir, enfant, voleur d'étincelles. / Il n'est plus de nuits, il n'est plus de jours. / Dors... en attendant venir toutes celles / Qui disaient : Jamais ! Qui disaient : Toujours ! »), révèle Corbière en le plaçant, dans ses *Poètes maudits,* aux côtés de Rimbaud et de Mallarmé.

PARIS

Bâtard de Créole et Breton,
Il vint aussi là — fourmilière,
Bazar où rien n'est en pierre,
Où le soleil manque de ton.

— Courage ! On fait queue... Un planton
Vous pousse à la chaîne — derrière ! —
...Incendie éteint, sans lumière ;
Des seaux passent, vides ou non.

Là, sa pauvre Muse pucelle
Fit le trottoir en *demoiselle,*
Ils disaient : Qu'est-ce qu'elle vend ?

— Rien. — Elle restait là, stupide,
N'entendant pas sonner le vide
Et regardant passer le vent...

DÉCOURAGEUX

Ce fut un vrai poète : Il n'avait pas de chant.
Mort, il aimait le jour et dédaigna de geindre.

Peintre : il aimait son art — Il oublia de peindre...
Il voyait trop — Et voir est un aveuglement.

— Songe-creux : bien profond il resta dans son rêve ;
Sans lui donner la forme en baudruche qui crève,
Sans *ouvrir le bonhomme,* et se chercher dedans.

— Pur héros de roman : il adorait la brune,
Sans voir s'elle était blonde... Il adorait la lune ;
Mais il n'aima jamais — Il n'avait pas le temps. —

— Chercheur infatigable : Ici-bas où l'on rame,
Il regardait ramer du haut de sa grande âme,
Fatigué de pitié pour ceux qui ramaient bien...

Mineur de la pensée : il touchait son front blême,
Pour gratter un bouton ou gratter le problème
    Qui travaillait là — Faire rien. —

— Il parlait : « Oui, la Muse est stérile ! Elle est fille
D'amour, d'oisiveté, de prostitution ;
Ne la déformez pas en ventre de famille
Que couvre un étalon pour la production !

« O vous tous qui gâchez, maçons de la pensée !
Vous tous que son caprice a touchés en amants,
— Vanité, vanité — La folle nuit passée,
Vous l'affichez *en charge* aux yeux ronds des manants !

« Elle vous effleurait, vous, comme chats qu'on noie,
Vous avez accroché son aile ou son réseau,
Fiers d'avoir dans vos mains un bout de plume d'oie,
Ou des poils à gratter en façon de pinceau ! »

— Il disait : « O naïf Océan ! O fleurettes,
Ne sommes-nous pas là, sans peintres, ni poètes !...
Quel vitrier a peint ! quel aveugle a chanté !...
Et quel vitrier chante en raclant sa palette,
Ou quel aveugle a peint avec sa clarinette !
— Est-ce l'art ?... »
             — Lui resta dans la Sublime Bête
Noyer son orgueil vide et sa virginité.

LE MOUSSE

Mousse : il est donc marin, ton père ?...
— Pêcheur. Perdu depuis longtemps.
En découchant d'avec ma mère,
Il a couché dans les brisants...

Maman lui garde au cimetière
Une tombe — et rien dedans —
C'est moi son mari sur la terre,
Pour gagner du pain aux enfants.

Gauguin, la Veuve bretonne.

Deux petits. — Alors, sur la plage,
Rien n'est revenu du naufrage ?...
— Son garde-pipe et son sabot...

La mère pleure, le dimanche,
Pour repos... Moi : j'ai ma revanche
Quand je serai grand — matelot ! —

PETITE MORT POUR RIRE

Va vite, léger peigneur de comètes !
Les herbes au vent seront tes cheveux ;
De ton œil béant jailliront les feux
Follets prisonniers dans les pauvres têtes...

Les fleurs de tombeau qu'on nomme Amourettes
Foisonneront plein ton rire terreux...
Et les myosotis, ces fleurs d'oubliettes...

Ne fais pas le lourd : cercueils de poètes
Pour les croque-morts sont de simples jeux,
Boîtes à violon qui sonnent le creux...
Ils te croiront mort — Les bourgeois sont bêtes —
Va vite, léger peigneur de comètes !

Œuvres complètes, éditées avec celles de Charles Cros en un volume, la Pléiade / Gallimard. *Les Amours jaunes*, Poésie / Gallimard. ◊ Jean Rousselot, *Tristan Corbière*, Seghers. Henri Thomas, *Tristan le Dépossédé*, Gallimard.

i. ducasse, c. de lautréamont 1846-1870

Portrait imaginaire de Lautréamont à dix-neuf ans, par Salvador Dali.

Lautréamont vint, depuis la baie lointaine de Montevideo, vécut — et mourut à vingt-quatre ans — dans ce quartier de la Bourse aux passages mystérieux, que hantera plus tard l'Anicet d'Aragon, publia en 1869 *les Chants de Maldoror* où crépitent déjà toutes les étincelles d'un surréalisme noir et lumineux, mais que leur éditeur jugea prudent de ne diffuser que hors de France. L'homme et l'œuvre passèrent inaperçus. Remy de Gourmont, qui signala en 1891 la beauté de *Maldoror,* ne savait presque rien de son auteur, et Breton pas beaucoup plus, en 1919, lorsqu'il copia les *Poésies* à la Bibliothèque nationale. Quand les surréalistes virent en Lautréamont le grand ancêtre, dans les *Chants* le premier détonateur de cette explosion de l'imaginaire qui allait libérer la poésie moderne, les recherches commencèrent. On ignore toujours quel fut le visage de cet Isidore Ducasse qui avança masqué sous le nom de comte de Lautréamont, mais on a retrouvé les traces de sa naissance en 1846 à Montevideo, où son père était chancelier à l'ambassade de France, de sa scolarité aux lycées de Tarbes (1859-1862) et de Pau (1863-1865), de ses séjours parisiens, de ses relations avec ses éditeurs, de sa mort enfin, en novembre 1870. L'œuvre, aussi, demeure énigmatique, malgré la richesse des commentaires qu'elle suscite. Dans *les Chants de Maldoror,* Lautréamont s'inspire de toute la littérature frénétique, insère dans des visions fantastiques, d'une violence ou d'une crudité inouïes, tout son savoir encyclopédique d'étudiant, mais réussit dans le même temps à juger ses visions avec une sorte d'ironie froide ou de dérision supérieure.

J'ai vu, pendant toute ma vie, sans en excepter un seul, les hommes, aux épaules étroites, faire des actes stupides et nombreux, abrutir leurs semblables, et pervertir les âmes par tous les moyens. Ils appellent les motifs de leurs actions : la gloire. En voyant ces spectacles, j'ai voulu rire comme les autres ; mais cela, étrange imitation, était impossible. J'ai pris un canif dont la lame avait un tranchant acéré, et me suis fendu les chairs aux endroits où se réunissent les lèvres. Un instant je crus mon but atteint. Je regardai dans un miroir cette bouche meurtrie par ma propre volonté ! C'était une erreur ! Le sang qui coulait avec abondance des deux blessures empêchait d'ailleurs de distinguer si c'était là vraiment le rire des autres. Mais, après quelques instants de comparaison, je vis bien que mon rire ne ressemblait pas à celui des humains, c'est-à-dire que je ne riais pas. J'ai vu les hommes, à la tête laide et aux yeux terribles enfoncés dans l'orbite obscur, surpasser la dureté du roc, la rigidité de l'acier fondu, la cruauté du requin, l'insolence de la jeunesse, la fureur

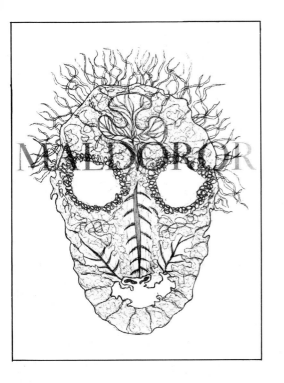

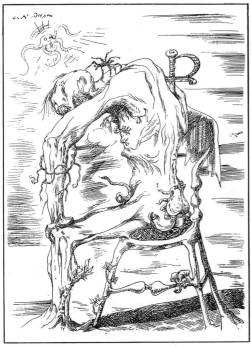

Maldoror illustré
par Jacques Houpain, Max Ernst,
André Masson, Salvador Dali

Kurt Seligman,
illustration pour *Maldoror*.

insensée des criminels, les trahisons de l'hypocrite, les comédiens les plus extraordinaires, la puissance de caractère des prêtres, et les êtres les plus cachés au dehors, les plus froids des mondes et du ciel ; lasser les moralistes à découvrir leur cœur, et faire retomber sur eux la colère implacable d'en haut. Je les ai vus tous à la fois, tantôt, le poing le plus robuste dirigé vers le ciel, comme celui d'un enfant déjà pervers contre sa mère, probablement excités par quelque esprit de l'enfer, les yeux chargés d'un remords cuisant en même temps que haineux, dans un silence glacial, n'oser émettre les méditations vastes et ingrates que recélait leur sein, tant elles étaient pleines d'injustice et d'horreur, et attrister de compassion le Dieu de miséricorde ; tantôt, à chaque moment du jour, depuis le commencement de l'enfance jusqu'à la fin de la vieillesse, en répandant des anathèmes incroyables, qui n'avaient pas le sens commun, contre tout ce qui respire, contre eux-mêmes et contre la Providence, prostituer les femmes et les enfants, et déshonorer ainsi les parties du corps consacrées à la pudeur. Alors, les mers soulèvent leurs eaux, engloutissent dans leurs abîmes les planches ; les ouragans, les tremblements de terre renversent les maisons ; la peste, les maladies diverses déciment les familles priantes. Mais, les hommes ne s'en aperçoivent pas. Je les ai vus aussi rougissant, pâlissant de honte pour leur conduite sur cette terre ; rarement. Tempêtes, sœurs des ouragans ; firmament bleuâtre, dont je n'admets pas la beauté ; mer hypocrite, image de mon cœur ; terre, au sein mystérieux ; habitants des sphères ; univers entier ; Dieu, qui l'as créé avec magnificence, c'est toi que j'invoque : montre-moi un homme qui soit bon !... Mais, que ta grâce décuple mes forces naturelles ; car, au spectacle de ce monstre, je puis mourir d'étonnement ; on meurt à moins. *(Chant I.)*

J'ai fait un pacte avec la prostitution afin de semer le désordre dans les familles. Je me rappelle la nuit qui précéda cette dangereuse liaison. Je vis devant moi un tombeau. J'entendis un ver luisant, grand comme une maison, qui me dit : « Je vais t'éclairer. Lis l'inscription. Ce n'est pas de moi que vient cet ordre suprême. » Une vaste lumière couleur de sang, à l'aspect de laquelle mes mâchoires claquèrent et mes bras tombèrent inertes, se répandit dans les airs jusqu'à l'horizon. Je m'appuyai contre une muraille en ruine, car j'allais tomber, et je lus : « Ci-gît un adolescent qui mourut poitrinaire : vous savez pourquoi. Ne priez pas pour lui. » Beaucoup d'hommes n'auraient peut-être pas eu autant de courage que moi. Pen-

Valentine Hugo,
illustration pour *Maldoror*.

dant ce temps, une belle femme nue vint se coucher à mes pieds. Moi, à elle, avec une figure triste : « Tu peux te relever. » Je lui tendis la main avec laquelle le fratricide égorge sa sœur. Le ver luisant, à moi : « Toi, prends une pierre et tue-la. — Pourquoi ? lui dis-je. » Lui, à moi : « Prends garde à toi ; le plus faible, parce que je suis le plus fort. Celle-ci s'appelle *Prostitution*. » Les larmes dans les yeux, la rage dans le cœur, je sentis naître en moi une force inconnue. Je pris une grosse pierre ; après bien des efforts, je la soulevai avec peine jusqu'à la hauteur de ma poitrine ; je la mis sur l'épaule avec les bras. Je gravis une montagne jusqu'au sommet : de là, j'écrasai le ver luisant. Sa tête s'enfonça sous le sol d'une grandeur d'homme ; la pierre rebondit jusqu'à la hauteur de six églises. Elle alla retomber dans un lac, dont les eaux s'abaissèrent un instant, tournoyantes, en creusant un immense cône renversé. Le calme reparut à la surface ; la lumière de sang ne brilla plus. « Hélas ! hélas ! s'écria la belle femme nue ; qu'as-tu fait ? » Moi, à elle : « Je te préfère à lui ; parce que j'ai pitié des malheureux. Ce n'est pas ta faute, si la justice éternelle t'a créée ». Elle, à moi : « Un jour, les hommes me rendront justice ; je ne t'en dis pas davantage. Laisse-moi partir, pour aller cacher au fond de la mer ma tristesse infinie. Il n'y a que toi et les monstres hideux qui grouillent dans ces noirs abîmes, qui ne me méprisent pas. Tu es bon. Adieu, toi qui m'as aimée ! » Moi, à elle : « Adieu ! Encore une fois : adieu ! Je t'aimerai toujours !... Dès aujourd'hui, j'abandonne la vertu. » C'est pourquoi, ô peuples, quand vous entendrez le vent d'hiver gémir sur la mer et près de ses bords, ou au-dessus des grandes villes, qui, depuis longtemps, ont pris le deuil pour moi, ou à travers les froides régions polaires, dites : « Ce n'est pas l'esprit de Dieu qui passe : ce n'est que le soupir aigu de la prostitution, uni avec les gémissements graves du Montévidéen. » Enfants, c'est moi qui vous le dis. Alors, pleins de miséricorde, agenouillez-vous ; et que les hommes, plus nombreux que les poux, fassent de longues prières. *(Chant I.)*

Je suis sale. Les poux me rongent. Les pourceaux, quand ils me regardent, vomissent. Les croûtes et les escarres de la lèpre ont écaillé ma peau, couverte de pus jaunâtre. Je ne connais pas l'eau des fleuves, ni la rosée des nuages. Sur ma nuque, comme sur un fumier, pousse un énorme champignon, aux pédoncules ombellifères. Assis sur un meuble informe, je n'ai pas bougé mes membres depuis quatre siècles. Mes pieds ont pris racine dans le sol et composent, jusqu'à mon ventre, une sorte de végétation vivace, remplie d'ignobles parasites, qui ne dérive pas encore de la plante, et qui n'est plus de la chair. Cependant mon cœur bat. Mais comment battrait-il, si la pourriture et les exhalaisons de mon cadavre (je n'ose pas dire corps) ne le nourrissaient abondamment ? Sous mon aisselle gauche, une famille de crapauds a pris résidence, et, quand l'un d'eux remue, il me fait des chatouilles. Prenez garde qu'il ne s'en échappe un, et ne vienne gratter, avec sa bouche, le dedans de votre oreille : il serait ensuite capable d'entrer dans votre cerveau. Sous mon aisselle droite, il y a un caméléon qui leur fait une chasse perpétuelle, afin de ne pas mourir de faim : il faut que chacun vive. Mais, quand un parti déjoue complètement les ruses de l'autre, ils ne trouvent rien de mieux que de ne pas se gêner, et sucent la graisse délicate qui couvre mes côtes : j'y suis habitué. Une vipère méchante a dévoré ma verge et a pris sa place : elle m'a rendu eunuque, cette infâme. Oh ! si j'avais pu me défendre avec mes bras paralysés ; mais, je crois plutôt qu'ils se sont changés en bûches. Quoi qu'il en soit, il importe de constater que le sang ne vient plus y promener sa rougeur. Deux petits hérissons, qui ne croissent plus, ont jeté à un chien, qui n'a pas refusé, l'intérieur de mes testicules : l'épiderme, soigneusement lavé, ils ont logé dedans. L'anus a été intercepté par un crabe ; encouragé par mon inertie, il garde l'entrée avec ses pinces, et me fait beaucoup de mal ! Deux méduses ont franchi les mers, immédiatement alléchées par un espoir qui ne fut pas trompé. Elles ont regardé avec attention les deux parties charnues qui forment le derrière humain, et, se cramponnant à leur galbe convexe, elles les ont tellement écrasées par une pression constante, que les deux morceaux de chair ont disparu, tandis qu'il est resté deux monstres, sortis du royaume de la viscosité, égaux par la couleur, la forme et la férocité. Ne parlez pas de ma colonne vertébrale, puisque c'est un glaive. Oui, oui... je n'y faisais pas attention... votre demande est juste. Vous désirez savoir, n'est-ce pas, comment il se trouve implanté verticalement dans mes reins ? Moi-même, je ne me le rappelle pas très clairement ; cependant, si je me décide à prendre pour un souvenir ce qui n'est peut-être qu'un rêve, sachez que l'homme, quand il a su que j'avais fait vœu de vivre avec la maladie et l'immobilité jusqu'à ce que j'eusse vaincu le Créateur, marcha, derrière moi, sur la pointe des pieds, mais non pas si doucement, que je ne l'entendisse. Je ne perçus plus rien, pendant un instant qui ne fut pas long. Ce poignard aigu s'enfonça, jusqu'au manche, entre les deux épaules du taureau des fêtes, et son ossature frissonna, comme un tremblement de terre. La lame adhère si fortement au corps, que personne, jusqu'ici, n'a pu l'extraire.

Les athlètes, les mécaniciens, les philosophes, les médecins ont essayé, tour à tour, les moyens les plus divers. Ils ne savaient pas que le mal qu'a fait l'homme ne peut plus se défaire ! J'ai pardonné à la profondeur de leur ignorance native, et je les ai salués des paupières de mes yeux. Voyageur, quand tu passeras près de moi, ne m'adresse pas, je t'en supplie, le moindre mot de consolation : tu affaiblirais mon courage. Laisse-moi réchauffer ma ténacité à la flamme du martyre volontaire. Va-t'en... que je ne t'inspire aucune pitié. La haine est plus bizarre que tu ne le penses ; sa conduite est inexplicable, comme l'apparence brisée d'un bâton enfoncé dans l'eau. Tel que tu me vois, je puis encore faire des excursions jusqu'aux murailles du ciel, à la tête d'une légion d'assassins, et revenir prendre cette posture, pour méditer, de nouveau, sur les nobles projets de la vengeance. Adieu, je ne te retarderai pas davantage ; et, pour t'instruire et de préserver, réfléchis au sort fatal qui m'a conduit à la révolte, quand peut-être j'étais né bon ! Tu raconteras à ton fils ce que tu as vu ; et, le prenant par la main, fais-lui admirer la beauté des étoiles et les merveilles de l'univers, le nid du rouge-gorge et les temples du Seigneur. Tu seras étonné de le voir si docile aux conseils de la paternité, et tu le récompenseras par un sourire. Mais, quand il apprendra qu'il n'est plus observé, jette les yeux sur lui, et tu le verras cracher sa bave sur la vertu ; il t'a trompé, celui qui est descendu de la race humaine, mais, il ne te trompera plus : tu sauras désormais ce qu'il deviendra. O père infortuné, prépare, pour accompagner les pas de ta vieillesse, l'échafaud ineffaçable qui tranchera la tête d'un criminel précoce, et la douleur qui te montrera le chemin qui conduit à la tombe. *(Chant IV.)*

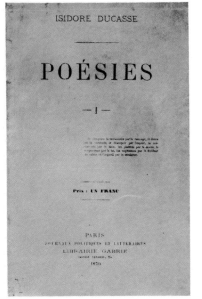

Publiées un an après les *Chants*, les *Poésies* semblent les démentir. Après le mal, le bien ; après la folie poétique, le retour au classicisme, la dénonciation des Grandes-Têtes-Molles du romantisme. Seulement les affirmations du moraliste sont rongées du dedans par la même superbe ironie que les visions de *Maldoror*. Là est la continuité de Lautréamont, dans cet art à la fois de mimer et de miner tous les discours, de faire éclater les conventions. Ici l'attaque contre le romantisme est un joyeux chef-d'œuvre du ton romantique :

Les perturbations, les anxiétés, les dépravations, la mort, les exceptions dans l'ordre physique ou moral, l'esprit de négation, les abrutissements, les hallucinations servies par la volonté, les tourments, la destruction, les renversements, les larmes, les insatiabilités, les asservissements, les imaginations creusantes, les romans, ce qui est inattendu, ce qu'il ne faut pas faire, les singularités chimiques, le vautour mystérieux qui guette la charogne de quelque illusion morte, les expériences précoces et avortées, les obscurités à carapace de punaise, la monomanie terrible de l'orgueil, l'inoculation des stupeurs profondes, les oraisons funèbres, les envies, les trahisons, les tyrannies, les impiétés, les irritations, les acrimonies, les incartades agressives, la démence, le spleen, les épouvantements raisonnés, les inquiétudes étranges, que le lecteur préférerait ne pas éprouver, les grimaces, les névroses, les filières sanglantes par lesquelles on fait passer la logique aux abois, les exagérations, l'absence de sincérité, les scies, les platitudes, le sombre, le lugubre, les enfantements pires que les meurtres, les passions, le clan des romanciers de cours d'assises, les tragédies, les odes, les mélodrames, les extrêmes présentés à perpétuité, la raison impunément sifflée, les odeurs de poule mouillée, les affadissements, les grenouilles, les poulpes, les requins, le simoun des déserts, ce qui est somnambule, louche, nocturne, somnifère, noctambule, visqueux, phoque parlant, équivoque, poitrinaire, spasmodique, aphrodisiaque, anémique, borgne, hermaphrodite, bâtard, albinos, pédéraste, phénomène d'aquarium et femme à barbe, les heures soûles du découragement taciturne, les fantaisies, les âcretés, les monstres, les syllogismes démoralisateurs, les ordures, ce qui ne réfléchit pas comme l'enfant, la désolation, ce mancenillier intellectuel, les chancres parfumés, les cuisses aux camélias, la culpabilité d'un écrivain qui roule sur la pente du néant et se méprise lui-même avec des cris joyeux, les remords, les hypocrisies, les perspectives vagues qui vous broient dans leurs engrenages imperceptibles, les crachats sérieux sur les axiomes sacrés, la vermine et ses chatouillements insinuants, les préfaces insensées, comme celles de Cromwell, de Mlle de Maupin et de Dumas fils, les caducités, les impuissances, les blasphèmes, les asphyxies, les étouffements, les rages, — devant ces charniers immondes, que je rougis de nommer, il est temps de réagir enfin contre ce qui nous choque et nous courbe si souverainement.

Aux yeux de certains poètes d'aujourd'hui, les Chants de Maldoror et Poésies brillent d'un éclat incomparable ; ils sont l'expression d'une révélation totale qui semble excéder les possibilités humaines. (André Breton)

Œuvres complètes, édition établie par P. O. Walzer, la Pléiade / Gallimard. Edition préfacée par Gourmont, Jaloux, Breton, Gracq, Caillois, Blanchot, etc. Corti. En poche : Livre de poche, Garnier-Flammarion, Poésie / Gallimard. ◇ G. Bachelard, *Lautréamont*, Corti. Maurice Blanchot, *Sade et Lautréamont*, Minuit. M. Deguy, *Figurations*, Gallimard. M. Pleynet, *Lautréamont par lui-même*, Ecrivains de toujours / Seuil.

germain nouveau 1851-1920

Poète volontairement marginal qui, ayant choisi la misère et l'ascèse, protestait quand ses amis publiaient ses œuvres, Nouveau fut mis à sa vraie place par les surréalistes. Il était mort peu auparavant, en 1920, après un long jeûne de contrition, dans son village natal de Pourrières (Var) où il était revenu en 1911. Orphelin, élevé par un oncle, il avait abandonné ses études en 1872 pour « monter » à Paris. Là, il se lia avec des poètes symbolistes. En 1873, il vécut quelques mois à Londres avec Rimbaud. Touché par la grâce en 1876 dans la maison de saint Benoît Labre, Nouveau se rangea provisoirement, devint employé de ministère et écrivit les poèmes mystiques de *la Doctrine de l'amour* (1879-1881). L'instabilité le reprit. Après un séjour mouvementé à Beyrouth, au retour duquel une jeune femme (peut-être mythique) lui inspira les *Valentines,* il fut professeur de dessin. Une crise de mysticisme lui fit perdre son poste. Dès lors, vivant (mal) de sa peinture, ou, parfois, de mendicité, Nouveau parcourut l'Europe et l'Afrique du Nord en vagabond épris d'humilité. Ne voulait-il pas signer « Humilis », ce poète à la fois innocent et sensuel, qui, formé au symbolisme, le dépassa par l'étrange simplicité de ses images ?

LE CORPS ET L'AME

Dieu fit votre corps noble et votre âme charmante.
Le corps sort de la terre et l'âme aspire aux cieux ;
L'un est un amoureux et l'autre est une amante.

Dans la paix d'un jardin vaste et délicieux,
Dieu souffla dans un peu de boue un peu de flamme,
Et le corps s'en alla sur ses pieds gracieux.

Et ce souffle enchantait le corps, et c'était l'âme
Qui, mêlée à l'amour des bêtes et des bois,
Chez l'homme adorait Dieu que contemplait la femme.

L'âme rit dans les yeux et vole avec la voix,
Et l'âme ne meurt pas, mais le corps ressuscite,
Sortant du limon noir une seconde fois.

Une flèche est légère et les éclairs vont vite,
Mais le mystérieux élan de l'âme est tel
Que l'ange, qui veut bien lutter contre elle, hésite.

Dieu fit suave et beau votre corps immortel :
Les jambes sont les deux colonnes de ce temple,
Les genoux sont la chaise et le buste est l'autel.

Et la ligne du torse, à son sommet plus ample,
Comme aux flancs purs du vase antique, rêve et court
Dans l'ordre harmonieux dont la lyre est l'exemple.

Pendant qu'un hymne à Dieu dans un battement court,
Comme au cœur de la lyre, une éternelle phrase
Chante aux cordes du cœur mélodieux et sourd.

Des épaules, planant comme les bords du vase,
La tête émerge, et c'est une adorable fleur
Noyée en une longue et lumineuse extase.

Si l'âme est un oiseau, le corps est l'oiseleur.
Le regard brûle au fond des yeux qui sont des lampes,
Où chaque larme douce est l'huile de douleur.

La mesure du temps tinte aux cloisons des tempes ;
Et les bras longs aux mains montant au firmament
Ont charitablement la sûreté des rampes.

Le cœur s'embrase et fond dans leur embrassement,
Comme sous les pressoirs fond le fruit de la vigne,
Et sur les bras croisés vit le recueillement.

Ni les béliers frisés ni les plumes de cygne,
Ni la crinière en feu des crieurs de la faim
N'effacent ta splendeur, ô chevelure insigne,

Faite avec l'azur noir de la nuit, ou l'or fin
De l'aurore, et sur qui nage un parfum farouche,
Où la femme endort l'homme en une mer sans fin.

Rossignol vif et clair, grave et sonore mouche,
Frémis ou chante au bord des lèvres, douce voix !
Douce gloire du rire, épanouis la bouche !

Chaque chose du corps est soumise à tes lois,
Dieu grand, qui fait tourner la terre sous ton geste,
Dans la succession régulière des mois.

Tes lois sont la santé de ce compagnon leste
De l'âme, ainsi qu'un rythme est l'amour de ses pas,
Mais l'âme solitaire est joyeuse où Dieu reste.

La souffrance du corps s'éteint dans le trépas,
Mais la douleur de l'âme est l'océan sans borne ;
Et ce sont deux présents que l'on n'estime pas.

Oh ! ne négligez pas votre âme ! L'âme est morne
Que l'on néglige, et va s'effaçant, comme au jour
Qui monte le croissant voit s'effacer sa corne.

Et le corps, pour lequel l'âme n'a pas d'amour,
Dans la laideur, que Dieu condamne, s'étiole,
Comme un fou relégué dans le fond d'une cour.

La grâce de votre âme éclôt dans la parole,
Et l'autre dans le geste, aimant les frais essors,
Au vêtement léger comme une âme qui vole.

Sachez aimer votre âme en aimant votre corps ;
Cherchez l'eau musicale aux bains de marbre pâle,
Et l'onde du génie au cœur des hommes forts.

Odilon Redon : Naissance de Vénus.

Mêlez vos membres lourds de fatigue, où le hâle
De la vie imprima son baiser furieux,
Au gémissement frais que la Naïade exhale ;

Afin qu'au jour prochain votre corps glorieux,
Plus léger que celui des Mercures fidèles,
Monte à travers l'azur du ciel victorieux.

Dans l'onde du génie, aux sources sûres d'elles,
Plongez votre âme à nu, comme les bons nageurs,
Pour qu'elle en sorte avec la foi donneuse d'ailes !

Dans la nuit, vers une aube aux divines rougeurs,
Marchez par le sentier de la bonne habitude,
Soyez de patients et graves voyageurs.

GERMAIN NOUVEAU 311

Que cette jeune sœur charmante de l'étude
Et du travail tranquille et gai, la Chasteté,
Parfume vos discours et votre solitude.

La pâture de l'âme est toute vérité ;
Le corps, content de peu, cueille une nourriture
Dans le baiser mystique où règne la beauté.

Puisque Dieu répandit l'homme dans la nature,
Sachez l'aimer en vous, et d'abord soyez doux
A vous-mêmes, et doux à toute créature.

Si vous ne vous aimez en Dieu, vous aimez-vous ?

AMOUR

Je ne crains pas les coups du sort,
Je ne crains rien, ni les supplices,
Ni la dent du serpent qui mord,
Ni le poison dans les calices,
Ni les voleurs qui fuient le jour,
Ni les sbires ni leurs complices,
Si je suis avec mon Amour.

Je me ris du bras le plus fort,
Je me moque bien des malices
De la haine en fleur qui se tord,
Plus caressante que les lices ;
Je pourrais faire mes délices
De la guerre au bruit du tambour,
De l'épée aux froids artifices,
Si je suis avec mon Amour.

Haine qui guette et chat qui dort
N'ont point pour moi de maléfices ;
Je regarde en face la mort,
Les malheurs, les maux, les sévices ;
Je braverais, étant sans vices,
Les rois, au milieu de leur cour,
Les chefs, au front de leurs milices,
Si je suis avec mon Amour.

ENVOI

Blanche Amie aux noirs cheveux lisses,
Nul Dieu n'est assez puissant pour
Me dire : « Il faut que tu pâlisses »,
Si je suis avec mon Amour.

Œuvres poétiques, édition établie par J. Mouquet et J. Brenner, Gallimard. Dans la Pléiade, les *Œuvres complètes* de Germain Nouveau, présentées par P.-O. Walzer, sont réunies en un seul volume avec celles de Lautréamont.

arthur rimbaud 1854-1891

De Rimbaud on a tout dit. Ce météore qui traversa la poésie pour la bouleverser est un héros mythique. Il est venu : il a cassé la prosodie pour la revivifier, transformé un moyen d'expression, la langue, en instrument de découverte, livré ses visions à l'état brut, incandescent. Brusquement, à vingt ans, il s'est détourné de ses créations pour courir les routes du monde et finir au Harrar dans la peau d'un commerçant habile, trafiquant d'armes, dit la légende, et peut-être d'esclaves. Rentré en France pour soigner une tumeur au genou, il fut amputé et mourut peu après, à trente-sept ans, indifférent à sa croissante renommée. Voyant ou voyou — on sait que ce collégien génial et fugueur, orphelin de père, en révolte contre la très bourgeoise « mère Rimbe », avait dix-sept ans lorsque, venu de Charleville à Paris, il étonna les milieux littéraires et entraîna Verlaine dans une aventure, celle du couple infernal, dont le coup de revolver de Bruxelles, qui le blessa, fut l'épisode ultime —, Rimbaud est l'aubaine des commentateurs ; chacun a son Rimbaud, (destructeur, créateur, révolutionnaire, illuminé, païen ou mystique), sans voir que le poète justement fit éclater toute classification. Mais Rimbaud n'a pas ouvert d'un coup les voies de la poésie moderne. Ses premiers vers, et même la quasi totalité de ses *Poésies*, écrites avant l'arrivée à Paris, montrent qu'il avait assimilé toutes les modes poétiques. Il s'employait à en épuiser les ressources, s'amusant par exemple, avec un rien d'insolence potache, au jeu des correspondances baudelairiennes :

VOYELLES

A noir, E blanc, I rouge, U vert, O bleu : voyelles,
Je dirai quelque jour vos naissances latentes :
A, noir corset velu des mouches éclatantes
Qui bombinent autour des puanteurs cruelles,

Golfes d'ombre : E, candeurs des vapeurs et des tentes.
Lances des glaciers fiers, rois blancs, frissons d'ombelles,
I, pourpres, sang craché, rire des lèvres belles
Dans la colère ou les ivresses pénitentes ;

U, cycles, vibrements divins des mers virides,
Paix des pâtis semés d'animaux, paix des rides
Que l'alchimie imprime aux grands fronts studieux ;

O, suprême Clairon plein des strideurs étranges,
Silences traversés des Mondes et des Anges :
— O l'Oméga, rayon violet de Ses Yeux !

Dans *le Bateau ivre*, chant lyrique d'une ampleur et d'une virtuosité étonnantes, la fin surtout révélait le poète visionnaire :

Or moi, bateau perdu sous les cheveux des anses,
Jeté par l'ouragan dans l'éther sans oiseau,
Moi dont les Monitors et les voiliers des Hanses
N'auraient pas repêché la carcasse ivre d'eau ;

Libre, fumant, monté de brumes violettes,
Moi qui trouais le ciel rougeoyant comme un mur
Qui porte, confiture exquise aux bons poètes,
Des lichens de soleil et des morves d'azur ;

Qui courais, taché de lunules électriques,
Planche folle, escorté des hippocampes noirs,
Quand les juillets faisaient crouler à coups de triques
Les cieux ultramarins aux ardents entonnoirs ;

Moi qui tremblais, sentant geindre à cinquante lieues
Le rut des Béhémots et les Maelstroms épais,
Fileur éternel des immobilités bleues,
Je regrette l'Europe aux anciens parapets !

J'ai vu des archipels sidéraux ! et des îles
Dont les cieux délirants sont ouverts au vogueur :
— Est-ce en ces nuits sans fonds que tu dors et t'exiles,
Million d'oiseaux d'or, ô future Vigueur ?

Mais, vrai, j'ai trop pleuré ! Les Aubes sont navrantes.
Toute lune est atroce et tout soleil amer :
L'âcre amour m'a gonflé de torpeurs enivrantes.
O que ma quille éclate ! O que j'aille à la mer !

Si je désire une eau d'Europe, c'est la flache
Noire et froide où vers le crépuscule embaumé
Un enfant accroupi plein de tristesses, lâche
Un bateau frêle comme un papillon de mai.

Je ne puis plus, baigné de vos langueurs, ô lames,
Enlever leur sillage aux porteurs de cotons,
Ni traverser l'orgueil des drapeaux et des flammes,
Ni nager sous les yeux horribles des pontons.

Au printemps 1872, quelques mois après avoir montré *le Bateau ivre*
aux amis de Verlaine, Rimbaud découvrait la fluidité musicale de l'impair :

L'ÉTERNITÉ

Elle est retrouvée.
Quoi ? — L'Eternité.
C'est la mer allée
Avec le soleil.

Ame sentinelle,
Murmurons l'aveu
De la nuit si nulle
Et du jour en feu.

Des humains suffrages,
Des communs élans
Là tu te dégages
Et voles selon.

Puisque de vous seules,
Braises de satin,
Le Devoir s'exhale.
Sans qu'on dise : enfin.

Là pas d'espérance,
Nul orietur.
Science avec patience,
Le supplice est sûr.

Elle est retrouvée.
Quoi ? — L'Eternité.
C'est la mer allée
Avec le soleil.

Rimbaud, par Picasso.

Jour de malheur ! J'ai avalé un fameux gorgée de poison.
La rage du désespoir m'emporte contre tout, la nature,
les objets, moi, que je veux déchirer. Trois fois béni soit
le conseil qui m'est arrivé. Les entrailles me brulent.
La violence du venin tord mes membres, me rend difforme.
Je meurs de soif. J'étouffe, je ne puis crier. C'est l'enfer,
l'éternité de la peine. Voilà comme le feu se relève. Va,
démon, va, diable, le feu s'attise le ! je brule bien comme il faut. Le
bon enfer.

J'avais entrevu la salut, le monde, le bien, le bonheur,
et le salut. Puis je décrivais la vision, on n'est pas poète en enfer.
Dès que s'agissait à l'apparition, des milliers de créatures charmantes, un
admirable concert spirituel, la force et la paix, les nobles
ambitions, que sais-je !

Ah ! les nobles ambitions ! ma haine. Je recommence l'existence
enragée ; la colère dans le sang, la vie bestiale. L'abêtissement,
et c'est encore la vie ! Si la damnation est éternelle.
C'est l'exécution des lois religieuses.
Pourquoi un tison tel une si pareille dans mon esprit.
Mes parents ont fait mon malheur, et le leur, ce qui m'est
indifférent. On a abusé de mon innocence. Oh ! l'idée du
baptême. Il y en a qui ont vécu mal, qui vivent
et qui ne sentent rien ! C'est le baptême et la faiblesse
que je suis esclave ! C'est ça la vie encore ! Plus tard.
Les délices de la damnation seront plus profondes. Je vois
bien la damnation. Un crime, vite, que je tombe
au néant, par la loi des hommes.

Tais-toi, mais tais-toi ! C'est la honte et le reproche
qui sort de moi ; c'est Satan qui me dit que son feu
est ignoble, idiot ; et que ma colère est affreusement bête.
Assez ! tais-toi : ce sont des erreurs qu'on me souffle à
la magie, l'alchimie, les mysticismes, les parfums faux,
les musiques naïves. C'est Satan qui se charge de cela.
Que j'ai un jugement
et arrêté sur toute chose, que je suis tout prêt pour la
L'orgueil ! Je ne suis plus bonhomme.

Tandis que Verlaine retenait la leçon dans ses *Romances sans paroles*, Rimbaud allait plus loin, fidèle au but qu'il s'était fixé dans une lettre à Démeny du 15 mai 1871 : « Je dis qu'il faut être voyant, se faire voyant. Le poëte se fait *voyant* par un long, immense et raisonné *dérèglement* de *tous les sens*. » *Une saison en enfer* (1873) est à la fois transposition de ses aventures, récit de ses visions et de leur quête systématique, et premier grand texte d'une poésie, tout ensemble savante et irrationnelle, flamboyant au-dessus des décombres de la tradition.

ALCHIMIE DU VERBE

[...] La vieillerie poétique avait une bonne part dans mon alchimie du verbe.

Je m'habituai à l'hallucination simple : je voyais très-franchement une mosquée à la place d'une usine, une école de tambours faite par des anges, des calèches sur les routes du ciel, un salon au fond d'un lac ; les monstres, les mystères ; un titre de vaudeville dressait des épouvantes devant moi.

Puis j'expliquai mes sophismes magiques avec l'hallucination des mots !

Je finis par trouver sacré le désordre de mon esprit. J'étais oisif, en proie à une lourde fièvre : j'enviais la félicité des bêtes, — les chenilles, qui représentent l'innocence des limbes, les taupes, le sommeil de la virginité !

Mon caractère s'aigrissait. Je disais adieu au monde dans d'espèces de romance. [...]

[...] Je devins un opéra fabuleux : je vis que tous les êtres ont une fatalité de bonheur : l'action n'est pas la vie, mais une façon de gâcher quelque force, un énervement. La morale est la faiblesse de la cervelle.

A chaque être, plusieurs *autres* vies me semblaient dues. Ce monsieur ne sait ce qu'il fait : il est un ange. Cette famille est une nichée de chiens. Devant plusieurs hommes, je causai tout haut avec un moment d'une de leurs autres vies. — Ainsi, j'ai aimé un porc.

Aucun des sophismes de la folie, — la folie qu'on enferme, — n'a été oublié par moi : je pourrais les redire tous, je tiens le système.

Ma santé fut menacée. La terreur venait. Je tombais dans des sommeils de plusieurs jours, et, levé, je continuais les rêves les plus tristes. J'étais mûr pour le trépas, et par une route de dangers ma faiblesse me menait aux confins du monde et de la Cimmérie, patrie de l'ombre et des tourbillons.

Je dus voyager, distraire les enchantements assemblés sur mon cerveau. Sur la mer, que j'aimais comme si elle eût dû me laver d'une souillure, je voyais se lever la croix consolatrice. J'avais été damné par l'arc-en-ciel. Le Bonheur était ma fatalité, mon remords, mon ver : ma vie

Germaine Richier,
illustration pour *Une saison en enfer.*

serait toujours trop immense pour être dévouée à la force
et à la beauté.

Le Bonheur ! Sa dent, douce à la mort, m'avertissait au
chant du coq, — *ad matutinum, au Christus venit,* — dans
les plus sombres villes :

O saisons, ô châteaux !
Quelle âme est sans défauts ?

J'ai fait la magique étude
Du bonheur, qu'aucun n'élude.

Salut à lui, chaque fois
Que chante le coq gaulois.

Ah ! je n'aurai plus d'envie :
Il s'est chargé de ma vie.

Ce charme a pris âme et corps
Et dispersé les efforts.

O saisons, ô châteaux !

L'heure de sa fuite, hélas !
Sera l'heure du trépas.

O saisons, ô châteaux !

Cela s'est passé. Je sais aujourd'hui saluer la beauté.

Les Illuminations, achevées en 1874, modulent les découvertes d'*Une
saison en enfer* et peut-être disent, dans une dernière révolte, le
désir d'aller au-delà des mots, de la littérature, pour « changer la vie ».

ENFANCE

IV

Je suis le saint, en prière sur la terrasse, — comme les
bêtes pacifiques paissent jusqu'à la mer de Palestine.

Je suis le savant au fauteuil sombre. Les branches et la
pluie se jettent à la croisée de la bibliothèque.

Je suis le piéton de la grand'route par les bois nains ;
la rumeur des écluses couvre mes pas. Je vois longtemps
la mélancolique lessive d'or du couchant.

Je serais bien l'enfant abandonné sur la jetée partie à
la haute mer, le petit valet suivant l'allée dont le front
touche le ciel.

Les sentiers sont âpres. Les monticules se couvrent de
genêts. L'air est immobile. Que les oiseaux et les sources

sont loin ! Ce ne peut être que la fin du monde, en avançant.

BARBARE

Bien après les jours et les saisons, et les êtres et les pays,

Le pavillon en viande saignante sur la soie des mers et des fleurs arctiques ; (elles n'existent pas.)

Remis des vieilles fanfares d'héroïsme — qui nous attaquent encore le cœur et la tête — loin des anciens assassins —

Oh ! Le pavillon en viande saignante sur la soie des mers et des fleurs arctiques ; (elles n'existent pas.)

Douceurs !

Les brasiers, pleuvant aux rafales de givre, — Douceurs ! — les feux à la pluie du vent de diamants jetée par le cœur terrestre éternellement carbonisé pour nous. — O monde ! —

(Loin des vieilles retraites et des vieilles flammes, qu'on entend, qu'on sent)

Les brasiers et les écumes. La musique, virement des gouffres et choc des glaçons aux astres.

O Douceurs, ô monde, ô musique ! Et là, les formes, les sueurs, les chevelures et les yeux, fottant. Et les larmes blanches, bouillantes, — ô douceurs ! — et la voix féminine arrivée au fond des volcans et des grottes arctiques.

Le pavillon...

DEMOCRATIE

« Le drapeau va au paysage immonde, et notre patois étouffe le tambour.

« Aux centres nous alimenterons la plus cynique prostitution. Nous massacrerons les révoltes logiques.

« Aux pays poivrés et détrempés ! au service des plus monstrueuses exploitations industrielles ou militaires.

« Au revoir ici, n'importe où. Conscrits du bon vouloir, nous aurons la philosophie féroce ; ignorants pour la science, roués pour le confort ; la crevaison pour le monde qui va. C'est la vraie marche. En avant, route ! »

Fernand Léger,
illustration pour *les Illuminations.*

Je suis de ceux dont l'esprit s'est formé dans la leçon de Rimbaud (il faut être absolument moderne) et d'Apollinaire. (Louis Aragon)

Œuvres complètes, texte établi et annoté par J. Mouquet et André Rolland de Renéville, la Pléiade / Gallimard. *Œuvres*, présentées par S. Bernard, Garnier. ◇ Yves Bonnefoy, *Rimbaud par lui-même*, Ecrivains de toujours / Seuil. Etiemble, *Le Mythe de Rimbaud*, Gallimard. J.-P. Richard, *Poésie et Profondeur*, Seuil.

émile verhaeren 1855-1916

Né à Saint-Amand, près d'Anvers en 1855, Verhaeren resta toujours hanté par les plaines battues des vents, les horizons marins, la vie rude des campagnes. Après des études au collège Sainte-Barbe de Gand, où il se lia avec Georges Rodenbach, puis à Louvain, il fut un temps avocat avant de se consacrer uniquement à son œuvre poétique et théâtrale. Influencé par le symbolisme, il s'efforça de traduire en rythmes rapides, violents, sa vision tumultueuse et fantastique du monde, notamment dans *les Campagnes hallucinées* (1893) et *les Villes tentaculaires* (1895). Si, avec *la Multiple splendeur* (1906), son art se fit plus serein, son apport le plus original fut de savoir saisir, dans toute leur intensité, les dures images d'un monde en pleine mutation.

LES USINES

[...] Ici, sous de grands toits où scintille le verre,
La vapeur se condense en force prisonnière ;
Des mâchoires d'acier mordent et fument ;
De grands marteaux monumentaux
Broient des blocs d'or sur des enclumes,
Et, dans un coin, s'illuminent les fontes
En brasiers tors et effrénés qu'on dompte.

Là-bas, les doigts méticuleux des métiers prestes,
A bruits menus, à petits gestes,
Tissent des draps, avec des fils qui vibrent
Légers et fins comme des fibres.
Des bandes de cuir transversales
Courent de l'un à l'autre bout des salles
Et les volants larges et violents
Tournent, pareils aux ailes dans le vent
Des moulins fous, sous les rafales.
Un jour de cour avare et ras
Frôle, par à travers les carreaux gras
Et humides d'un soupirail,
Chaque travail.
Automatiques et minutieux,
Des ouvriers silencieux
Règlent le mouvement
D'universel tictacquement
Qui fermente de fièvre et de folie
Et déchiquette, avec ses dents d'entêtement,
La parole humaine abolie.

[...] Et, tout à coup, cassant l'élan des violences,
Des murs de bruit semblent tomber
Et se taire, dans une mare de silence,
Tandis que les appels exacerbés
Des sifflets crus et des signaux
Hurlent soudain vers les fanaux,
Dressant leurs feux sauvages,
En buissons d'or, vers les nuages.

Et tout autour, ainsi qu'une ceinture,
Là-bas, de nocturnes architectures,
Voici les docks, les ports, les ponts, les phares
Et les gares folles de tintamarres ;
Et plus lointains encor des toits d'autres usines
Et des cuves et des forges et des cuisines
Formidables de naphte et de résines
Dont les meutes de feu et de lueurs grandies
Mordent parfois le ciel, à coups d'abois et d'incendies.

Au long du vieux canal à l'infini,
Par à travers l'immensité de la misère
Des chemins noirs et des routes de pierre,
Les nuits, les jours, toujours,
Ronflent les continus battements sourds,
Dans les faubourgs,
Des fabriques et des usines symétriques.

L'aube s'essuie
A leurs carrés de suie ;
Midi et son soleil hagard
Comme un aveugle, errent par leurs brouillards ;
Seul, quand au bout de la semaine, au soir,
La nuit se laisse en ses ténèbres choir,
L'âpre effort s'interrompt, mais demeure en arrêt,
Comme un marteau sur une enclume,
Et l'ombre, au loin, parmi les carrefours, paraît
De la brume d'or qui s'allume.

Œuvres complètes, Mercure de France. ◊ Franz Hellens, *Emile Verhaeren*, Poètes d'aujourd'hui / Seghers. Lucien Christophe, *Emile Verhaeren*, Editions universitaires.

jean moréas 1856-1910

Verlaine et Moréas.
affiche de Cazals.

Né à Athènes, Yanni Papadiamantopoulos vint à Paris faire ses études de droit. Il s'y fixa et prit le nom de Moréas pour publier en 1884 son premier recueil, *les Syrtes*, d'inspiration nettement symboliste :

N'écoute plus l'archet plaintif qui se lamente
Comme un ramier mourant le long des boulingrins ;
Ne tente plus l'essor des rêves pérégrins
Traînant des ailes d'or dans l'argile infamante.

Viens par ici : voici les féeriques décors,
Dans du Sèvres les mets exquis dont tu te sèvres,
Les coupes de Samos pour y tremper tes lèvres,
Et les divans profonds pour reposer ton corps.

Viens par ici : voici l'ardente érubescence
Des cheveux roux piqués de fleurs et de béryls,
Les étangs des yeux pers, et les roses avrils
Des croupes, et les lys des seins frottés d'essence ;

Viens humer le fumet — et mordre à pleines dents
A la banalité suave de la vie,
Et dormir le sommeil de la bête assouvie,
Dédaigneux des splendeurs des songes transcendants.

En 1886, dans un manifeste, Moréas réclamait pour le symbolisme « un style archétype et complexe : d'impollués vocables, la période qui s'arcboute alternant avec la période aux défaillances ondulées, les pléonasmes significatifs, les mystérieuses ellipses, l'anacoluthe en suspens, tout trope hardi et multiforme... » Déjà il célébrait la bonne langue française dont, après avoir abandonné le symbolisme pour fonder « l'école romane », il défendra la pureté et l'équilibre. Ainsi dans les courts poèmes des *Stances* :

Les roses que j'aimais s'effeuillent chaque jour ;
Toute saison n'est pas aux blondes pousses neuves ;
Le zéphyr a soufflé trop longtemps ; c'est le tour
Du cruel aquilon qui condense les fleuves.

Vous faut-il, Allégresse, enfler ainsi la voix,
Et ne savez-vous point que c'est grande folie,
Quand vous venez sans cause agacer sous mes doigts
Une corde vouée à la Mélancolie ?

Les *Œuvres poétiques* (Les Syrtes, Les Cantilènes, Le Pèlerin passionné, Stances). Mercure de France.

albert samain 1858-1900

Composition de Carlos Schwabe
pour *Au jardin de l'infante.*

Originaire du Nord, Albert Samain qui, après avoir été fonctionnaire de la préfecture de la Seine, mourut de tuberculose en 1900, illustra parfaitement avec ses trois recueils *Au jardin de l'infante, Aux flancs du vase* et *le Chariot d'or,* tout un courant du symbolisme épris d'atmosphères languides, d'images raffinées, suaves et ambiguës.

KEEPSAKE

Sa robe était de tulle avec des roses pâles,
Et rose-pâle était sa lèvre, et ses yeux froids,
Froids et bleus comme l'eau qui rêve au fond des bois.
La mer Tyrrhénienne aux langueurs amicales

Berçait sa vie éparse en suaves pétales.
Très douce elle mourait, ses petits pieds en croix ;
Et quand elle chantait, le cristal de sa voix
Faisait saigner au cœur ses blessures natales.

Toujours à son poing maigre un bracelet de fer,
Où son nom de blancheur était gravé « Stéphane »,
Semblait l'anneau rivé de l'exil très amer.

Dans un parfum d'héliotrope diaphane
Elle mourait, fixant les voiles sur la mer,
Elle mourait parmi l'automne, vers l'hiver...
Et c'était comme une musique qui se fane...

MNASYLE

Le troupeau maigre épars aux roches du rivage
Broute le noir genièvre et la menthe sauvage...
Au large la mer luit comme un métal ardent.
Soudain le bouc lascif se dresse, et, titubant,
Sur la chèvre efflanquée à l'échine rugueuse
Satisfait au soleil sa luxure fougueuse.
Et Mnasyle, l'éphèbe en fleur de Scyoné,
Aussi beau qu'une vierge et d'iris couronné,
De ses longs yeux d'or noir le regarde étonné ;
Et, pris de langueur vague en l'exil de la grève,
Laisse flotter sa main sur sa chair nue, et rêve...

Au jardin de l'infante, Aux flancs du vase, Le Chariot d'or, Mercure de France. ◊ Bernard Delvaille, *La Poésie symboliste,* anthologie, Seghers.

gustave kahn 1859-1936

Qui, de Jules Laforgue, Marie Krysinska ou Gustave Kahn, inventa le vers libre ? Sur ce point la querelle fut vive et longue dans les milieux symbolistes. Marie Krysinska revendiquait pour son *Hibou,* poème publié en 1883. En 1886, dans la revue *la Vogue,* Laforgue donna *L'hiver qui vient,* et Kahn, en hommage à Rimbaud, *les Illuminations.* On oubliait qu'après Rimbaud et Whitman le vers libre ne pouvait plus qu'aller de soi. Si cette querelle nous paraît dérisoire, la manière dont Kahn, dans *les Palais nomades,* en 1887, cassait le vers classique et rythmait un vers libre (qui rimait encore) est, elle, intéressante.

Fantôme irraisonné, j'ai passé par la ville.
Amas des chairs, amas des fleurs, et toutes elles,
Avec des sons lointains d'orgues et cris d'oiselles,
Mon corps s'en alla vague aux rumeurs de la ville.

Treillis de rose et blanc, et gemmes de la chair,
Vos gammes déroulaient aux asphaltes si chers
Le relent des présents, des divans et des chairs.

Où vont les pas trop mous ? Lointaine est l'avenue
Les parcs mystérieux et languides où se pare
L'image qui s'entoure de toison d'or et pare
Le château qui s'endort aux rosées tard venues.

Hilarantes et déchirantes, gemmes et gammes, partez
Où s'écoule le flot hagard et pailleté d'apartés !
Insoucieux fantôme et si vague j'allais par la ville.

Tant grande douleur vint des gestes pâles
du timbre du verbe illusoire aux soirs.
Tant cruelle étreinte vint de tes mains pâles,
l'âge du mirage des caresses des soirs.

Abandonnée dans ta foule
toute fléchissante en ta dureté,
La neige de l'immanent hiver, à ton cœur qui croule
émanait de langueur des roses-thé.

Ah si nous savons se déchirer demain
laisse le sommeil s'imposer de tes mains,
fuyons la peur de neige aux pupilles solaires
boucliers lucescents de ta face nécessaire.

Bernard Delvaille, *La Poésie symboliste,* anthologie, Seghers.

jules laforgue 1860-1887

Comme Corbière, de qui il est proche par le goût des rythmes brisés, des images raffinées et des tournures canailles, par un pessimisme foncier d'autant plus pathétique qu'il se dissimule sous l'humour ou la provocation, Laforgue eut une carrière très brève. Il était né à Montevideo où son père était instituteur. Après ses études secondaires à Tarbes, puis à Paris, il commença à fréquenter les poètes symbolistes. A Berlin, où il fut lecteur de l'impératrice Augusta, il s'éprit d'une jeune Anglaise qu'il épousa le 3 janvier 1887. Huit mois plus tard, la phtisie l'emportait. Dans les recueils qu'il avait publiés (Complaintes, l'Imitation de Notre-Dame la Lune, le Concile féerique) comme dans les vers qu'il laissait inédits, Laforgue poussait à l'extrême les élégances du symbolisme. Ce masque décadent lui permettait de crier ses obsessions : le désir et la peur de la femme, la fascination de la mort, la haine de la Terre.

COMPLAINTE DES PUBERTÉS DIFFICILES

Un éléphant de Jade, œil mi-clos souriant,
Méditait sous la riche éternelle pendule,
Bon boudha d'exilé qui trouve ridicule
Qu'on pleure vers les Nils des couchants d'Orient,
    Quand bave notre crépuscule.

    Mais, sot Eden de Florian,
En un vase de Sèvre où de fins bergers fades
S'offrent des bouquets bleus et des moutons frisés,
Un œillet expirait ses pubères baisers
Sous la trompe sans flair de l'éléphant de Jade

    A ces bergers peints de pommade
Dans ce lait, à ce couple impuissant d'opéra
Transi jusqu'au trépas en la pâte de Sèvres,
Un gros petit dieu Pan venu de Tanagra
Tendait ses bras tout inconscients et ses lèvres.

    Sourd aux vanités de Paris,
    Les lauriers fanés des tentures,
    Les mascarons d'or des lambris,
    Les bouquins aux pâles reliures
Tournoyaient par la pièce obscure,
    Chantant, sans orgueil, sans mépris :
« Tout est frais dès qu'on veut comprendre la nature. »

Mais lui, cabré devant ces soirs accoutumés,
Où montait la gaîté des enfants de son âge,
Seul au balcon, disait, les yeux brûlés de rages :
« J'ai du génie, enfin : nulle ne veut m'aimer ! »

GRANDE COMPLAINTE DE LA VILLE DE PARIS

Prose blanche

Bonne gens qui m'écoutes, c'est Paris, Charenton compris. Maison fondée en... à louer. Médailles à toutes les expositions et des mentions. Bail immortel. Chantiers en gros et en détail de bonheurs sur mesure. Fournisseurs brevetés d'un tas de majestés. Maison recommandée. Prévient la chute des cheveux. En loteries ! Envoie en province. Pas de morte-saison. Abonnements. Dépôts, sans garantie de l'humanité, des ennuis les plus comme il faut et d'occasion. Facilités de paiement, mais de l'argent. De l'argent, bonne gens !

Et ça se ravitaille, import et export, par vingt gares et douanes. Que tristes, sous la pluie, les trains de marchandises ! A vous, dieux, chasublerie, ameublements d'église, dragées pour baptêmes, le culte est au troisième, clientèle ineffable ! Amour, à toi, des maisons d'or aux hospices dont les langes et les loques feront le papier des billets doux à monogrammes, trousseaux et layettes, seules eaux alcalines reconstituantes, ô chlorose ! bijoux de sérail, falbalas, tramways, miroirs de poche, romances ! Et à l'antipode, qu'y fait-on ? Ça travaille, pour que Paris se ravitaille...

D'ailleurs, des moindres pavés monte le Lotus Tact. En bataille rangée, les deux sexes, toilettés à la mode des passants, mangeant dans le ruolz ! Aux commis, des Niobides ; des faunesses aux Christs. Et sous les futaies seigneuriales des jardins très-publics, martyrs niaisant et vestales minaudières faisant d'un clin d'œil l'article pour l'Idéal et Cie (Maison vague, là haut), mais d'elles-mêmes absentes, pour sûr. Ah ! l'Homme est un singulier monsieur ; et elle, sa voix de fausset, quel front désert ! D'ailleurs avec du tact...

Mais l'inextirpable élite, d'où ? pour où ? Maisons de blanc : pompes voluptiales ; maisons de deuil : spleenuosités, rancœurs à la carte. Et les banlieues adoptives, humus teigneux, haridelles paissant bris de vaisselles, tessons, semelles, de profil sur l'horizon des remparts. Et la pluie ! trois torchons à une claire-voie de mansarde. Un chien aboie à un ballon là-haut. Et des coins claustrals, cloches exilescentes des *dies irae* missibles. Couchants d'aquarelliste distinguée, ou de lapidaire en liquidation. Génie au prix de fabrique, et ces jeunes gens s'entraînent en auto-litanies et formules vaines, par vaines cigarettes. Que les vingt-quatre heures vont vite à la discrète élite !...

Mais les cris publics reprennent. Avis important ! l'Amortissable a fléchi, ferme le Panama. Enchères, experts. Avances sur titres cotés ou non cotés, achat de nu-pro-

Le boulevard Edgard-Quinet en 1880.

priétés, de viagers, d'usufruit ; avances sur successions ouvertes et autres ; indicateurs, annuaires, étrennes. Voyages circulaires à prix réduits. Madame Ludovic prédit l'avenir de 2 à 4. Jouets *Au paradis des enfants* et accessoires pour cotillons aux grandes personnes. Grand choix de principes à l'épreuve. Encore des cris ! Seul dépôt ! soupers de centième ! Machines cylindriques Marinoni ! Tout garanti, tout pour rien ! Ah ! la rapidité de la vie aussi seul dépôt...

Des mois, les ans, calendriers d'occasion. Et l'automne s'engrandeuille au bois de Boulogne, l'hiver gèle les fricots des pauvres aux assiettes sans fleurs peintes. Mai purge, la canicule aux brises frivoles des plages fane les toilettes coûteuses. Puis, comme nous existons dans l'existence où l'on paie comptant, s'amènent ces messieurs courtois des Pompes Funèbres, autopsies et convois salués sous la vieille Monotopaze du soleil. Et l'histoire va toujours dressant, raturant ses Tables criblées de piteux *idem*, — ô Bilan, va quelconque ! ô Bilan, va quelconque...

COMPLAINTE-LITANIES DE MON SACRÉ-CŒUR

Prométhée et Vautour, châtiment et blasphème,
Mon cœur, cancer sans cœur, se grignote lui-même.

Mon cœur est une urne où j'ai mis certains défunts,
Oh ! chut, refrains de leurs berceaux ! et vous, parfums...

Mon cœur est un lexique où cent littératures
Se lardent sans répit de divines ratures.

Mon cœur est un désert altéré, bien que soûl
De ce vin revomi, l'universel dégoût.

Mon cœur est un Néron, enfant gâté d'Asie,
Qui d'empires de rêve en vain se rassasie.

Mon cœur est un noyé vide d'âme et d'essors,
Qu'étreint la pieuvre Spleen en ses ventouses d'or.

C'est un feu d'artifice hélas ! qu'avant la fête,
A noyé sans retour l'averse qui s'embête.

Mon cœur est le terrestre Histoire-Corbillard,
Que traînent au néant l'instinct et le hasard.

Mon cœur est une horloge oubliée à demeure,
Qui, me sachant défunt, s'obstine à sonner l'heure !

Mon aimée était là, toute à me consoler ;
Je l'ai trop fait souffrir, ça ne peut plus aller.

Mon cœur, plongé au Styx de nos arts danaïdes,
Présente à tout baiser une armure de vide.

Et toujours, mon cœur, ayant ainsi déclamé,
En revient à sa complainte : Aimer, être aimé !

AU LARGE

Comme la nuit est lointainement pleine
De silencieuse infinité claire !
Pas le moindre écho des gens de la terre,
Sous la Lune méditerranéenne !

Voilà le Néant sans sa pâle gangue,
Voilà notre Hostie et sa Sainte-Table,
Le seul bras d'ami par l'Inconnaissable,
Le seul mot solvable en nos folles langues !

Au-delà des cris choisis des époques,
Au-delà des sens, des larmes, des vierges,
Voilà quel astre indiscutable émerge,
Voilà l'immortel et seul soliloque !

Et toi, là-bas, pot-au-feu, pauvre Terre !
Avec tes essais de mettre en rubriques
Tes reflets perdus du Grand Dynamique,
Tu fais un métier ah ! bien sédentaire !

Poésies complètes, augmentées d'inédits et présentées par Pascal Pia, le Livre de poche. ◇ M.-J. Durry, *Jules Laforgue*, Poètes d'aujourd'hui / Seghers. L. Guichard, *Jules Laforgue et ses poésies*, P.U.F.

saint-pol-roux 1861-1940

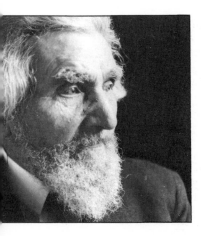

En 1925, les surréalistes rendaient hommage à Saint-Pol-Roux dans *les Nouvelles littéraires*. Breton saluait en lui « le seul authentique précurseur du mouvement dit moderne ». Pierre-Paul Roux, dit Saint-Pol-Roux avait soixante-quatre ans et vivait depuis 1905 dans son manoir breton de Camaret. D'abord symboliste, sensible aux théories Rose-Croix de Péladan, il avait dépassé ces influences pour renouer avec la grande tradition baroque et donner aux images tout leur pouvoir suggestif dans *les Reposoirs de la procession* (1893) et *Anciennetés* (1903). Ce poète splendide et solitaire mourut en 1940 après avoir vu son manoir envahi par les soldats allemands, sa fille violée et blessée et ses manuscrits brûlés.

LA MADELEINE AUX PARFUMS

[...] Les parfums gravissant le sentier des narines,
C'est, au cerveau de tous, un prompt enchantement
Qui sous la cloche taciturne des poitrines
Fait se pâmer les cœurs délicieusement.

Dans les crânes, des anges tissent en mirage
Un spontané vallon de fenouil et de thym
Avec, à son mitan, un timide village
Symbolisant le repentir de la putain.

Etrange vision de candides miracles !
Brebis enseignant à bêler aux loups gloutons ;
Ventres de monstres, purs comme des tabernacles ;
Torrents à pic, plus doux que des dos de moutons.

Pâle, un corbeau roucoule un vieil air des légendes ;
Une colombe endeuille ses plumes de lys ;
Les serpents ne sont plus que flexibles guirlandes
D'oiseaux bleus aspirés par les faims de jadis.

Rompus, des tournesols, orphelins de ton charme,
O Magdeleine, effarent l'herbe d'encensoirs.
Là-bas, près d'un tronc mort, une tombe sans larme
Recèle, au lieu d'un corps, un rire et des miroirs.

Alors, Celui tombé du pommier de Marie
Sur la paille parmi l'encens, la myrrhe et l'or,
Se lève, étend les mains sur la chair de féerie
Et dit ces mots pareils aux pièces d'un trésor :

— « Fille qui, suppliant le Fils à barbe d'astre,
As choisi pour miroir l'ongle de mon orteil,
J'admire l'hirondelle éclose en ton désastre,
Et la honte me plaît qui t'a peinte en soleil.

C'est bien de tendre ses vertèbres à la corde,
O toi qui me chaussas de suaves parfums
Pour que le bleu pardon, fleur de miséricorde,
Etoilât le fumier de tes péchés défunts.

Mon âme est maternelle ainsi qu'une patrie
Et je préfère au lys un pleur de sacripant.
Les regrets sont la clef bonne à ma bergerie,
Je fais une brebis du loup qui se repent.

Venez, tous les vaincus aux griffes du reptile,
Le faible sans sourire et le pauvre sans fleur,
J'ouvre l'amène auberge de mon évangile
Aux vagabonds fourbus des routes de douleur.

C'est pour vous seuls, gens de misère ou de rapines,
Que sous le fouet j'irai vers le mont des rachats,
Ayant sur mon génie un royaume d'épines
Et le long de ma peine un manteau de crachats.

Les malins m'y cloueront au sycomore infâme
Et leur regard de fer me percera le flanc,
Mais de ce large trou s'envolera mon âme
Et tout s'anoblira de son passage blanc.

Or je veux ici-bas, rosier des allégresses
En humiliation devant mon front d'azur
Je veux, avec les roses qui sont tes caresses,
Composer ta couronne d'archange futur.

Car j'applaudis à la détresse non pareille
Qui fait jaillir deux océans de tes grands yeux,
O Fille au nom joli comme un pendant d'oreille
Et dont le corps sera le diamant des cieux !

Ta beauté ne pouvait sombrer dans la tempête,
O tragique symbole de la charité,
Cueille donc une palme au palmier de ma fête :
Etre belle, vois-tu, c'est de l'éternité !

Souris ! Par le chemin léger de ton haleine
Un ange s'est blotti sous ta peau de baiser.
Retourne vers le peuple et dis-lui, Magdeleine,
Qu'une larme a suffi pour te diviniser. »

La chevelure en pleurs à la façon des saules
L'intruse se leva comme on sort de la mer.
Un frisselis subtil à fleur de ses épaules
Indiquait que deux ailes germaient de sa chair.

Tous enfin, revenus du magique village
Et se frottant les yeux comme après le sommeil,
Suivirent, à genoux dans le joli sillage,
La femme au cœur plus grand qu'un lever de soleil.

(Anciennetés)

SOIR DE BREBIS

A Louis Denise.

La tache de sang dépoint à l'horizon de ci.
La goutte de lait point à l'horizon de là.

Homme simple qui s'éparpille dans la flûte et dont la prudence a la forme d'un chien noir, le pâtre descend l'adolescence du coteau.

Le suivent ses brebis, avec deux pampres pour oreilles et deux grappes pour mamelles, le suivent ses brebis : ambulantes vignes.

Si pur le troupeau ! que, ce soir estival, il semble neiger vers la plaine enfantinement.

Ces menus écrins de vie ont, là-haut, brouté les cassolettes, et redescendent pleines.

Mes Désirs aussi, stimulés par la flûte de l'Espoir et le chien de la Foi, montèrent ce matin le coteau du Mystère ; et s'en furent plus haut que les brebis de mon hameau, les brebis de mon âme.

Mais, parmi la prairie de jacinthes, l'odorante étoile incendia les dents avides qui voulaient dégrafer son corsage fertile.

C'est pourquoi mon troupeau subtil, à l'heure d'angelus, rentre en moi-même, les flancs désespérés.

Les brebis sont au bercail, et l'homme simple va dormir entre sa flûte et son chien noir. *(Les Reposoirs de la procession.)*

Anciennetés, Seuil. *La Repoétique*, Rougerie. *Le Trésor de l'Homme*, Rougerie. ◊ Th. Briant, *Saint-Pol-Roux*, Poètes d'aujourd'hui / Seghers. *Les Plus Belles Pages de Saint-Pol-Roux*, présentées par A. Jouffroy, Mercure de France.

max elskamp 1862-1931

Né à Anvers en 1862 dans la rue Saint-Paul, « Dévote, marchande, / Trafiquante et gaie, / Blanche de servantes / Dès le jour monté », Max Elskamp appartenait à une riche famille. Après ses études de droit, il se consacra à la poésie, à la gravure sur bois, et fonda une revue : *l'Art indépendant*. Grand voyageur, mais aussi rêveur de pays lointains, tout ensemble mystique et amoureux de la vie, fasciné par les brumes du Nord et attentif au quotidien, s'il emprunta au symbolisme la fluidité de ses cadences, il sut dire avec simplicité le monde qui l'entourait, les boutiques asiatiques dans *les Délectations moroses* ou la femme, comme dans la quatrième des *Huit chansons reverdies*.

Odilon Redon, Bouddhiste marchant dans les fleurs.

LE BAR

C'est Monsieur Ying qui vend du thé,
Dans sa boutique au bout du quai,

Assis en robe couleur prune,
A son comptoir en bois de lune,

C'est Monsieur Ying qui vend du thé ;
Et du gen-seng et du saké,

Avec la tresse au dos qu'il a
Parfumée d'huile au camélia.

Or sous son front, ses yeux obliques
Et rangées comme un clavier blanc,

C'est Monsieur Ying à la pratique,
Qui sourit, lui montrant ses dents,

Tandis que ses doigts, ongles longs,
Plongent dans des coffrets de laque,

Où sont peints en or des dragons
Que des serpents enroulés traquent,

Pour en tirer Péko, Souchong,
Hang-Kai ou bien encore Hysong,

Selon que c'est thé vert ou noir
Qu'il agrée au client d'avoir.

Mais dans un long kimono bleu
Est là Madame Yang, sa femme,

Avec du khol autour des yeux
Qui disent feu, qui jettent flammes,

Et c'est le soir, ceux des navires,
Qui viennent prendre place aux tables,

Boire Saké s'ils le désirent,
Ou bien, s'il leur est agréable,

Aimer, venue la fin du jour ;
Car lors dans la fraîcheur qui naît,

C'est Monsieur Ying, qui vend du thé
Et Madame Yang, elle, l'amour.

LA FEMME

Mais maintenant vient une femme,
Et lors voici qu'on va aimer,
Mais maintenant vient une femme
Et lors voici qu'on va pleurer,

Et puis qu'on va tout lui donner
De sa maison et de son âme,
Et puis qu'on va tout lui donner
Et lors après qu'on va pleurer,

Car à présent vient une femme,
Avec ses lèvres pour aimer,
Car à présent vient une femme
Avec sa chair toute en beauté,

Et des robes pour la montrer
Sur des balcons, sur des terrasses,
Et des robes pour la montrer
A ceux qui vont, à ceux qui passent,

Car maintenant vient une femme
Suivant sa vie pour des baisers,
Car maintenant vient une femme,
Pour s'y complaire et s'en aller.

La Dame au chat,
par Van Dongen et Foujita.

Œuvres complètes, Seghers. ◇ Robert Guiette, Max Elskamp, Poètes d'aujourd'hui / Seghers.

maurice maeterlinck 1862-1949

Maurice Maeterlinck, né à Gand, prix Nobel en 1911, fut célèbre pour son théâtre et ses essais. *Les Serres chaudes* (1889) influencèrent la sensibilité poétique de son temps.

CLOCHES DE VERRE

O cloches de verre !
Etranges plantes à jamais à l'abri !
Tandis que le'vent agite mes sens au dehors !
Toute une vallée de l'âme à jamais immobile !
Et la tiédeur enclose vers midi !
Et les images entrevues à fleur du verre !

N'en soulevez jamais aucune !
On en a mis plusieurs sur d'anciens clairs de lune.
Examinez à travers leurs feuillages :
Il y a peut-être un vagabond sur le trône,
On a l'idée que des corsaires attendent sur l'étang,
Et que des êtres antédiluviens vont envahir les villes.

On en a placé sur d'anciennes neiges.
On en a placé sur de vieilles pluies.
(Ayez pitié de l'atmosphère enclose !)
J'entends célébrer une fête un dimanche de famine,
Il y a une ambulance au milieu de la moisson,
Et toutes les filles du roi errent, un jour de diète,
        à travers les prairies !

Examinez surtout celles de l'horizon !
Elles couvrent avec soin de très anciens orages.
Oh ! Il doit y avoir quelque part une énorme flotte sur un
        marais !
Et je crois que les cygnes ont couvé des corbeaux !
(On entrevoit à peine à travers les moiteurs)
Une vierge arrose d'eau chaude les fougères,
Une troupe de petites filles observe l'ermite en sa cellule,
Mes sœurs sont endormies au fond d'une grotte véné-
        neuse !
Attendez la lune et l'hiver,
Sur ces cloches éparses enfin sur la glace !

Poésies complètes, la Renaissance du Livre, Bruxelles. ◊ Roger Bodart, *Maurice Maeterlinck*, Poètes d'aujourd'hui / Seghers.

henri de régnier 1864-1936

Henri de Régnier fut une des gloires du début du siècle. Né à Honfleur en 1864, époux de Marie de Heredia — qui signait Gérard d'Houville —, il publia ses premiers vers *(Apaisements)* en 1884 alors qu'il achevait son droit. Plus que ses nombreux recueils, ses romans au parfum délicatement pervers *(la Double Maîtresse)* assurèrent sa célébrité. Poète, il sacrifia au parnasse puis au symbolisme avant de rallier, comme Moréas, le néo-classicisme. En fait il connut toujours les deux tentations de l'immobilisme marmoréen et de la fluidité des eaux. On peut apprécier chez ce poète, qui sut la fragilité de son art, le charme désuet d'un autre temps.

LE SOMMEIL

Penses-tu que ces fleurs, ces feuilles et ces fruits,
Et cet âpre laurier plus amer que la cendre,
Penses-tu que mes mains pour eux les aient cueillis ?

Si j'ai mêlé tout bas à l'onde des fontaines
Les larmes que leur eau pleure encore aujourd'hui,
Crois-tu que j'ignorais combien elles sont vaines ?

Si, debout, j'ai marché sur le sable changeant,
Etait-ce pour marquer mon pas sur son arène,
Puisqu'il n'en reste rien, quand a passé le vent ?

Et pourtant j'ai voulu être un homme et me vivre
Et faire, tour à tour, ce que font les vivants ;
J'ai noué la sandale à mon pied pour les suivre.

Amour, haine, colère, ivresse, j'ai voulu,
Par la flûte de buis comme au clairon de cuivre,
Entendre dans l'écho ce que je n'étais plus.

Si j'ai drapé mon corps de pourpres et de bures,
N'en savais-je pas moins que mon corps était nu
Et que ma chair n'était que sa cendre future ?

Non, ce laurier sans joie et ces fruits sans désir,
Et la vaine rumeur dont toute vie est faite,
Non, tout cela, c'était pour pouvoir mieux dormir

L'ombre définitive et la nuit satisfaite !

(Inscriptions lues au soir tombant.)

Les principaux recueils *(Les Médailles d'argile, La Cité des eaux, La Sandale ailée)* et les *Œuvres poétiques* ont paru au Mercure de France.

francis vielé-griffin 1864-1937

Fils d'un général américain, descendant d'une famille de huguenots français émigrés au XVIIᵉ siècle, Francis Vielé-Griffin naquit à Norfolk (Virginie). Envoyé en Europe à l'âge de huit ans, il fit ses études en Allemagne et en France. En 1886, il publia *Cueille d'avril*, premier recueil d'une œuvre importante *(Joies, la Clarté de la vie, Plus loin...)*. Si, parmi les symbolistes, il fut l'un des moins tapageurs, ses amis, conscients de son apport à l'assouplissement du vers libre, le tenaient pour un maître ; son influence, discrète, s'exerça au-delà du mouvement. André Breton, qui le respectait, disait de lui : « Son vers est le plus ensoleillé de l'époque, le plus fluide. »

Le bleu vent d'outre-monts fait palpiter les frênes ;
Il chante, au loin du bois, un carillon d'été ;
Aux prés, l'hermine et l'or des marguerites reines,
Et, par l'azur sans fin, comme au chant des sirènes
Des récifs répété,
De grands nuages lents vont s'enflant en carènes...

Il sourd du pâturage un murmure sans trêve :
Juin chante au bois nouveau qui redit sa gaîté ;
Des barques de foin gris attendent vers la grève ;
La mort des fleurs qu'on fauche enivre l'air de sève ;
Et ma lèvre eût quêté
De la tienne le miel aprilin de ton rêve...

L'heure passe, légère, et court au crépuscule ;
Le soleil, près de choir, s'est, d'orgueil, arrêté,
Là-bas, royal encore ; et la fumée ondule
Du bûcher d'Occident jusqu'au zénith qui brûle...
Mon regard a guetté
Ton âme dans tes yeux où l'avenir recule...

L'heure était telle, et tout est même et se ressemble :
Le fleuve roule, encore, en lueurs de Léthé,
L'horizon, aussi, tel encore — que t'en semble ? —
Est-il un rêve encore où nous rêvions ensemble ?
N'as-tu rien regretté ?
La nuit, ivre d'encens, est amoureuse et tremble...

Mais ! sommes-nous ceux-là que nous avons été ?

Publiées au Mercure de France, les *Œuvres complètes* de Vielé-Griffin n'ont fait l'objet d'aucune réédition récente. ◊ On consultera *La Poésie symboliste*, anthologie de Bernard Delvaille, Seghers.

paul-jean toulet 1867-1920

Paul-Jean Toulet, fils d'une riche famille de Pau, mena une vie de dilettante, voyageant (il passa, très jeune, trois ans à l'île Maurice) et s'employant à dépenser sa fortune, ce à quoi l'aidèrent les casinos, les bars parisiens et les femmes. En 1912, à peu près ruiné, il se retira à Guéthary. Après son installation à Paris en 1898, il avait publié deux romans, sans succès. Ses *Contrerimes,* qu'il ne cessa de polir jusqu'à sa mort et qui parurent en 1921, firent de lui, selon Carco, le maître de l'école fantaisiste. Mais ce fantaisiste, ignorant des avant-gardes, était sensible aux signes quotidiens de la modernité, et soucieux de donner à ses poèmes légers la perfection de petits bijoux.

LV

*A Londres je connus Bella,
Princesse moins lointaine
Que son mari le capitaine
Qui n'était jamais là.*

Les contrerimes, par Laboureur.

Trottoir de l'Elysé'-Palace
  Dans la nuit en velours
Où nos cœurs nous semblaient si lourds
  Et notre chair si lasse ;

Dômes d'étoiles, noble toit,
  Sur nos âmes brisées,
Taxautos des Champs-Elysées,
  Soyez témoins, et toi,

Sous-sol dont les vapeurs vineuses
  Encensaient nos adieux —
Tandis que lui perlaient aux yeux
  Ses larmes vénéneuses.

Comme les dieux gavant leur panse,
  Les Prétendants aussi,
Télémaque en est tout ranci :
  Il pense à la dépense.

Neptune soupe à Djibouti
  (Près de la mer salée).
Pénélope s'en est allée.
  Tout le monde est parti.

Un poète que nuls n'écoutent,
  Chante Hélène et les Œufs.
Le chien du logis se fait vieux :
  Ces gens là le dégoûtent.

Les Contrerimes, Emile-Paul.

francis jammes 1868-1938

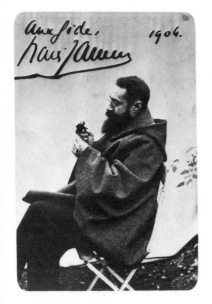

Né à Tournay (Hautes-Pyrénées), Francis Jammes, qui fut trente ans clerc de notaire à Orthez avant de se fixer à Hasparen, resta fidèle à la région de son enfance, à son vieux village :

là-bas, vers l'air pur et froid, vers les neiges denses,
vers les montagnards, vers les bergers, vers les brebis,
vers les chèvres et les chiens gardiens et les flûtes
de buis que les mains calleuses rendent luisantes,
vers les cloches rauques des troupeaux piétinants,
vers les eaux éclusées, vers les tristes jardins,
vers les presbytères doux, vers les gamins
qui suivaient en chantant les conscrits qui chantaient,
vers les eaux d'été, vers les poissons blancs aux ailes
    rouges,
vers la fontaine de la place du village
où j'étais un petit garçon triste et sage.

Après ses premières plaquettes, parues en 1892 et 1893, l'amitié de Gide, de Samaïn et de Schwob lui ouvrit les voies d'une carrière aussi heureuse qu'en marge des modes. *De l'angélus de l'aube à l'angélus du soir* (1898), *le Deuil des primevères* (1902), *Ma France poétique* (1926) disent les joies et les tristesses de ce naïf, amoureux d'une nature innocente.

J'AIME DANS LE TEMPS...

J'aime dans le temps Clara d'Ellébeuse,
l'écolière des anciens pensionnats,
qui allait, les soirs chauds, sous les tilleuls
lire les *magazines* d'autrefois.

Je n'aime qu'elle, et je sens sur mon cœur
la lumière bleue de sa gorge blanche.
Où est-elle ? où était donc ce bonheur ?
Dans sa chambre claire il entrait des branches.

Elle n'est peut-être pas encore morte
— ou peut-être que nous l'étions tous deux.
La grande cour avait des feuilles mortes
dans le vent froid des fins d'Eté très vieux.

Renoir,
Chemin montant dans les hautes herbes.

Te souviens-tu de ces plumes de paon,
dans un grand vase, auprès de coquillages ?...
on apprenait qu'on avait fait naufrage,
on appelait Terre-Neuve : *le Banc*.

Viens, viens, ma chère Clara d'Ellébeuse :
aimons-nous encore si tu existes.
Le vieux jardin a de vieilles tulipes.
Viens toute nue, ô Clara d'Ellébeuse.

De l'angélus de l'aube à l'angélus du soir, Mercure de France et Poésie / Gallimard. *Le Deuil des primevères*, Poésie / Gallimard.
◊ Robert Mallet, *Francis Jammes*, Poètes d'aujourd'hui / Seghers.

paul claudel 1868-1955

Claudel parle, nous dit-il, avec les mots de tous les jours. Mais d'une voix puissante, rude, rocailleuse. Il parle avec son sens de la terre, sa foi de paysan, aussi avec les images engrangées autour du monde et son amour sensuel de la vie. Né dans l'Aisne, à Villeneuve-sur-Fère-en-Tardenois, fils d'un receveur de l'enregistrement, Claudel, qui découvrit Paris à l'âge du lycée, revendiqua toujours ses origines. Rien ne fera qu'il n'ait toujours les pieds solides sur le sol, ni en 1886 les deux découvertes, successives et illuminantes, de Rimbaud et de Dieu, ni plus tard la richesse et les honneurs. Ecrites entre vingt et vingt-trois ans, ses premières pièces, *Tête d'or, la Ville. la Jeune Fille Violaine,* portaient la marque de son génie bouillonnant, de sa quête de chrétien, de son obstination aussi à se battre avec le monde et les mots. Claudel, qui finira ambassadeur de France, aimant, après une heure matinale de travail poétique, consacrer le jour aux affaires, entra en 1893 dans la carrière diplomatique. Les Etats-Unis l'attendaient, et surtout, en 1895, la Chine, où il écrivit les poèmes en prose de *Connaissance de l'Est.*

LA MER SUPÉRIEURE

Ayant monté un jour, j'atteins le niveau, et, dans son bassin de montagnes où de noires îles émergent, je vois au loin la Mer Supérieure.

Certes, par un chemin hasardeux, il m'est loisible d'en gagner les bords, mais que j'en suive le contour ou qu'il me plaise d'embarquer, cette surface demeure impénétrable à la vue.

Ou, donc, je jouerai de la flûte : je battrai le tam-tam, et la batelière qui, debout sur une jambe comme une cigogne, tandis que de l'autre genou elle tient son enfant attaché à sa mamelle, conduit son sampan à travers les eaux plates, croira que les dieux derrière le rideau tiré de la nue se jouent dans la cour de leur temple.

Ou, délaçant mon soulier, je le lancerai au travers du lac. Où il tombe, le passant se prosterne, et l'ayant recueilli, avec superstition il l'honore de quatre bâtons d'encens.

Ou, renversant mes mains autour de ma bouche, je crie des noms : le mot d'abord meurt, puis le son ; et, le sens seul ayant atteint les oreilles de quelqu'un, il se tourne de côté et d'autre, comme celui qui s'entend appeler en rêve s'efforce de rompre le lien.

Désormais tout est en place pour le déploiement de l'œuvre. Ensemble, Rimbaud, Dieu, la Chine habitent le poète, mais il sait les prendre en compte comme le marchand d'épices le poivre, la cannelle et le thé. L'angoisse et les questions le tenaillent profondément, comme la révolte, mais il les dompte pour qu'elles entraînent un chant ou une prière dont il contrôle superbement la course. Et ce large verset, qui sera le support de tous ses grands poèmes, il le créa pour ses *Cinq Grandes Odes*, son chef-d'œuvre, commencé en 1900, publié en 1910. Voici l'ouverture de la quatrième ode (de 1907).

Encore ! encore la mer qui revient me rechercher comme une barque,

La mer encore qui retourne vers moi à la marée de syzygie et qui me lève et remue de mon ber comme une galère allégée,

Comme une barque qui ne tient plus qu'à sa corde, et qui danse furieusement, et qui tape, et qui saque, et qui fonce, et qui encense, et qui culbute, le nez à son piquet,

Comme le grand pur sang que l'on tient aux naseaux et qui tangue sous le poids de l'amazone qui bondit sur lui de côté et qui saisit brutalement les rênes avec un rire éclatant !

Encore la nuit qui revient me rechercher,

Comme la mer qui atteint sa plénitude en silence à cette heure qui joint à l'Océan les ports humains pleins de navires attendants et qui décolle la porte et le batardeau !

Encore le départ, encore la communication établie, encore la porte qui s'ouvre !

Ah, je suis las de ce personnage que je fais entre les hommes ! Voici la nuit ! Encore la fenêtre qui s'ouvre !

Et je suis comme la jeune fille à la fenêtre du beau château blanc, dans le clair de lune,

Qui entend, le cœur bondissant, ce bienheureux sifflement sous les arbres et le bruit de deux chevaux qui s'agitent,

Et elle ne regrette point la maison, mais elle est comme un petit tigre qui se ramasse, et tout son cœur est soulevé par l'amour de la vie et par la grande force comique !

Hors de moi la nuit, et en moi la fusée de la force nocturne, et le vin de la Gloire, et le mal de ce cœur trop plein !

Si le vigneron n'entre pas impunément dans la cuve,

Croirez-vous que je sois puissant à fouler ma grande vendange de paroles,

Sans que les fumées m'en montent au cerveau !

Ah, ce soir est à moi ! ah, cette grande nuit est à moi ! tout le gouffre de la nuit comme la salle illuminée pour la jeune fille à son premier bal !

Elle ne fait que de commencer ! il sera temps de dormir dans un autre jour !

La rivière Fuchun
dans la province de Tchekiang

Ah, je suis ivre ! ah, je suis livré au dieu ! j'entends une voix en moi et la mesure qui s'accélère, le mouvement de la joie,

L'ébranlement de la cohorte Olympique, la marche divinement tempérée !

Que m'importent tous les hommes à présent ! Ce n'est pas pour eux que je suis fait, mais pour le

Transport de cette mesure sacrée !

O le cri de la trompette bouchée ! ô le coup sourd sur la tonne orgiaque !

Que m'importe aucun d'eux ? Ce rythme seul ! Qu'ils me suivent ou non ? Que m'importe qu'ils m'entendent ou pas ?

Voici le déploiement de la grande Aile poétique !

Que me parlez-vous de la musique ? Laissez-moi seulement mettre mes sandales d'or !

Je n'ai pas besoin de tout cet attirail qu'il lui faut. Je ne demande pas que vous vous bouchiez les yeux.

Les mots que j'emploie,

Ce sont les mots de tous les jours, et ce ne sont point les mêmes !

Vous ne trouverez point de rimes dans mes vers ni aucun sortilège. Ce sont vos phrases mêmes. Pas aucune de vos phrases que je ne sache reprendre !

Ces fleurs sont vos fleurs et vous dites que vous ne les reconnaissez pas.

Et ces pieds sont vos pieds, mais voici que je marche sur la mer et que je foule les eaux de la mer en triomphe !

II. VERLAINE
L'IRRÉDUCTIBLE

Il fut ce matelot laissé à terre et qui fait de la peine à la gendarmerie.

Avec ses deux sous de tabac, son casier judiciaire belge et sa feuille de route jusqu'à Paris.

Marin dorénavant sans la mer, vagabond d'une route sans kilomètres,

Domicile inconnu, profession, pas..., « Verlaine Paul, homme de lettres »,

Le malheureux fait des vers en effet pour lesquels Anatole France n'est pas tendre :

Quand on écrit en français, c'est pour se faire comprendre.

L'homme tout de même est si drôle avec sa jambe raide qu'il l'a mis dans un roman.

On lui paye parfois une « blanche », il est célèbre chez les étudiants.

Mais ce qu'il a écrit, c'est des choses qu'on ne peut lire sans indignation.

Car elles ont treize pieds quelquefois et aucune signification.

Le prix Archon-Despérouses n'est pas pour lui, ni le regard de Monsieur de Montyon qui est au ciel.

Il est l'amateur dérisoire au milieu des professionnels.

Chacun lui donne de bons conseils ; s'il meurt de faim, c'est sa faute.

On ne se la laisse pas faire par ce mystificateur à la côte.

L'argent, on n'en a pas de trop pour Messieurs les Professeurs,

Qui plus tard feront des cours sur lui et qui sont tous décorés de la Légion d'honneur.

Nous ne connaissons pas cet homme et nous ne savons qui il est.

Illustration pour Verlaine par André Lhote.

Le vieux Socrate chauve grommelle dans sa barbe emmêlée ;

Car une absinthe coûte cinquante centimes et il en faut au moins quatre pour être soûl :

Mais il aime mieux être ivre que semblable à aucun de nous.

Car son cœur est comme empoisonné, depuis que le pervertit

Cette voix de femme ou d'enfant — ou d'un ange qui lui parlait dans le paradis !

Que Catulle Mendès garde la gloire, et Sully-Prudhomme ce grand poète !

Il refuse de recevoir sa patente en cuivre avec une belle casquette.

Que d'autres gardent le plaisir avec la vertu, les femmes, l'honneur et les cigares !

Il couche tout nu dans un garni avec une indifférence tartare,

Il connaît les marchands de vin par leur petit nom, il est à l'hôpital comme chez lui :

Mais il vaut mieux être mort que d'être comme les gens d'ici.

Donc célébrons tous d'une seule voix Verlaine, maintenant qu'on nous dit qu'il est mort.

C'était la seule chose qui lui manquait, et ce qu'il a de plus fort,

C'est que nous comprenons, tous, ses vers maintenant que nos demoiselles les chantent, avec la musique

Que de grands compositeurs y ont mise et toute sorte d'accompagnements séraphiques !

Le vieil homme à la côte est parti : il a rejoint le bateau qui l'a débarqué

Et qui l'attendait en ce port noir, mais nous n'avons rien remarqué,

Rien que la détonation de la grande voile qui se gonfle et le bruit d'une puissante étrave dans l'écume,

Rien qu'une voix comme une voix de femme ou d'enfant, ou d'un ange qui appelait : Verlaine ! dans la brume. *(Feuilles de saints.)*

LA MURAILLE INTÉRIEURE DE TOKYO

IV

Le pêcheur attrape les poissons avec ce panier profondément enfoui au-dessous des vagues.

Le chasseur avec cet invisible lacs entre deux branches attrape les petits oiseaux.

Et moi, dit le jardinier, pour attraper la lune et les étoiles il me suffit d'un peu d'eau, — et les cerisiers en fleur et les érables en feu, il me suffit de ce ruban d'eau que je déroule.

Et moi, dit le poète, pour attraper les images et les idées il me suffit de cet appât de papier blanc, les dieux n'y passeront point sans y laisser leurs traces comme les oiseaux sur la neige.

Pour tenter les pas de l'Impératrice-de-la-Mer il me suffit de ce tapis de papier que je déroule, pour faire descendre l'Empereur-du-ciel il me suffit de ce rayon de lune, il me suffit de cet escalier de papier blanc. *(Feuilles de saints.)*

Œuvre poétique, la Pléiade / Gallimard. *Cinq Grandes Odes*, Gallimard et Poésie / Gallimard. *Poésies, Connaissance de l'Est*, Poésie / Gallimard. *Corona Benignitatis Anni Dei, Feuilles de saints*, Gallimard. ◊ J. Madaule, *Le Génie de Paul Claudel*, Desclée de Brouwer. Stanislas Fumet, *Claudel*, Bibliothèque idéale / Gallimard. H. Guillemin, *Claudel et son art d'écrire*, Gallimard. P.-A. Lesort, *Claudel par lui-même*, Ecrivains de toujours / Seuil.

andré gide 1869-1951

Gide, d'abord, fut poète. Il avait vingt et un ans — et, depuis l'Ecole alsacienne où il avait été le condisciple de Pierre Louÿs, la littérature le passionnait — lorsqu'il publia ses premiers textes, *Les Cahiers d'André Walter*, les donnant pour l'œuvre d'un écrivain disparu. Peu après, en huit jours, dit-il, il écrivit *les Poésies d'André Walter*.

PROMONTOIRE

Nous avons erré jusqu'au soir vers la mer —
Falaises ! d'où l'on croit qu'on va voir autre chose...
Quand le soleil s'est couché dans la lande rose,
Nous nous sommes perdus sur le bord de la mer.

Une grève mouvante et qui s'en est allée
A la mer grise et de crépuscule mêlée
Et qu'on n'entendait pas... .
Nos pieds nus se sont enfoncés dans la vase.

O tache sur la peau délicate ! — un peu d'eau claire
Où tremper ses pieds nus dans le flot de la mer —
Vague, et déjà la nuit s'y serait bien passée ;
Mais voici que s'écoule entre tes doigts ouverts
Cette eau de crépuscule où tu fusses lavée.

L'eau tiède faisait un clapotement triste
Le long de la grève solitaire.

Bientôt Gide n'avança plus masqué. Au symbolisme un peu littéraire quoique déjà sensible et nuancé d'ironie, des *Poésies*, succèdent, avec la découverte du monde sensuel et des lumières éclatantes, l'exaltation de la vie. En 1897, *les Nourritures terrestres*, à la fois récit, essai et poème, tentative pour échapper à la littérature et retrouver les sources vives, naturelles, célébraient le corps et la présence au monde.

RONDE DE TOUS MES DÉSIRS

Je ne sais ce que j'avais pu rêver cette nuit.
A mon réveil tous mes désirs avaient soif.
Il semblait qu'en dormant, ils eussent traversé des déserts.
Entre le désir et l'ennui
Notre inquiétude balance.

Désirs ! Est-ce que vous ne vous lasserez pas ?

Oh ! oh ! oh ! oh ! cette petite volupté qui passe ! — et qui sera bientôt passée ! —

Hélas ! Hélas ! je sais comment prolonger ma souffrance ; mais mon plaisir je ne sais comment l'apprivoiser.

Entre le désir et l'ennui notre inquiétude balance.

Et l'humanité tout entière m'a paru comme un malade qui se retourne dans son lit pour dormir — qui cherche le repos et ne trouve même pas le sommeil.

Nos désirs ont déjà traversé bien des mondes ;
Ils ne se sont jamais rassasiés.
Et la nature entière se tourmente,
Entre soif de repos et soif de volupté.

Nous avons crié de détresse
Dans les appartements déserts.
Nous sommes montés sur des tours
D'où l'on ne voyait que la nuit.
Chiennes, nous avons hurlé de douleur
Le long des berges desséchées ;
Lionnes, nous avons rugi dans l'Aurès ; et nous avons brouté, chamelles, le varech gris des chotts, sucé le suc des tiges creuses ; car l'eau n'abonde pas au désert.

Nous avons traversé, hirondelles,
De vastes mers sans nourriture ;
Sauterelles, pour nous nourrir nous avons dû tout dévaster.
Algues, nous ont ballottées les orages ;
Flocons, nous avons été roulés par les vents.

Oh ! pour un immense repos, je souhaite la mort salutaire ; et qu'enfin mon désir exténué ne puisse plus fournir à de nouvelles métempsychoses. Désir ! je t'ai traîné sur les routes ; je t'ai désolé dans les champs ; je t'ai soûlé dans les grand-villes ; je t'ai soûlé sans te désaltérer ; — je t'ai baigné dans les nuits pleines de lune ; je t'ai promené partout ; je t'ai bercé sur les vagues ; j'ai voulu t'endormir sur les flots... Désir ! Désir ! Que te ferais-je ? que veux-tu donc ? Est-ce que tu ne te lasseras pas ?

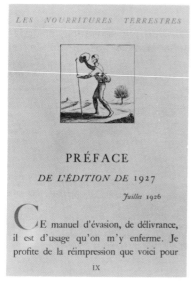

LES NOURRITURES TERRESTRES

PRÉFACE

DE L'ÉDITION DE 1927

Juillet 1926

CE manuel d'évasion, de délivrance, il est d'usage qu'on m'y enferme. Je profite de la réimpression que voici pour

IX

Gravure de D. Galanis.

Romans, Récits et Soties, Œuvres lyriques, la Pléiade / Gallimard. ◊ Jean Amrouche, *Entretiens avec André Gide*, Gallimard. Jean Delay, *La Jeunesse d'André Gide*, Gallimard. P. de Boisdeffre, *Vie d'André Gide*, Hachette. Claude Martin, *Gide par lui-même*, Ecrivains de toujours / Seuil.

paul valéry 1871-1945

L'aventure de Paul Valéry, qui, passé la cinquantaine, fut un grand poète reconnu, si reconnu qu'à sa mort, en 1945, il eut les honneurs d'obsèques nationales, fut paradoxalement celle d'un esprit en constante lutte avec les choses et soi-même, cherchant toujours à définir d'une manière plus aiguë les règles de son propre fonctionnement et, par là, à reculer les limites du compréhensible. Aventure secrète donc. Elle se jouait chaque matin — et cela de 1896 à 1945, 257 cahiers l'attestent — depuis cinq heures jusqu'au moment où le poète était requis par les activités du jour, les emplois modestes, longtemps occupés, de rédacteur de ministère, puis de secrétaire à l'agence Havas. Alors Valéry — rêvant que ces fragments constitueraient un jour la matière d'un livre, du Livre au sens mallarméen — notait ses pensées, transcrivait, analysait ses intuitions, sentiments et passions avec une rigueur d'expression qui n'était pas coquetterie littéraire mais arme de la lucidité. De cette exigence de clarté, un poème en prose des *Cahiers* (1910) donne l'image symbolique :

L'HOMME DE VERRE

Si droite est ma vision, si pure ma sensation, si maladivement complète ma connaissance, et si déliée, si nette ma représentation, et ma science si achevée que je me pénètre depuis l'extrémité du monde jusqu'à ma parole silencieuse ; et de l'informe *chose* jusqu'au désir se levant, le long de fibres connues et de centres ordonnés, je me suis, je me réponds, je me reflète et me répercute, je frémis à l'infini des miroirs — je suis de verre.

Né à Sète, fils d'un fonctionnaire d'origine corse, Valéry fit ses études de droit à Montpellier. Lorsqu'il se fixa à Paris en 1894, il avait déjà publié des poèmes dans des revues, s'était lié avec Pierre Louÿs et Gide, et correspondait avec Mallarmé dont il allait devenir le familier. Les poèmes de cette époque, qu'il réunit plus tard dans l'*Album de vers anciens*, avouent, dans leur perfection, l'influence du maître.

VUE

Si la plage penche, si
L'ombre sur l'œil s'use et pleure
Si l'azur est larme, ainsi
Au sel des dents pure affleure

La vierge fumée ou l'air
Que berce en soi puis expire
Vers l'eau debout d'une mer
Assoupie en son empire

Celle qui sans les ouïr
Si la lèvre au vent remue
Se joue à évanouir
Mille mots vains où se mue

Sous l'humide éclair de dents
Le très doux feu du dedans.

Après la parution, en 1896, de ce récit singulier — véritable mise en scène de l'intelligence — qu'est *la Soirée avec Monsieur Teste*, Valéry se tut. Mais l'aventure des cahiers se poursuivait, trouée parfois de poèmes comme celui-ci, de 1912, où les mouvements de la mer s'identifient avec la démarche et les remous de la pensée valéryenne :

Illustration pour *le Cimetière marin*, eau-forte de Paul Valéry.

DE LA MER OCÉANE

Mer. Océan. Cap Breton.

La grande forme qui vient d'Amérique avec son beau creux et sa sereine rondeur trouve enfin le socle, l'escarpe, la barre. La molécule brise sa chaîne — Les cavaliers blancs sautent par delà eux-mêmes.

L'écume ici forme des bancs très durables, qui figurent un petit mur de bulles irisé, sale, crevard, le long du plus haut flot. Le vent chasse des chats, et des moutons nés de cette matière, et les souffle et les fait courir le plus drôlement du monde vers les dunes, comme effrayés par la mer. Cette écume est autre chose que de l'eau battue — Emulsion.

Quant à l'écume naissante et vierge, elle est d'une douceur étrange aux pieds. C'est un lait tout gazeux [aéré], tiède, qui vient à vous avec une violence voluptueuse — inonde les pieds, chevilles, les fait boire, les lave et redescend sur eux — avec une voix qui abandonne le rivage et se retire, tandis que la [ma] statue s'enfonce un peu dans le sable et que l'âme qui écoute cette immense fine musique infiniment petite, s'apaise et la suit.

En 1917, à la demande de Gide et de Pierre Louÿs, Valéry accepta de renouer avec cet exercice intellectuel qu'était pour lui l'art des vers. Et ce fut *la Jeune Parque*, long poème où la fusion dans une ligne mélodique d'une méditation et d'un questionnement est parfaitement contrôlée. Poème savant, sans doute, mais froid seulement pour qui n'y perçoit pas les frémissements du désir — et de la peur du désir —, le drame de la conscience en proie à ses propres ombres, fascinée et horrifiée par l'obscur et toute-puissante présence de la vie, du corps — et du sexe. Les poèmes de *Charmes* en 1922, notamment *le Cimetière marin* et *Ebauche d'un serpent*, reprendront la même interrogation passionnée sur la chair et la connaissance, le savoir et le néant, ou encore, avec *la Pythie*, sur le langage, ce langage qui, pour être donné à l'homme et au poète, n'en est pas moins toujours à élucider, à maîtriser, à créer.

Page de manuscrit de Paul Valér

L'Amateur ne peut consentir de garder pour soi seul cette

Ici paraît l'Auteur des vers. Voulez vous les dit-on, qu'il en donne

Il a 2 mots à dire.

Je ne laisserai pas d'être embarrassé.

semble que la glose d'Alain le risvent parfois en louanges

vrai que, même qu'un commentaire même dur est un compliment

tant l'approbation, ou l'éloge — un auteur doit ne rechercher. C'est l'application

C'est le peine d'autrui qui paye le sien propre.

Louanges

d'énergie —

Il en des louanges et des critiques superficielles

Il en a de profondes — qui soutiennent

en épithète que l'on fait toujours

non quelconque — et qui dispensent de penser — Or les épithètes

la valeur de ce qu'elles coûtent — Elles sont instantanées.

Valent tant qu'on ne s'arrête pas.

l'âme réplique aux railleries, aux injures, aux paroles

qu'elle y peut répliquer nettement bien des cas. Mais

répondre aux compliments! Il dit: Vous êtes trop bon, trop

discussion est impossible

immodeste

inhumaine

improbable intimer instabilité

AVTEVR

Illustration pour *La Jeune Parque*
par Paul Valéry.

LA JEUNE PARQUE

[...] Mais je tremblais de perdre une douleur divine !
Je baisais sur ma main cette morsure fine,
Et je ne savais plus de mon antique corps
Insensible, qu'un feu qui brûlait sur mes bords :

Adieu, pensai-je, MOI, mortelle sœur, mensonge...

Harmonieuse MOI, différente d'un songe,
Femme flexible et ferme aux silences suivis
D'actes purs !... Front limpide, et par ondes ravis,
Si loin que le vent vague et velu les achève,
Longs brins légers qu'au large un vol mêle et soulève,
Dites !... J'étais l'égale et l'épouse du jour,
Seul support souriant que je formais d'amour
A la toute-puissante altitude adorée...

Quel éclat sur mes cils aveuglément dorée,
O paupières qu'opprime une nuit de trésor,
Je priais à tâtons dans vos ténèbres d'or !
Poreuse à l'éternel qui me semblait m'enclore,
Je m'offrais dans mon fruit de velours qu'il dévore ;
Rien ne me murmurait qu'un désir de mourir
Dans cette blonde pulpe au soleil pût mûrir :
Mon amère saveur ne m'était point venue.
Je ne sacrifiais que mon épaule nue
A la lumière ; et sur cette gorge de miel,
Dont la tendre naissance accomplissait le ciel,
Se venait assoupir la figure du monde.
Puis dans le dieu brillant, captive vagabonde,
Je m'ébranlais brûlante et foulais le sol plein,
Liant et déliant mes ombres sous le lin.
Heureuse ! A la hauteur de tant de gerbes belles,
Qui laissais à ma robe obéir les ombelles,
Dans les abaissements de leur frêle fierté ;
Et si, contre le fil de cette liberté,
Si la robe s'arrache à la rebelle ronce,
L'arc de mon brusque corps s'accuse et me prononce
Nu sous le voile enflé de vivantes couleurs
Que dispute ma race aux longs liens de fleurs !

Je regrette à demi cette vaine puissance...
Une avec le désir, je fus l'obéissance
Imminente, attachée à ces genoux polis ;
De mouvements si prompts mes vœux étaient remplis
Que je sentais ma cause à peine plus agile !
Vers mes sens lumineux nageait ma blonde argile,
Et dans l'ardente paix des songes naturels,
Tous ces pas infinis me semblaient éternels.
Si ce n'est, ô Splendeur, qu'à mes pieds l'ennemie,
Mon ombre ! la mobile et la souple momie,

Illustration pour *La Pythie*
par J.-G. Daragnès

De mon absence peinte effleurait sans effort
La terre où je fuyais cette légère mort.
Entre la rose et moi, je la vois qui s'abrite ;
Sur la poudre qui danse, elle glisse et n'irrite
Nul feuillage, mais passe, et se brise partout...
Glisse ! Barque funèbre...

               Et moi vive, debout,

Dure, et de mon néant secrètement armée,
Mais, comme par l'amour une joue enflammée,
Et la narine jointe au vent de l'oranger,
Je ne rends plus au jour qu'un regard étranger...
Oh ! combien peut grandir dans ma nuit curieuse
De mon cœur séparé la part mystérieuse,
Et de sombres essais s'approfondir mon art !...
Loin des purs environs, je suis captive, et par
L'évanouissement d'aromes abattue,
Je sens sous les rayons, frissonner ma statue,
Des caprices de l'or, son marbre parcouru.
Mais je sais ce que voit mon regard disparu ;
Mon œil noir est le seuil d'infernales demeures !
Je pense, abandonnant à la brise des heures
Et l'âme sans retour des arbustes amers,
Je pense, sur le bord doré de l'univers,
A ce goût de périr qui prend la Pythonisse
En qui mugit l'espoir que le monde finisse.
Je renouvelle en moi mes énigmes, mes dieux,
Mes pas interrompus de paroles aux cieux,
Mes pauses, sur le pied portant la rêverie,
Qui suit au miroir d'aile un oiseau qui varie,
Cent fois sur le soleil joue avec le néant,
Et brûle, au sombre but de mon marbre béant.

LA PYTHIE

[...] Entends, mon âme, entends ces fleuves !
Quelles cavernes sont ici ?
Est-ce mon sang ?... Sont-ce les neuves
Rumeurs des ondes sans merci ?
Mes secrets sonnent leurs aurores !
Tristes airains, tempes sonores,
Que dites-vous de l'avenir !
Frappez, frappez dans une roche,
Abattez l'heure la plus proche...
Mes deux natures vont s'unir !

O formidablement gravie,
Et sur d'effrayants échelons,

Je sens dans l'arbre de ma vie
La mort monter de mes talons !
Le long de ma ligne frileuse,
Le doigt mouillé de la fileuse
Trace une atroce volonté !
Et par sanglots grimpe la crise
Jusque dans ma nuque où se brise
Une cime de volupté !

Ah ! brise les portes vivantes !
Fais craquer les vains scellements,
Epais troupeau des épouvantes,
Hérissé d'étincellements !
Surgis des étables funèbres
Où te nourrissaient mes ténèbres
De leur fabuleuse foison !
Bondis, de rêves trop repue,
O horde épineuse et crépue,
Et viens fumer dans l'or, Toison !

Telle, toujours plus tourmentée,
Déraisonne, râle et rugit
La prophétesse fomentée
Par les souffles de l'or rougi.
Mais enfin le ciel se déclare !
L'oreille du pontife hilare
S'aventure vers le futur :
Une attente sainte la penche,
Car une voix nouvelle et blanche
Echappe de ce corps impur :

Honneur des Hommes, Saint LANGAGE,
Discours prophétique et paré,
Belles chaînes en qui s'engage
Le dieu dans la chair égaré,
Illumination, largesse !
Voici parler une Sagesse
Et sonner cette auguste Voix
Qui ne connaît quand elle sonne
N'être plus la voix de personne
Tant que des ondes et des bois !

Œuvres complètes (t. I), Cahiers (t. II), la Pléiade / Gallimard.
Poésies, La Jeune Parque, Poésie / Gallimard. ◇ J. Hytier, La
Poétique de Valéry, Hatier. J. Charpier. Valéry, Poètes d'aujourd'hui /
Seghers.

paul fort 1872-1960

Paul Fort avait dix-huit ans lorsqu'il fonda le théâtre des Arts qui fut un haut lieu du symbolisme, vingt-cinq ans lorsque, après plusieurs recueils, il publia le premier volume de ses *Ballades françaises* dont, poète infatigable, toujours fidèle au lyrisme libre et familier de sa jeunesse, il donna finalement vingt-six volumes.

LA RONDE

Si toutes les filles du monde voulaient s'donner la main, tout autour de la mer elles pourraient faire une ronde.

Si tous les gars du monde voulaient bien êtr'marins, ils f'raient avec leurs barques un joli pont sur l'onde.

Alors on pourrait faire une ronde autour du monde, si tous les gens du monde voulaient s'donner la main.

CHANSON A L'AUBE

— Où donc est ma peine ? Je n'ai plus de peine. Où donc est ma mie ? Je ne m'en soucie.

Sur la douce plage, à l'heure sereine, dans l'aube innocente, ô la mer lointaine !

— Où donc est ma peine ? Je n'ai plus de peine. Où donc est ma mie ? Je ne m'en soucie.

Tes flots de rubans, la brise marine, tes flots de rubans entre mes doigts blancs !

— Où donc est ma mie ? Je n'ai plus de peine. Où donc est ma peine ? Je ne m'en soucie.

Dans le ciel nacré, mes yeux l'ont suivi, le goéland gris brillant de rosée.

— Je n'ai plus de peine. Où donc est ma mie ? Où donc est ma peine ? Je n'ai plus d'amie.

Dans l'aube innocente, ô la mer lointaine ! Ce n'est qu'un murmure au bord du soleil.

— Où donc est ma peine ? Je n'ai plus de peine. Ce n'est qu'un murmure au bord du soleil.

Ballades françaises, Mercure de France. ◇ Pierre Béarn, *Paul Fort*, Poètes d'aujourd'hui / Seghers.

alfred jarry 1873-1907

Ubu, trop souvent, masque Jarry. Si, dans la vie, après le succès de sa pièce, Jarry, humoriste noir (on dit qu'avant de mourir, en 1907, il réclama un cure-dent) et fabuleux farceur, s'amusait à prendre la voix du père Ubu, cela ne l'empêchait pas de poursuivre une œuvre poétique, romanesque, théâtrale, critique, d'une étonnante variété, où la blague côtoie l'érudition comme la quête métaphysique les vers de mirliton. Initiateur, avec *Ubu Roi,* du comique moderne, des pièces surréalistes et du théâtre de l'absurde, Jarry apparut d'abord à ses contemporains comme un poète symboliste. Lorsqu'il arriva à Paris en 1891 pour préparer l'Ecole normale supérieure à Henri IV, il avait dans ses bagages *Ubu Roi,* c'est-à-dire la version considérablement améliorée par lui d'une geste qu'élaboraient depuis plusieurs années autour du père Hébert, leur professeur de physique, les élèves du lycée de Laval. A Paris, Jarry fit connaissance de jeunes écrivains qu'il admirait, Schwob et Remy de Gourmont, et c'est dans des revues symbolistes qu'il publia ses premiers textes, poétiques et critiques. En 1894, *Haldernablou,* poème dramatique, et les autres poèmes réunis dans *les Minutes de sable mémorial* attestent son appartenance au symbolisme.

PROLOGUE D'HALDERNABLOU

Sur la plainte des mandragores
Et la pitié des passiflores
Le lombric blanc des enterrements rentre en ses tanières.

Le sérail des faces de sable
Soumis au bois de nos sandales
Luit de l'or de toutes ses croix à nos paupières.

Le cuivre roux des feuilles mortes
Et la force des vieilles écorces
Sonne et bénit le glas très doux de nos retraites.

Rentrons : le jour bientôt se lève.
La cendre de la nuit achève
De fuir avec le sang coulant des sabliers.

Les cœurs perdent leur sang qui coule.
Le cerf-volant de nos cagoules
Suspend son spectre aux lointains comme des masques
    jaunes d'effraies.

Que le mort dorme avant l'aurore.
Que le mort dorme avant le premier pleur de la lumière.
Sur la plainte des mandragores
Et la pitié des passiflores
Le lombric blanc des enterrements rentre en ses tanières

CLÉOPATRE

Les plongeurs de Serendib, à travers la jalousie des requins, au son des tambours des sorciers, remontent les perles comme les insectes d'eau leurs bulles d'air.

La perle comme un germe palpite suspendue dans les vinaigres de la coupe. L'œuf du monde

une goutte d'amour au sexe mort de la coupe.

Ubu Roi enfin fut représenté en 1896. Les pièces du cycle d'Ubu, datant aussi des années de collège, virent ensuite le jour. *La Chanson du décervelage* qui ouvre *Ubu cocu* fut d'abord révélée par un court texte, *les Paralipomènes d'Ubu,* paru dans la *Revue blanche* (décembre 1896).

Je fus pendant longtemps ouvrier ébéniste,
Dans la ru' du Champ d' Mars, d'la paroiss' de Toussaints.
Mon épouse exerçait la profession d' modiste,
    Et nous n'avions jamais manqué de rien. —
    Quand le dimanch' s'annonçait sans nuage,
    Nous exhibions nos beaux accoutrements
    Et nous allions voir le décervelage
    Ru' d' l'Echaudé passer un bon moment.
      Voyez, voyez la machin' tourner,
      Voyez, voyez, la cervell' sauter,
      Voyez, voyez les rentiers trembler ;
(Chœur) : Hourra, cornes-au-cul, vive le père Ubu !

Nos deux marmots chéris, barbouillés d' confitures,
Brandissant avec joi' des poupins en papier,
Avec nous s'installaient sur le haut d' la voiture
    Et nous roulions gaîment vers l'Echaudé. —
    On s' précipite en foule à la barrière,
    On s'fich' des coups pour être au premier rang ;
    Moi je m' mettais toujours sur un tas d' pierres
    Pour pas salir mes godillots dans l' sang.
      Voyez, voyez...

Bientôt ma femme et moi nous somm's tout blancs d'cer-
    velle,
Les marmots en boulott'ent et tous nous trépignons
En voyant l' Palotin qui brandit sa lumelle,
    Et les blessur's et les numéros d' plomb. —
    Soudain j' perçois dans l' coin, près d' la machine,
    La gueul' d'un bonz' qui n' m' revient qu'à moitié.
    Mon vieux, que j' dis, je r' connais ta bobine,
    Tu m'as volé, c'est pas moi qui t' plaindrai.
        Voyez, voyez...

Soudain j' me sens tirer la manch' par mon épouse :
Espèc' d'andouill' qu'ell' m' dit, v'là l' moment d'te montrer.
Flanque lui par la gueule un bon gros paquet d' bouse,
    V'là l' Palotin qu'a just' le dos tourné. —
    En entendant ce raisonn'ment superbe,
    J'attrap' sus l'coup mon courage à deux mains :
    J'flanque au rentier une gigantesque merdre
    Qui s'aplatit sur l' nez du Palotin.
        Voyez, voyez...

Aussitôt j' suis lancé par-dessus la barrière,
Par la foule en fureur je me vois bousculé
Et j' suis précipité la tête la première
    Dans l' grand trou noir d'ous qu'on n' revient jamais.
    Voilà c' que c'est qu' d'aller s' promener l' dimanche
    Ru' d' l'Echaudé pour voir décerveler,
    Marcher l' Pinc'-Porc ou bien l' Démanch'-Comanch,
    On part vivant et l'on revient tudé.
        Voyez, voyez...

Jarry, mélangeant volontiers les genres, insérait des poèmes dans ses
romans : ainsi, dans *les Jours et les Nuits*, un sonnet reprenant de
vieux mythes bretons. Inversement, de nombreux chapitres de *Gestes et
Opinions du docteur Faustroll, pataphysicien* sont de purs poèmes en
prose.

Parmi les bruyères, pénil des menhirs,
Selon un pourboire, le sourd-muet qui rôde
Autour du trou du champ des os des martyrs
Tâte avec sa lanterne au bout d'une corde.

Sur les flots de carmin, le vent souffle en cor.
La licorne de mer par la lande oscille.
L'ombre des spectres d'os que la lune apporte,
Chasse de leur acier la martre et l'hermine.

Contre le chêne à forme humaine, elle a ri,
En mangeant le bruit des hannetons, C'havann,
Et s'ébouriffe, oursin, loin sur un rocher.

Le voyageur marchant sur son ombre écrit.
Sans attendre que le ciel marque minuit
Sous le batail de plumes la pierre sonne.

DE L'ILE DE PTYX

A Stéphane Mallarmé.

L'île de Ptyx est d'un seul bloc de la pierre de ce nom, laquelle est inestimable, car on ne l'a vue que dans cette île, qu'elle compose entièrement. Elle a la translucidité sereine du saphir blanc, et c'est la seule gemme dont le contact ne morfonde pas, mais dont le feu entre et s'étale, comme la digestion du vin. Les autres pierres sont froides comme le cri des trompettes ; elle a la chaleur précipitée de la surface des timbales. Nous y pûmes aisément aborder, car elle était taillée en table et crûmes prendre pied sur un soleil purgé des parties opaques ou trop miroitantes de sa flamme, comme les antiques lampes ardentes. On n'y percevait plus les accidents des choses, mais la substance de l'univers, et c'est pourquoi nous ne nous inquiétâmes point si la surface irréprochable était d'un liquide équilibré selon des lois éternelles, ou d'un diamant impénétrable, sauf à la lumière qui tombe droit.

Le seigneur de l'île vint vers nous dans un vaisseau : la cheminée arrondissait des auréoles bleues derrière sa tête, amplifiant la fumée de sa pipe et l'imprimant au ciel. Et au tangage alternatif, sa chaise à bascule hochait ses gestes de bienvenue.

Il tira de dessous son plaid quatre œufs, à la coque peinte, qu'il remit au docteur Faustroll, après boire. A la flamme de notre punch, l'éclosion des germes ovales fleurit sur le bord de l'île : deux colonnes distantes, isolement de deux prismatiques trinités de tuyaux de Pan, épanouirent au jaillissement de leurs corniches la poignée de mains quadridigitales des quatrains du sonnet ; et notre as berça son hamac dans le reflet nouveau-né de l'arc de triomphe. Dispersant la curiosité velue des faunes et l'incarnat des nymphes désassoupies par la mélodieuse création, le vaisseau clair et mécanique recula vers l'horizon de l'île son haleine bleutée, et la chaise hochante qui saluait adieu.

A J.

Véritable portrait de Monsieur Ubu

Œuvres complètes (t. I), éditées par Michel Arrivé, la Pléiade / Gallimard. *Tout Ubu*, Livre de Poche. ◇ Noël Arnaud, *Alfred Jarry*, la Table ronde. François Caradec, *A la recherche d'Alfred Jarry*, Seghers. J.H. Levesque, *Alfred Jarry*, Poètes d'aujourd'hui / Seghers.

charles péguy 1873-1914

Petit-fils de paysans, fils d'un menuisier — qui mourut jeune des suites d'une blessure de guerre — et d'une rempailleuse de chaises, Péguy (né à Orléans en 1873, tué sur la Marne en 1914) dut à ses origines la vigueur de ses convictions et peut-être la démarche solide, un peu rude, de son alexandrin. Boursier, puis normalien, il fonda en 1900 les *Cahiers de la Quinzaine* où, après avoir retrouvé la foi en 1908, il affirma sa soif de justice et sa ferveur religieuse. Entre 1910 et 1914, il composa ses grandes œuvres poétiques. Son lyrisme, qui sombre parfois dans une lourde rhétorique *(Eve)*, atteint dans les *Tapisseries de Jeanne d'Arc, de Sainte Geneviève, de Notre-Dame)* une ampleur singulière, plus nourrie par la tradition que par les recherches esthétiques de son temps. Ainsi dans la quatrième des *Prières dans la cathédrale de Chartres* :

PRIÈRE DE REPORT

Nous avons gouverné de si vastes royaumes,
O régente des rois et des gouvernements,
Nous avons tant couché dans la paille et les chaumes,
Régente des grands gueux et des soulèvements.

Nous n'avons plus de goût pour les grands majordomes,
Régente du pouvoir et des renversements,
Nous n'avons plus de goût pour les chambardements,
Régente des frontons, des palais et des dômes.

Nous avons combattu de si ferventes guerres
Par devant le Seigneur et le Dieu des armées,
Nous avons parcouru de si mouvantes terres,
Nous nous sommes acquis si hautes renommées.

Nous n'avons plus de goût pour le métier des armes,
Reine des grandes paix et des désarmements,
Nous n'avons plus de goût pour le métier des larmes,
Reine des sept douleurs et des sept sacrements.

Nous avons gouverné de si vastes provinces,
Régente des préfets et des procurateurs,
Nous avons lanterné sous tant d'augustes princes.
Reine des tableaux peints et des deux donateurs.

Nous n'avons plus de goût pour les départements,
Ni pour la préfecture et pour la capitale,
Nous n'avons plus de goût pour les embarquements,
Nous ne respirons plus vers la terre natale,

Illustration de Soulas

Nous avons encouru de si hautes fortunes,
O clef du seul honneur qui ne périra point,
Nous avons dépouillé de si basses rancunes,
Reine du témoignage et du double témoin.

Nous n'avons plus de goût pour les forfanteries,
Maîtresse de sagesse et de silence et d'ombre,
Nous n'avons plus de goût pour les argenteries,
O clef du seul trésor et d'un bonheur sans nombre.

Nous en avons tant vu, dame de pauvreté,
Nous n'avons plus de goût pour de nouveaux regards,
Nous en avons tant fait, temple de pureté,
Nous n'avons plus de goût pour de nouveaux hasards.

Nous avons tant péché, refuge du pécheur,
Nous n'avons plus de goût pour les atermoiements,
Nous avons tant cherché, miracle de candeur,
Nous n'avons plus de goût pour les enseignements.

Nous avons tant appris dans les maisons d'école,
Nous ne savons plus rien que vos commandements.
Nous avons tant failli par l'acte et la parole,
Nous ne savons plus rien que nos amendements.

Nous sommes ces soldats qui cognaient par le monde,
Mais qui marchaient toujours et n'ont jamais plié,
Nous sommes cette Eglise et ce faisceau lié,
Nous sommes cette race internelle et profonde.

Nous ne demandons plus de ces biens périssables,
Nous ne demandons plus vos grâces de bonheur,
Nous ne demandons plus que vos grâces d'honneur,
Nous ne bâtirons plus nos maisons sur ces sables.

Nous ne savons plus rien de ce qu'on nous a lu,
Nous ne savons plus rien de ce qu'on nous a dit.
Nous ne connaissons plus qu'un éternel édit,
Nous ne savons plus rien que votre ordre absolu.

Nous en avons trop pris, nous sommes résolus.
Nous ne voulons plus rien que par obéissance,
Et rester sous les coups d'une auguste puissance,
Miroir des temps futurs et des temps révolus.

S'il est permis pourtant que celui qui n'a rien
Puisse un jour disposer, et léguer quelque chose,
S'il n'est pas défendu, mystérieuse rose,
Que celui qui n'a pas reporte un jour son bien ;

S'il est permis au gueux de faire un testament,
Et de léguer l'asile et la paille et le chaume,
S'il est permis au roi de léguer le royaume,
Et si le grand dauphin prête un nouveau serment ;

S'il est admis pourtant que celui qui doit tout
Se fasse ouvrir un compte et porter un crédit,
Si le virement tourne et n'est pas interdit,
Nous ne demandons rien, nous irons jusqu'au bout.

Si donc il est admis qu'un humble débiteur
Puisse élever la voix pour ce qui n'est pas dû,
S'il peut toucher un prix quand il n'a pas vendu,
Et faire balancer par solde créditeur ;

Nous qui n'avons connu que vos grâces de guerre
Et vos grâces de deuil et vos grâces de peine,
(Et vos grâces de joie, et cette lourde plaine),
Et le cheminement des grâces de misère ;

Et la procession des grâces de détresse,
Et les champs labourés et les sentiers battus,
Et les cœurs lacérés et les reins courbatus,
Nous ne demandons rien, vigilante maîtresse.

Nous qui n'avons connu que votre adversité,
(Mais qu'elle soit bénie, ô temple de sagesse),
O veuillez reporter, merveille de largesse,
Vos grâces de bonheur et de prospérité.

Veuillez les reposer sur quatre jeunes têtes,
Vos grâces de douceur et de consentement,
Et tresser pour ces fronts, reine de pur froment,
Quelques épis cueillis dans la moisson des fêtes.

Œuvres poétiques complètes, la Pléiade / Gallimard. *Les Tapisseries*,
Poésie / Gallimard. ◊ J. Delaporte, *Connaissance de Péguy*, Plon.
A. Béguin, *L'Eve de Péguy*, Seuil. A. Rousseaux, *Le Prophète Péguy*,
Seuil. S. Fraisse, *Péguy et le monde antique*, A. Colin. L. Perche,
Péguy, Poètes d'aujourd'hui / Seghers.

jean-marie levet 1874-1906

L'édition — posthume — des poèmes de Levet, en 1921, s'ouvrait sur un dialogue entre Fargue et Larbaud. Fargue avait été l'ami de ce dandy, né à Montrison en 1874, familier de Montmartre, amateur du Moulin-Rouge, de bars louches, d'histoires étranges, mais aussi diplomate (en Indochine, à Manille, à Las Palmas) et coureur de mers. Larbaud, comme Morand et Cendrars, pouvait saluer en lui un précurseur. Avec les poèmes, que ses éditeurs baptisèrent *Cartes postales*, et qu'il adressait à des amis depuis des terres lointaines ou de la Côte d'Azur, quand il y soignait la phtisie qui allait l'emporter à trente-deux ans, Levet inaugurait la poésie des paquebots, des fuseaux horaires, du multilinguisme, des civilisations entrecroisées, du « rien que la terre ».

EGYPTE. PORT-SAID. EN RADE

A Gabriel Fabre.

On regarde briller les feux de Port-Saïd,
Comme les Juifs regardaient la Terre Promise ;
Car on ne peut débarquer ; c'est interdit
— Paraît-il — par la Convention de Venise

A ceux du pavillon jaune de quarantaine.
On n'ira pas à terre calmer ses sens inquiets
Ni faire provision de photos obscènes
Et de cet excellent tabac de Latakieh...

Poète, on eût aimé, pendant la courte escale
Fouler une heure ou deux le sol des Pharaons,
Au lieu d'écouter miss Florence Marshall
Chanter « The Belle of New York », au salon.

COTE D'AZUR. NICE

A Francis Jourdain.

L'Ecosse s'est voilée de ses brumes classiques,
Nos plages et nos lacs sont abandonnés ;
Novembre, tribunal suprême des phtisiques,
M'exile sur les bords de la Méditerranée...

J'aurai un fauteuil roulant « plein d'odeurs légères »
Que poussera lentement un valet bien stylé :
Un soleil doux vernira mes heures dernières,
Cet hiver, sur la Promenade des Anglais...

Bonnard, Vue du Cannet.

Pendant que Jane, qui est maintenant la compagne
D'un sain et farouche éleveur de moutons
Emaille de sa grâce une prairie australe
De plus de quarante milles carrés, me dit-on,

Et quand le sang pâle et froid de mon crépuscule
Aura terni le flot méditerranéen,
Là-bas, dans la Nouvelle Galles du Sud,
L'aube d'un jour d'été l'éveillera... C'est bien !...

Poèmes, Métamorphoses / Gallimard.

rainer maria rilke 1875-1926

Né à Prague en 1875, Rilke, avec les *Elégies de Duino,* fut plus qu'un grand poète de langue allemande : un des initiateurs de la sensibilité moderne. Imprégné de culture française, ami de Valéry, il écrivit dans notre langue (celle de Mallarmé) deux recueils : *Vergers* et *Roses.*

Musée de Trieste, le « verger baroque ».

Nul ne sait, combien ce qu'il refuse,
l'Invisible, nous domine, quand
notre vie à l'invisible ruse
cède, invisiblement.

Lentement, au gré des attirances
notre centre se déplace pour
que le cœur s'y rende à son tour :
lui, enfin Grand-Maître des absences.

Combien de ports pourtant, et dans ces ports
combien de portes, t'accueillant peut-être,
combien de fenêtres
d'où l'on voit ta vie et ton effort.

Combien de grains ailés de l'avenir
qui, transportés au gré de la tempête,
un tendre jour de fête
verront leur floraison t'appartenir.

Combien de vies qui toujours se répondent ;
et par l'essor que prend ta propre vie
en étant de ce monde,
quel gros néant à jamais compromis.

Une rose seule, c'est toutes les roses
et celle-ci ; l'irremplaçable,
le parfait, le souple vocable
encadré par le texte des choses.

Comment jamais dire sans elle
ce que furent nos espérances,
et les tendres intermittences
dans la partance continuelle.

Œuvres, t. II, *Poésie,* Seuil.

pierre albert-birot 1876-1967

Apollinaire le qualifiait de « pyrogène ». Peintre, antiquaire, Pierre Albert-Birot fit mille choses dont un roman étonnant, écrit d'une seule coulée : *Grabinoulor* (1933). En 1916, il fonda une revue, *SIC*, où il accueillit Apollinaire, Reverdy, Severini, Tzara. Lui-même se révéla, dans ses poèmes, particulièrement inventif, aussi habile à introduire l'insolite dans le familier (« Les fenêtres les portes et les murs / Avec leurs couleurs / Et les toits et les massifs du jardin / Commencent à me connaître / Causons ») qu'à lâcher les mots en liberté ou à s'aventurer, avec des poèmes à crier et danser et des poèmes-dessins, dans le lettrisme.

```
IL FAUDRAIT TROUVER
ᴧᴧᴧᴧᴧᴧᴧᴧᴧᴧᴧᴧᴧᴧᴧᴧᴧᴧᴧᴧᴧᴧᴧᴧᴧᴧᴧᴧᴧ
U·N·.·.·☺·.·A·.·U·.·T·.·.·.·:·E
CCCCC      I      EEEEE      L
C    C     I      E   E      L
C          I      E          L
C          I      E          L
C          I      EE         L
C          I      E          L
C    C     I      E   E      L
CCCCC      I      EEEEE      I LLLL
CELUI·.·CI·.·EST;TROP·.·BAS
ON.(·.·)'LE'(·.·)'TOUCHE.(·.·)'AVEC.(·.·).LA.(·.·).MAIN
M.A.I.S·I'L·E.S.T·E'N·P.A.P.I.E.R·D.·S.O.I.E
ᴧᴧᴧᴧᴧᴧᴧᴧᴧᴧᴧᴧᴧᴧᴧᴧᴧᴧᴧᴧᴧᴧᴧᴧᴧᴧᴧᴧᴧ
C/O/M/M/E'/./'UN'./.'CER.CEAU'./.'D'É/C/U'Y/È/R/E
ᴧᴧᴧᴧᴧᴧᴧᴧᴧᴧᴧᴧᴧᴧᴧᴧᴧᴧᴧᴧᴧᴧᴧᴧᴧᴧᴧᴧᴧ
I·L·.·.·.:·S·U·F·F·I·T·.·.:·D·E·.:·.::·O·I·R·E
HH    HH    OOOOOOO      PP?PPPPPP
HHHHHHH     OO    OO     PP?PPPPPP
HH    HH    OOOOOOO      PP
P*O*U*R*(·)(·)PASSER(·)(·)(·)AU(·)·(·)T*R*A*'*E*R*S
HH    HH    OOOOOOO      PP?PPPPPP
HHHHHHH     OO    OO     PP?PPPPPP
HH    HH    OOOOOOO      PP
```

Poésie 1916-1924 (Trente et un Poèmes de Poche, Poèmes quotidiens, La Joie des sept couleurs, La Triloterie, La Lune ou le livre des poèmes) Gallimard. *Poèmes à l'autre moi*, Caractères. *Graines*, Club du poème, Genève. ◊ Jean Follain, *Pierre Albert-Birot*, Poètes d'aujourd'hui / Seghers.

léon-paul fargue 1876-1947

« Je suis né rue Coquillière. » Léon-Paul Fargue était Parisien du quartier des Halles, cœur et ventre de cette ville dont, piéton infatigable et noctambule impénitent, il se fit l'explorateur et le poète, célébrant ses éclairages artificiels, ses échoppes, ses boutiques, ses palaces et ses bouges, ses beautés ignorées enfin : « Si le port de la Villette et le canal Saint-Martin, pleins de crinières d'écluses et de lumières marines, se passaient à Venise ou à Amsterdam, tu les trouverais admirables, et tu ne les connais même pas. » Ses débuts, il les fit dans des revues symbolistes, alors qu'il était encore au lycée Henry IV le condisciple de Jarry. Ami de Valéry, de Gide, écumeur du Paris nocturne en compagnie de Levet ou de Jean de Tinan, Fargue, qui avait fréquenté les mardis de Mallarmé, devint célèbre en 1924 après le lancement de la revue *Commerce* à la direction de laquelle il participait. Poète jusque dans ses proses, il publia peu, retouchant constamment ses textes. S'il aimait les jeux verbaux (« Il est une bebête / Ti Li petit nenfant / Tirellan /. C'est une byronette / La beste à sa moman... ») et le parler argotique (« Les apaches s'installaient / Sur un réchaud de panouilles. / Les daguenettes ballaient / Avec leurs pesons de douilles. »), il savait aussi prolonger les accents verlainiens. Surtout sensible à l'insolite du quotidien, il donna au poème en prose, et jusque dans ses rythmes, une étrange âpreté.

DIMANCHES

Des champs comme la mer, l'odeur rauque des herbes,
Un vent de cloches sur les fleurs après l'averse,
Des voix claires d'enfant dans le parc bleu de pluie,

Un soleil morne ouvert aux tristes, tout cela
Vogue sur la langueur de cet après-midi...
L'heure chante. Il fait doux. Ceux qui m'aiment sont là...

J'entends des mots d'enfant, calmes comme le jour.
La table est mise simple et gaie avec des choses
Pures comme un silence de cierges présents...

Le ciel donne sa fièvre hélas comme un bienfait...
Un grand jour de village enchante les fenêtres...
Des gens tiennent des lampes c'est fête et des fleurs...

Au loin un orgue tourne son sanglot de miel...
Oh je voudrais te dire...   *(Pour la musique.)*

POÈME

Dans la rue qui monte au soleil morne et grand ouvert, des voix conseillent qu'on s'accoude aux fenêtres, pour voir passer les trains de luxe, au bord du ciel, à droite, par-dessus les arbustes du jardin de la gare. Un train écume et se rendort. Des musiques diffuses rôdent. La vie antérieure émerge et chuchote...

Villes de songe, lorsqu'on pense à vos noms plaintifs, on prête l'oreille... Il semble que des voix longues vous hèlent par-dessus les barrières et les chants des âges, et que des odeurs, comme des veilleuses, et que des fougères d'étoiles s'allument... Il semble que vos ruines tremblent sous leur châle de lune, et que l'horizon bouge, au plus profond des nuits repues de silence, d'une lente pluie de larmes...

Les grands boulevards, vers 1900.

Mais j'en sais bien plus de cette pauvre ville... Vous venez comme moi, sans doute, sur une place, y chercher le spectre d'un vieil amour ? Dans les Forges couchées à l'Est, aux corps de femmes nues et rousses, des formes se hâtent avec une sûreté ancienne. Les Hauts Fourneaux de Bieulles flambent. — Depuis le canal d'or où l'écluse trempe solidement dans l'émail chaud, jusqu'à l'horizon lourd, barré des sourcils des stratus, où se terrent d'autres songes, l'allée de peupliers rame sans frisson, comme à la parade et d'un geste infini...

Passe le pont. Des porteurs encombrent la rue... J'allais le dire. L'œil cerné d'un quinquet tourne là sa rousseur... Les beaux regards et les bras nus de Carmen et de Juliette glissent aux fenêtres... Celles qui battent leur quart sous les hangars détournent les partants de leur voyage... De vieux murs tournent le dos à ces gaietés.

Tu passes sous une voûte brillante de salpêtre. Tu trouves des cyprès bien grands et noirs sur une place vaste et vide que le couchant touche d'ors calmes. Elle est ceinte d'escaliers rouges, comme l'âtre du crépuscule... Ils exhaussent des boutiques touchantes aux modes désuètes, et d'autres, aux jupes de femmes pauvres, et d'autres fermées, étroites et grises d'usure, qui ressemblent à des signets de vieux livres...

Plus tard, il semble que les rues s'enfoncent au-devant du soir comme un orphelinat qui rentre... Un piano pense avec lenteur... Alors, au fond de vieilles impasses, béantes comme des muets qui voudraient parler, bat l'étrange lumière des cœurs humbles et troubles... Et tout était doré et mort dans la vitrine de l'horloger pauvre...

Mais dans une rue qui a un nom d'oiseau triste, demeure et sourit, jour et nuit, l'éternelle Myrtis au clair visage. *(Poèmes.)*

Au vrai, toute page poétique de Fargue nous apparaît d'abord comme un tissu vivant parcouru d'un seul spasme. (Saint-John Perse)

Poésies (Tancrède, Ludions, Poèmes, sous la lampe), préface de Saint-John Perse, Gallimard. ◊ Cl. Chonez, Fargue, L. Rypko-Schub, Fargue, Droz. Pour la musique, Espaces, Sous la lampe), préface de Saint-John Perse, Gallimard, et Poésie / Gallimard. ◊ Cl. Chonez, Fargue, Poètes d'aujourd'hui / Seghers. L. Rypko-Schub, Fargue, Droz.

max jacob 1876-1944

« L'enfant, l'éfant, l'éléphant, la grenouille et la pomme sautée. » Max Jacob, laissant parler les mots, la langue jouer entre les analogies sonores et les ruptures de sens, métamorphosait une énumération en poème. Cet alchimiste farceur à la fois renouait avec le discours pour rire de l'enfance et construisait — avec une rare science du verbe, des inversions, du double-sens ou du coq-à-l'âne sublimé — un univers apparemment absurde, cocasse ou fantastique, mais où se trouvaient piégés tics de langage, conformismes sociaux et jusqu'au prétendu sérieux de la réalité. En ayant l'air de ne pas y toucher, sous ses dehors d'amuseur, de paresseux (mais rien n'est mieux agencé que la mécanique de ses textes), de mondain et, après la révélation qu'il eut de Dieu en 1909 et son baptême en 1915, de mystique, Max Jacob fut, avec ses amis Apollinaire et Picasso, un de ceux qui brisèrent les vieux moules de l'expression artistique. Né à Quimper, ce Breton d'origine israélite qui, venu à Paris pour être peintre, exerça divers métiers, de clerc d'avoué à critique d'art, fut d'abord, paradoxalement, un animateur de l'avant-garde (par ses articles et prises de position) et un poète discret, se faisant prier pour donner ses textes aux revues. Son premier recueil, les Œuvres burlesques et mystiques de Frère Matorel, parut seulement en 1912. En 1915, son œuvre maîtresse, le Cornet à dés, ouvrait les voies aussi bien à Prévert et Queneau qu'au théâtre de l'absurde.

LE COQ ET LA PERLE [extraits]

Je me déclare mondial, ovipare, girafe, altéré, sinophobe et hémisphérique. Je m'abreuve aux sources de l'atmosphère qui rit concentriquement et pète de mon inaptitude.

Un incendie est une rose sur la queue ouverte d'un paon.

Au pied du lit l'armoire à glace, c'est la guillotine, on y voit nos deux têtes pécheresses.

Comme un bateau est le poète âgé
Ainsi qu'un dahlia, le poète étagé
Dahlia ! Dahlia ! que Dalila lia.

POÈME

La grêle est sur la mer ; la nuit tombe : « Allumez le phare à bœufs ! »
La vieille courtisane est morte à l'auberge : il n'y a que des rires dans la maison.

Il grêle et le cinématographe fonctionne pour les marins à la maison d'école.

L'instituteur a une belle figure. Me voici dans la campagne ; il y a deux hommes qui regardent briller le phare à bœufs.

« Enfin, vous voilà ! me dit l'instituteur. Allez-vous prendre des notes pendant le cinématographe ? le petit ménage des adjoints vous cédera la table.

— Des notes ? quelles notes prendrais-je ? les sujets des films ?

— Non ! vous condenserez le rythme du Cinéma et celui de la grêle et aussi le rire de ceux qui assistent à la mort de la vieille courtisane pour avoir l'idée du Purgatoire. »

ROMAN FEUILLETON

Donc, une auto s'arrêta devant l'hôtel à Chartres. Savoir qui était dans cet auto, devant cet hôtel, si c'était Toto, si c'était Totel, voilà ce que vous voudriez savoir, mais vous ne le saurez jamais... jamais... La fréquentation des Parisiens a fait beaucoup de bien aux hôteliers de Chartres, mais la fréquentation des hôteliers de Chartres a fait beaucoup de mal aux Parisiens pour certaines raisons. Un garçon d'hôtel prit les bottes du propriétaire de l'auto et les cira : ces bottes furent mal cirées, car l'abondance des autos dans les hôtels empêchait les domestiques de prendre les dispositions nécessaires à un bon cirage de bottes ; fort heureusement, la même abondance empêcha notre héros d'apercevoir que ses bottes étaient mal cirées. Que venait faire notre héros dans cette vieille cité de Chartres, qui est si connue ? il venait chercher un médecin, parce qu'il n'y en a pas assez à Paris pour le nombre de maladies qu'il avait.

GENRE BIOGRAPHIQUE

Déjà, à l'âge de trois ans, l'auteur de ces lignes était remarquable : il avait fait le portrait de sa concierge en passe-boule, couleur terre-cuite, au moment où celle-ci, les yeux pleins de larmes, plumait un poulet. Le poulet projetait un cou platonique. Or, ce n'était ce passe-boule, qu'un passe-temps. En somme, il est remarquable qu'il n'ait pas été remarqué : remarquable, mais non regrettable, car s'il avait été remarqué, il ne serait pas devenu remarquable ; il aurait été arrêté dans sa carrière, ce qui eût été regrettable. Il est remarquable qu'il eût été regretté et regrettable qu'il eût été remarqué. Le poulet du passe-boule était une oie.

VÉRITABLE POÈME

On se séparait, mes frères aînés et moi, près des fossés. « Tiens ! prends le couteau ! »

On était sous les pins ; tout était de l'herbe et des fleurs. « Ah ! prends garde à l'eau ! »

On se rapprochait quelquefois une plante à la main « C'est de la ciguë rose ! »

Mais quand il fallut chercher un pot à la maison pour contenir la moisson, ce fut autre chose.

L'officier de marine dormait dans son lit, le dos vers la porte.

La cousine faisait le ménage, les draps sur les chaises. Mes sœurs chantaient sous les toits et moi je restai comme un petit enfant, mes fleurs dans les mains sur les marches de l'escalier qui se perd.

En 1921, las des plaisirs parisiens, Max Jacob se retira à Saint-Benoît-sur-Loire où, hors une longue escapade mondaine, il vécut entre la prière et l'écriture jusqu'à son arrestation par la Gestapo en 1944 et sa mort au camp de Drancy. Son mysticisme n'altéra en rien son invention et son humour poétiques, comme en témoignent *le Laboratoire central*, *les Ballades* et les textes publiés après sa mort, *Poèmes de Morven le Gaélique*, où il joue remarquablement du langage parlé. et *Derniers Poèmes*.

Max Jacob dans sa chambre à l'abbaye de Saint-Benoît-sur-Loire.

LE TESTAMENT DE BEC-BRAZ

Je lègue ma bêche au Seigneur duc
pour qu'il apprenne la manœuvre
et ma chèvre par-dessus le marché
pour qu'il coure après ses douleurs,
mon cochon à M. le recteur
qui mange du boudin en Carême
et ma fontaine à lui, de même,
pour qu'il mette de l'eau dans son vin ;
mon esprit à Yves Judec
qui ne peut en avoir tout seul,
ma patience aux filles du pays
et mes deux années de prison
aux gredins à l'aise dans les foires.
Mon enfant à Marie Le Goff
puisque ses amants ne lui en **font pas**
et je lui lègue mon cœur aussi
puisqu'elle n'en veut pas **autrement**.
Au Guélic mon testament
pour qu'il en fasse une chanson.

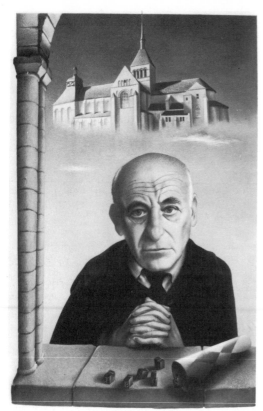

Max Jacob, par lui-même.

BERCEUSE DE LA PETITE SERVANTE

Ton père est à la messe,
ta mère au cabaret,
tu auras sur les fesses
si tu vas encore crier.

Ma mère était pauvresse
sur la lande à Auray
et moi je fais des crêpes
en te berçant du pied.

Si tu mourais du croup,
coliques ou diarrhées,
si tu mourais des croûtes
que tu as sur le nez,

Je pêcherais des crevettes
à l'heure de la marée
pour faire la soupe aux têtes :
y a pas besoin de crochets.

LA MORT

Le corps gelé dans le charnier du monde qui lui rendra la vie pour l'en faire sortir ?

La montagne du charnier est sur mon corps qui dégagera la vie pour l'en faire sortir ?

Comme un nuage d'abeilles s'avancent les yeux, les yeux d'Argus ou ceux du mouton de l'Apocalypse.

Le nuage a fondu le charnier de mon corps, Place, m'entendez-vous, place à l'arrivée douce du Seigneur.

Bref le corps n'est plus qu'un dessin léger, les yeux du nuage aussi sont évanouis.

A peine s'il reste l'étendue d'un beefsteak, une tache de sang et quelques débris de marbre pour rappeler un nom oublié.

Le Cornet à dés, Gallimard et Poésie / Gallimard. *Le Cornet à dés II, Saint Matorel, Morceaux choisis, Le Laboratoire central, Derniers Poèmes en vers et prose, Poèmes de Morven le Gaélique*, Gallimard ◊ André Billy, *Max Jacob*, Poètes d'aujourd'hui / Seghers. J. Rousselot, *Max Jacob*, Laffont.

filippo-tommaso marinetti 1876-1944

ne page des
Mots en liberté futuristes.

Italien, mais considérant que Paris était le lieu de toute avant-garde, F.-T. Marinetti fut d'abord un poète français, de ton encore symboliste dans *la Conquête des étoiles* (1902) et *Destructions* (1904). En 1909, il publia dans *le Figaro* son *Manifeste du futurisme*, où il dit notamment : « Nous déclarons que la splendeur du monde s'est enrichie d'une beauté nouvelle : la beauté de la vitesse. Une automobile de course avec son coffre orné de gros tuyaux, tels des serpents à l'haleine explosive... une automobile rugissante, qui a l'air de courir sur la mitraille, est plus belle que la Victoire de Samothrace. » Tandis qu'Apollinaire s'y intéressait, de nombreux poètes et peintres italiens se ralliaient au futurisme. Mais c'est encore en français qu'en 1919, Marinetti publia *les Mots en liberté futuristes*, avant le déclin du mouvement.

BATAILLE

POIDS + ODEUR

[...] Midi 3/4 flûtes glapissements embrassements toumb-toumb alarme Gargaresch craquement crépitation marche Cliquetis sacs fusils sabots clous canons crinières roues caissons juifs beignets pains-à-huile cantilènes échoppes bouffées chatoiement chassie puanteur cannelle fadeurs flux reflux poivre rixe vermine tourbillon orangers-en-fleurs filigrane misère dés échecs cartes jasmin + muscade + rose arabesque mosaïque charogne hérissement savates mitrailleuses = galets + ressac + grenouilles Cliquetis sacs fusils canons ferraille atmosphère = plomb + lave + 300 puanteurs + 50 parfums pavé-matelas détritus crottin charogne flic-flac entassement chameaux bourricots tohu-bohu cloaque Souk-des-argentiers dédale soie azur galabieh pourpre orange moucharabieh arches enjambement bifurcation placette pullulement ↘ tannerie cireurs gandouras burnous grouillement couler suinter bariolage enveloppement excroissances fissures tanières gravats démolition acide-phénique chaux pouillerie Cliquetis sacs fusils sabots clous canons caissons coups-de-fouet drap-de-soldat suint impasse à-gauche entonnoir à-droite carrefour clair-obscur étuves fritures musc jonquilles [...]

Les Mots en liberté futuristes, Sansot.

o. v. de l. milosz 1877-1939

Après avoir passé son enfance dans le grand domaine familial de Lithuanie, O.V. de Lubicz-Milosz fit ses études à Paris où ses parents se fixèrent en 1889. Il s'initia à l'araméen, à l'hébreu, à la philosophie hermétique. Poète, il sacrifia d'abord au symbolisme (*Poèmes des décadences*, 1899). Nourrie de la Bible, puis, après 1914, d'une réflexion métaphysique très personnelle, son inspiration, des *Eléments* (1911) à *Adramandoni* (1918) et *Ars magna* (1924), se fit plus ample, plus universelle.

LA CHARRETTE

L'esprit purifié par les nombres du temple,
La pensée ressaisie à peine par la chair, déjà,
Déjà ce vieux bruit sourd, hivernal de la vie
Du cœur froid de la terre monte, monte vers le mien.

C'est le premier tombereau du matin, le premier tombereau
Du matin. Il tourne le coin de la rue et dans ma conscience
La toux du vieux boueur, fils de l'aube déguenillée,
M'ouvre comme une clef la porte de mon jour.

Et c'est vous et c'est moi. Vous et moi de nouveau, ma vie.
    Et je me lève et j'interroge
Les mains d'hôpital de la poussière du matin
Sur les choses que je ne voulais pas revoir.
La sirène au loin crie, crie et crie sur le fleuve.

Mettez-vous à genoux, vie orpheline
Et faites semblant de prier pendant que je compte et re-
    compte
Ces fleurages qui n'ont ni frères ni sœurs dans les jardins,
Tristes, sales, comme on en voit dans les faubourgs

Aux tentures des murs en démolition, sous la pluie. Plus
    tard,
Dans le terrible après-midi, vous lèverez les yeux du livre
    vide et je verrai
Les chalands amarrés, les barils, le charbon dormir
Et dans le linge dur des mariniers le vent courir.

Que faire ? Fuir ? Mais où ? Et à quoi bon ! La joie
Elle-même n'est plus qu'un beau temps de pays d'exil,

Mon ombre n'est ni aimée ni haïe du soleil ; c'est comme
    un mot
Qui en tombant sur le papier perd son sens ; et voilà,

O vie si longue ! pourquoi mon âme est transpercée
Quand cet enfant trouvé, quand frère petit-jour
Par l'entrebâillement des rideaux me regarde, quand au
    cœur de la ville
Résonne un triste, triste, triste pas d'épouse chassée.

Te voici donc, ami d'enfance ! Premier hennissement si pur,
Si clair ! Ah, pauvre et sainte voix du premier cheval
    sous la pluie !
J'entends aussi le pas merveilleux de mon frère ;
Les outils sur l'épaule et le pain sous le bras,

C'est lui ! C'est l'homme ! Il s'est levé ! Et l'éternel devoir
L'ayant pris par la main calleuse, il va au-devant de son
    jour. Moi,
Mes jours sont comme les poèmes oubliés dans les
    armoires
Qui sentent le tombeau ; et le cœur se déchire

Quand sur la table étroite où les muets voyages
Des veilles de jadis ont, comme ceux d'Ulysse,
Heurté toutes les îles des vieux archipels d'encre,
Entre la Bible et Faust apparaît le pain du matin.

Je ne le romprai pas pour l'épouse terrestre,
Et pourtant, ma vie, tu sais comme je l'ai cherchée
Cette mère du cœur ! Cette ombre que j'imaginais
Petite et faible, avec de belles saintes mains

Doucement descendues sur le pain endormi
A l'instant éternellement enfant du Bénédicité
De l'aube ; les épaules étaient épaules d'orpheline
Un peu tombantes, étroites, d'enfant qui a souffert, et les
    genoux

De la pieuse tiraient l'étoffe de la robe
Et dans le mouvement des joues et de la gorge
Pendant qu'elle mangeait, une claire innocence,
Une gratitude, une pureté qui faisait mal — ô

Vie ! O amour sans visage ! Toute cette argile
A été remuée, hersée, déchiquetée
Jusqu'aux tissus où la douleur elle-même trouve un som-
    meil dans la plaie
Et je ne peux plus, non, je ne peux plus, je ne peux plus !

(*Adramandoni.*)

Œuvres complètes, présentées par J. Buge, t. I et II (*Poésies*),
Silvaire. ◇ J. Rousselot, *O. V. de L. Milosz*, Poètes d'aujourd'hui /
Seghers. J. Bellemin-Noël, *Le Texte et l'avant-texte*, Larousse.

raymond roussel 1877-1933

Son œuvre, comme le fut sa vie, est éclatante et mystérieuse. Héritier d'une immense fortune, Roussel aima le luxe, voyagea beaucoup, préserva jalousement sa vie intime, et mourut en 1933 à Palerme d'un abus de drogue, peut-être volontaire. Lorsqu'en 1897, à vingt ans, admirateur de Jules Verne et de Hugo, il écrivait *la Doublure*, roman en vers, il éprouva dit-il, « une sensation de gloire universelle d'une intensité extraordinaire ». L'insuccès lui causa un choc non moins violent. Il continua d'écrire. Pourtant tous ses livres furent des échecs et les pièces, qu'il fit représenter à grands frais, des fours ou des scandales. Enfin, les surréalistes, les premiers, osèrent défendre ses spectacles, admirer ses poèmes. Aujourd'hui son œuvre fascine, qui ne doit rien au réel mais se présente comme une mécanique de l'imaginaire minutieusement agencée. Ainsi, dans *la Source*, un des trois poèmes de *la Vue*, Roussel, examinant une étiquette, fait surgir tout un monde.

[...] Sur ma nappe est posée une haute bouteille
D'eau minérale en vogue ; on la vante, on conseille
Son usage abondant et surtout incessant
Sur un large papier d'un rose caressant
Entourant fixement la bouteille à sa base ;
Un dessin y figure où du monde s'écrase
Aux abords d'une source ; une donneuse d'eau
En tablier, ayant en guise de chapeau
Un nœud de ruban dans les cheveux, sert la foule ;
Elle tient par le fond un grand verre qui coule,
Tant il est plein de l'eau divine qui guérit.
La femme, en présentant le liquide, sourit,
Mettant une fossette à ses pommettes grasses.
Elle est habituée à faire force grâces,
Souhaitant avec des manières le bonjour
A tous les buveurs qu'elle abreuve tour à tour. [...]
Un homme tend la main pour atteindre le verre ;
C'est un butor, un gros ignorant terre-à-terre.
Il ne pense qu'à son ventre, qu'à ses repas
Engloutis ou futurs ; il ne s'enflamme pas
Pour le théâtre, pour la prose ou la musique.
Il n'attache de prix qu'au bien-être physique,
Qu'à l'appétit comblé ; la grosse question
Pour lui, c'est le manger et la digestion :
L'univers passe après. Contre lui se tient coite
Une jeune personne indéchiffrable et droite.
Elle baisse les yeux froidement ; elle sort

Le Gaulois du Dimanche
du 18 avril 190

SEPTIÈME ANNÉE — N° 390   18-19 AVRIL 1908

Le Gaulois du Dimanche

Directeur
ARTHUR MEYER

Supplément Hebdomadaire Littéraire et Illustré

ABONNEMENTS (avec le numéro de Samedi)
PARIS ET DÉPARTEMENTS
UN AN .... 2, rue Drouot, PARIS .... 10 fr.

LA VUE

POÈME INÉDIT DE M. RAYMOND ROUSSEL

Du couvent, n'a jamais rien entendu de fort
Et garde une réserve assidue et farouche. [...]
Des gens, en attendant leur tour avant de boire,
Forment des groupes. Deux ménages s'abordant
Comptent patienter mieux tout en bavardant.
Un des maris est vieux mais cambré ; sa moustache
Retombe fortement sur sa bouche et la cache ;
Il la tripote ; c'est un brave général
Entiché de ses longs exploits, peu cérébral,
Piétinant dans un cercle étroit ; il ne discerne
Pas grand'chose en dehors des faits de la caserne. [...]
Le ramollissement fatal, prochain, le guette.
Sa femme maigrichonne et petite, fluette,
A de l'intelligence heureusement pour deux ;
Vivant près d'un époux sot, radoteur et vieux,
Elle le trompe avec quiétude, le berne,
Le fait pirouetter à son gré, le gouverne.
Elle lui conte, avec un luxe approfondi
De détails sur l'emploi de ses après-midi,
Des anecdotes en masse qui sont ses œuvres,
Et lui fait avaler mille et une couleuvres,
Profitant de ce qu'il s'y prête à l'infini.
L'autre ménage est plus sincèrement uni,
Plus solidaire ; l'homme, un personnage grave,
Ne transige jamais sur rien ; il est l'esclave
Des usages reçus, de la tradition,
Croit que le genre humain est en perdition
Pour le triomphe d'une anodine réforme
Qu'il juge désastreuse, inacceptable, énorme.
Il est étroit d'esprit et de cœur, encroûté.
Hypnotisé par sa crainte, il est dérouté
Par une vérité neuve, même criante.
Une invention qui prend le désoriente.
Dans son entêtement fixe de routinier,
Il se cramponne à toute erreur, est le dernier
A conserver intacte une vieille habitude
Qui pour chacun est en pleine désuétude. [...]
Sa femme a des bandeaux plats ; sa mise dénote
Un esprit timoré, rigide, de dévote ;
Elle tremble en songeant au fritôt éternel
De l'enfer et voudrait monter tout droit au ciel
Sans quarantaine, sans stage préparatoire
Au milieu des tourments vexants du purgatoire. [...]

Dans *Impressions d'Afrique* ou *Locus Solus*, ses textes sont logiquement déduits et imaginairement construits à partir de l'association arbitraire de deux mots. Ainsi, ce passage d'*Impressions d'Afrique* est né, nous dit Roussel, de l'association de « 1° Mollet *(partie de la jambe)* à gras *(gras du mollet)* ; 2° mollet *(œuf mollet)* à gras *(fusil Gras)* ; d'où l'exercice de tir de Balbet ».

Tous les regards se tournèrent alors vers le tireur Balbet, qui venait de prendre sur la tombe du zouave les cartouchières maintenant fixées à ses flancs et l'arme qui n'était autre qu'un fusil Gras de marque très ancienne.

Marchant rapidement vers la droite, l'illustre champion. objet de l'attention générale, s'arrêta devant notre groupe et choisit soigneusement son poste en regardant vers le nord de la place.

Juste en face de lui, sous le palmier commémoratif, se dressait à longue distance le pieu carré surmonté d'un œuf mollet.

Plus loin, les indigènes postés en curieux derrière la rangée de sycomores s'écartèrent sur un signe de Rao pour dégager un large espace.

Balbet chargea son fusil, puis, épaulant avec soin, visa longuement et fit feu.

La balle, effleurant la partie supérieure de l'œuf, enleva une partie du blanc et mit le jaune à découvert.

Plusieurs projectiles tirés à la file continuèrent le travail commencé ; peu à peu l'enveloppe albumineuse disparaît au profit de l'élément interne, qui restait toujours intact.

Parfois, entre deux détonations, Hector Boucharessas allait en courant retourner l'œuf, qui, par suite de cette manœuvre, offrait sucessivement aux coups de feu tous les points de sa surface.

En arrière-plan un des sycomores faisait obstacle aux balles, qui, toutes, pénétraient dans le tronc partiellement taillé à plat dans le but d'éviter les ricochets.

Les vingt-quatre cartouches composant la provision de Balbet suffirent juste à l'achèvement de l'expérience.

Quand la dernière fumée eut jailli du canon de l'arme, Hector prit l'œuf dans le creux de sa main pour le présenter à la ronde.

Aucune trace de blanc ne subsistait sur la délicate membrane intérieure, qui, entièrement à nu, enveloppait le jaune sans porter une seule égratignure.

Bientôt, sur la prière de Balbet soucieux de montrer qu'une cuisson exagérée n'avait pas facilité l'exercice, Hector ferma un instant la main pour faire couler entre ses doigts le moyeu parfaitement liquide.

La Doublure, La Vue, Impressions d'Afrique, Locus Solus, Nouvelles Impressions d'Afrique, Pauvert. ◇ Jean Ferry, Une étude sur Raymond Roussel, Arcanes. Michel Foucault, Raymond Roussel, le Chemin Gallimard. Bernard Caburet, Raymond Roussel, Poètes d'aujourd'hui Seghers. François Caradec, Vie de Raymond Roussel, Pauvert.

victor segalen 1878-1919

Breton, né à Brest, Segalen n'aimait pas la mer. Néanmoins il choisit de devenir médecin de marine. Etudiant, attiré par la littérature et bientôt lié avec Saint-Pol Roux et Remy de Gourmont, il traita, dans sa thèse de doctorat, de la place des maladies mentales dans la littérature contemporaine. Puis ce fut Tahiti où, médecin de bord d'un aviso, il se passionna pour les légendes de l'île qui lui inspirèrent un roman : *les Immémoriaux*. Et enfin, à partir de 1909, la Chine. Jusqu'à son dernier séjour, en 1917, dont il revint atteint d'une étrange et mortelle maladie, il y fut, tour à tour ou ensemble, interprète, médecin, directeur de mission archéologique. Immergé dans la réalité chinoise, explorant le pays et sa culture, il devint le poète qu'il avait toujours souhaité être. Les poèmes des *Stèles* sont écrits en référence à ces rectangles de pierre qui se dressent dans les campagnes, à l'entrée des villes ou dans les temples et qui portent, gravés au burin, de courts textes : épitaphe, commémoratiton, louange. Mais ces poèmes, loin de transcrire ou de démarquer ses modèles chinois, procèdent à la transmutation de ceux-ci, visent à la création dans notre langue d'un genre poétique nouveau dont la Chine — plus rêvée que réelle — ne serait pas le nécessaire sujet. Mais ce genre, qui pourrait le pratiquer sans avoir l'imagerie du poète, le savoir de l'érudit et la précision du clinicien ?

DÉPART

Ici, l'Empire au centre du monde. La terre ouverte au labeur des vivants. Le continent milieu des Quatre-mers. La vie enclose, propice au juste, au bonheur, à la conformité.

Où les hommes se lèvent, se courbent, se saluent à la mesure de leurs rangs. Où les frères connaissent leurs catégories : et tout s'ordonne sous l'influx clarificateur du Ciel.

Là, l'Occident miraculeux, plein de montagnes au-dessus des nuages ; avec ses palais volants, ses temples légers, ses tours que le vent promène.

Tout est prodige et tout inattendu : le confus s'agite : la Reine aux désirs changeants tient sa cour. Nul être de raison jamais ne s'y aventure.

Son âme, c'est vers Là que, par magie, Mou-wang l'a projetée en rêve. C'est vers là qu'il veut porter ses pas.

Avant que de quitter l'Empire pour rejoindre son âme, il en a fixé, d'ici, le départ.

Cheval buvant, de Paul Gauguin

PIERRE MUSICALE

Voici le lieu où ils se reconnurent, les amants amoureux de la flûte inégale ;

Voici la table où ils se réjouirent l'époux habile et la
fille enivrée ;

Voici l'estrade où ils s'aimaient par les tons essentiels,

Au travers du métal des cloches, de la peau dure des
silex tintants,

A travers les cheveux du luth, dans la rumeur des
tambours sur le dos du tigre de bois creux,

Parmi l'enchantement des paons au cri clair, des grues
à l'appel bref, du phénix au parler inouï.

Voici le faîte du palais sonnant que Mou-Koung, le père,
dressa pour eux comme un socle,

Et voilà, — d'un envol plus suave que phénix, oiselles
et paons, — voilà l'espace où ils ont pris essor.

Qu'on me touche : toutes ces voix vivent dans ma
pierre musicale.

ÉLOGE DU JADE

Si le Sage, faisant peu de cas de l'albâtre, vénère le
pur Jade onctueux, ce n'est point que l'albâtre soit
commun et l'autre rare : Sachez plutôt que le Jade
est bon,

Parce qu'il est doux au toucher — mais inflexible.
Qu'il est prudent : ses veines sont fines, compactes
et solides.

Qu'il est juste puisqu'il a des angles et ne blesse pas.
Qu'il est plein d'urbanité quand, pendu de la ceinture, il se penche et touche terre.

Qu'il est musical : sa voix s'élève, prolongée jusqu'à la
chute brève. Qu'il est sincère, car son éclat n'est
pas voilé par ses défauts ni ses défauts par son
éclat.

Comme la vertu, dans le Sage, n'a besoin d'aucune parure, le Jade seul peut décemment se présenter seul.

Son éloge est donc l'éloge même de la vertu.

PERDRE LE MIDI QUOTIDIEN

Perdre le Midi quotidien ; traverser des cours, des arches, des ponts ; tenter les chemins bifurqués ; m'essouffler aux marches, aux rampes, aux escalades ;

Eviter la stèle précise ; contourner les murs usuels ; trébucher ingénument parmi ces rochers factices ; sauter ce ravin ; m'attarder en ce jardin ; revenir parfois en arrière,

Et par un lacis réversible égarer enfin le quadruple sens des Points du Ciel.

Tout cela, — amis, parents, familiers et femmes, — tout cela, pour tromper aussi vos chères poursuites ; pour oublier quel coin de l'horizon carré vous recèle,

Quel sentier vous ramène, quelle amitié vous guide, quelles bontés menacent, quels transports vont éclater.

Mais, perçant la porte en forme de cercle parfait ; débouchant ailleurs : (au beau milieu du lac en forme de cercle parfait, cet abri fermé, circulaire, au beau milieu du lac, et de tout,)

Tout confondre, de l'orient d'amour à l'occident héroïque, du midi face au Prince au nord trop amical, — pour atteindre l'autre, le cinquième, centre et Milieu

Qui est moi.

Stèles, Peintures, Equipée, préface de P. J. Jouve, Plon. *Odes, suivies de Thibet*, Mercure de France. *Stèles*, préface de P.-J. Rémy. Poésie / Gallimard. ◊ Henri Bouillier, *Victor Segalen*, Mercure de France. J.-L. Bédou'n, *Victor Segalen*, Poètes d'aujourd'hui / Seghers. V.-P. Bol, *Lecture de « Stèles » de Victor Segalen*, Minard.

aysage chinois. par Pa-ta-Chan-Jen. XVII⁰ s.

jean de bosschère 1878-1953

D'origine belge, ami de Joyce, Pound et Artaud, Jean de Bosschère se voulait « le grand témoin de l'Etre et du temps » et se nommait « l'Obscur » : les poèmes qu'il ramenait de sa quête métaphysique, donnaient à lire leur sens à travers une imagerie somptueuse ; ainsi dans ce passage de *Blasphème nouveau* :

Je me cacherai de vous
qui ignorez les haines irréductibles
des concepts pour leur opération.

Alors, dans la solitude de cristal,
l'ascèse prit l'habit de velours
et l'âme absurde de l'aubépine.
Mais, moi, vêtu de ce rideau de fleurs d'aube,
je n'entrerai plus sur vos terres
moi, chair blanche de la communication
que n'imprègne plus l'amour ni le désespoir
ni le baragouin écolier des dogmes
et de leurs ministres empennés
méchants mimes des oiseaux du ciel.

Je suis de la tribu de tous ces hauts ruminants
qui dans la neige scintillante s'avancent vers l'aurore.
Et si trop de jours ont sombré
pour qu'encore vienne l'heure
de ressusciter ma mort,
déjà j'ai renié les carrefours planétaires
et j'enchaîne des anneaux en solitaire croissance.

Je laisse les bocaux de muscades et de confits
j'arrache ces torchons de charpie bruissant d'asticots,
et je suis où est mon Dieu
découvrable de la cabine
avec l'œil sage sur le gouvernail.

Je n'apporte plus le désespoir gentilhomme
et vous cacherai ma joie hérétique
au-delà des plantations d'autels aux trinités
et des pagodes cornues assises dans les rizières.

Derniers Poèmes de l'Obscur, Héritiers de l'Abîme, Fourcade. ◊ Luc Estang, Hélène Frémont, etc., *Jean de Bosschère l'admirable*. Au parchemin d'antan. G.-E. Clancier, *De Rimbaud au surréalisme*, Seghers.

francis picabia 1879-1953

« Je suis un beau monstre, / Qui partage ses secrets avec le vent. / Ce que j'aime le plus chez les autres, / C'est moi. » En 1945, reprenant et complétant, dans un poème de *Thalassa dans le désert*, une formule datant de 1920, Picabia affirmait de nouveau sa singularité de dynamiteur et d'accoucheur de monstres. Tout commença ce jour de 1911 où le peintre Picabia — né à Paris en 1879 d'un père cubain, descendant d'une grande famille espagnole, et d'une mère française — renonça au succès que lui valaient ses œuvres néo-impressionnistes pour traverser le cubisme et s'engager dans l'aventure de l'abstraction et de la peinture mécanique. En 1917, après deux séjours à New York où, avec son ami Duchamp, il fréquenta le groupe d'avant-garde *291*, il fonda la revue *391* qui fut bientôt à Paris un des principaux lieux de rencontre des dadaïstes, de Tzara et Ribemont-Dessaignes aux jeunes Breton, Aragon, Eluard et Soupault. Dans *391*, dans ses plaquettes (*l'Athlète des pompes funèbres, Poésie ron-ron, Jésus-Christ rastaquouère, Unique Eunuque*, etc.), il donna des poèmes. Ceux-ci, comme ses manifestes, contribuèrent à la définition de l'esprit Dada.

La seule façon d'être suivi c'est de courir plus vite que les autres.

La morale est l'épine dorsale des imbéciles.

Si vous voulez avoir des idées propres, changez-en comme de chemises.

La pudeur se cache derrière notre sexe.

Toutes les croyances sont des idées chauves.

REVOLVER

Chercher à contraindre moins qu'à plaire
  Odieuses caresses
    Femmes ou hommes litières
      Homicide égoïste et malheureuses victimes
        Et ils prétendent aimer
          Besoin sexuel
          Eglises
            Ecoles de petites filles
            Promenades publiques
              Les vierges ne guérissent pas la syphilis.

      (391.)

CAFETIÈRE DE BEURRE

Les guides à la main semant sa jolie langue
tout essoufflée avec une gaule amazone
la montagne bébé ramasse cinquante centimes
dans le jardin sangsue anémone
tombée d'une échelle carte postale.
Le frein de la salade en ceinture de cuir
une orange à la main souffle sur les vêtements
du pâtissier qui fait les vendanges à l'hôpital
du drapeau à la hampe de radis.
Nous sommes dans le grenier des merles
où l'aimable araignée porte des pépins
d'un air fatigué dans la large liqueur
des gilets en petits vers rongeurs.
Voltiger en l'air festin de chenille
c'est le risque du paradis de fer blanc
suspendu au plafond de la cheminée.

(La fille née sans mère.)

Pygmalion des caresses escaliers service
l'or est l'aumône du bonheur Piccadilly
Parisiens aveugles
Deux-et-deux-font-soixante neuf
la griserie sandwiches Armenonville
se maquille époussetant l'ennui
qu'elle est belle la baraque de perles
l'instinct des yeux idiots
c'est tout le monde
des sophas Titien
Clémenceau adore son image
le corset squelette tâtonne   *(391.)*

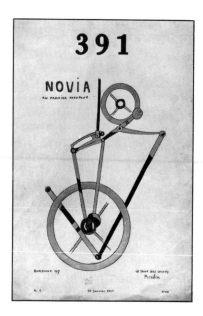

Couverture de la revue *391*,
dessin de Picabia.

C'EST ASSEZ BANAL

Quelqu'un en allumant une cigarette : pensez-vous à nos inexpériences ? pensez-vous à la pureté ? pensez-vous à l'attente ? pensez-vous à l'amour ?

A voix basse : pensez-vous à l'honnêteté ? —

Je pense à une fausse clef ; je pense tout à coup à déboutonner mes bottines maigres dans une tasse de thé au lait. « Ça s'est vu » dit une folle vertueuse qui faillit être déesse des valets de chambre, ce qui lui causa du chagrin et lui fit montrer son cul aux passants naïfs : elle avoua que deux ou trois fois par mois assise la voix tentatrice de l'amour envahit ses paupières opoponax qui se congestionnent de fard en boutique d'herboriste.

Je pense à une robe de religieuse ouverte sur la rue dans un monde sans cabinets W.C. à côté des romans feuilletés les bras ballants. Qu'avez-vous ?

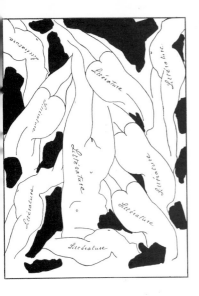

Couverture du nº 10 de *Littérature*, composée par Picabia.

Le même en rallumant la même cigarette par sursauts : « vous avez remarqué toutes les joies imaginables fardées de chandelles dans l'azur des étoiles trouées en girouettes sapin ? seriez-vous capable ? Il recula. — Plus doux, n'exigez pas !

Cette même personne m'inspire : aussi je veux le croire inévitablement et sans précautions que l'honnêteté dans le silence pend aux coins de ma bouche comme une demoiselle qui vient avec l'idéal marchand de précipices écarquillés dans les reins d'une écrevisse.

Allons assied-toi, rallume ta cigarette et écoute-moi — car il ne te manque qu'une seule chose, une petite bougie pour penser à ta maîtresse défardée par moi.

Il laissa choir sa cigarette allumée. Pensez-vous à la transparence de l'eau ? pensez-vous mourir ? pensez-vous à votre mère ? pensez-vous comme tout le monde à la souscription ?

Je pense surtout à mentir dans le miroir des stores baissés par ce que tu as épousé l'aumône de la vie. — Le rire et les baisers sentent le tabac, l'art, la gloire, la beauté, les étoiles, les promenades ; tais-toi je vais raconter, rallume si tu veux une cigarette.

Le corset bleu de la lune soubrette dans les herbes des poèmes en feuilles de roses, l'onyx des deux cuisses croisées sur ma tête, sous le ruissellement d'algues accrochées au rebord d'un hercule gymnaste de coton tourbillon enseveli avec des habits noirs me câline ; luxurieuses provisions de rêves de main droite. sous une couverture inapaisée. Les narines ouvertes dans cette chambre pompette : C'est ça, l'eau qui chauffe la doublure du Mont-de-Piété couvent.

Si le public des factures acquittées me taxe de clown, ma conscience monte à travers le vitrail confessionnal. Je suis Satan et Jésus le nez dans un bidon de fer-blanc. *(391.)*

toutes les oreilles sont surnaturelles
mon valet de chambre est le paratonnerre
des bonnes nouvelles
mourir de faim sera toujours
une source de regrets
si vous raisonnez par-dessus toute la probité
le pain et le sel
mais je ne veux pas vous ennuyer
en vous le décrivant   *(Pensées sans langage.)*

Ecrits, T.I., 1913-1920, Belfond. *Choix de poèmes*, G.L.M. ◊ P. de Massot, *Picabia*, Poètes d'aujourd'hui / Seghers. *391* (I et II), reprod. photo. prés. par M. Sanouillet, Losfeld. M. Sanouillet, *Dada à Paris*, Pauvert.

Bonjour mon poète je me Souviens de votre voix

Irène Lagut.

Apollinaire par ses amis peintres :
Irène Lagut, Maurice de Vlaminck
et Picasso.

guillaume apollinaire 1880-1918

Couleur du temps. Ce titre de la dernière pièce d'Apollinaire est le parfait emblème de son œuvre. Encore, pour désigner la mobilité, la fluidité de celle-ci, faut-il l'entendre selon le double sens : temps qu'il fait et temps qui passe. Tour à tour sentimentale et érotique, naïve et savante, familière et prophétique, son inspiration reflète ses humeurs : la couleur de l'instant. Mais la fuite de l'instant est ce qu'on souhaite accélérer ou suspendre : vieux thème qu'Apollinaire renouvelle par son chant avant de le faire éclater dans le simultanisme.

SIGNE

Je suis soumis au Chef du Signe de l'Automne
Partant j'aime les fruits je déteste les fleurs
Je regrette chacun des baisers que je donne
Tel un noyer gaulé dit au vent ses douleurs

Mon Automne éternelle ô ma saison mentale
Les mains des amantes d'antan jonchent ton sol
Une épouse me suit c'est mon ombre fatale
Les colombes ce soir prennent leur dernier vol

Né à Nice en 1880, enfant naturel d'une belle et fantasque Polonaise et, semble-t-il, non d'un cardinal selon la légende, mais d'un aristocrate italien, Guillaume, Albert, Vladimir, Alexandre, Apollinaire de Kostrowitsky quitta le lycée de Nice sans diplôme pour se lancer dans la vie : il fut employé de Bourse, précepteur, journaliste, et, comme critique d'art, se fit le théoricien du cubisme de son ami Picasso. Poète, il s'essaya à toutes les cadences, celles du symbolisme et de l'école romane. Mais c'est dans les chansons de toile, chez Rutebeuf et Villon, les baroques et les satiristes que ce bohème doublé d'un érudit, familier de la Bibliothèque nationale, amoureux des livres hermétiques comme des vieilles rues du Marais et de Prague, trouva ses sources. Dès lors, la sensibilité et la culture, la réalité et tout ce qu'elle suggère (impressions immédiates, souvenirs affectifs, connaissance) se fondirent dans ses vers, tissant un monde où tout se fait soit reflet troublant, soit négation ironique de l'émotion présente. Dans *la Chanson du mal-aimé*, la quête de l'amante perdue (Annie Playden) transforme l'atmosphère de Londres et, à la fin du poème, celle de Paris :

[...] Voie lactée ô sœur lumineuse
Des blancs ruisseaux de Chanaan
Et des corps blancs des amoureuses
Nageurs morts suivrons-nous d'ahan
Ton cours vers d'autres nébuleuses

Les démons du hasard selon
Le chant du firmament nous mènent

A sons perdus leurs violons
Font danser notre race humaine
Sur la descente à reculons

Destins destins impénétrables
Rois secoués par la folie
Et ces grelottantes étoiles
De fausses femmes dans vos lits
Aux déserts que l'histoire accable

Luitpold le vieux prince régent
Tuteur de deux royautés folles
Sanglote-t-il en y songeant
Quand vacillent les lucioles
Mouches dorées de la Saint-Jean

Près d'un château sans châtelaine
La barque aux barcarols chantants
Sur un lac blanc et sous l'haleine
Des vents qui tremblent au printemps
Voguait cygne mourant sirène

Un jour le roi dans l'eau d'argent
Se noya puis la bouche ouverte
Il s'en revint en surnageant
Sur la rive dormir inerte
Face tournée au ciel changeant

Juin ton soleil ardente lyre
Brûle mes doigts endoloris
Triste et mélodieux délire
J'erre à travers mon beau Paris
Sans avoir le cœur d'y mourir

Les dimanches s'y éternisent
Et les orgues de Barbarie
Y sanglotent dans les cours grises
Les fleurs aux balcons de Paris
Penchent comme la tour de Pise

Soirs de Paris ivres du gin
Flambant de l'électricité
Les tramways feux verts sur l'échine
Musiquent au long des portées
De rails leur folie de machines

Les cafés gonflés de fumée
Crient tout l'amour de leurs tziganes
De tous leurs siphons enrhumés
De leurs garçons vêtus d'un pagne
Vers toi toi que j'ai tant aimée

Moi qui sais des lais pour les reines
Les complaintes de mes années
Des hymnes d'esclave aux murènes
La romance du mal-aimé
Et des chansons pour les sirènes

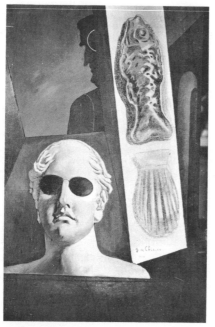

Apollinaire par Picasso.
Apollinaire par Giorgio de Chirico.

Dans *Alcools*, réunissant des poèmes écrits depuis 1898, Apollinaire, pour souligner la fluidité du chant, supprima toute ponctuation. *Zones,* écrit en 1912 pour ouvrir le recueil inaugurait la période simultaniste. Apollinaire y disait, sans souci de transition, les moments et les lieux qui avaient marqué son histoire :

Te voici à Marseille au milieu des pastèques

Te voici à Coblence à l'hôtel du Géant

Te voici à Rome assis sous un néflier du Japon

Te voici à Amsterdam avec une jeune fille que tu trouves
    belle et qui est laide
Elle doit se marier avec un étudiant de Leyde
On y loue des chambres en latin Cubicula locanda
Je m'en souviens j'y ai passé trois jours et autant à Gouda
[...]

Se mettant, comme le Roi-Lune du *Poète assassiné,* à l'écoute des bruits du monde, Apollinaire cherchait alors soit à capter divers événements rigoureusement contemporains, soit à mettre sur un même plan le passé, le présent et l'avenir. Le résultat, ce furent, dans *Calligrammes,* les poèmes-conversations, les poèmes simultanistes, enfin les calligrammes eux-mêmes qui, tentant d'enfermer dans l'espace d'un dessin le temps du poème, participent de la même volonté de faire éclater dans un grand feu d'artifice les couleurs du temps. Même quand il chanta la guerre ou évoqua sa blessure à la tête, Apollinaire approfondit ses recherches. Quand il mourut, en 1918, les jeunes poètes tenaient pour un maître celui qui avait inventé un mot qu'ils allaient illustrer : surréalisme.

LES FENÊTRES
Du rouge au vert tout le jaune se meurt
Quand chantent les aras dans les forêts natales
Abattis de pihis
Il y a un poème à faire sur l'oiseau qui n'a qu'une aile
Nous l'enverrons en message téléphonique
Traumatisme géant
Il fait couler les yeux
Voilà une jolie jeune fille parmi les jeunes Turinaises
Le pauvre jeune homme se mouchait dans sa cravate
    blanche
Tu soulèveras le rideau
Et maintenant voilà que s'ouvre la fenêtre
Araignées quand les mains tissaient la lumière
Beauté pâleur insondables violets
Nous tenterons en vain de prendre du repos
On commencera à minuit
Quand on a le temps on a la liberté
Bigorneaux Lotte multiples Soleils et l'Oursin du cou-
    chant
Une vieille paire de chaussures jaunes devant la fenêtre

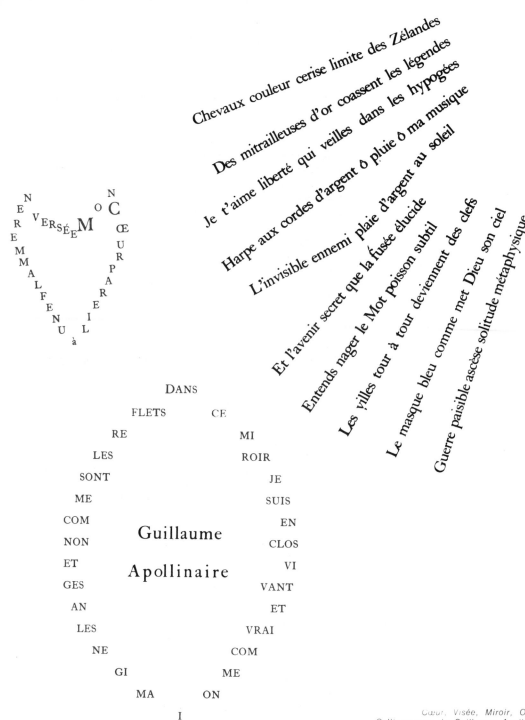

Cœur, Visée, Miroir, Oiseau. Calligrammes de Guillaume Apollinaire.

Tours
Les Tours ce sont les rues
Puits
Puits ce sont les places
Puits
Arbres creux qui abritent les Câpresses vagabondes
Les Chabins chantent des airs à mourir
Aux Chabines marronnes
Et l'oie oua-oua trompette au nord
Où les chasseurs de ratons
Raclent les pelleteries
Etincelant diamant
Vancouver
Où le train blanc de neige et de feux nocturnes fuit l'hiver
O Paris
Du rouge au vert tout le jaune se meurt
Paris Vancouver Hyères Maintenon New-York et les
    Antilles
La fenêtre s'ouvre comme une orange
Le beau fruit de la lumière

LUNDI RUE CHRISTINE

La mère de la concierge et la concierge laisseront tout
    passer.
Si tu es un homme tu m'accompagneras ce soir
Il suffirait qu'un type maintînt la porte cochère
Pendant que l'autre monterait

Trois becs de gaz allumés
La patronne est poitrinaire
Quand tu auras fini nous jouerons une partie de jacquet
Un chef d'orchestre qui a mal à la gorge
Quand tu viendras à Tunis je te ferai fumer du kief

Ça a l'air de rimer

Des piles de soucoupes des fleurs un calendrier
Pim pam pim
Je dois fiche près de 300 francs à ma probloque
Je préférerais me couper le parfaitement que de les
    lui donner

Je partirai à 20 h 27
Six glaces s'y dévisagent toujours
Je crois que nous allons nous embrouiller encore
    davantage
Cher monsieur
Vous êtes un mec à la mie de pain
Cette dame a le nez comme un ver solitaire
Louise a oublié sa fourrure

Moi je n'ai pas de fourrure et je n'ai pas froid
Le Danois fume sa cigarette en consultant l'horaire
Le chat noir traverse la brasserie

Ces crêpes étaient exquises
La fontaine coule
Robe noire comme ses ongles
C'est complètement impossible
Voici monsieur
La bague en malachite
Le sol est semé de sciure
Alors c'est vrai
La serveuse rousse a été enlevée par un libraire

Un journaliste que je connais d'ailleurs très vaguement

Ecoute Jacques c'est très sérieux ce que je vais te dire

Compagnie de navigation mixte

Il me dit monsieur voulez-vous voir ce que je peux faire
    d'eaux-fortes et de tableaux
Je n'ai qu'une petite bonne

Après déjeuner café du Luxembourg
Une fois là il me présente un gros bonhomme
Qui me dit
Ecoutez c'est charmant
A Smyrne à Naples en Tunisie
Mais nom de Dieu où est-ce
La dernière fois que j'ai été en Chine
C'est il y a huit ou neuf ans
L'Honneur tient souvent à l'heure que marque la pendule
La quinte major   *(Calligrammes.)*

Œuvres complètes, présentées par M. Décaudin, Balland. *Œuvres poétiques complètes*, édition établie par M. Décaudin, la Pléiade / Gallimard. Poésie / Gallimard a publié : *Alcools, Calligrammes, Poèmes à Lou, Le Guetteur mélancolique, L'Enchanteur pourrissant.* ◊ P. Pia, *Apollinaire par lui-même*, Ecrivains de toujours / Seuil. Daniel Oster, *Apollinaire*, Seghers. R. Couffignal, *Apollinaire*, Desclée de Brouwer. C. Bonnefoy, *Apollinaire*, Editions universitaires.

valery larbaud 1881-1957

Valery Larbaud, par Jacques Fouquet

Né à Vichy en 1881, fils d'un pharmacien, Larbaud dut sa fortune — dont il se trouva maître à vingt et un ans — aux eaux de Saint-Yorre. Polyglotte, aimant avec la même frénésie les voyages, les villes, les femmes, les grands express, les palaces et les bibliothèques, il sillonna le monde et le chanta, découvrit les livres des pays où il passa et fut l'introducteur en France de nombreux auteurs étrangers, dont Joyce. Poète, admirateur de Baudelaire et de Whitman, fortement influencé par H.J.M. Levet, il célébra dans les *Poésies de A.O. Barnabooth* (1908), avant Cendrars et Morand, un monde cosmopolite où bruissent toutes les langues.

ODE

Prête-moi ton grand bruit, ta grande allure si douce,
Ton glissement nocturne, à travers l'Europe illuminée,
O train de luxe ! et l'angoissante musique
Qui bruit le long de tes couloirs de cuir doré,
Tandis que derrière les portes laquées, aux loquets de
    cuivre lourd,
Dorment les millionnaires.
Je parcours en chantonnant tes couloirs
Et je suis ta course vers Vienne et Budapesth,
Mêlant ma voix à tes cent mille voix,
O Harmonika-Zug !

J'ai senti pour la première fois toute la douceur de vivre,
Dans une cabine du Nord-Express, entre Wirballen et
    Pskow.
On glissait à travers des prairies où des bergers,
Au pied de groupes de grands arbres pareils à des
    collines,
Etaient vêtus de peaux de moutons crues et sales...
(Huit heures du matin en automne, et la belle cantatrice
Aux yeux violets chantait dans la cabine à côté.)
Et vous, grandes places à travers lesquelles j'ai vu passer
    la Sibérie et les monts du Sammium
    La Castille âpre et sans fleurs, et la mer de Marmara
    sous une pluie tiède !

Londres en 1905, par André Derain.

Prêtez-moi, ô Orient-Express, Sud-Brenner-Bahn,
  prêtez-moi
Vos miraculeux bruits sourds et
Vos vibrantes voix de chanterelle ;
Prêtez-moi la respiration légère et facile
Des locomotives hautes et minces, aux mouvements
Si aisés, les locomotives des rapides,
Précédant sans effort quatre wagons jaunes à lettres d'or
Dans les solitudes montagnardes de la Serbie,
Et, plus loin, à travers la Bulgarie pleine de roses...

Ah ! il faut que ces bruits et que ce mouvement
Entrent dans mes poèmes et disent
Pour moi ma vie indicible, ma vie
D'enfant qui ne veut rien savoir, sinon
Espérer éternellement des choses vagues.

LONDRES

Après avoir aimé des yeux dans Burlington Arcade,
Je redescends Piccadilly à pied, doucement.
O bouffées de printemps mêlées à des odeurs d'urine,
Entre les grilles du Green Park et la station des cabs,
Combien vous êtes émouvantes !

Puis, je suis Rotten Row, vers Kensington, plus calme,
Moins en poésie, moins sous le charme
De ces couleurs, de ces odeurs et de ce grondement
  de Londres.
(O Johnson, je comprends ton cœur, savant Docteur,
Ce cœur tout résonnant des bruits de la grand'ville :
L'horizon de Fleet Street suffisait à tes yeux.)

O jardins verts et bleus, brouillards blancs, voiles mauves !
Barrant l'eau de platine morne du Bassin,
Qui dort sous l'impalpable gaze d'une riche brume,
Le long sillage d'un oiseau d'eau couleur de rouille...
Il y a la Tamise, que Madame d'Aulnoy
Trouvait « un des plus beaux cours d'eau du monde ».
Ses personnages historiques y naviguaient, l'été,
Au soir tombant, froissant le reflet blanc
Des premières étoiles ;
Et les barges, tendues de soie, chargées de princes
Et de dames couchés sur les carreaux brodés,
Et Buckingham et les menines de la Reine,
S'avançaient doucement, comme un rêve, sur l'eau,
Ou comme notre cœur se bercerait longtemps
Aux beaux rythmes des vers royaux d'Albert Samain.
La rue luisante où tout se mire ;
Le bus multicolore, le cab noir, la girl en rose

Et même un peu de soleil couchant, on dirait...
Les toits lavés, le square bleuâtre et tout fumant...
Les nuages de cuivre sali qui s'élèvent lentement...
Accalmie et tiédeur humide, et odeur de miel du tabac :
La dorure de ce livre
Devient plus claire à chaque instant : un essai de soleil
    sans doute.
(Trop tard, la nuit le prendra fatalement.)
Et voici qu'éclate l'orgue de Barbarie après l'averse.

MILAN

Madonnina gentile
J'ai mis sous Votre protection mon amour.
Sous votre manteau qu'il repose, et dans votre ombre
    comme
Votre Poète, Comante Eginetico, dans une église de
    Parme,
Sous Votre image, qui est une poupée chargée de bijoux
    dans un berceau de cristal.
Maria bambina santissima,
Maria santissima, bambina,
Ah ! dans mon cœur fais settina,
Sur mon cœur, comme lorsqu'aux rives d'Ecosse et
    d'Angleterre
Je portais Votre Image, avec les noms d'Ambroise et de
    Milan, dans un scapulaire.
Et mon Ange gardien
When he looks into it,
He will find in it
Just a Tiny Girl.

Œuvres, la Pléiade / Gallimard. *Poésies de A.-O. Barnabooth*, Gallimard et Poésie / Gallimard. ◊ Bernard Delvaille, *Valery Larbaud*, Poètes d'aujourd'hui / Seghers.

andré salmon 1881-1969

Lorsque, sifflant la flamme et secouant ses poux
Sidéraux, le serpent conduit au bord du fleuve
Ton fantôme orgueilleux de ses voiles de veuve.

Art Poétique

Que la paix emplisse votre ombre
Livres, traîtres amis si chers !
Elle est faite des deuils sans nombre
D'un triste enfant. Des jours moins fiers

58

Poète, journaliste, critique d'art, Salmon fut, dès 1905, tenu pour un des animateurs de l'avant-garde poétique. De fait, ses recueils *les Clés ardentes* (1905) et *les Féeries* (1907) — plus tard réunis dans *Créances* — ouvraient la voie qu'élargirent bientôt ses amis Apollinaire et Max Jacob.

LA FÉERIE PERPÉTUELLE

Ils m'ont demandé si j'avais le travail facile,
Ce ne sont pourtant pas des imbéciles,
Et pourtant ce qu'ils m'ont demandé est bête,
Comme on voit bien qu'ils n'ont jamais été poètes !

On affirme que saint Louis de Gonzague
Avait si peur du vice qu'il n'osait pas regarder sa mère.
Allons, ne pleure pas, les larmes sont amères,
Je t'achèterai une autre bague.

Je voudrais qu'entre ses doigts pâles une reine
Prît mon front bruissant comme une ruche pleine
D'affreux insectes qui ont tué les abeilles
Et qui pour s'échapper me percent les oreilles.

Lorsque sera le temps d'apprêter le repas,
Tu souffleras le feu qui réjouit les poètes,
Accroupie comme une sorcière et tu te fâcheras,
Croyant que les sorcières sont toujours vieilles et laides.

Tu dis que tu voudrais avoir un piano ?
Je voudrais un domaine avec un beau jet d'eau
Au milieu du bassin dans un jardin français
Où danseraient des jeunes filles nues sur des airs anglais.

Il y a des jours où l'on n'a même pas envie
De pleurer, on n'a plus de poète favori,
Il reste le loisir de se bien renseigner
Sur les mœurs héroïques des tristes araignées.

Si j'étais roi d'Espagne j'aurais une guitare,
Si j'étais matelot j'espérerais un phare,
Si j'étais ma maîtresse j'aurais un amant
Qui ne veut pas qu'on l'aime, hélas ! éperdument.

Illustration de Derain
pour *le Calumet d'André Salmon*.

Créances, Carreaux, Saint André, Les Etoiles dans l'encrier, Gallimard. ◇ Pierre Berger, *André Salmon*, Poètes d'aujourd'hui / Seghers.

catherine pozzi 1882-1934

L'œuvre poétique de Catherine Pozzi tient en quelques pages. Cette jeune femme cultivée, sportive, un temps mariée à Edouard Bourdet, amie de Valéry, de Rilke et de Jouve, et que la maladie contraignit à une vie quasi recluse, renoua dans une langue moderne — et d'après Mallarmé — avec l'inspiration amoureuse et savante de Louise Labé.

NOVA

Dans un monde au futur du temps où j'ai la vie
qui ne s'est pas formé dans le ciel d'aujourd'hui,
Au plus nouvel espace où le vouloir dévie
Au plus nouveau moment de l'astre que je fuis
Tu vivras, ma splendeur, mon malheur, ma survie
Mon plus extrême cœur fait du sang que je suis,
Mon souffle, mon toucher, mon regard, mon envie,
Mon plus terrestre bien perdu pour l'infini.
Evite l'avenir, Image poursuivie !
Je suis morte de vous, ô mes actes chéris
Ne sois pas défais toi dissipe toi délie
Dénonce le désir que je n'ai pas choisi.

N'accomplis pas mon jour, âme de ma folie —
Délaisse le destin que je n'ai pas fini.

NYX

A Louise aussi de Lyon et d'Italie.

O vous mes nuits, ô noires attendues
O pays fier, ô secrets obstinés
O longs regards, ô foudroyantes nues
O vol permis outre les cieux fermés.

O grand désir, ô surprise épandue
O beau parcours de l'esprit enchanté
O pire mal, ô grâce descendue
O porte ouverte où nul n'avait passé

Je ne sais pas pourquoi je meurs et noie
Avant d'entrer à l'éternel séjour.
Je ne sais pas de qui je suis la proie.
Je ne sais pas de qui je suis l'amour.

Poèmes, Métamorphoses / Gallimard.

marie noël 1883-1967

Vivant à Auxerre, loin de la scène littéraire, Marie Noël (Marie Rouget) a célébré un monde humble, quotidien, parfois difficile, mais illuminé par la tendresse et la foi, ainsi dans ce passage du *Chant de la Nuit.*

J'ai dans le cœur un grand Amour...
D'un homme à peine il fait le tour.

J'ai dans le cœur cet amour vain
Qui n'est pas plus grand que ma main.

Cet amour qui n'est long jamais
Aussi long que l'instant mauvais.

Court d'haleine, court d'horizon,
Un amour serré de maison

Qui n'a plus d'yeux pour s'alarmer
Dès que les volets sont fermés...

J'ai dans le cœur une Pitié,
Une servante de quartier

Qui part et va donner ses mains
Aux trois fardeaux de son prochain ;

Qui peine et ne peut faire rien
Que peiner, vaine, et s'en revient,

Les pieds stériles, sans avoir
Déchargé personne le soir...

J'ai dans le cœur ces quatre pas
D'un sentier qui n'arrive pas,

Qui vague dans le mal ardent
De son frère et se perd dedans,

Et l'abandonne à son besoin
Sans pouvoir le guérir plus loin,

Sans pouvoir, ô triste, ô Pitié,
Sauver un homme tout entier...

(Chants de la Merci.)

Illustration de Marianne Clouzot
pour les chansons de Marie Noël.

Œuvre poétique, Stock. ◊ A. Blanchet, *Marie Noël*, Poètes d'aujourd'hui / Seghers.

georges ribemont-dessaignes 1884-1974

Fils d'un célèbre gynécologue parisien, Ribemont-Dessaignes, étant doué pareillement pour la peinture, la musique et l'écriture, songea d'abord à les dynamiter. Ses premières toiles étonnèrent, ses pièces pour piano *(le Nombril interlope)* scandalisèrent. Dada vint qui lui allait comme un gant. Son écriture corrosive fit merveille dans les manifestes et manifestations : « Qu'est-ce que c'est beau ? Qu'est-ce que c'est laid ? Qu'est-ce que c'est grand, fort, faible ? Qu'est-ce que c'est Carpentier, Renan, Foch ? Connais pas. Qu'est-ce que c'est moi ? Connais pas. » Ce génie de la table rase et du vocabulaire libéré éclate dans ses poèmes dadaïstes, qui ne furent réunis en volume qu'en 1974, longtemps après la parution de recueils — *Ecce Homo* (1945), *la Nuit, la Faim* (1960) — d'une inspiration plus apaisée.

TROMBONE A COULISSE

J'ai sur la tête une petite ailette qui tourne au vent
Et me monte l'eau à la bouche
Et dans les yeux
Pour les appétits et les extases
J'ai dans les oreilles un petit cornet plein d'odeur
    d'absinthe
Et sur le nez un perroquet vert qui bat des ailes
Et crie aux armes !
Quand il tombe du ciel des graines de soleil
L'absence d'acier au cœur
Au fond des vieilles réalités désossées et croupissantes
Est partiale aux marées lunatiques
Je suis capitaine et alsacienne au cinéma
J'ai dans le ventre une petite machine agricole
Qui fauche et lie des fils électriques
Les noix de coco que jette le singe mélancolie
Tombent comme crachats dans l'eau
Ou refleurissent en pétunias
J'ai dans l'estomac un ocarina et j'ai le foie virginal
Je nourris mon poète avec les pieds d'une pianiste
Dont les dents sont paires et impaires
Et le soir des tristes dimanches
Aux tourterelles qui rient comme l'enfer
Je jette des rêves morganatiques

LE 14 AVRIL 1921

OUVERTURE

DE LA

GRANDE SAISON

DADA

VISITES · SALON DADA · CONGRÈS ·
COMMÉMORATIONS · OPÉRAS ·
PLÉBICISTES · RÉQUISITIONS ·
MISES EN ACCUSATION ET JUGEMENTS

Se faire inscrire au SANS PAREIL

ZA

Ciel descendu rate génératrice
Caoutchouc pulsatil
Entonnoir à double courant
Piège à taupes étoiles
Promenade sexuelle de A et de B
Affiche réclame Perséïdes
Œil verbe
Suif à ivoire à zinc
Coffre-fort à mot ipéca
Miroir noces de Cana
Estomac bas de soie
Myosotis raffinerie sud-abdominale
Retour à l'envoyeur
Ciel remonté.

CAFARD

Des ténèbres qui luisent sous mes paupières je vois l'insecte indélébile jouer de mon crâne à la plante de mes pieds avec un vélocipède
Sa petite trompette narcotique
Ouvre l'espace
Nul insecticide dans la chambie ni dans la cuisine
En vain je tiens la lorgnette par le gros bout afin d'éloigner ce jouisseur
Le chef de gare n'est pas un grand docteur mais un directeur de muséum
Bermudes
L'insecte les mange mais n'en meurt pas
Ma chair n'aurais-tu pas quelque pus qui lui répugne
Je l'ai trop bien élevé Intime aux mille visages
Il sait plus que je ne sais il n'en est pas à une dimension près voyageur miraculeux d'intérieur à intérieur
Je le hais parasite de son regard en coulisse
Et lorsqu'il digère clos ma lucidité
Je gratte en toute hâte la fraîcheur de mon ombre
Truie en chaleur pour une bouteille d'eau minérale

Dada, manifestes, poèmes, articles, projet, Champ libre. *Ecce Homo*, Gallimard. *Déjà Jadis*, 10/18. ◊ G. Hugnet, *L'Aventure dada*, Seghers. M. Sanouillet, *Dada à Paris*, Pauvert. F. Jotterand, *Ribemont-Dessaignes*, Poètes d'aujourd'hui / Seghers.

jules supervielle 1884-1960

Troisième **Montévidéen** de la poésie française, après Lautréamont et Laforgue, Supervielle partagea sa vie entre la France et les plantations familiales d'Uruguay. Orphelin très jeune — il resta hanté par l'image de la mère ravissante qu'il n'a pas connue —, il fit ses études à Paris, au lycée Janson de Sailly et à la Sorbonne. Ce n'est qu'à trente-huit ans, après avoir publié plusieurs recueils, qu'il commença de faire entendre dans *Débarcadères* cette voix singulière qui est la sienne, musicale et familière, comme surgie du silence, complice des éléments, accordée à la respiration des bêtes, au souffle du vent, aux rêves et à l'inquiétude de l'homme. De *Gravitations* (1925) à *l'Escalier* (1956), il sut retrouver les émerveillements de l'enfance comme la simpilcité des tables primitives.

APPARITION

A Max Jacob.

Où sont-ils les points cardinaux,
Le soleil se levant à l'Est,
Mon sang et son itinéraire
Prémédité dans mes artères ?
Le voilà qui déborde et creuse,
Grossi de neiges et de cris
Il court dans des régions confuses ;
Ma tête qui jusqu'ici
Balançait les pensées comme branches des îles,
Forge des ténèbres crochues.
Ma chaise qui happe l'abîme
Est-ce celle du condamné
Qui s'enfonce dans la mort avec toute l'Amérique ?

Qui est là ? Quel est cet homme qui s'assied à notre table
Avec cet air de sortir comme un trois-mâts du brouillard,
Ce front qui balance un feu, ces mains d'écume marine,
Et couverts les vêtements par un morceau de ciel noir ?
A sa parole une étoile accroche sa toile araigneuse,
Quand il respire il déforme et forme une nébuleuse.
Il porte, comme la nuit, des lunettes cerclées d'or
Et des lèvres embrasées où s'alarment des abeilles,
Mais ses yeux, sa voix, son cœur sont d'un enfant à
l'aurore.

Quel est cet homme dont l'âme fait des signes solennels ?
Voici Pilar, elle m'apaise, ses yeux déplacent le mystère.
Elle a toujours derrière elle comme un souvenir de famille
Le soleil de l'Uruguay qui secrètement pour nous brille,
Mes enfants et mes amis, leur tendresse est circulaire
Autour de la table ronde, fière comme l'univers ;
Leurs frais sourires s'en vont de bouche en bouche
    fidèles,
Prisonniers les uns des autres, ce sont couleurs d'arc-
    en-ciel.
Et comme dans la peinture de Rousseau le douanier,
Notre tablée monte au ciel voguant dans une nuée.
Nous chuchotons seulement tant on est près des étoiles,
Sans cartes ni gouvernail, et le ciel pour bastingage.

Comment vinrent jusqu'ici ces goélands par centaines
Quand déjà nous respirons un angélique oxygène,
Nous cueillons et recueillons du céleste romarin,
De la fougère affranchie qui se passe de racines,
Et comme il nous est poussé dans l'air pur des ailes
    longues
Nous mêlons notre plumage à la courbure des mondes.

RENCONTRES

A G. Bounoure.

J'avance en écrasant des ombres sur la route
Et leur plainte est si faible
Qu'elle a peine à me gravir
Et s'éteint petitement avant de toucher mon oreille.

Je croise des hommes tranquilles
Qui connaissent la mer et vont vers les montagnes ;
Curieux, en passant, ils soupèsent mon âme
Et me la restituent repartant sans mot dire.

Quatre chevaux de front aux œillères de nuit
Sortent d'un carrefour, le poitrail constellé.
Ils font le tour du monde
Pensant à autre chose
Et sans toucher le sol. Les mouches les évitent.

Le cocher se croit homme et se gratte l'oreille.

(Gravitations.)

*Supervielle est le poète d'un léger trem-
blement qui semble nous venir des
étoiles, des orages et des autres figures étranges, qui se pressent aux fenêtres de la terre. (Jean Paulhan)*

*Gravitations, Le Forçat innocent, Les Amis inconnus, La Fable du
Monde, Oublieuse Mémoire, Naissances, L'Escalier, suivi de A la
nuit, Débarcadères, Les Poèmes de l'humour triste, Militaires Mélan-
colies*, Gallimard. *Gravitations*, précédé de *Débarcadères, Le Forçat
innocent*, Poésie / Gallimard. ◊ C. Roy, *Supervielle*, Poètes d'aujour-
d'hui / Seghers. Etiemble, *Supervielle*, Pour une bibliothèque idéale /
Gallimard. R. Vivier, *Lire Supervielle*, Corti.

jules romains 1885-1972

Né dans la Haute-Loire, Louis Farigoule eut une enfance parisienne, son père, instituteur, ayant été nommé à Montmartre. Autant que le lycée Condorcet et l'Ecole normale supérieure, Paris compta dans sa formation. Un jour de 1903, rue d'Amsterdam, le futur Jules Romains eut l'impression que le flot des passants et des voitures ne formait qu'un seul corps. Ses poèmes (*l'Ame des hommes*, 1904, *la Vie unanime*, 1908, *Un être en marche*, 1910) qui, avant ses romans, établirent sa réputation, illustrent sa théorie de « l'unanimisme » qui séduisit un temps les poètes fréquentant l'abbaye de Créteil autour de Vildrac et Duhamel.

Rien ne cesse d'être intérieur.

La rue est plus intime à cause de la brume.
Autour des becs de gaz l'air tout entier s'allume ;
Chaque chose a sa part de rayons ; et je vois
Toute la longue rue exister à la fois.
Les êtres ont fondu leurs formes et leurs vies.
Et les âmes se sont doucement asservies.
Je n'ai jamais été moins libre que ce soir
Ni moins seul. Le passant, là-bas, sur le trottoir,
Ce n'est point hors de moi qu'il s'agite et qu'il passe.
Je crois que lui m'entend si je parle à voix basse,
Moi qui l'entends penser ; car il n'est pas ailleurs
Qu'en moi ; ses mouvements me sont intérieurs.
Et moi je suis en lui. Le même élan nous pousse.
Chaque geste qu'il fait me donne une secousse.
Mon corps est le frémissement de la cité.

Le mystère nouveau cherche à nous ligoter ;
Ce passant tient à moi par des milliers de cordes ;
Dans ma chair des crochets s'enfoncent, et la mordent.
Lui, parmi le brouillard, lève le bras. Soudain
Quelque chose de très puissant et d'incertain
Vient soulever mon bras qui se défend à peine.

Je suis l'esclave heureux des hommes dont l'haleine
Flotte ici. Leur vouloir s'écoule dans mes nerfs ;
Ce qui est moi commence à fondre. Je me perds.
Ma pensée, à travers mon crâne, goutte à goutte,

Filtre, et s'évaporant à mesure, s'ajoute
Aux émanations des cerveaux fraternels
Que l'heure épanouit dans les chambres d'hôtels,
Sur la chaussée, au fond des arrière-boutiques.
Et le mélange de nos âmes identiques
Forme un fleuve divin où se mire la nuit.
Je suis un peu d'unanime qui s'attendrit.
Je ne sens rien, sinon que la rue est réelle,
Et que je suis très sûr d'être pensé par elle.

(La Vie unanime.)

J'ai senti soudain que j'étais heureux.

Ayant dépassé la boutique fauve
Et le dernier mur qui serre la rue,
J'ai trouvé mon corps au coin de la place
Avec ce bonheur qui m'était venu.

    Pour sourire, pour être
    Léger, pour marcher vite,
    Et pour avoir envie
    De toutes les fenêtres,
    A-t-il suffi de voir
    Sur les pavés bouffis
    La file des voitures
    Exister fermement ?

    Les brancards cadenassent
    La chair forte des bêtes ;
    Des soudures tenaces
    Joignent les mouvements.

La file glisse, ayant une lenteur tranquille ;
Comme un bras de piston sort d'un cylindre noir,
Et se tend, caressé par les rigoles d'huile,
Vers le volant qui tourne avec un bruit d'étoile.

    Il se prolonge loin en moi
    Cet élan métallique et doux ;
    Je suis la gaine qui savoure
    Son frôlement et sa moiteur.

    Je suis l'homme où s'épanouit
    La certitude circulaire
    D'une place qui tourne en paix
    Autour de quatre garde-fous. [...]

(Un être en marche.)

La Vie unanime, Odes et Prières, Amour couleur de Paris, Gallimard.
Un être en marche, L'homme blanc, Flammarion.

blaise cendrars 1887-1961

En 1912, venu de Suisse par d'étranges détours, via la Russie et l'Amérique, Louis Frédéric Sauser, qui avait pris le nom de Blaise Cendrars, éblouit Apollinaire avec son long poème *les Pâques à New York* :

Seigneur, je suis dans le quartier des bons voleurs,
Des vagabonds, des va-nu-pieds, des recéleurs.

Je pense aux deux larrons qui étaient avec vous à la
    Potence,
Je sais que vous daignez sourire à leur malchance.

Seigneur, l'un voudrait une corde avec un nœud au bout.
Mais ça n'est pas gratis, la corde, ça coûte vingt sous.

Il raisonnait comme un philosophe, ce vieux bandit.
Je lui ai donné de l'opium pour qu'il aille plus vite en
    paradis.

Je pense aussi aux musiciens des rues,
Au violoniste aveugle, au manchot qui tourne l'orgue de
    Barbarie,

A la chanteuse au chapeau de paille avec des roses de
    papier ;
Je sais que ce sont eux qui chantent durant l'éternité.

Seigneur, faites-leur l'aumône, autre que de la lueur des
    becs de gaz,
Seigneur, faites-leur l'aumône de gros sous ici-bas.

Page de titre
des *Pâques à New-York*,
par Frans Masereel.

Cendrars disait le monde pour l'avoir parcouru, la civilisation moderne et ses contrastes fabuleux de luxe et de misère, de religion du progrès et de superstitions, pour les avoir éprouvés. Sa vie, pour n'être pas exactement conforme à la légende qu'il s'inventa, n'en fut pas moins étonnante. Né à La Chaux-de-Fonds en 1887, il ne s'est pas, à seize ans, enfui de sa famille pour prendre n'importe quel train ; mais il est vrai qu'en 1905 des horlogers suisses l'attendaient à Moscou. En 1910, il suivait les cours de l'université de Berne lorsque à la suite d'un héritage il partit courir l'aventure. Après la guerre de 1914-18, où, engagé dans la Légion étrangère, il laissa sa main droite, Cendrars se voulut homme d'affaires, bourlingua beaucoup et fut un grand romancier après avoir été un grand poète. De 1912 à 1924, *les Pâques à New York, la Prose du Transsibérien*, les *Poèmes élastiques, Documentaires* et *Feuilles de route* avaient, en même temps que les poèmes simultanistes d'Apollinaire, donné à la poésie un langage en accord avec tous les rythmes de la modernité, ceux de la télégraphie sans fil et de la peinture cubiste.

PROSE DU TRANSSIBÉRIEN
ET DE LA PETITE JEHANNE DE FRANCE

[...] A partir d'Irkoutsk le voyage devint beaucoup trop lent
Beaucoup trop long
Nous étions dans le premier train qui contournait le lac
   Baïkal
On avait orné la locomotive de drapeaux et de lam-
   pions
Et nous avions quitté la gare aux accents tristes de
   l'hymne au Tzar.
Si j'étais peintre je déverserais beaucoup de rouge, beau-
   coup de jaune sur la fin de ce voyage
Car je crois bien que nous étions tous un peu fous
Et qu'un délire immense ensanglantait les faces énervées
   de mes compagnons de voyage
Comme nous approchions de la Mongolie
Qui ronflait comme un incendie.
Le train avait ralenti son allure
Et je percevais dans le grincement perpétuel des roues
Les accents fous et les sanglots
D'une éternelle liturgie

J'ai vu
J'ai vu les trains silencieux les trains noirs qui reve-

naient de l'Extrême-Orient et qui passaient en fan-
tômes
Et mon œil, comme le fanal d'arrière, court encore derrière
ces trains
A Talga 100 000 blessés agonisaient faute de soins
J'ai visité les hôpitaux de Krasnoïarsk
Et à Khilok nous avons croisé un long convoi de soldats
fous
J'ai vu dans les lazarets des plaies béantes des bles-
sures qui saignaient à pleines orgues
Et les membres amputés dansaient autour ou s'envolaient
dans l'air rauque
L'incendie était sur toutes les faces dans tous les cours
Des doigts idiots tambourinaient sur toutes les vitres
Et sous la pression de la peur les regards crevaient comme
des abcès
Dans toutes les gares on brûlait tous les wagons
Et j'ai vu
J'ai vu des trains de 60 locomotives qui s'enfuyaient à
toute vapeur pourchassées par les horizons en rut
et des bandes de corbeaux qui s'envolaient désespé-
rément après
Disparaître
Dans la direction de Port-Arthur.

A Tchita nous eûmes quelques jours de répit
Arrêt de cinq jours vu l'encombrement de la voie
Nous le passâmes chez Monsieur lankéléwitch qui voulait
me donner sa fille unique en mariage
Puis le train repartit.
Maintenant c'était moi qui avais pris place au piano et
j'avais mal aux dents
Je revois quand je veux cet intérieur si calme le
magasin du père et les yeux de la fille qui venait le
soir dans mon lit.
Moussorgsky
Et les lieder de Hugo Wolf
Et les sables du Gobi
Et à Khaïlar une caravane de chameaux blancs
Je crois bien que j'étais ivre durant plus de 500 kilo-
mètres
Mais j'étais au piano et c'est tout ce que je vis
Quand on voyage on devrait fermer les yeux
Dormir
J'aurais tant voulu dormir
Je reconnais tous les pays les yeux fermés à leur odeur
Et je reconnais tous les trains au bruit qu'ils font
Les trains d'Europe sont à quatre temps tandis que ceux
d'Asie sont à cinq ou sept temps
D'autres vont en sourdine sont des berceuses

Et il y en a qui dans le bruit monotone des roues me
    rappellent la prose lourde de Maeterlinck
J'ai déchiffré tous les textes confus des roues et j'ai
    rassemblé les éléments épars d'une violente beauté
Que je possède
Et qui me force.

Tsitsika et Kharbine
Je ne vais pas plus loin
C'est la dernière station
Je débarquai à Kharbine comme on venait de mettre
    le feu aux bureaux de la Croix-Rouge. [...]

CRÉPITEMENTS

Les arcencielesques dissonances de la Tour dans sa
    télégraphie sans fil
Midi
Minuit
On se dit merde de tous les coins de l'univers

Etincelles
Jaune de chrome
On est en contact
De tous les côtés les transatlantiques s'approchent
S'éloignent
Toutes les montres sont mises à l'heure
Et les cloches sonnent
Paris-Midi annonce qu'un professeur allemand a été
    mangé par les cannibales au Congo
C'est bien fait
L'Intransigeant ce soir publie des vers pour cartes postales
C'est idiot quand tous les astrologues cambriolent les
    étoiles
On n'y voit plus
J'interroge le ciel
L'Institut Météorologique annonce du mauvais temps

Il n'y a pas de futurisme
Il n'y a pas de simultanéité
Bodin a brûlé toutes les sorcières
Il n'y a rien
Il n'y a plus d'horoscopes et il faut travailler
Je suis inquiet
L'Esprit
Je vais partir en voyage
Et j'envoie ce poème dépouillé à mon ami R...

(Poèmes élastiques.)

Poésies complètes, Denoël. *Du monde entier (Pâques à New York,
Prose du Transsibérien, Poèmes élastiques, Documentaires)* et *Au cœur
du monde*, Poésie / Gallimard. ◇ Louis Parrot, *Blaise Cendrars*, Poètes
d'aujourd'hui / Seghers. J. Rousselot, *Cendrars*, Editions universitaires.

pierre jean jouve 1887

Jouve, depuis 1924, avec une rigueur qui ne s'est jamais démentie, poursuit une œuvre d'exploration de l'inconscient, de questionnement de l'univers, du destin, de Dieu, qui, loin de s'abandonner au vertige des fantasmes et à une parole échevelée, ramasse, enclot, rend sensible l'essentiel, le plus vif ou le plus douloureux (les contradictions de l'homme, ses abîmes et sa quête), dans une langue contrôlée et brûlante, lapidaire et, souvent, énigmatique. Cette œuvre, lui-même l'a décidé — et, depuis, sa cohérence l'atteste —, commence en 1924. Auparavant, Jouve — né en 1887 à Arras, « vieille ville espagnole » où son enfance fut sévère, illuminée seulement par la musique (qui demeurera sa passion, son grand rêve), avait publié une dizaine de recueils. Après avoir découvert la poésie dans son adolescence à travers Rimbaud, Mallarmé et Baudelaire, il avait dirigé avec un ami, de 1907 à 1910, la revue *les Bandeaux d'or* ; il avait subi alors l'influence des poètes de l'abbaye de Créteil et de l'unanimisme. Après la guerre de 1914-1918 — infirmier militaire, il avait été réformé pour maladie et contraint à une longue cure en Suisse —, Jouve traversa une crise sérieuse au terme de laquelle, en 1924, il rejeta tous ses écrits antérieurs. Faisant retour à Baudelaire, au poète qui sut extraire la beauté du mal, se référant aussi à la psychanalyse, il entreprit de déchiffrer la présence du divin jusque dans la souillure de l'incarnation, de transcrire la relation du sexe et de la mort, de traquer les mystères de l'être. Après *Noces* qui ouvrait cette œuvre, subversive en regard des conceptions traditionnelles de la foi comme de la beauté poétique, *Sueur de sang* (1933-1935) orchestrait tous les grands thèmes (le sexe, la nuit, l'angoisse, l'illumination) et annonçait les figures (le cerf, la déesse mère), que reprendront sans cesse pour les éclairer — ou pour irradier leur mystère — *Matière céleste, Kyrie* et les grands recueils de la guerre (*la Vierge de Paris*) et d'après : *Mélodrame* (1958), *Moires* (1966), *Ténèbre* (1966).

Les plaisirs de la nuit sont accompagnés
Dans la tenture comme une tulipe de sang.
La peau luit, les systèmes pileux, membres coupés
De l'amour éparpillés sur des étagères,
Mais l'ardeur est terrible et cruelle comme la nymphe
Echo échevelée dans les montagnes,
Par contre les jours sont seuls et sous la pluie
L'ennui spécial fait resonger au crime des nuits.

(Noces.)

EXTRA-TERRESTRE

Rien qu'une nuit obscure
Et la mort s'exhibant dans les miroirs légers
A l'aurore du suivant jour.

Rien qu'un cerf agonisant sur la pierre
Spirituelle et qu'une main aux yeux blessés
Qu'une touffe sur la nuque, et toi Christ immuable !
Telles sont en profondeur, cerf de la nuit,
Les providences dont tu te sers
Pour transformer le pauvre cœur en vie.

Le cerf altéré meurt au cri des rochers
Sur tout le pays de mes fautes. Je n'ai
Rien pour le ranimer ni pour l'aimer.
Mais il est mon amant adorable. Son cri
Me retire déjà de cette vie fanée.

Exposée au tourment excité de la terre
La face n'est plus comme alors injuriée.
Elle défend qu'on l'accable ou qu'on l'aime
Meurt de gloire !
Et chemin des schistes mortuaires
Le poète voulut la ranimer.

O Adorable matinée
De tes yeux ! Principe immuable
De l'orifice de ta voix.
Paradis de tes reins et chaud
Redressement de ta verge
Qui brûle de l'esprit muet.

Le cerf naît de l'action la plus claire
De l'inhumanité trouvée avec sa détresse
De l'extrême chaleur au flanc des icebergs
Et du torrent remontant le cours de ses pierres.

Le cerf naît de l'humus le plus bas
De soi, du plaisir de tuer le père
Et du larcin érotique avec la sœur,
Des lauriers et des fécales amours.

Le cerf apparaît dans les villes
Entre des comptoirs et ruisseaux
Méconnaissable sous la lampe de mercure
Quand le ciel, le ciel même prépare la guerre.

La mort
Qui fit la personne que vous voyez,
Ennemie de son âme,
En elle-même, ayant tué la personne infâme,
Par l'âme à la fin se verra employée.

GRAVIDA

Le chemin de rocs est semé de cris sombres
Archanges gardant le poids des défilés
Les pierres nues sont sous les flots au crépuscule
Vert émeraude avec des mousses et du sang.

Pierre Jean Jouve, par Le Fauconnier.

C'est beau ! la paroi triste illustration
Chante la mort mais non le sexe chaud du soir
Cela tressaille en s'éloignant infiniment
Jusqu'au lieu grave où j'ai toujours désiré vivre.

Là, muraille et frontière amère, odeur de bois
De larmes et fumier
Et le fils émouvant tremble encore une fois
De revoir dur ce qu'il a vu doux dans le ventre.

SUR-MOI CRÉANT

Amour de la beauté plutôt vulve que cendre
Vous vous taisez ! le reste est un combat de cieux
Les armées vert-de-gris et les rochers pieux
Il fait froid si loin de la femme au fond rose.

Douceur ! les prairies fument comme des seins
Allaitent le bout des ruisseaux, ah jamais plus
La faiblesse du désir vers sa poitrine
L'amour des villes, l'écharpe chaude couleur de sang...

Mais la tourbière et les odeurs de sexe et les joncs ?

(Sueur de sang.)

La matière céleste est une mais illusoires
Sont les accidents célestes (et j'ai bien cru
Que je perdais mon nom mon sexe et ma couleur
Ma pensée dans ces paysages épouvantés)

Illustres sont les moires
Tendres les rochers
Parfaits les seins (et j'ai bien cru l'aimer
Elle était toute rose)

Admirables les dépôts de Dieu dans les mémoires
Le céleste tombé dans les copulations
Les miroirs les baisers roux et les gloires.

(Matière céleste.)

J'aime et sur cette queue plantée en terre
Je bâtirai mon église
La maison avec les pierres nues gorgées de flamme
L'habitation déchirée par les vents de la confiance
Le sépulcre sans lit le temple sans porte
Mon amour sans amour aux chairs de la foi
Sans corps ni main ni sein ni chevelure
Ta désolation sans lieu et sans nature.

(Kyrie.)

Sueur de sang *m'était obscur et nécessaire : je ne m'expliquais pas le texte, je le vivais. Certains mots se détachaient, comme chargés de force : ils semblaient déterminer tous les autres, créer l'espace où le poème s'organisait.* (Pierre Emmanuel)

NADA

Il faut encor croiser un sanglot de mes mains
Envers ton vide sein rose au cœur violet
Rose tranchée à mort et violette usée
Foliole, abolie, vase sans lendemain

Aimer que Tu ne sois : à tout rayon senti
Nul ! et de ton refus un chemin se répand
Droit dans Ton cœur qui tout aime et reprend
Tout par notre vouloir à tuer les aimés.

Si j'annule ce cœur il brisera sa cage
De faim ! Mais c'est encore un décor de langage
Que brise ton baiser ô Sang. Et sang tué.

(Diadème.)

Si l'assoiffé du plaisir périssant, de la mort vive
Et du repos au pli jouissant de la mort
Pouvait durer ! s'étendre encore ! et s'épuiser dans des
    rousseurs !
S'assouvir à chercher le corps dont il est corps !
Insouciant dont le sexe est rouge de terreur
Il sait le temps, et que le temps accourt du futur
Pour jouir de lui seul dans le chagrin des rives,
Lentement l'accomplit, et lui présente nue
La mort cette autre forme non connue.

ISIS II

Toi qui connais le jeu du tonnerre et celui des membres
Par l'excitement la parole sacrée l'illusion
Qui trembles en action ô déesse de faute
Sans jamais perdre la force que la nuit posa sur tes reins
La fraîcheur des chemins blancs que tracent tes jambes
    longues
Vers le bois noir poussé à l'entre-croisement
Qui grossit sur le grarnd arc ou la maison de tes lombes,

Toi qui dispenses l'amour comme la machine à plaisir
O déesse ! tu es sculptée avec la honte
Dans la honte a grandi fut couvé ton trésor
La honte t'a formée en beauté rituelle,
Quand tu passes, l'homme est pris aux amertumes du
    corps.

(Mélodrame.)

Lithographie de Balthus
pour *Langue* de Pierre Jean Jouve.

Que la beauté non plus comme un rêve de pierre
Jaillisse désormais du laid de notre horreur
Redoutable ; et se forme ô baiser de la tombe
Des deux principes noirs accolés par le fond :

Et que cette beauté aux mille rayons vive
Traverse la machine du temps ! Pénétrant
Amour dans le serpent d'un corps autour du sexe,
Mort très impénétrable aux racines rêvant.

O toi que j'ai longtemps aimée Isis mortelle
Sache que tes yeux froids me reprendront toujours
Aussi faible aussi fort semblable et misérable
Devant le gouffre qui m'arrachera de moi, ma mort.

(Moires.)

---

*Poésie I-IV (Les Noces, Sueur de sang, Matière céleste, Kyrie),
Poésie V-VI (La Vierge de Paris, Hymne), Poésie VII-IX (Diadème, Ode,
Langue), Poésie X-XI (Mélodrame, Moires), Mercure de France. Les
Noces, suivi de Sueur de sang, Diadème, Poésie / Gallimard.* ◊ Pierre
Emmanuel, *Qui est cet homme,* Seuil. René Micha, *Pierre Jean Jouve,*
Poètes d'aujourd'hui / Seghers et le remarquable *Cahier de l'Herne*
(n° 19) sur P. J. Jouve.

saint-john perse 1887-1975

Saint-John Perse, dans une génération éprise de modernité, tourne le dos au temps. Seuls l'intéressent l'espace, les éléments, les grandes forces qui secouent la nature ou qui — dieux, pouvoir, sexe — animent l'homme. Et aussi la matière où s'inscrivent ses poèmes : la langue. Sa langue, que Caillois dit « hautaine et infaillible », paraît venir d'un monde primitif et raffiné, surgir des profondeurs du sacré. Sans doute, de même que Saint-John Perse est le masque de Marie-René Alexis Saint-Léger Léger qui, sous le nom d'Alexis Léger, fut ambassadeur de France et secrétaire général du quai d'Orsay, cette langue n'est pas née de rien. Les grands textes antiques — épiques ou prophétiques — et les versets de Claudel n'en sont qu'en partie les sources. Le poète se dit lui-même antirationaliste et hostile à l'héritage latin, et sa poésie s'enracine dans la réalité. Né, élevé à la Guadeloupe, Saint-John Perse est un homme de grand air, épris d'odeurs et de couleurs, de chevauchées et de navigation. Les poèmes d'*Images à Crusoé* et d'*Eloges,* écrits entre dix-huit et vingt-trois ans, sont imprégnés d'épices, d'embruns et d'enfance.

LE MUR

Le pan de mur est en face, pour conjurer le cercle de ton rêve.

Mais l'image pousse son cri.

La tête contre une oreille du fauteuil gras, tu éprouves tes dents avec ta langue : le goût des graisses et des sauces infecte tes gencives.

Et tu songes aux nuées pures sur ton île, quand l'aube verte s'élucide au sein des eaux mystérieuses.

... C'est la sueur des sèves en exil, le suint amer des plantes à siliques, l'âcre insinuation des mangliers charnus et l'acide bonheur d'une substance noire dans les gousses.

C'est le miel fauve des fourmis dans les galeries de l'arbre mort.

C'est un goût de fruit vert, dont surit l'aube que tu bois ; l'air laiteux enrichi du sel des alizés...

Joie ! ô joie déliée dans les hauteurs du ciel ! Les toiles pures resplendissent, les parvis invisibles sont semés d'herbages et les vertes délices du sol se peignent au siècle d'un long jour... *(Images à Crusoé.)*

ÉLOGES

XV

Enfance, mon amour, j'ai bien aimé le soir aussi :
c'est l'heure de sortir.

Nos bonnes sont entrées aux corolles des robes...
et collés aux persiennes, sous nos tresses glacées,
nous avons

vu comme lisses, comme nues, elles élèvent à bout
de bras l'anneau mou de la robe.

Nos mères vont descendre, parfumées avec l'herbe-
à-Madame-Lalie... Leurs cous sont beaux. Va devant et
annonce : Ma mère est la plus belle ! — J'entends déjà
les toiles empesées

qui traînent par les chambres un doux bruit de
tonnerre... Et la Maison ! la Maison ?... on en sort !

Le vieillard même m'envierait une paire de crécelles
et de bruire par les mains comme une liane à pois,
la guilandine ou le mucune.

Ceux qui sont vieux dans le pays tirent une chaise
sur la cour, boivent des punchs couleur de pus.

En Chine, secrétaire à la légation de France (1916-1921), Saint-John
Perse écrit Anabase, usant d'un vocabulaire immense, mais qui procède d'un savoir vécu ; juriste, diplomate, Saint-John Perse s'est initié
à la banque, à l'industrie ; archéologue, il aime les architectures por-
tuaires et a décrypté un manuscrit de Philon le Juif ; homme des
grands espaces, il est féru de sciences naturelles, de l'orographie à la
zoologie, et a passé de longs mois à observer oiseaux de mer et rapaces.

ANABASE

VII

Nous n'habiterons pas toujours ces terres jaunes,
notre délice...

L'Eté plus vaste que l'Empire suspend aux tables de
l'espace plusieurs étages de climats. La terre vaste
sur son aire roule à pleins bords sa braise pâle sous
les cendres. — Couleur de soufre, de miel, couleur
de choses immortelles, toute la terre aux herbes s'allumant aux pailles de l'autre hiver — et de l'éponge
verte d'un seul arbre le ciel tire son suc violet.

Un lieu de pierres à mica ! Pas une graine pure dans
les barbes du vent. Et la lumière comme une huile.
— De la fissure des paupières au fil des cimes m'unissant, je sais la pierre tachée d'ouïes, les essaims du
silence aux ruches de lumière ; et mon cœur prend
souci d'une famille d'acridiens...

Chamelles douces sous la tonte, cousues de mauves cicatrices, que les collines s'acheminent sous les données du ciel agraire — qu'elles cheminent en silence sur les incandescences pâles de la plaine ; et s'agenouillent à la fin, dans la fumée des songes, là où les peuples s'abolissent aux poudres mortes de la terre.

Ce sont de grandes lignes calmes qui s'en vont à des bleuissements de vignes improbables. La terre en plus d'un point mûrit les violettes de l'orage ; et ces fumées de sable qui s'élèvent au lieu des fleuves morts, comme des pans de siècles en voyage...

A voix plus basse pour les morts, à voix plus basse dans le jour. Tant de douceur au cœur de l'homme, se peut-il qu'elle faille à trouver sa mesure ?... « Je vous parle, mon âme ! — mon âme tout enténébrée d'un parfum de cheval ! » et quelques grands oiseaux de terre, naviguant en Ouest, sont de bons mimes de nos oiseaux de mer.

A l'orient du ciel si pâle, comme un lieu saint scellé des linges de l'aveugle, des nuées calmes se disposent. où tournent les cancers du camphre et de la corne... Fumées qu'un souffle nous dispute ! la terre tout attente en ses barbes d'insectes, la terre enfante des merveilles ! .

Et à midi, quand l'arbre jujubier fait éclater l'assise des tombeaux, l'homme clôt ses paupières et rafraîchit sa nuque dans les âges... Cavaleries du songe au lieu des poudres mortes, ô routes vaines qu'échevelle un souffle jusqu'à nous ! où trouver, où trouver les guerriers qui garderont les fleuves dans leurs noces ?

Au bruit des grandes eaux en marche sur la terre, tout le sel de la terre tressaille dans les songes. Et soudain, ah ! soudain que nous veulent ces voix ? Levez un peuple de miroirs sur l'ossuaire des fleuves, qu'ils interjettent appel dans la suite des siècles ! Levez des pierres à ma gloire, levez des pierres au silence, et à la garde de ces lieux les cavaleries de bronze vert sur de vastes chaussées !...

(L'ombre d'un grand oiseau me passe sur la face.)

Braque, *L'Ordre des oiseaux*

Après un silence de plus de vingt ans, en 1941, réfugié aux Etats-Unis, Saint-John Perse, qui a quitté la France en juin 1940, écrit les premiers poèmes d'*Exil*, que compléteront bientôt *Pluies, Neiges* et *Poème à l'étrangère*, et que suivront après la guerre les grands chants de *Vents* (1946), d'*Amers* (1957) et, en 1959 — un an avant le prix Nobel —, la célébration du grand âge dans *Chronique*.

PLUIES

VIII

... Le banyan de la pluie perd ses assises sur la Ville. Au vent du ciel la chose errante et telle

Qu'elle s'en vint vivre parmi nous !... Et vous ne nierez pas, soudain, que tout nous vienne à rien.

Qui veut savoir ce qu'il advient des pluies en marche sur la terre, s'en vienne vivre sur mon toit, parmi les signes et présages.

Promesses non tenues ! Inlassables semailles ! Et fumées que voilà sur la chaussée des hommes !

Vienne l'éclair, ha ! qui nous quitte !... Et nous reconduirons aux portes de la Ville

Les hautes Pluies en marche sous l'Avril, les hautes Pluies en marche sous le fouet comme un Ordre de Flagellants.

Mais nous voici livrés plus nus à ce parfum d'humus et de benjoin où s'éveille la terre au goût de vierge noire.

... C'est la terre plus fraîche au cœur des fougeraies, l'affleurement des grands fossiles aux marnes ruisselantes,

Et dans la chair navrée des roses après l'orage, la terre, la terre encore au goût de femme faite femme.

... C'est la Ville plus vive aux feux de mille glaives, le vol des sacres sur les marbres, le ciel encore aux vasques des fontaines,

Et la truie d'or à bout de stèle sur les places désertes. C'est la splendeur encore aux porches de cinabre ; la bête noire ferrée d'argent à la plus basse porte des jardins ;

C'est le désir encore au flanc des jeunes veuves, des jeunes veuves de guerriers, comme de grandes urnes rescellées.

... C'est la fraîcheur courant aux crêtes du langage, l'écume encore aux lèvres du poème,

Et l'homme encore de toutes parts pressé d'idées nouvelles, qui cède au soulèvement des grandes houles de l'esprit :

« Le beau chant, le beau chant que voilà sur la dissipation des eaux !... » et mon poème, ô Pluies ! qui ne fut pas écrit !

VENTS

I, 4

Tout à reprendre. Tout à redire. Et la faux du regard sur tout l'avoir menée !

Un homme s'en vint rire aux galeries de pierre des Bibliothécaires. — Basilique du Livre !... Un homme aux rampes de sardoine, sous les prérogatives du bronze et de l'albâtre. Homme de peu de nom. Qui était-il, qui n'était-il pas ?

Et les murs sont d'agate où se lustrent les lampes, l'homme tête nue et les mains lisses dans les carrières de marbre jaune — où sont les livres au sérail, où sont les livres dans leurs niches, comme jadis, sous bandelettes, les bêtes de paille dans leurs jarres, aux chambres closes des grands Temples — les livres tristes, innombrables, par hautes couches crétacées portant créance et sédiment dans la montée du temps...

Et les murs sont d'agate où s'illustrent les lampes. Hauts murs polis par le silence et par la science, et par la nuit des lampes. Silence et silencieux office. Prêtres et prêtrise. Sérapéum !

A quelles fêtes du Printemps vert nous faudra-t-il laver ce doigt souillé aux poudres des archives — dans cette pruine de vieillesse, dans tout ce fard de Reines mortes, de flamines — comme aux gisements des villes saintes de poterie blanche, mortes de trop de lune et d'attrition ?

Ha ! qu'on m'évente tout ce lœss ! Ha ! qu'on m'évente tout ce leurre ! Sécheresse et supercherie d'autels... Les livres tristes, innombrables, sur leur tranche de craie pâle..

Et qu'est-ce encore, à mon doigt d'os, que tout ce talc d'usure et de sagesse, et tout cet attouchement des poudres du savoir ? comme aux fins de saison poussière et poudre de pollen, spores et sporules de lichen, un émiettement d'ailes de piérides, d'écailles aux volves des lactaires... toutes choses faveuses à la limite de l'infime, dépôts d'abîmes sur leurs fèces, limons et lies à bout d'avilissement — cendres et squames de l'esprit.

Ha ! tout ce parfum tiède de lessive et de fomentation sous verre..., de terres blanches à sépulcre, de terres blanches à foulon et de terre de bruyère pour vieilles Serres Victoriennes..., toute cette fade exhalaison de soude et de falun, de pulpe blanche de coprah, et de sécherie d'algues sous leurs thalles au feutre gris des grands herbiers,

Saint-John Perse, par André Marchand.

Ha ! tout ce goût d'asile et de casbah, et cette pruine de vieillesse aux moulures de la pierre — sécheresse et supercherie d'autels, carie de grèves à corail, et l'infection soudaine, au loin, des grandes rames de calcaire aux trahisons de l'écliptique...

S'en aller ! s'en aller ! Parole de vivant !

CHRONIQUE

V

« Grand âge, nous voici. Rendez-vous pris, et de longtemps, avec cette heure de grand sens.

« Le soir descend, et nous ramène, avec nos prises de haute mer. Nulle dalle familiale où retentisse le pas d'homme. Nulle demeure à la ville ni cour pavée de roses de pierre sous les voûtes sonores.

« Il est temps de brûler nos vieilles coques chargées d'algues. La Croix du Sud est sur la Douane ; la frégate-aigle a regagné les îles ; l'aigle-harpie est dans la jungle, avec le singe et le serpent-devin. Et l'estuaire est immense sous la charge du ciel.

« Grand âge, vois nos prises : vaines sont-elles, et nos mains libres. La course est faite et n'est point faite ; la chose est dite et n'est point dite. Et nous rentrons chargés de nuit, sachant de naissance et de mort plus que n'enseigne le songe d'homme. Après l'orgueil, voici l'honneur, et cette clarté de l'âme florissante dans l'épée grande et bleue.

« Hors des légendes du sommeil toute cette immensité de l'être et ce foisonnement de l'être, toute cette passion d'être et tout ce pouvoir d'être, ah ! tout ce très grand souffle voyageur qu'à ses talons soulève, avec l'envol de ses longs plis — très grand profil en marche au carré de nos portes — le passage à grands pas de la Vierge nocturne ! »

Œuvres complètes, la Pléiade / Gallimard. *Œuvre poétique* (t. I : *Eloges, La Gloire des rois, Anabase, Exil* ; t. II : *Vents, Amers, Chronique*, Gallimard. En collection de poche Poésie /Gallimard : *Eloges* suivi de *La Gloire des rois, Anabase, Exil* ; *Vents,* suivi de *Chronique* ; *Amers,* suivi d'*Oiseaux*. ◊ A. Bosquet, *Saint-John Perse,* Poètes d'aujourd'hui / Seghers. R. Caillois, *Poétique de Saint-John Perse,* Gallimard. J. Charpier, *Saint-John Perse,* la Bibliothèque idéale / Gallimard. M. Saillet, *Saint-John Perse, poète de gloire,* Mercure de France. R. Garaudy, *D'un réalisme sans rivages,* Plon.

pierre reverdy 1889-1960

« Pour le poète, le rêve est un filon d'où il faut extraire les morceaux d'or. Il faut descendre dans la mine du rêve pour trouver les plus belles pépites. Et ce n'est pas l'effort le plus grand, — c'est plutôt le plaisir, — mais de les remonter au jour sous forme de lingots, de bijoux. » Nul poète n'a, comme Reverdy, autant doué de lui-même (« Je ne connais pas d'exemple d'une œuvre qui ait inspiré moins de confiance à son auteur que la mienne ») et attaché un tel soin à la composition de ses poèmes. Sa modestie, le fait également que, dès 1923, il ait quitté Montmartre où ses amis s'appelaient Picasso, Juan Gris, Léger, Apollinaire, Max Jacob, pour se retirer, non dans son Midi natal dont il gardera toujours la nostalgie, mais à l'ombre de l'abbaye de Solesmes, expliquent qu'il n'ait conquis que lentement une large notoriété. Mais sa recherche exigeante, la nouveauté de ses poèmes, qui très vite se dégagèrent de l'influence — heureuse — d'Apollinaire, lui valurent, dès 1918, l'admiration de jeunes poètes : Breton, Aragon, Soupault. Reverdy, dont les débuts à Paris (comme correcteur d'imprimerie) avaient été difficiles, les accueillait dans sa revue *Nord-Sud*, et ceux-ci appréciaient son génie des images et la rigueur avec laquelle il définissait le mécanisme de leur création : « L'image est une création pure de l'esprit. Elle ne peut naître d'une comparaison, mais du rapprochement de deux réalités plus ou moins éloignées. » Ce rapprochement, Breton et Soupault cherchèrent bientôt à le provoquer par l'écriture automatique. Au contraire, de *la Lucarne ovale* (1916) au *Chant des morts* et aux derniers poèmes de *Liberté des mers*, la descente de Reverdy dans le rêve, fut toujours consciente et volontaire. Dans ses textes, à la densité parfois énigmatique, à la troublante et obscure simplicité, passent tout le tremblement du réel, l'insolite du quotidien et brille une lumière si vive que, d'abord, elle aveugle.

Pierre Reverdy,
par Picasso.

STOP

Le bidon de pétrole
Et le bruit
Celui qui le porte rit

Une cigarette qui scintille
Dans la nuit

Le tramway traîne une mélodie dans ses roues
Et une chevelure de lumière
Les étincelles de celle qui passe par la portière
Ses yeux sont tombés sur le rail
Un arrêt facultatif où personne ne descend
On repart
Le train mon cœur et mes mains ce soir sont en retard

Je voudrais voir le bout de tes souliers
Je voudrais savoir ce que tu penses de ce premier
    voyage à pied
Derrière les autres

Ils s'en vont vite
Ils t'ont laissé
Au coin du trottoir
Et la poupée qui sortit une fois de sa boîte
Dans la vitrine
Te dit bonsoir

La rue est grande et triste comme un boulevard

(Quelques Poèmes.)

En ce temps-là le charbon
était devenu aussi précieux
et rare que des pépites d'or
et j'écrivais dans un grenier
où la neige, en tombant
par les fentes du toit, devenait bleue.

JOUR MONOTONE

A cause de l'eau le toit glisse
A cause de la pluie tout se fond
Le pétrole l'alcool et ma faible bougie
Ont incendié la maison

Un jardin sans oiseaux
Un jardin sans bruit
Vous allez cueillir des fleurs noires
Les feuilles ne sont jamais vertes
Toutes les épines sont rouges
Et vos mains sont ensanglantées

Dans l'allée du milieu passe une procession
Par la fenêtre de la morte
Où brûle un cierge
Il sort une lente chanson

C'était elle et l'autre
La voisine aussi
Tout le monde chante à tue-tête

Et dans l'escalier où l'on rit
Quelqu'un qui tombe pousse un cri
Un chien se sauve

On n'entend pleurer que la pluie

SURPRISE D'EN HAUT

Au fond du couloir les portes s'ouvriront
Une surprise attend ceux qui passent
Quelques amis vont se trouver là
Il y a une lampe qu'on n'allume pas
Et ton œil unique qui brille

Illustration de Juan Gris pour
Au soleil du plafond de Reverdy.

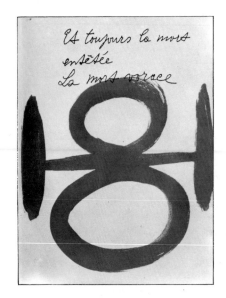

Et toujours la mort
entêtée
La mort vorace

On descend l'escalier pieds nus
C'est un cambrioleur ou le dernier venu
Qu'on n'attendait plus
La lune se cache dans un seau d'eau
Un ange sur le toit joue au cerceau
La maison s'écroule

Dans le ruisseau il y a une chanson qui coule

(La Lucarne ovale.)

LE MONDE PLATE-FORME

La moitié de tout ce qu'on pouvait voir glissait. Il y avait des danseurs près des phares et des pas de lumière. Tout le monde dormait. D'une masse d'arbres dont on ne distinguait que l'ombre — l'ombre qui marchait en se séparant des feuilles, une aile se dégagea, peu à peu, secouant la lune dans un battement rapide et mou. L'air se tenait tout entier. Le pavé glissant ne supportait plus aucune audace et pourtant c'était en pleine ville, en pleine nuit — le ciel se rattachant à la terre aux maisons du faubourg. Les passants avaient escaladé un autre monde qu'ils regardaient en souriant. Mais on ne savait pas s'ils resteraient plus longtemps là ou s'ils iraient tomber enfin dans l'autre sens de la ruelle. *(Etoiles peintes.)*

DEUX ÉTOILES

Un tableau qui n'a pas de fond
Une minute d'arrêt
L'étoile descend du plafond
Elle ferme ton œil
Un volet remplace l'autre
J'ai posé ma main sur la vôtre
Par la fente du haut
On peut voir le ciel
Tout brille

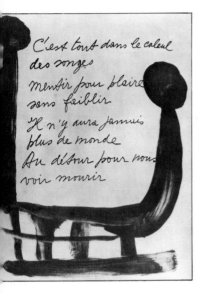

C'est tout dans le calcul
des songes
mentir pour plaire
sans faiblir
Il n'y aura jamais
plus de monde
Au détour pour nous
voir mourir

La persienne de droite est une grille
Et dans la rue où l'on descend
Ce sont toujours les mêmes mots que l'on entend
Quelqu'un vient
On n'a pas le temps de se dire adieu
Dans l'ombre il reste encore
La lumière de tes yeux.

(Pierres blanches.)

PRISON

Je me suis pris à l'aile exquise du hasard
J'avais oublié de le dire
J'avais perdu le sens de la distance
Dans la débâcle du présent
Serré dans les filets rigides de la raison
Etouffé de forces précises
Je tournais sans comprendre autour de la maison
Assis debout perdu dans le délire
Et sans mémoire à remonter aux limites obscures
Plus rien à conserver dans les mains qui se brouillent
A retenir ou à glaner entre les doigts
Il n'y a que des reflets qui glissent
De l'eau du vent
filtres limpides
Dans mes yeux
Et le sang du désir qui change de nature
Des images
Des images
Sans aucune réalité pour se nourrir

(Le Chant des morts.)

Illustrations de Picasso
pour *le Chant des morts*

Plupart du temps, poèmes 1915-1922 (contient notamment *La Lucarne ovale, Les Ardoises du toit, La Guitare endormie, Etoiles peintes, Cœur de chêne, Cravates de chanvre*), Flammarion et Poésie / Gallimard (2 vol.). *Main d'œuvre*, poèmes 1913-1949 (contient *Grandeur nature, La Balle au bond, Sources du vent, Pierres blanches, Ferraille, Plein Verre, Le Chant des morts, Cale sèche, Bois vert*), Mercure de France. *Flaques de verre*, Flammarion. ◊ M. Manoll et J. Rousselot, *Reverdy*, Poètes d'aujourd'hui / Seghers.

jean cocteau 1889-1963

Cocteau fut célèbre avant d'être Cocteau pour avoir, jeune bourgeois parisien, composé des poèmes à la manière compassée des auteurs qu'il avait rencontrés dans les salons, Rostand et Anna de Noailles. A vingt ans, découvrant Gide, Apollinaire et Picasso, il renia ses premiers textes et, en 1917, avec son ballet *Parade,* qui fit scandale, il devint Cocteau. Poète protée, se voulant poète jusque dans le roman, le théâtre et le film, il essaya toutes les formes, passant avec une aisance souveraine — qui le fit parfois traiter d'illusionniste — des acrobaties typographiques du *Cap de Bonne-Espérance* (1916-1919) aux stances classiques de *Plain-Chant* (1924), de l'inspiration contrôlée du *Discours du grand sommeil* (1917-1920) à la spontanéité de *l'Ange Heurtebise* (1926) ou de *la Crucifixion* (1946) et à l'émotion de *Requiem,* (1962), mais poursuivant toujours, sous des masques divers, les figures de l'ange, de la beauté et de la mort.

DISCOURS DU GRAND SOMMEIL

[...] Cet ange me dit :

                              Pars.

Que fais-tu entre les remparts
de ta ville ?
Tu as chanté le Cap du triste effort.
Va et raconte
l'homme tout nu,
tout vêtu de ce qu'il trouve
dans sa caverne,
contre le mammouth et le plésiosaure.

Tu le verras dépouillé,
délivré,
matricule,
avec le vieil instinct de tuer ;
mis là comme l'animal qu'on emploie
d'après les services qu'il peut rendre.
Avec la vieille loi de tuer
pour les maîtres infatués
de la ferme.

Il a oublié l'usage des mots.
La vie brûlante
et somnolente...
Plante immobile, et plantes
qui bougent : les animaux.

Tu verras l'Eden infect.
L'homme nu,
l'homme inconnu.
S'il rentre parmi les siens
son regard remplit sa femme de détresse.
Il assoit son corps
qui fume la pipe ;
mais la pensée,
prise aux détours du labyrinthe,
reste lointaine.

Il interroge peu, il raconte peu,
il tape sur ses cuisses,
il dit : « J'ai juste le temps de reprendre mon train » et
se lève pour rejoindre la chose, que l'épouse redoute plus
que la montagne
creuse où va Tannhäuser.

L'Indien crache, donne sa parole
au chef ennemi et galope
vers sa tribu.
Il fume le calumet. A l'aube
il prépare son chant de mort
et retourne au poteau des supplices.

Tu verras, dit-il, ces sages
bâtir dans le sable
et sur l'eau. [...]

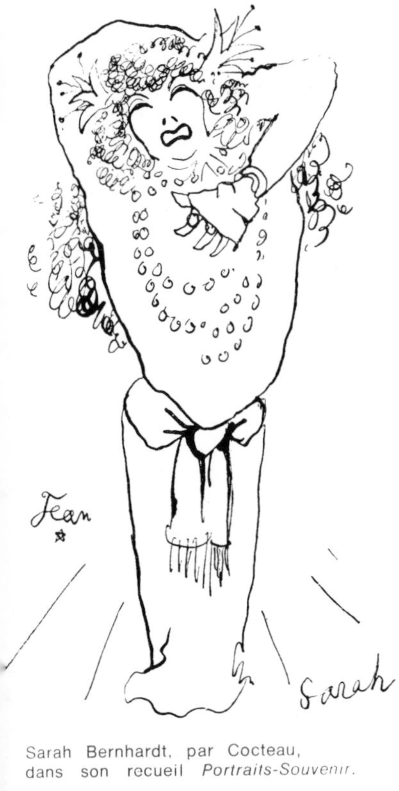

A l'amour je retourne et contre je me vautre ;
Ton lit sans fond écarte un glorieux sommet,
Chasse de mon esprit la chicane des autres,
Puisque souffrir d'amour, l'ange me le permet.

Tiens ton bel œil ouvert. Veille. Car je redoute
Ce sommeil machiné qui te transporte ailleurs.
Tu sais combien le mal à croire me coûte,
Mais quand tu dors je pense à des mondes meilleurs

Sarah Bernhardt, par Cocteau,
dans son recueil *Portraits-Souvenir.*

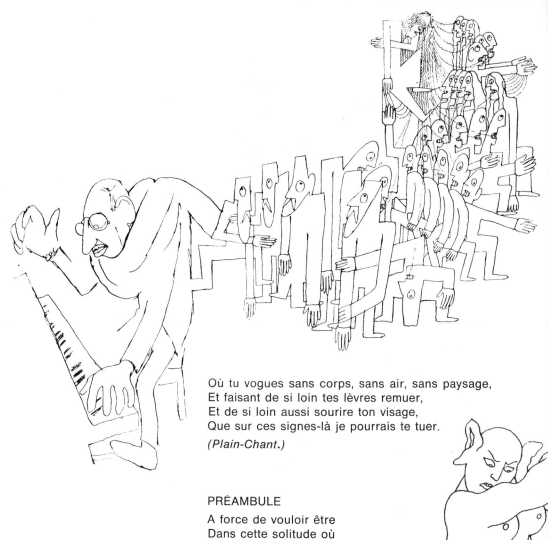

Où tu vogues sans corps, sans air, sans paysage,
Et faisant de si loin tes lèvres remuer,
Et de si loin aussi sourire ton visage,
Que sur ces signes-là je pourrais te tuer.

(Plain-Chant.)

PRÉAMBULE

A force de vouloir être
Dans cette solitude où
De n'être rien les autres craignent
A force d'oublier de vivre
Traqué par la peur d'un esclandre
Evitant que n'importe quel
Joyeux drille ne s'aperçoive
De mon effort d'être je n'ose
Ni manger ni boire ni
M'attabler au bord de leurs danses
A force de vivre sous
L'uniforme mal connu
D'une légion étrangère
A force de me donner l'air
De n'avoir pas l'air à force

Dessins de Cocteau : Stravinsky jouant
le Sacre du printemps ;
Œdipe et le Sphinx ;
la comtesse de Noailles.

De m'engluer dans mes pièges
A force de me dire s'ils veulent
Voir mes papiers je suis perdu
Bref à force de feindre
D'être des leurs moi le voleur
Aux semelles de silence
A force de donner le change
Et pour l'ombre d'un bossu
Avoir pris celle des anges
Et d'alourdir mon scaphandre
D'œuvres de plus en plus suspectes
A la barque des beaux rameurs
A force de suivre les ombres
De fantômes sans châteaux
Styx sur tes désertes rives
Sans avoir vécu je meurs.

(Requiem.)

Poésie (1916-1923), recueil comprenant *Le Cap de Bonne-Espérance*, *Discours du grand sommeil*, *Poésies, Plain-Chant*, Gallimard. *Opéra*, Stock. *Poèmes (Allégories, Léone, La Crucifixion)*, *Le Requiem*, Gallimard. *Clair-Obscur*, Rocher. *Le Cap de Bonne-Espérance*, Poésie / Gallimard. ◊ Claude Mauriac, *Jean Cocteau ou la Vérité du mensonge*, Lieutier. R. Lannes, *Cocteau*, Poètes d'aujourd'hui / Seghers. A Fraigneau, *Cocteau par lui-même*, Ecrivains de toujours / Seuil. J.-J. Kihm, *Cocteau*, Bibliothèque idéale / Gallimard.

paul eluard 1895-1952

Paul Eluard — pour l'état civil Eugène-Emile-Paul Grindel, né à Saint-Denis en 1895 — fut l'une des figures majeures de Dada et du surréalisme. Aussi l'une des plus singulières : bien que participant jusqu'en 1938, date de sa rupture avec Breton, à toutes les expériences et manifestations du groupe, il fit entendre très tôt une voix personnelle, d'une simplicité presque classique. Tandis que ses amis étaient à l'écoute de leur inconscient, il s'appliquait à dire dans de courts poèmes sa présence au monde et à l'amour ; ou plutôt — mais les miroirs (les yeux, la réversibilité du monde et des regards) ne sont-ils pas, comme pour les baroques une des clés de son œuvre ? — ce fut exactement l'inverse : la vie, les rencontres, l'émerveillement ou l'angoisse, la quête ou l'adoration d'une femme qui fût à la ressemblance du visage désiré (il y en aura trois, Gala, Nusch, Dominique, qui seront ses épouses) le conduisaient à parler, à questionner (lui-même, le monde, l'aimée) ou à célébrer (l'existence, la réalité, le merveilleux, la fraternité, l'amour — plus tard, la révolution).

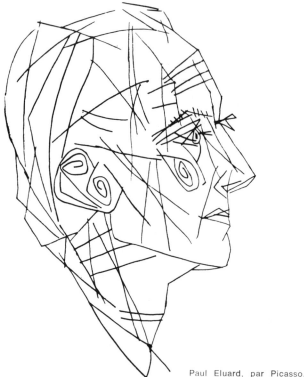

Ma présence n'est pas ici.
Je suis habillé de moi-même.
Il n'y a pas de planète qui tienne
La clarté existe sans moi.

Née de ma main sur mes yeux
Et me détournant de ma voie
L'ombre m'empêche de marcher
Sur ma couronne d'univers,
Dans le grand miroir habitable,
Miroir brisé, mouvant, inverse
Où l'habitude et la surprise
Créent l'ennui à tour de rôle.

(Défense de savoir.)

Paul Eluard, par Picasso.

Nush, par Picasso.

LA DAME DE CARREAU

Tout jeune, j'ai ouvert mes bras à la pureté. Ce ne fut qu'un battement d'ailes au ciel de mon éternité, qu'un battement de cœur amoureux qui bat dans les poitrines conquises. Je ne pouvais plus tomber.

Aimant l'amour. En vérité la lumière m'éblouit.

J'en garde assez en moi pour regarder la nuit, toute la nuit, toutes les nuits.

Toutes les vierges sont différentes. Je rêve toujours d'une vierge.

A l'école, elle est au banc devant moi, en tablier noir. Quand elle se retourne pour me demander la solution d'un problème, l'innocence de ses yeux me confond à un tel point que, prenant mon trouble en pitié, elle passe ses bras autour de mon cou.

Ailleurs, elle me quitte. Elle monte sur un bateau. Nous sommes presque étrangers l'un à l'autre, mais sa jeunesse est si grande que son baiser ne me surprend point.

Ou bien, quand elle est malade, c'est sa main que je garde dans les miennes, jusqu'à en mourir, jusqu'à m'éveiller.

Je cours d'autant plus vite à ses rendez-vous que j'ai peur de n'avoir pas le temps d'arriver avant que d'autres pensées me dérobent à moi-même.

Une fois, le monde allait finir et nous ignorions tout de notre amour. Elle a cherché mes lèvres avec des mouvements de tête lents et caressants. J'ai bien cru, cette nuit-là, que je la ramènerais au jour.

Et c'est toujours le même aveu, la même jeunesse, les mêmes yeux purs, le même geste ingénu de ses bras autour de mon cou, la même caresse, la même révélation.

Mais ce n'est jamais la même femme.

Les cartes ont dit que je la rencontrerai dans la vie, *mais sans la reconnaître.*

Aimant l'amour.

(Les Dessous d'une vie.)

Amoureuse au secret derrière ton sourire
Toute nue les mots d'amour
Découvrent tes seins et ton cou
Et tes hanches et tes paupières
Découvrent toutes les caresses
Pour que les baisers dans tes yeux
Ne montrent que toi tout entière.

(L'Amour la poésie.)

La courbe de tes yeux fait le tour de mon cœur,
Un rond de danse et de douceur,
Auréole du temps, berceau nocturne et sûr,
Et si je ne sais plus tout ce que j'ai vécu
C'est que tes yeux ne m'ont pas toujours vu.

Feuilles de jour et mousse de rosée,
Roseaux du vent, sourires parfumés,
Ailes couvrant le monde de lumière,
Bateaux chargés du ciel et de la mer,
Chasseur des bruits et sources des couleurs,

Parfums éclos d'une couvée d'aurores
Qui gît toujours sur la paille des astres,
Comme le jour dépend de l'innocence
Le monde entier dépend de tes yeux purs
Et tout mon sang coule dans leurs regards.

(Capitale de la douleur.)

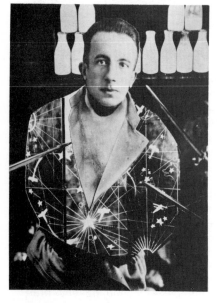

La Nourrice des étoiles,
avec le portrait d'Eluard
par Man Ray.

Surréaliste, Eluard le fut par désir de changer la vie et le langage. Les œuvres qu'il écrivit en collaboration avec Péret, Char ou Breton, notamment *l'Immaculée Conception*, tentative pour reconstituer les langages de la folie, visaient toutes à rompre les clôtures du discours poétique traditionnel. Ses poèmes d'amour, où l'effusion subjective s'accorde selon un jeu exact de correspondance avec l'exaltation de l'universel (de la nature, de l'humanité), s'inscrivent dans le droit fil du surréalisme. Mais quand, prenant parti en 1936 pour les républicains espagnols puis, en 1942, en pleine guerre, s'inscrivant au parti communiste, Eluard se fit militant pour lutter contre le fascisme, pour changer le monde, sa voix, malgré quelques concessions à une rhétorique facile, garda sa singularité ; ainsi les meilleurs textes du *Livre ouvert* ou du *Rendez-vous allemand* sont ceux où la douleur contenue l'oblige à faire retour aux sources profondes. Enfin ses derniers poèmes, qu'ils disent la mort de Nusch ou la redécouverte de l'amour auprès de Dominique, témoignent, comme *Poésie ininterrompue II* (achevé juste avant sa mort en 1952) qu'il a su concilier ses expériences passées pour donner à son chant une ampleur nouvelle.

JE SUIS LA BÊTE

Je vous le dis vous le crie vous le chante
Un rire court sous la neige mortelle
Un rire l'aube et la joie d'être au monde
Les fleurs ont les fruits pour miroir

Frontispice de Chirico
pour *Défense de savoir.*

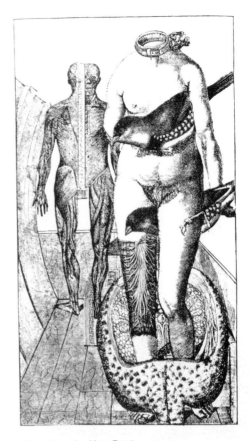

Illustration de Max Ernst
pour *Répétitions.*

Illustration de Chagall
pour le poème *l'Amoureuse.*

J'ai mille amis sous la neige mortelle
J'ai mille amours dont le cœur palpitant
Gonfle l'été qui travaille la terre
Pour mieux régner en jour ouvert

Mille soleils mille fourrures
Mille caresses sous le froid
Plutôt que de mourir j'efface
Ce que j'ai mis de temps à vivre

Tous les remous d'un sang rebelle.

(Le Livre ouvert II.)

Collage de Paul Eluard.

NOTRE VIE

Notre vie tu l'as faite elle est ensevelie
Aurore d'une ville un beau matin de mai
Sur laquelle la terre a refermé son poing
Aurore en moi dix-sept années toujours plus claires
Et la mort entre en moi comme dans un moulin

Notre vie disais-tu si contente de vivre
Et de donner la vie à ce que nous aimions
Mais la mort a rompu l'équilibre du temps
La mort qui vient la mort qui va la mort vécue
La mort visible boit et mange à mes dépens

Morte visible Nusch invisible et plus dure
Que la soif et la faim à mon corps épuisé
Masque de neige sur la terre et sous la terre
Source de larmes dans la nuit masque d'aveugle
Mon passé se dissout je fais place au silence.

(Le Temps déborde.)

POÉSIE ININTERROMPUE II

[...] Voici ma table et mon papier je pars d'ici
Et je suis d'un seul bond dans la foule des hommes
Mes mots sont fraternels et je les veux mêlés
Aux éléments à l'origine au souffle pur

Je veux sentir monter l'épi de l'univers

J'ai le sublime instinct de la pluie et du feu
J'ensemence la terre et rends à la lumière
Le lait de ses années fertiles en miracles
Et je dévore et je nourris l'éclat du ciel

Et je ne crains que l'ombre atroce du silence

Je prononce la pierre et l'herbe y fait son nid
Et la vie s'y reflète excessive et mobile
Le duvet d'un aiglon mousse sur du granit
Une faible liane mange un mur de pierres

Le chant d'un rossignol amenuise la nuit

Prise d'en haut d'en bas dans ma voix fléchissante
La forêt s'agglutine ou se met en vacances
Ravines et marais dans ma voix renaissante
S'allègent comme un corps qui se dévêt et chante

Mers et plaines déserts le jour naît sur la terre

Victorieux enjeu des couleurs des saveurs
La fleur est le ferment de ma langue bavarde
Le temps ne passe pas quand le bruit étincelle
Et refait chaque aurore en nommant une fleur

Dans chaque cœur battant j'en entendrai l'écho
Un pas après un pas la route est infinie
L'animal a conduit ses gestes vers leur but
Et je me suis déduit de leur nécessité

Son sommeil a bordé le lit où je repose

De mort je ne sais rien sauf qu'elle est éphémère
Et je veux chaque soir coucher avec la vie
Et je veux chaque mort coucher avec la vie
L'hiver l'oubli n'annoncent que l'avenir vert

Je ne me suis jamais vu mort les hommes vivent

Je parle et l'on me parle et je connais l'espace
Et le temps qui sépare et qui joint toutes choses
Et je confonds les yeux et je confonds les roses
Je vois d'un seul tenant ce qui dure ou s'efface

La présence a pour moi les traits de ce que j'aime

C'est là tout mon secret ce que j'aime vivra
Ce que j'aime a toujours vécu dans l'unité
Les dangers et les deuils l'obscurité latente
N'ont jamais pu fausser mon désir enfantin

De tous les points de l'horizon j'aime qui m'aime

Je ne vois clair et je ne suis intelligible
Que si l'amour m'apporte le pollen d'autrui
Je m'enivre au soleil de la présence humaine
Je m'anime marée de tous ses éléments

Je suis créé je crée c'est le seul équilibre
C'est la seule justice. [...]

Œuvres complètes (2 vol.), édition établie par Marcelle Dumas et Lucien Scheler, la Pléiade / Gallimard. *Capitale de la douleur, La Vie immédiate, Poésie ininterrompue, Poésies 1913-1926, Le Livre ouvert.* Poésie / Gallimard. *Corps mémorable, Derniers Poèmes d'amour,* Seghers. ◊ Louis Parrot et Jean Marcenac, *Paul Eluard,* Poètes d'aujourd'hui / Seghers. Raymond Jean, *Paul Eluard par lui-même,* Ecrivains de toujours / Seuil. Pierre Emmanuel, *Le Monde est intérieur,* Seuil. Jean-Pierre Richard, *Onze Etudes sur la poésie moderne,* Seuil.

antonin artaud 1896-1948

Artaud est aujourd'hui, avec Nietzsche et Bataille, une référence essentielle. Son œuvre est de celles que toute recherche doit avoir, presque nécessairement, traversée. Elle rayonne bien au-delà de la littérature : sur le théâtre, l'art, la pensée. Critiques, psychanalystes, philosophes s'en emparant, elle ne cesse d'être commentée, expliquée, théorisée, comme s'il s'agissait, pour les uns, d'acérer ses pouvoirs, pour les autres, plus ou moins inconsciemment, d'étouffer sous les gloses le cri du poète, de l'enfermer dans des grilles de lecture, des réseaux d'interprétation, des techniques d'écriture — toutes métaphores de l'asile. Artaud, en effet, est autre chose qu'un « phare » : il n'éclaire pas, il brûle. Il communique à sa parole le feu, les souffrances physiques et mentales qui, le dévorant, avivent toutes ses perceptions (on sait qu'il souffrit, dès l'adolescence, d'horribles névralgies, qu'il resta près de dix ans dans des hôpitaux psychiatriques et que, enfin sorti de celui de Rodez, en 1946, sur l'intervention de ses amis, il mourut d'un cancer en 1948). Artaud, avec une lucidité douloureuse, descend dans les dessous de la raison, dans les gouffres où rôdent le sexe, la violence et la mort, et arrache à sa souffrance une pensée proprement originaire, inquiète de son origine et de ses pouvoirs. Par là, il bouleverse ou révulse le lecteur, qu'il touche au plus fragile de son être, et il bouleverse l'écriture, qu'il voudrait faire se confondre avec l'expérience de la dépossession — la parole volée —, s'enraciner dans la matière, le corps et se dissoudre dans l'angoisse, le cri. Dès les années 1923-1926, Artaud, participant à l'activité du groupe surréaliste, dévoilait dans ses premiers textes, le Pèse-nerfs et l'Ombilic des limbes, ce que seraient le ton et le sens de son œuvre.

Avec moi dieu-le-chien, et sa langue
qui comme un trait perce la croûte
de la double calotte en voûte
de la terre qui le démange.

Et voici le triangle d'eau
qui marche d'un pas de punaise,
mais qui sous la punaise en braise
se retourne en coup de couteau.

Sous les seins de la terre hideuse
dieu-la-chienne s'est retirée,
des seins de terre et d'eau gelée.
qui pourrissent sa langue creuse.

Et voici la vierge-au-marteau,
pour broyer les caves de terre
dont le crâne du chien stellaire
sent monter l'horrible niveau.

(*L'Ombilic des limbes.*)

Non, tous les arrachements corporels, toutes les diminutions de l'activité physique et cette gêne qu'il y a à se sentir dépendant dans son corps, et ce corps même chargé de marbre et couché sur un mauvais bois, n'égalent pas la peine qu'il y a à être privé de la science physique et du sens de son équilibre intérieur. Que l'âme fasse défaut à la langue ou la langue à l'esprit, et que cette rupture trace dans les plaines des sens comme un vaste sillon de désespoir et de sang, voilà la grande peine qui mine non l'écorce ou la charpente, mais l'ÉTOFFE des corps. Il y a à perdre cette étincelle errante et dont on sent QU'ELLE ÉTAIT un abîme qui gagne avec soi toute l'étendue du monde possible, et le sentiment d'une inutilité telle qu'elle est comme le nœud de la mort. Cette inutilité est comme la couleur morale de cet abîme et de cette intense stupéfaction, et la couleur physique en est le goût d'un sang jaillissant par cascades à travers les ouvertures du cerveau *(Le Pèse-nerfs.)*

De 1926 à 1936, animateur, comédien, auteur, théoricien *(le Théâtre et son double)*, Artaud se consacra au théâtre. Après ses voyages au Mexique (1936) et en Irlande (1937), ce fut l'internement, marqué par une longue crise mystique. Libéré, il écrivit, de 1946 à sa mort, des textes capitaux où s'affrontent de manière hallucinatoire la négation et la tentation de la métaphysique : *Van Gogh le suicidé de la société, Artaud le Mômo, Ci-gît, Pour en finir avec le jugement de Dieu.*

LE RETOUR D'ARTAUD LE MOMO

[...] Mais quoi donc à la fin, toi, le fou ?

Moi ?

Cette langue entre quatre gencives,

cette viande entre deux genoux,
ce morceau de trou
pour les fous.

Mais justement pas pour les fous.
Pour les honnêtes,
que rabote un délire à roter partout,

et qui de ce rot
firent la feuille,

écoutez bien :
firent la feuille
du début des générations
dans la carne palmée de mes trous,
à moi.

Lesquels, et de quoi ces trous ?

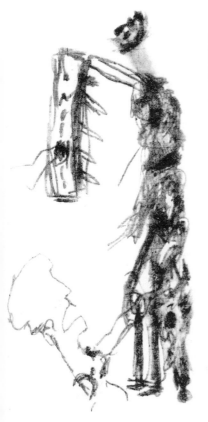

Dessin d'Artaud pour *Artaud le Mômo.*

D'âme, d'esprit, de moi, et d'être ;
mais à la place où l'on s'en fout,
père, mère, Artaud et itou.

Dans l'humus de la trame à roues,
dans l'humus souffrant de la trame
de ce vide,
entre dur et mou. [...]

CI-GIT

[...] Moi, Antonin Artaud, je suis mon fils, mon père,
        ma mère, et moi ;
niveleur du périple imbécile où s'enferre l'engendrement.
le périple papa-maman
        et l'enfant,
suie du cu de la grand-maman,
beaucoup plus que du père-mère.

Ce qui veut dire qu'avant maman et papa
qui n'avaient ni père ni mère,
        dit-on,
et où donc les auraient-ils pris,
        eux,
quand ils devinrent ce conjoint
        unique
que ni l'épouse ni l'époux
n'a pu voir assis ou debout,
avant cet improbable trou
que l'esprit se cherche pour nous,
                        pour nous
dégoûter un peu plus de nous,
était ce corps inemployable,
fait de viande et de sperme fou,
ce corps pendu, d'avant les poux,
suant sur l'impossible table
du ciel
son odeur calleuse d'atome,
sa rogomeuse odeur d'abject

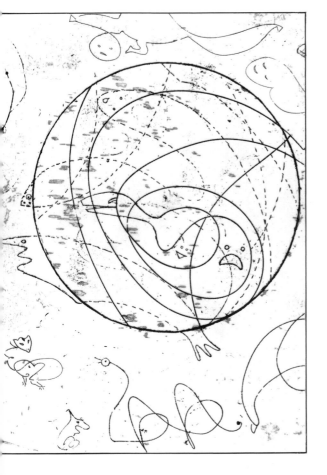

détritus
éjecté du somme
de l'Inca mutilé des doigts

qui pour idée avait un bras
mais n'avait de main qu'une paume
morte, d'avoir perdu ses doigts
à force de tuer des rois.

POUR EN FINIR AVEC LE JUGEMENT DE DIEU

[...] mais il y a une chose
qui est quelque chose,
une seule chose
qui soit quelque chose,
et que je sens
à ce que ça veut
SORTIR :
la présence
de ma douleur
de corps,

la présence
menaçante,
jamais lassante
de mon
corps ;

si fort qu'on me presse de questions
et que je nie toutes les questions,
il y a un point
où je me vois contraint
de dire non,

NON

alors
à la négation ;

et ce point
c'est quand on me presse,
quand on me pressure

et qu'on me trait
jusqu'au départ
en moi
de la nourriture,
de ma nourriture
et de son lait,
et qu'est-ce qui reste ?

Que je suis suffoqué ;

et je ne sais pas si c'est une action
mais en me pressant ainsi de questions
jusqu'à l'absence
et au néant
de la question
on m'a pressé
jusqu'à la suffocation
en moi
de l'idée de corps
et d'être un corps,

et c'est alors que j'ai senti l'obscène

et que j'ai pété
de déraison
et d'excès
et de révolte
de ma suffocation.

C'est qu'on me pressait
jusqu'à **mon corps**
et jusqu'au corps

et c'est alors
que j'ai tout fait éclater
parce qu'à mon corps
on ne touche jamais.

Œuvres complètes, t. I : (*L'Ombilic des limbes, Le Pèse-nerfs*) ;
t. IX : (*Les Tarahumaras*) ; t. XII : (*Artaud le Mômo, Ci-Gît*) ; t. XIII :
(*Pour en finir avec le jugement de Dieu*), Gallimard. *L'Ombilic des
limbes, suivi de Le Pèse-nerfs*, Poésie / Gallimard. ◊ G. Charbonnier,
Artaud, Poètes d'aujourd'hui / Seghers. J. Derrida, *L'Ecriture et la
Différence*, Seuil. *Artaud* (colloque de Cerisy-la-Salle), 10/18.

andré breton 1896-1966

AUTO-PROPHÉTIE

Ce monde dans lequel je subis ce que je subis (n'y allez pas voir), ce monde moderne, enfin, diable! que voulez-vous que j'y fasse. La voix inexorable se fera peut-être, je n'en suis plus à compter mes disparitions. Je n'entendrai plus, si peu que ce soit, le décompte merveilleux de mes années et de mes jours. Je serai comme Nijinsky qu'on conduisit l'an dernier aux ballets russes et qui ne comprit pas à quel spectacle il assistait.

ANDRÉ BRETON.

Si André Breton, somme toute, écrivit peu de poèmes, toute son œuvre, tous ses actes n'eurent d'autre but que de faire se rejoindre la poésie et la vie. Brèches dans le mur de la réalité, descentes vers les cavernes et les trésors de l'inconscient, exercices de libération du langage, célébration de l'amour fou, ses poèmes participent d'une entreprise beaucoup plus vaste, visant à changer le monde et la vie, à répondre aux impératifs, apparemment inconciliables, de Rimbaud et de Marx. Dans sa démarche, qui engage toute la condition humaine, la poésie fut première. En 1913, étudiant en médecine à Paris, Breton admirait Mallarmé et rencontrait Valéry qu'en 1919, fondant avec Aragon et Soupault la revue *Littérature,* il invitera à y collaborer. Mais déjà la lecture de Rimbaud, de Lautréamont, la fréquentation d'Apollinaire et de Reverdy et, à Nantes (où il était mobilisé comme médecin militaire), celle de ce personnage éminemment négateur qu'était Jacques Vaché avaient transformé ses conceptions poétiques. La même année 1919, avec Soupault, il écrivait *les Champs magnétiques,* premier texte d'écriture automatique. Mais c'est seulement en 1924, après avoir vécu l'aventure Dada — puis fortement contribué à y mettre fin —, que, dans le *Manifeste du surréalisme,* il assigna un rôle essentiel pour la recherche poétique — et l'élargissement du champ des connaissances — à l'écriture automatique et au rêve.

ÉPERVIER INCASSABLE

La ronde accomplit dans les dortoirs ses ordinaires tours de passe-passe. La nuit, deux fenêtres multicolores restent entr'ouvertes. Par la première s'introduisent les vices aux noirs sourcils, à l'autre les jeunes pénitentes vont se pencher. Rien ne troublerait autrement la jolie menuiserie du sommeil. On voit des mains se couvrir de manchons d'eau. Sur les grands lits vides s'enchevêtrent des ronces tandis que les oreillers flottent sur des silences plus apparents que réels. A minuit, la chambre souterraine s'étoile vers les théâtres de genre où les jumelles tiennent le principal rôle. Le jardin est rempli de timbres nickelés. Il y a un message au lieu d'un lézard sous chaque pierre. *(Clair de terre.)*

TOURNESOL

A Pierre Reverdy.

La voyageuse qui traversa les Halles à la tombée de
  l'été
Marchait sur la pointe des pieds

Le désespoir roulait au ciel ses grands arums si beaux
Et dans le sac à main il y avait mon rêve de flacon de
    sels
Que seule a respirés la marraine de Dieu
Les torpeurs se déployaient comme la buée
Au Chien qui fume
Où venaient d'entrer le pour et le contre
La jeune femme ne pouvait être vue d'eux que mal et
    de biais
Avais-je affaire à l'ambassadrice du salpêtre
Ou de la courbe blanche sur fond noir que nous
    appelons pensée
Le bal des innocents battait son plein
Les lampions prenaient feu lentement dans les marron-
    niers
La dame sans ombre s'agenouilla sur le Pont-au-
    Change
Rue Gît-le-Cœur les timbres n'étaient plus les mêmes
Les promesses des nuits étaient enfin tenues
Les pigeons voyageurs les baisers de secours
Se joignaient aux seins de la belle inconnue
Dardés sous le crêpe des significations parfaites
Une ferme prospérait en plein Paris
Et ses fenêtres donnaient sur la voie lactée
Mais personne ne l'habitait encore à cause des sur-
    venants
Des survenants qu'on sait plus dévoués que les reve-
    nants
Les uns comme cette femme ont l'air de nager
Et dans l'amour il entre un peu de leur substance
Elle les intériorise
Je ne suis le jouet d'aucune puissance sensorielle
Et pourtant le grillon qui chantait dans les cheveux
    de cendre
Un soir près de la statue d'Etienne Marcel
M'a jeté un coup d'œil d'intelligence
André Breton a-t-il dit passe

(Clair de terre.)

Des *Champs magnétiques* et de *Clair de terre* (1924), où règne l'automatisme, aux textes de *Constellations* écrits en 1958 en marge de tableaux de Miro, même quand il ne sacrifia plus à la pure dictée de l'inconscient, Breton accorda toujours la primauté à l'image jaillie dans le premier jet, captée grâce à la disponibilité du poète à l'égard de toutes les propositions du hasard (d'où l'importance accordée également dans la vie au « hasard objectif »). S'il existe un paradoxe chez Breton, c'est entre sa pratique de l'inconscient, sa requête avouée du mystère, et la manière extraordinairement lucide dont il en définit les règles et en relate l'expérience. Autre paradoxe, qui annule le premier : les textes théoriques, analytiques, de Breton n'en sont pas moins poétiques, car ils créent les armes de la recherche et de la quête comme ils en font apercevoir les buts. Poète et théoricien, éveilleur au sens magique du terme, Breton exerça son influence bien au-delà de la littérature, au-delà d'un mouvement artistique dont il fut l'animateur passionné et quelquefois intransigeant. Ce qu'il a contribué à modifier en profondeur, avec l'aide des écrivains, des peintres, des cinéastes, ses amis ou ses disciples, c'est la sensibilité et le regard d'une époque.

FACTEUR CHEVAL

Nous les oiseaux que tu charmes toujours du haut de
    ces belvédères
Et qui chaque nuit ne faisons qu'une branche fleurie de tes
    épaules aux bras de ta brouette bien aimée
Qui nous arrachons plus vifs que des étincelles à ton
    poignet
Nous sommes les soupirs de la statue de verre qui se
    soulève sur le coude quand l'homme dort
Et que des brèches brillantes s'ouvrent dans son lit
Brèches par lesquelles on peut apercevoir des cerfs aux
    bois de corail dans une clairière
Et des femmes nues tout au fond d'une mine
Tu t'en souviens tu te levais alors tu descendais du train
Sans un regard pour la locomotive en proie aux immenses
    racines barométriques
Qui se plaint dans la forêt vierge de toutes ses chaudières
    meurtries
Ses cheminées fumant de jacinthes et mue par des serpents bleus
Nous te précédions alors nous les plantes sujettes à métamorphoses

André Breton, par Man Ray.

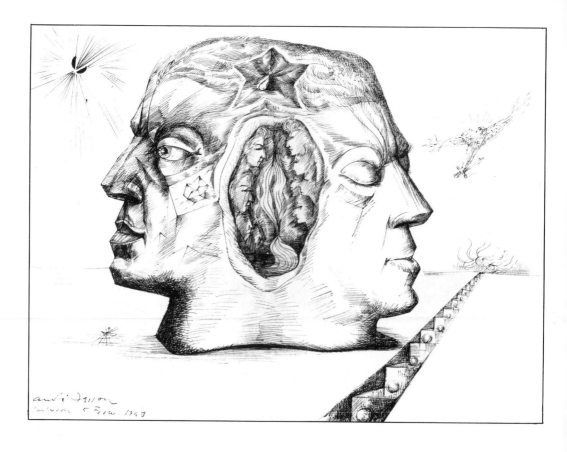

André Breton, par André Masson.

Qui chaque nuit nous faisons des signes que l'homme peut surprendre

Tandis que sa maison s'écroule et qu'il s'étonne devant les emboîtements singuliers

Que recherche son lit avec le corridor et l'escalier

L'escalier se ramifie indéfiniment

Il mène à une porte de meule il s'élargit tout à coup sur une place publique

Il est fait de dos de cygnes une aile ouverte pour la rampe

Il tourne sur lui-même comme s'il allait mordre

Mais non il se contente sur nos pas d'ouvrir toutes ses marches comme des tiroirs

Tiroirs de pain tiroirs de vin tiroirs de savon tiroirs de glaces tiroirs d'escaliers

Tiroirs de chair à la poignée de cheveux

A cette heure où des milliers de canards de Vaucanson se lissent les plumes

Sans te retourner tu saisissais la truelle dont on fait
les seins
Nous te souriions tu nous tenais par la taille
Et nous prenions les attitudes de ton plaisir
Immobiles sous nos paupières pour toujours comme la
femme aime voir l'homme
Après avoir fait l'amour

(Le Revolver à cheveux blancs.)

Le marquis de Sade a regagné l'intérieur du volcan en
éruption
D'où il était venu
Avec ses belles mains encore frangées
Ses yeux de jeune fille
Et cette raison à fleur de sauve-qui-peut qui ne fut
Qu'à lui
Mais du salon phosphorescent à lampes de viscères
Il n'a cessé de jeter les ordres mystérieux
Qui ouvrent une brèche dans la nuit morale
C'est par cette brèche que je vois
Les grandes ombres craquantes la vieille écorce minée
Se dissoudre
Pour me permettre de t'aimer
Comme le premier homme aima la première femme
En toute liberté
Cette liberté
Pour laquelle le feu même s'est fait homme
Pour laquelle le marquis de Sade défia les siècles de ses
grands arbres abstraits
D'acrobates tragiques
Cramponnés au fil de la Vierge du désir

J'ai devant moi la fée du sel
Dont la robe brodée d'agneaux
Descend jusqu'à la mer
Et dont le voile de chute en chute irise toute la montagne
Elle brille au soleil comme un lustre d'eau vive
Et les petits potiers de la nuit se sont servis de ses ongles
sans lune
Pour compléter le service à café de la belladone
Le temps se brouille miraculeusement derrière ses souliers
d'étoiles de neige
Tout le long d'une trace qui se perd dans les caresses
de deux hermines
Les dangers rétrospectifs ont beau être richement répartis
Des charbons mal éteints au prunellier des haies par
le serpent corail qui peut passer pour un très mince
filet de sang coagulé

Le fond de l'âtre
Est toujours aussi splendidement noir
Le fond de l'âtre où j'ai appris à voir
Et sur lequel danse sans interruption la crêpe à dos de
primevères
La crêpe qu'il faut lancer si haut pour la dorer
Celle dont je retrouve le goût perdu
Dans ses cheveux
La crêpe magique le sceau aérien
De notre amour

(L'Air de l'eau.)

C'est toute la nuit magique dans le cadre, toute la nuit des enchantements. Les parfums et les frissons s'extravasent de l'air dans les esprits. La grâce de vivre fait en sourdine vibrer ses flûtes de Pan au bas des rideaux. Le cube noir de la fenêtre n'est d'ailleurs plus si difficile à percer : il s'est pénétré peu à peu d'une clarté diffuse en guirlande, comme d'un liseron de lumière qui s'attache aux deux arêtes transverses du haut et ne pend pas au-dessous du tiers supérieur de la figure. L'image se précise graduellement en sept fleurs qui deviennent des étoiles alors que la partie inférieure du cube reste vide. Les deux plus hautes étoiles sont de sang, elles figurent le soleil et la lune ; les cinq plus basses, alternativement jaunes et bleues comme la sève, sont les autres planètes anciennement connues. Si l'horloge ne s'était pas arrêtée à minuit, la petite aiguille aurait pu, sans que rien ne change, faire quatre fois le tour du cadran avant que du zénith émane une nouvelle lueur qui va dominer de haut les premières : une étoile beaucoup plus brillante s'inscrit au centre du premier septénaire et ses branches sont de feu rouge et jaune et elle est la Canicule ou Sirius, et elle est Lucifer Porte-Lumière et elle est, dans sa gloire primant toutes les autres, l'Etoile du Matin. C'est de l'instant seulement de son apparition que le paysage s'illumine, que la vie redevient claire, que' juste au-dessous du foyer lumineux qui vient de se soumettre les précédents se découvre dans sa nudité une jeune femme agenouillée au bord d'un étang, qui y répand de la main droite le contenu d'une urne d'or pendant que de la main gauche elle vide non moins intarissablement sur la terre une urne d'argent. De part et d'autre de cette femme qui, par-delà Mélusine, est Eve et est maintenant toute la femme, frémit à droite un feuillage d'acacias, tandis qu'à gauche un papillon oscille sur une fleur. [...] *(Arcane 17.)*

Une des *Constellation*, de Miró.

L'OISEAU MIGRATEUR

Sur les murs des petits bourgs, des hameaux perdus, ces beaux signes à la craie, au charbon, c'est *l'alphabet des vagabonds* qui se déroule : un quignon de pain, peut-être un verre à trois maisons après la forge ; château : gare au molosse qui peut sauter la haie. Ailleurs le petit homme nu, qui tient la clé des rébus, est toujours assis sur sa pierre. A qui veut l'entendre, mais c'est si rare, il enseigne la *langue des oiseaux* : « Qui rencontre cette vérité de lettres, de mots et de suite ne peut jamais, en s'exprimant, tomber au-dessous de sa conception. » Sous les ponts de Paris, le fleuve monnaye, entre autres méreaux, le souvenir des priapées au temps où le chef des jongleurs levait tribut sur chaque folle femme. Et chacun de nous passe et repasse, traquant inlassablement sa chimère, la tête en calebasse au bout de son bourdon. *(Constellations.)*

Poèmes, Gallimard. *Clair de terre*, (suivi de *Le Revolver à cheveux blancs* et *L'Air de l'eau*), Poésie / Gallimard. *Signe ascendant* (suivi notamment de *Fata Morgana, Les Etats généraux, Ode à Charles Fourier*), Poésie / Gallimard. ◊ S. Alexandrian, *André Breton par lui-même*, Ecrivains de toujours / Seuil. J.-L. Bédouin, *André Breton*, Poètes d'aujourd'hui / Seghers. Ph. Audoin, *Breton*, Pour une biblio-thèque idéale / Gallimard. M. Carrouges, *André Breton et les données fondamentales du surréalisme*, les Essais / Gallimard. J. Gracq, *André Breton, quelques aspects de l'écrivain*, Corti.

tristan tzara 1896-1963

« Regardez-moi bien ! Je suis un idiot, je suis un farceur, je suis un fumiste. Regardez-moi bien ! Je suis laid, mon visage n'a pas d'expression, je suis petit. Je suis comme vous tous. » Ainsi Tzara se décrit-il lui-même, maniant l'auto-ironie pour mieux se retourner contre son lecteur, au début d'un manifeste Dada. Tzara, c'est d'abord le créateur de Dada. A Zurich en 1916, à Paris à partir de 1919, Dada ce fut le doute, la négation, une salubre entreprise de purification par le scandale. Les valeurs anciennes s'étant effondrées dans le fracas de la Première Guerre mondiale, la fonction du poète, de l'artiste, faisait question. Avant de réinventer l'art, faire table rase était nécessaire. L'essentiel pour Dada était de déblayer le terrain, de briser les conventions, à quoi s'employa superbement le Tzara des Manifestes, des *Vingt-cinq Poèmes*, de *l'Aventure céleste de Monsieur Antipyrine*. Mais justement, après Dada, sans renier la liberté d'allure, le génie des images, des rencontres verbales, acquis dans les *Vingt-cinq Poèmes*, Tzara renoua avec un lyrisme plus ordonné, une poésie où l'homme et sa condition retrouvent leur place, poésie qui s'épanouira dès 1931 dans *l'Homme approximatif* pour se poursuivre avec *Midis gagnés* (1939) ou *le Signe de vie* (1946). L'écrivain Tzara, en effet, n'est pas né à Zurich ce jour de mai 1916, où, en présence de Hans Arp, il prit dans un dictionnaire ouvert au hasard le mot Dada pour désigner le mouvement qu'ils allaient animer ensemble. Né en Roumanie, Samuel Rosenstock avait pris le pseudonyme de Tzara (terre) pour publier ses premiers poèmes (en roumain) où apparaissent déjà certains thèmes de *l'Homme approximatif*. Et si Tzara joua un rôle capital en créant Dada, s'il en fut à Zurich, puis à partir de 1919 à Paris la figure la plus fascinante, avec Duchamp et Picabia, il serait injuste de méconnaître son œuvre ultérieure, élaborée dans la discrétion, et qui est aussi, qui est toujours, d'un grand poète.

SAINTE

formation marine pierreuse ascendante arborescente
multiplication mon souvenir dans les guitares du trembles
   mon souvenir
le caphre le clown le gnou enguirlandent l'engrenage
l'ange se liquéfie dans un médicament et dissonances
grimpent sur le paratonnerre devenir panthères navires engrenage arc-en-ciel qui les aspire
les sons tous les sons et les sons imperceptibles et tous
   les sons se coagulent
ma chère si tu as mal à cause des sons tu dois prendre
   une pilule
concentration intérieure craquement des mots qui crèvent
   crépitent les décharges électriques des gymnotes l'eau

Collage de Miró pour
Parler seul de Tristan Tzara.

qui se déchire
quand les chevaux traversent les accouplements lacustres
toutes les armoires craquent
la guerre
là-bas
O le nouveau-né qui se transforme en pierre de granit qui
    devient trop dur et trop lourd pour sa mère le chant du
    lithotomiste broie la pierre dans la vessie il y enfonce
    des lilas et des journaux

silence fleur de soufre
fièvre typhoïde silence
le cœur horloge microbes sable mandragore
au vent tu l'agites comme la torche de mercure vers le
    nord
l'herbe lézards pourris o mon sommeil attraper les mou-
    ches caméléon astronomique
o mon sommeil d'aniline et de zoologie
ta tête sectionnée pourrait siffler de belles couleurs
jadis la nuit jardin chimique mettait les ordres de l'ambas-
    sadeur
la lumière propre circulaire verdie dans le cœur des
    icones
quand tu marches dans l'eau les poissons multicolores se
    composent autour des pieds comme la fleur
les rayons solaires de l'accouchement l'oniromancienne
    au cœur boréal
la grande chandelle dans le puits
les fruits les œufs et les jongleurs se rangent dans nos
    nuits autour du soleil gélatineux pour notre lumière
    qui est une maladie

(*Vingt-cinq Poèmes*, 1916-1918.)

INSTANT NOTRE FRÈRE

rien ne monte rien ne descend aucun mouvement latéral
il se lève
rien ne bouge ni l'être ni le non-être ni l'idée ni le prison-
    nier enchaîné ni le tramway
il n'entend rien autre que lui
ne comprend rien autre que les chaises la pierre le
    froid l'eau —
connaît passe à travers la matière dure
n'ayant plus besoin d'yeux il les jette dans la rue
dernier éclat du sang dans les ténèbres
dernier salut
il arrache sa langue — flamme transpercée par une étoile
tranquillisée

automne morte comme une feuille de palmier rouge

et réabsorbe ce qu'il a nié et dissolu le projette dans
   l'autre hémisphère seconde saison de l'existence
comme les ongles et les cheveux croissent et retournent
(Vingt-cinq Poèmes.)

CALENDRIER DU CŒUR ABSTRAIT

18

purgatoire annonce la grande saison
le gendarme amour qui pisse si vite
coq et glace se couchent sous l'œil galant
grande lampe digère vierge marie
rue saint-jacques s'en vont les petits jolis
vers les timbres de l'aurore blanche aorte
l'eau du diable pleure sur ma raison

L'HOMME APPROXIMATIF

II

la terre me tient serré dans son poing d'orageuse angoisse
que personne ne bouge ! on entend l'heure se frayer le
   vol de mouche
et rejoindre la journée en quête d'une fin
serrons entre les mâchoires les minutes qui nous séparent

haut les mains ! pour accueillir l'ange qui va tomber
s'effeuiller en neige de lucioles sur vos têtes
ciel affaibli par le vent qui a tant soufflé
nous payerons des souffrances les innombrables dettes

la gare s'épaissit de jeux de sifflets
tant de volontés nagent dans l'amère densité
que la sonnerie mène le flot rongeur
avec les noires et fétides indignations entrailles spumeuses
   de la terre
aux surfaces veloutées vers quels buts buveurs d'espoirs
qu'on achète au prix de lentes semences
ornés des attributs des corps de métiers
qu'on boit dans les abreuvoirs avec de reniflantes narines
   de cheval
qu'on chasse en cercles dans les manèges villageois
qu'on fume la pipe vieille d'aigles
qu'on garde bergers des toits fumant le soir
entrevus dans les glaces pressentis au cœur des pierres
au fond des mines de pétrole sur des sommiers de lourds
   limons

dans les granges où la vie se mesure avec le grain
mousses clairs coussins des eaux assises dans le soleil

homme approximatif comme moi comme toi lecteur
  et comme les autres
amas de chairs bruyantes et d'échos de conscience
complet dans le seul morceau de volonté ton nom
transportable et assimilable poli par les dociles inflexions
  des femmes
divers incompris selon la volupté des courants interro-
  gateurs
homme approximatif te mouvant dans les à-peu-près du
  destin
avec un cœur comme valise et une valse en guise de tête
buée sur la froide glace tu t'empêches toi-même de te voir
grand et insignifiant parmi les bijoux de verglas du paysage
cependant les hommes chantent en rond sous les ponts
du froid la bouche bleue contractée plus loin que le rien
homme approximatif ou magnifique ou misérable
dans le brouillard des chastes âges
habitation à bon marché les yeux ambassadeurs de feu
que chacun interroge et soigne dans la fourrure de caresses de ses idées
yeux qui rajeunissent les violences des dieux souples
bondissant aux déclenchements des ressorts dentaires du
  rire
homme approximatif comme moi comme toi lecteur
tu tiens entre tes mains comme pour jeter une boule
chiffre lumineux ta tête pleine de poésie [...]

Les poèmes de Tristan Tzara sont em-
preints d'une grandeur incontestable. Et
s'ils apparaissent étrangers et situés en
dehors de la vie, ce caractère d'isole-
ment, loin de relever de l'impuissance,
est sans doute tout ce qui existe au
monde de plus aveuglant. (Bataille)

Œuvres complètes t. I (1912-1924), présentées par H. Béhar, Flammarion.
Sept manifestes Dada, Pauvert. *L'Homme approximatif*, Fourcade, réédité
dans Poésie / Gallimard. *Grains et Issues, Midis gagnés*, Denoël. *Le
Signe de vie*, Bordas. *La Face intérieure*, Seghers. *Les Premiers Poèmes
de Tristan Tzara*, traduction de C. Sernet, Seghers, édition complétée
utilement par : Tristan Tzara, *Poèmes roumains*, traduction de S. Fauchereau, *La Quinzaine littéraire*. ◇ R. Lacôte, *Tzara*, Poètes d'aujour-
d'hui / Seghers.

louis aragon 1897

...jon, Gide et Malraux
...moment de l'affaire Dimitroff).

En près de soixante ans de poésie, Aragon a raconté son histoire. Il a écrit au jour le jour sa constance d'amant, ses métamorphoses d'homme et de poète, ses engagements et ses retours sur soi : « Plus tard plus tard on dira qui je fus / J'ai déchiré des pages et des pages / Dans le miroir j'ai brisé mon visage », dit-il dans *le Roman inachevé* (1956). Et dans *les Mots de la fin*, poème écrit le 8 avril 1973 et qui clôt *Théâtre/Roman*, son dernier roman : « Ah j'ai longtemps encore fait semblant / De vivre j'ai donné / Donné donné le change / On ne sait de quoi la menue / Monnaie il se pourrait de moi-même / Et voilà tout / J'écoute en moi tomber ma vie / Goutte à goutte. » Mais, dans ses textes, on ne déchiffre pas seulement l'itinéraire d'Aragon, surréaliste, révolutionnaire, résistant, militant communiste, ami des peintres, amoureux de l'amour, partisan du printemps de Prague, on entend à travers eux comme l'écho de toute la poésie française. S'il a su, à l'époque surréaliste, briser toutes les contraintes et caracoler dans l'improvisation, Aragon n'en est pas moins un parfait artisan, rompu à toutes les métriques, qui a pris leçon des troubadours et aussi — *le Fou d'Elsa* en témoigne —, des poètes arabes de Grenade, initiateurs de l'amour courtois ; qui n'ignore rien, non plus, de Villon, des rhétoriqueurs et des romantiques. Ecoutez, les romantiques ne sont pas loin, ni Baudelaire : « Depuis lors j'ai toujours trouvé dans ce que j'aime / Un reflet de ma ville une ombre dans ses rues. » Ailleurs c'est un clin d'œil à Apollinaire : « C'était quelque part à Auteuil / Avant moi dans une autre vie / Dont tu semblais quand je te vis / Porter toujours le demi-deuil. » Pourtant, sous ces formes d'emprunt — et jusque dans certains poèmes prosaïques de la période réaliste socialiste —, on reconnaît toujours quelque chose, image, allure, insolence, émotion, virtuosité qui n'est qu'à Aragon. Celui-ci est à chercher à travers sa multiplicité, ses élans, ses coups d'arrêt et repentirs (comme *les Yeux et la Mémoire*) et ses retours de flamme ; mais n'est-ce pas le projet du *Roman inachevé* de reprendre, intégrer, dépasser tous les moments lumineux, ou noirs, tous les aspects si complexes, parfois si contradictoires, de son existence et de sa poétique ?

SANS MOT DIRE

Soir de tilleul Eté
On parle bas aux portes
Tout le monde écoute mes pas
les coups de mon cœur sur l'asphalte

Ma douleur ne vous regarde pas

Œillère de la nuit Nudité
Le chemin qui mène à la mer
me conduit au fond de moi-même
A deux doigts de ma perte

> *Polypiers de la souffrance*
> *Algues Coraux Mes seuls amis*

Dans l'ombre on ne saurait voir l'objet de mes plaintes
Une trop noire perfidie
                    L'INTRIGUE (Air connu)
          Cette racine est souveraine
          GUERIT TOUTE AFFECTION

(Feu de joie.)

SAMEDIS

Valeur à lot orage. Au bord de l'eau les usines et les sentiments. Noce dans l'herbe, dents de lion pauvres rires des fins de journée, pierres à ricochets châteaux en Espagne : encore une toilette perdue à cause du vert des arbres.

Un regard ou la caresse du vent en redingote, escarpins du printemps, farandole des calembours et des charades ; puis sous la poussière cycliste les tapissières au retour comme des folles à grelots dans le crépuscule, parmi les nuages avenir et pardon, sans l'ombre d'une éclaircie vers les régions lunaires et les fraîches prairies des soupirs. *(Le Mouvement perpétuel.)*

MIMOSAS

A la Démoralisation.

Le gouvernement venait de s'abattre
Dans un buisson d'aubépines
Une grève générale se découvrait à perte de vue
Sous les influences combinées de la lune et de la céphalalgie
Les assassins s'enfuyaient dans la perspective des courants d'air
La victime pendait à la grille comme un bifteck
Une chaleur à claquer
Aussi faut voir si les casernes en entendaient de drôles
L'alcool coulait à flot par les tabatières des toits
Le métropolitain sortit de terre afin de respirer
Quand tout à coup il apparut
Au détour de la rue
Un petit âne qui traînait une voiture
Décorée pour la bataille des fleurs
Premier prix pour toute la ville
Et les villes voisines

(Les Destinées de la poésie.)

La visite de Saint-Julien-le-Pauvre,
ou Aragon entre Théodore Fraenkel
et Tristan Tzara

ON VIENT DE LOIN

[...] Lorsque j'avais vingt ans pour moi la grande affaire
Etait de désapprendre et non d'avoir appris
Il me semblait rouvrir les portes de l'enfer
Par le simple refus du cœur et de l'esprit

Don Quichottes nouveaux qui tournaient leur colère
Contre les dieux de plâtre et l'ombre des statues
Nous, étions quelques-uns que ces jours assemblèrent
A mettre dans l'injure une étrange vertu

Rendant les maîtres-mots du malheur responsables
Nous menions à tous crins notre guerre aux buées
Et nous nous adonnions à des sortes de fables
Sans morale ni but qu'un concert des huées

Nous avions instauré la grève imprécatoire
Sur notre propre chant jetant notre interdit
Je pourrais raconter le détail de l'histoire
Et Saint-Julien-le-Pauvre et cette comédie

Ah ne les jugez pas de façon trop sévère
Pathétiques enfants si tôt déchu des cieux
Il en fut au printemps qui brisèrent leur verre
Certains avaient de la lumière au fond des yeux...

(Les Yeux et la Mémoire.)

Rien n'est jamais acquis à l'homme Ni sa force
Ni sa faiblesse ni son cœur Et quand il croit
Ouvrir ses bras son ombre est celle d'une croix
Et quand il croit serrer son bonheur il le broie
Sa vie est un étrange et douloureux divorce
    Il n'y a pas d'amour heureux

Sa vie Elle ressemble à ces soldats sans armes
Qu'on avait habillés pour un autre destin
A quoi peut leur servir de se lever matin
Eux qu'on retrouve au soir désœuvrés incertains
Dites ces mots Ma vie Et retenez vos larmes
    Il n'y a pas d'amour heureux

Mon bel amour mon cher amour ma déchirure
Je te porte dans moi comme un oiseau blessé
Et ceux-là sans savoir nous regardent passer
Répétant après moi les mots que j'ai tressés
Et qui pour tes grands yeux tout aussitôt moururent
    Il n'y a pas d'amour heureux

Le temps d'apprendre à vivre il est déjà trop tard
Que pleurent dans la nuit nos cœurs à l'unisson
Ce qu'il faut de malheur pour la moindre chanson
Ce qu'il faut de regrets pour payer un frisson
Ce qu'il faut de sanglots pour un air de guitare
    Il n'y a pas d'amour heureux

Il n'y a pas d'amour qui ne soit à douleur
Il n'y a pas d'amour dont on ne soit meurtri
Il n'y a pas d'amour dont on ne soit flétri
Et pas plus que de toi l'amour de la patrie
Il n'y a pas d'amour qui ne vive de pleurs
    Il n'y a pas d'amour heureux
    Mais c'est notre amour à tous deux

ENFER-LES-MINES

Charade à ceux qui vont mourir Egypte noire
Sans Pharaon qu'on puisse implorer à genoux
Profil terrible de la guerre Où sommes-nous
Terrils terrils ô pyramides sans mémoire

Est-ce Hénin-Liétard ou Noyelles-Godault
Courrières-les-Morts Montigny-en-Gohelle
Noms de grisou Puits de fureur Terres cruelles
Qui portent çà et là des veuves sur leurs dos

L'accordéon s'est tu dans le pays des mines
Sans l'alcool de l'oubli le café n'est pas bon
La colère a le goût sauvage du charbon
Te souviens-tu des yeux immenses des gamines

Adieu disent-ils les mineurs dépossédés
Adieu disent-ils et dans le cœur du silence
Un mouchoir de feu leur répond Adieu C'est Lens
Où des joueurs de fer ont renversé leurs dés

Etait-ce ici qu'ils ont vécu Dans ce désert
Ni le lit de l'amour dans le logis mesquin
Ni l'ombre que berçait l'air du Petit Quinquin
Rien n'est à eux ni le travail ni la misère

Ils s'en iront puisqu'on les chasse ils s'en iront
C'est fini les enfants qu'on lave à la fontaine
Tandis que chante sous un ciel tissé d'antennes
La radio des bricoleurs dans les corons

Ils n'iront plus le soir danser à la ducasse
L'anthracite s'éteint aux pores de leur peau
Ils n'allumeront plus la lampe à leur chapeau
Ils s'en iront ils s'en iront puisqu'on les chasse

Les toits se sont assis sur le sol sans façon
Qui marche en plein milieu des étoiles brisées
Des fuyards jurent à mi-voix Une fusée
Promène dans la nuit sa muette chanson

MEDJNOUN

O nom que je ne nomme point et qui s'arrête dans ma
    bouche
Comme un objet de pureté qui briserait son propre son
Comme la fleur dans le tilleul avant de la voir que
    l'on sent
O nom de vanille et de braise ô comme l'oiseau sur la
    branche
Léger à la lèvre tremblante et doux au toucher de la main
Comme le verre que l'on brise et qui ressemble une
    caresse
Comme l'aveu d'une présence au bord de l'ombre
    tentatrice
Nom de cristal loin de la ville ou tout près murmure
    d'amant
O nom qui rougit sur ma langue et si peu que je le
    prononce
Je n'ai désir qu'à demeurer comme sa traîne ou son
    parfum
Qu'à n'être plus que sa poussière un souvenir de ses
    pas fins
Qu'à son sujet l'on ait de moi comme une vague souve-
    nance
Ou moins que ça comme d'un trille un tremblement ou
    d'un soupir

D'on ne sait trop ce qu'on oublie un geste d'elle ou d'un
    accent
D'une ombre au mieux dans la voix même ou dans
    l'orchestre le buccin
Moins qu'un écho dans l'escalier qu'un bruit de porte qui
    se perd
Et si pourtant l'on a mémoire un jour ou l'autre que je fus
Disant ce nom qui n'est que d'elle et qui me trouble
    dans mon âme
Qu'on daigne alors selon mon cœur me laisser être un
    anonyme
A son parage à son passage et qu'il soit dit c'était son fou

(Le Fou d'Elsa.)

[...] Autrefois tout semblait ne pas nous concerner
Tous les événements portaient des millésimes
Tout se passait très loin très haut dans les années

Ce n'est que dans les journaux qu'on lisait les crimes
Rien n'arrivait jamais que les hasards prévus
On se trouvait heureux de ses malheurs intimes

La grêle brusquement sur nous s'est abattue
Elle coupe elle hache effiloche égratigne
Fouaille et fouette à la fois les feuilles éperdues

Elle cogne à la vitre elle perce la vigne
Elle frappe la vie en ses tendres surgeons
Elle écorche les troncs coche l'herbe à son signe

Et les paumes des fleurs et la chair des bourgeons
Elle arrache du front des forêts les châtaignes
Et disperse le vol affolé des pigeons

L'homme court en tout sens et les lampes s'éteignent
Son manteau se rabat sur sa face de sang
Il ne sait même plus si c'est l'âme qui saigne

Il ne sait même plus quel mal son corps ressent
Il crie et tout à coup s'étrangle d'épouvante
Il s'est pris dans la peur des troupeaux hennissants

Et la foule animale énorme et violente

(Le Roman inachevé.)

Le Mouvement perpétuel, précédé de Feu de joie, Poésie / Gallimard.
Persécuté persécuteur, Editions surréalistes. *Hourra l'Oural*, Denoël.
Le Crève-Cœur, Gallimard. *Les Yeux d'Elsa*, Seghers. *Brocéliande*,
Cahiers du Rhône. *Le Musée Grévin*, Minuit. *La Diane française*, Seghers.
En étrange pays dans mon pays lui-même, Rocher-Seghers. *Le Nouveau
Crève-Cœur*, Gallimard. *Mes caravanes*, Seghers. *Les Yeux et la Mémoire*,
Gallimard. *Le Roman inachevé*, Gallimard et Poésie / Gallimard. *Elsa,
Les Poètes, le Fou d'Elsa*, Gallimard. *Le Voyage de Hollande*, Seghers.
L'édition des *Œuvres poétiques complètes* d'Aragon est en cours au
Livre Club Diderot. ◊ G. Sadoul, *Aragon*, Poètes d'aujourd'hui /
Seghers. H. Juin, *Aragon*, Gallimard. Ch. Haroche, *L'Idée de l'amour dans
le fou d'Elsa*, Gallimard. Pierre Daix, *Aragon, une vie à changer*, Seuil.

georges bataille 1897-1962

Philosophe, mais refusant toute clôture de la pensée, romancier plus préoccupé par la mise en scène de l'innommable que par la mise en forme d'une intrigue, cherchant toujours dans la coupure et l'excès une libération qui ne soit pas seulement du langage, Georges Bataille ne pouvait être qu'un poète à la fois se défiant de la poésie et lui demandant d'illuminer ses désirs, d'aiguiser ses angoisses. L'œuvre du poète, comme *l'Archangélique, la Haine de la poésie* (qui devint, plus tard, *l'Impossible)*, est aussi une critique des limites de la poésie : « La poésie est un moyen terme, elle dérobe le connu dans l'inconnu : elle est l'inconnu paré des couleurs aveuglantes et de l'apparence d'un soleil. »

L'ANUS SOLAIRE

[...] L'image la plus simple de la vie organique unie à la rotation est la marée.

Du mouvement de la mer, coït uniforme de la terre avec la lune, procède le coït polymorphe et organique de la terre et du soleil.

Mais la première forme de l'amour solaire est un nuage qui s'élève au-dessus de l'élément liquide.

Le nuage érotique devient parfois orage et retombe vers la terre sous forme de pluie pendant que la foudre défonce les couches de l'atmosphère.

La pluie se redresse aussitôt sous forme de plante immobile.

L'AURORE

[...] Noire mort tu es mon pain
je te mange dans le cœur
l'épouvante est ma douceur
la folie est dans ma main.

Nouer la corde du pendu
Avec les dents d'un cheval mort

Douceur de l'eau
rage du vent

éclat de rire de l'étoile
matinée de beau soleil

il n'est rien que je ne rêve
il n'est rien que je ne crie

plus loin que les larmes la mort
plus haut que le fond du ciel

dans l'espace de tes seins.

Limpide de la tête aux pieds
fragile comme l'aurore
le vent a brisé le cœur

à la dureté de l'angoisse
la nuit noire est une église
où l'on égorge un porc

tremblante de la tête aux pieds
fragile comme la mort
agonie ma grande sœur

tu es plus froide que la terre.

(L'Archangélique.)

Illustration d'André Masson
pour *l'Anus solaire.*

L'ORESTIE

Orestie
rosée du ciel
cornemuse de la vie

nuit d'araignées
d'innombrables hantises
inexorable jeu des larmes
ô soleil en mon sein longue épée de la mort

repose-toi le long de mes os
repose-toi tu es l'éclair
repose-toi vipère
repose-toi mon cœur

les fleuves de l'amour se rosissent de sang
les vents ont décoiffé mes cheveux d'assassin

Chance ô blême divinité
rire de l'éclair
soleil invisible
tonnant dans le cœur
chance nue

chance aux longs bas blancs
chance en chemise de dentelle.

(L'Impossible.)

La Haine de la poésie, Gallimard. *L'Archangélique*, Mercure de France. *Œuvres complètes*, t. I *(L'Anus solaire)*, t. III *(L'Archangélique, L'Impossible)*, t. IV *(Poèmes)*, Gallimard. ◊ J. Chatain, *Georges Bataille*, Poètes d'aujourd'hui / Seghers.

joë bousquet 1897-1950

Joë Bousquet perçut l'écho de tous les mouvements poétiques de l'entre-deux-guerres et fut l'ami de poètes, de peintres surréalistes. Mais, s'il reconnut avec le surréalisme l'importance du rêve — où tout lui redevenait possible —, s'il eut le goût d'élucider ses propres ombres, de descendre dans sa mémoire et son inconscient à la chasse des souvenirs enfouis et de ses fantômes, s'il sut enfin exalter l'amour, la poésie pour lui, plus que pour n'importe quel autre poète, fut une entrepr'se vitale. Fauché par une balle allemande en 1917, à vingt ans, privé de l'usage de ses jambes, Bousquet, dans sa chambre de Carcassonne, où le visitaient de nombreux amis, fit de la poésie et de l'écriture le lieu de réconciliation de l'esprit et du corps, le moyen tout ensemble de se récupérer soi-même et d'investir le monde. « Il ne s'agit pas pour moi d'écrire, dit-il dans *Traduit du silence*, mais de rendre à ma vie sa hauteur inévaluable ; et pour cela, de la faire indifférente à ce qui se produisit en elle sous le jour de l'accident. »

NUIT...

Caresse tes mains, caresse-les, mais prends garde de ne pas les briser.

Caresse tes yeux comme un chat.

Encore un peu de cœur dans le cœur sans pensées, le silence n'est pas le matin.

Une main se déplace au fond du ciel sans voix, un ciel n'est pas si près qu'on croit du ciel.

Caresse de toutes tes forces ton front, caresse ton cou, ta poitrine, prends ta tête à deux mains comme un fruit, tiens ta bouche et tes yeux dans tes doigts qui se serrent.

Comme si tu savais que rien ne peut se déchirer.

Caresse étroitement ta dernière caresse, étends, étends ton corps, écoute :

Les portes des maisons

Pense à ce qui se tait.

(Traduit du silence.)

Et quand je suis seul et que j'écoute le chant qu'il y a toujours en moi prêt à éclairer des mots inattendus, à éveiller un scintillement dans la phrase à écrire, quand je me fais l'écho de la voix que je tire saignante de l'ombre, bien à moi avec ses airs de chanson populaire, de valse tzigane, d'amour transi, un instant pris à la gorge devant cette révélation que je me fais à moi-même, je me détourne de mon amour et de ses images, j'oublie dans le charme des mots qui se sont d'eux-mêmes assemblés la femme que j'aime et c'est pour me dire : « Il n'est pas possible que ce ne soit elle, ce mot né de moi, ni un aspect, et le plus secret, de son émotion, le don que j'ai d'émouvoir. » La faveur d'émouvoir ne donne pas droit au bonheur.

Et je suis là, seul avec mon amour comme un jouet d'un autre monde dont je ne saurais pas faire usage et, qu'à de certains moments, je voudrais briser.

Parce qu'elle était là, parce qu'elle était belle, elle a pris la place de la vie, elle a mis mes songes au feu. Elle m'a révélé que ce n'était rien d'aimer les fleurs et les pierres et qu'il n'y avait pas de couleurs au ciel, qu'il n'y avait dans l'amour que je portais à ces choses qu'une forme primitive du vœu formé de lui appartenir. *(Traduit du silence.)*

PENSEFABLE

Le ciel est un songe innocent
Qui meurt des clartés qu'il s'ajoute
Quand le soleil jaunit la route
Dont il est le dernier passant

A force de rire avec elle
L'espoir nous a pris la raison
Dans la nuit qui sort des maisons
Nos étoiles battent des ailes

La terre s'ouvre et sent le pain
Quand la mort des feuilles l'embaume
Le vent ne sait où vont les hommes
Et conte aux ailes de moulins

Que sous des iris d'azur sombre
La mort a caché les yeux noirs
Où chaque larme est le miroir
D'un monde trop lourd pour des ombres

(La Connaissance du soir.)

L'oubliette aérienne. On y pénètre après un long chemin dans l'épaisseur des murs. Aucune pièce ne lui est tout à fait mitoyenne. On ne la trouverait pas, même si on savait où la chercher. Celui qui l'habite n'y est jamais présent qu'en effigie. Ses membres ont l'habitude d'une autre maison dont la sienne n'est que le mausolée ; et qui l'enferme entre les murailles inapparentes de très belles pièces nues. (*Le Meneur de lune.*)

Sous la toge du maître, je porte le sarrau noir du cancre. On m'a fait asseoir dans la chaire. Celui que je remplace est mort, seul je le sais. Si je rendais cette nouvelle publique, personne ne m'entendrait, parce que toutes les rues de Saint-Souris traversent la classe où j'ai réuni mes disciples et, *assourdis par la rumeur des trams et des voitures, ils n'entendent que ce qui n'est pas dit,* c'est bien ce qui me permet de passer pour savant. Je remue les livres, et ils prennent des notes. En vérifiant leurs cahiers, j'apprends, çà et là, une idée, une phrase, je fais des progrès, il m'arrive de risquer une affirmation et aussitôt comme si une voiture s'était arrêtée, le fracas de la circulation diminue. Un jour, je serai leur maître. (*Le Meneur de lune.*)

Je regardais ses cheveux blonds, je regardais ses yeux. Bientôt une certitude se saisit de moi :

Mon regard ne se faisait pas dans mes yeux. Il se faisait très au-dessus des bois où nous étions assis, à travers l'averse soyeuse de sa chevelure où bruinait de l'éloignement, et, au dedans de moi un versant d'herbe fine venait en boire les rosées.

Ou bien mon regard se faisait à travers les reflets cristallins de sa voix, de son rire, et c'est dans ma bouche qu'il se formait.

Il m'est arrivé de m'étonner davantage. Mon regard rosissait intérieurement, il avait traversé ma langue, et, sur les lèvres de X... qu'il croyait entr'ouvrir, recueillait sa rougeur intérieure au lieu de s'y tacher. (*La Neige d'un autre âge.*)

Une passante bleue et blonde, Debresse. *Iris et petite fumée,* G.L.M. *Le Passeur s'est endormi,* Denoël. *Traduit du silence, La Connaissance du soir,* Gallimard. *Le Meneur de lune,* Janin. *La Neige d'un autre âge,* Cercle du Livre. ◊ S. André, H. Juin et G. Massat, *Bousquet,* Poètes d'aujourd'hui / Seghers. M. Maurett, *Joë Bousquet,* Subervie.

philippe soupault 1897

A vingt ans, en 1917, Soupault publiait *Aquarium.* Apollinaire, dont l'influence fut longtemps sensible dans ses vers, lui présenta Breton. En 1919, Soupault et Breton fondaient — avec Aragon — la revue *Littérature* et, avant même de se lancer dans l'aventure Dada, inventaient l'écriture automatique dans *les Champs magnétiques.* Exclu du mouvement surréaliste en 1926, Soupault, par son humour, par son mépris de la logique ordinaire, resta — malgré quelques retours à une inspiration plus facile — un des poètes les plus exempts de « vieillerie poétique ».

RAG-TIME

A Pierre Reverdy.

Le nègre danse électriquement
As-tu donc oublié ton pays natal et la ville de Galveston
Que le banjo ricane
Les vieillards s'en iront enfin
le long des gratte-ciel grimpent les ascenseurs
les éclairs bondissent
Tiens bonjour
Mon cigare est allumé
J'ai du whisky plein mon verre
mon cigare est allumé
j'ai aussi mon revolver

Le barman a tort de sourire
on ne cherche plus à savoir l'heure
la porte infatigable
les ampoules
ma main

n'est-ce pas

(*Rose des vents, 1920.*)

CINÉMA-PALACE

A Blaise Cendrars

Le vent caresse les affiches
Rien
la caissière est en porcelaine

l'Ecran

le chef d'orchestre automatique dirige le pianola

Soupault, par Picabia.

il y a des coups de revolver
                              applaudissements
l'auto volée disparaît dans les nuages
et l'amoureux transi s'est acheté un faux col
  Mais bientôt les portes claquent

  Aujourd'hui très élégant
  Il a mis son chapeau claque
  Et n'a pas oublié ses gants

Tous les vendredis changement de programme

(Rose des vents.)

DIMANCHE

L'avion tisse les fils télégraphiques
et la source chante la même chanson
Au rendez-vous des cochers l'apéritif est orangé
mais les mécaniciens des locomotives ont les yeux blancs
la dame a perdu son sourire dans les bois

(Rose des vents.)

FUNÈBRE

Monsieur Miroir marchand d'habits
est mort hier soir à Paris
Il fait nuit
Il fait noir
Il fait nuit noire à Paris

LES CINQ FRÈRES

Quand les éléphants porteront des bretelles
Quand les magistrats auront des chapeaux
Quand les escargots seront des chamelles
Quand les asticots boiront du Bovril
Quand les chemisiers auront des autos
Nous crierons **merci**

(Chansons, 1921-1937.)

SERVITUDES

Il a fait nuit hier
mais les affiches chantent
les arbres s'étirent
la statue de cire du coiffeur me sourit
Défense de cracher
Défense de fumer
des rayons de soleil dans les mains tu m'as dit
il y a quatorze

J'invente des rues inconnues
de nouveaux continents fleurissent
les journaux paraîtront demain
Prenez garde à la peinture
J'irai me promener nu et la canne à la main

POUR ALICE

Est-ce un oiseau qui aboie
une lampe qui fume
un enfant qui verdoie
C'est un lapin qui chante
un homme qui rit
un prêté pour un rendu
Alice ma fille ma plume
jouons enfin au plus fin
au jugé à la tartelette
Il faut nous donner la main
les lunettes sur nos cheveux
et les cheveux sur nos lunettes

(*Chansons vécues*, 1949.)

SOURIEZ S.V.P.

La mort sourit
elle prétend s'appeler délivrance
elle tend les mains
elle fait des signes
elle rôde sans avoir l'air de rien
elle s'approche à pas de loup
elle ne dit mot
elle attend au bord du chemin
elle ne dit pas son nom
elle regarde au loin
mais de plus en plus près
comme si elle connaissait celui qui l'attend

(*Crépuscules*, 1960-1971.)

Poèmes et Poésies, Grasset. Breton et Soupault, *Les Champs magnétiques*,
Poésie / Gallimard. ◇ H.-J. Dupuy, *Philippe Soupault*, Poètes d'aujourd'hui.

jacques rigaut 1898-1929

Pour Jacques Rigaut, l'écriture ne fut jamais qu'un complément au seul système d'expression qui le fascinât et auquel, à trente ans, après avoir tout disposé autour de lui comme pour une cérémonie, il mit un point final : sa vie. Ce fils de bonne famille reconnut en Dada un mouvement qui s'accordait à son mépris de l'art et à son goût du geste. De 1920 à 1922, il collabora à la revue *Littérature*. Quand Breton se brouilla avec Tzara, Rigaut s'éloigna, fit aux Etats-Unis un mariage malheureux, s'adonna à l'héroïne et à l'alcool.

Tout ce que j'avais, tout ce que je croyais avoir en propre, tout ce à quoi je m'accrochais, tous les signes qui m'aidaient à me différencier des autres, le son de mon rire, une façon de dire « Oui, enfin non », un honteux frémissement au passage de mon nom, un entêtement, deux ou trois espoirs qui font trembler de vanité, un par un, sans douleur [...] s'éloignaient lentement, je pouvais les suivre de l'œil, qualités dont j'avais chéri la possession, à présent anonymes comme un bout d'ongle, comme une dent arrachée, comme une cravate, sans étiquette d'origine, sans nombril.

L'illusion s'accentua en s'en prenant à mon corps. Mes dix doigts un à un me furent ôtés, le pouce qui est la bonne volonté domestique, l'index une pince-monseigneur, le majeur la sottise conventionnelle, l'annulaire l'élégance native et scrupuleuse, le petit doigt tordu qui n'en fait qu'à sa tête.

J'assistais à l'opération comme un témoin insensibilisé, conscient ; une phrase lue traversa ma mémoire en prenant son sens : Et plus je suis dépossédé, plus je me possède. Je comprenais la légitimité de toutes ces soustractions, j'étais dépouillé d'affectations, d'entorses, la pureté n'était pas loin.

Un bras me fut retiré puis l'autre, une jambe puis l'autre. Ce cœur qui ne bat que pour moi, disparu. Il ne restait rien et j'étais toujours là.

Mais les empêcheurs de danser en rond font bonne garde ; l'un d'eux se chargea de tout interrompre. Je dus me lever et je sentis mes deux jambes. Je jurai et j'entendis un juron breveté. Tout était à recommencer.

Ecrits, édition établie par Martin Kay, Gallimard.

jacques audiberti 1899-1966

Le verbe qui ruisselle ou gronde dans son théâtre et ses romans, amassant, concassant les vocables les plus rares avec les mots chantants du parler méridional et ceux, patinés sur l'asphalte et le zinc, de l'argot parisien, est celui même du poète Audiberti. Dès *l'Empire et la Trappe* en 1930, Audiberti man'festa son génie baroque, son art des ruptures brutales, des enjambements cavaliers, des rimes insolites, qui impose une tension constante à la métrique la plus classique. De *Race des hommes* (1937) à *Rempart* (1953) et *Ange aux entrailles* (1964), il excelle à plier la chanson à ses rythmes cassés et ironiques, comme à célébrer la mer, les prophètes ou, sous les initiales d'A.B., nous dit Mandiargues, le poète André Breton.

A.B.

Je suis Arnaud Basquart, seigneur du château blême.
En trois morceaux colosse où primât le quatrième
j'épuise le désert de l'orgueil ténébreux.
L'impératif honneur, le naturel caprice
dont l'un borne et vernit l'autre pour qu'il pourrisse
me conçurent dans l'astre en gémissant sur eux.

Le hasard se déduit comme un cap d'une crique.
Au fil sacerdotal de l'urgence métrique
il gorge mes butins d'une complicité,
Orme où l'esprit pleuvait inverse mais sublime,
je tirai de mon cœur, par la hache et la lime,
le corsaire écumant la profonde cité.

Croquemitaine d'art, loup de cerise, une oie
de saphir, ou dragon pervers que l'on renoie
dans la sainte épaisseur du gouffre passager,
tout ce que le bâtard, l'incestueux, l'oblique
tentent secrètement pour la grandeur publique
crie ensemble le mot, jumeau du nom que j'ai.

Mais l'infernal charbon que ma blancheur décore
d'angéliques sentiers qui l'endiablent encore
exaspère peut-être à force de baisers
du mal, de noirs coussins et de roses pessaires,
inévitables lieux des descentes sincères,
le tissu délicat de mes brouillards pesés.

M'accablent de raisons le monceau, le décombre.
Là, lis qui pullulât, veille l'esprit du nombre.
Entre ses durs pistils flottent mes justes mains
sur le déroulement de la funèbre goutte

que mon rêve à mon pas décrit lorsqu'il s'ajoute.
Je sens que je saisis le trésor des chemins.

Il gîtait, explosif, dans l'arche qu'une habile
arabesque, rainure où séjournent la bile
de l'amour, et la rouille aveugle du martyr,
contre la vie, ailée au gré de la racine,
de l'objet à l'objet bondissante dessine.
Bientôt vois-le qui vole et l'entends retentir !

Dans le crépitement qui pèle, ausculte, émonde,
s'écrouleront alors les pancartes du monde.
Hors du sol convulsif l'ongle débaptisé
surgit. Une étincelle orpheline le casque
de majesté magique où ma race démasque
l'arme totale, enfin, que je prophétisai.

Et l'homme devient l'homme et notre guerre pure
finit. Je ne franchis la fatale coupure.
Que ferais-je parmi ceux qui tombent d'accord ?
Sur, longuement, ces bords foulés du solitaire
m'orne le souvenir des erreurs de la terre
et je n'espère plus que de l'os de la mort.

(*Race des hommes.*)

BAGNOLET

Ces maisons, cet arbre,
Ce zinc ? Bagnolet...
C'est pas beau. Ça parle.
Ça dit : « Je suis laid. »

Je suis laid. Tant pire.
On est comme on est
Autre part, l'Empire.
Ici, Bagnolet.

(*Toujours.*)

L'Empire et la Trappe, Race des Hommes, Des tonnes de semences, Toujours, Rempart, Ange aux entrailles, Gallimard. ◊ M. Giroud, *Audiberti*, Classiques du XXᵉ s. / Ed. universitaires et *Audiberti*, Poètes d'aujourd'hui.

henri michaux 1899

Inventeur de mots, inventeur de mondes qu'il décrit avec une précision, perverse et savoureuse, d'ethnologue, d'entomologiste, de tératologue, voyageur étrangement éveillé jusque dans les songes et les paradis artificiels, tel est Henri Michaux, né en Belgique, et dont le visage, comme la vie, est à découvrir en miroir dans ses textes. Contemporain du surréalisme, s'aventurant sur les territoires ordinaires de celui-ci, l'imaginaire et l'inconscient, il poursuit néanmoïns une démarche solitaire. D'abord, de *Qui je fus* (1927) à *Face aux verrous* (1954), Michaux fut le créateur d'un monde imaginaire, décalque absurde ou parodie inquiétante du nôtre, et où tantôt le langage, tantôt les phénomènes naturels et les comportements humains se dérèglent selon une logique fascinante qui, pour être celle du non-sens et de l'humour, n'en prend pas moins ses prémisses dans la réalité.

Le clown, par Henri Michaux.

LE GRAND COMBAT

A R.-M. Hermant.

Il l'emparouille et l'endosque contre terre ;
Il le rague et le roupète jusqu'à son drâle ;
Il le pratèle et le libucque et lui barufle les ouillais ;
Il le tocarde et le marmine,
Le manage rape à ri et ripe à ra.
Enfin il l'écorcobalisse.   .
L'autre hésite, s'espudrine, se défaisse, se torse et se ruine.
C'en sera bientôt fini de lui ;
Il se reprise et s'emmargine... mais en vain
Le cerceau tombe qui a tant roulé.
Abrah ! Abrah ! Abrah !
Le pied a failli !
Le bras a cassé !
Le sang a coulé !
Fouille, fouille, fouille,
Dans la marmite de son ventre est un grand secret
Mégères alentour qui pleurez dans vos mouchoirs ;
On s'étonne, on s'étonne, on s'étonne
Et on vous regarde
On cherche aussi, nous autres, le Grand Secret.

(Qui je fus.)

LES EMANGLONS

Sans motifs apparents, tout à coup un Emanglon se met à pleurer, soit qu'il voie trembler une feuille, une chose légère ou tomber une poussière, ou une feuille en sa mémoire tomber, frôlant d'autres souvenirs divers, lointains, soit encore que son destin d'homme, en lui apparaissant, le fasse souffrir. .

Personne ne demande d'explications. L'on comprend et par sympathie on se détourne de lui pour qu'il soit à son aise.

Mais, saisis souvent par une sorte de décristallisation collective, des groupes d'Emanglons, si la chose se passe au café, se mettent à pleurer silencieusement, les larmes brouillent les regards, la salle et les tables disparaissent à leur vue. Les conversations restent suspendues, sans personne pour les mener à terme. .Une espèce de dégel intérieur, accompagné de frissons, les occupe tous. Mais avec paix. .Car ce qu'ils sentent est un effritement général du monde sans limites, et non de leur simple personne ou de leur passé, et contre quoi rien, rien ne se peut faire.

On entre, il est bon qu'on entre ainsi parfois dans le Grand Courant, le Courant vaste et désolant.

Tels sont les Emanglons, sans antennes, mais au fond mouvant.

Puis, la chose passée, ils reprennent, quoique mollement, leurs conversations, et sans jamais une allusion à l'envahissement subi. *(Voyage en Grande Carabagne.)*

UN HOMME PAISIBLE

Etendant les mains hors du lit, Plume fut étonné de ne pas rencontrer le mur. « Tiens, pensa-t-il, les fourmis l'auront mangé... » et il se rendormit.

Peu après, sa femme l'attrapa et le secoua : « Regarde, dit-elle, fainéant ! pendant que tu étais occupé à dormir on nous a volé notre maison. » En

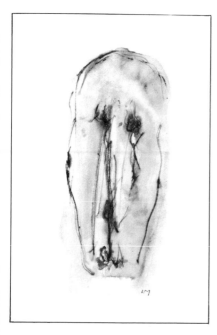

Aquarelle d'Henri Michaux, 1975.

effet, un ciel intact s'étendait de tous côtés. « Bah ! la chose est faite », pensa-t-il.

Peu après, un bruit se fit entendre. C'était un train qui arrivait sur eux à toute allure. « De l'air pressé qu'il a, pensa-t-il, il arrivera sûrement avant nous » et il se rendormit.

Ensuite, le froid le réveilla. Il était tout trempé de sang. Quelques morceaux de sa femme gisaient près de lui. « Avec le sang, pensa-t-il, surgissent toujours quantité de désagréments ; si ce train pouvait n'être pas passé, j'en serais fort heureux. Mais puisqu'il est déjà passé... » et il se rendormit.

« Voyons, disait le juge, comment expliquez-vous que votre femme se soit blessée au point qu'on l'ait trouvée partagée en huit morceaux, sans que vous qui étiez à côté, ayez pu faire un geste pour l'en empêcher, sans même vous en être aperçu. Voilà le mystère. Toute l'affaire est là-dedans. »

« Sur ce chemin, je ne peux pas l'aider », pensa Plume, et il se rendormit.

« L'exécution aura lieu demain. Accusé, avez-vous quelque chose à ajouter ? »

« Excusez-moi, dit-il, je n'ai pas suivi l'affaire. » Et il se rendormit. *(Un certain Plume.)*

Je connais si peu mon visage que si l'on m'en montrait un du même genre je n'en saurais dire la différence (sauf peut-être depuis que je fais mon étude des visages).

Plus d'une fois, à un coin de rue rencontrant une glace à un magasin, qui veut vous faire cette surprise, je prends pour moi le premier venu, pourvu qu'il ait le même imperméable ou le même chapeau, je sens pourtant un certain malaise, jusqu'à ce que passant à mon tour dans le reflet de la glace, je fasse, un peu gêné, la rectification.

Mais le visage est un peu plus loin reperdu. J'ai

aquarelle d'Henri Michaux, 1975.

cessé depuis vingt ans de me tenir sous mes traits. Je n'habite plus ces lieux. C'est pourquoi je regarde facilement un visage comme si c'était le mien. Je l'adopte. Je m'y repose.

Aussi, lorsqu'à un arrêt de métro, car cela m'arrive surtout là, le visage contemplé (ou, dois-je dire, accepté), s'en va avec le corps, je me sens plus que triste : *dépossédé* et sans visage. Il vient de m'être arraché. Si ce n'était qu'amour ! C'est ma figure qu'on m'a prise. Où vais-je maintenant en trouver une, de la journée ? Elle (si c'est une femme) est partie sur un parfait quiproquo. *(Passages.)*

Avec *Misérable Miracle*, en 1956, que prolongeront *l'Infini turbulent* et *Connaissance par les gouffres*, Michaux entreprit — occasionnellement sous contrôle médical — l'expérience de la mescaline et du haschich : autant et plus que les images hallucinatoires, l'intéressait le fonctionnement de l'esprit hors de toute entrave logique. Ses expériences, il les fit le crayon à la main, dessinant ses impressions, griffonnant les mots qui lui venaient. Dans *Connaissance par les gouffres*, précisant que « pour chaque petit groupe de trois ou quatre mots écrits, il y en avait une centaine d'autres qui n'ont pu être écrits », il livre quelques-unes de ces séquences verbales : « Tennis des synonymes / Je vois, j'amasse des ressemblances / je vois, je rouvre des différences / Formidable ! / Quels échanges ! » D'ordinaire, ce qu'il donne ce sont les descriptions de ses visions, coulées dans une écriture limpide — mais secouée de tremblements souterrains. Mais cette écriture se retourne sur elle-même pour piéger le vertige qu'elle traduit et qui la porte, et pour se faire ensemble poème et connaissance. Devant les productions de l'inconscient comme devant les constructions de l'imaginaire, Michaux conserve le même regard lucide, celui de l'explorateur, du savant, habitué à franchir les frontières, répertorier les monstres, déchiffrer les hiéroglyphes.

AVEC LA MESCALINE

ouvert à elle,
cette fois,
acceptant
d'être ouvert.

[...] Ainsi ce jour-là fut celui de la grande ouverture. Oubliant les images de pacotille qui du reste disparurent, cessant de lutter, je me laissai traverser par le fluide qui, pénétrant par le sillon, paraissait venir du bout du monde. Moi-même j'étais torrent, j'étais noyé, j'étais navigation. Ma salle de la constitution, ma salle des ambassadeurs, ma salle des cadeaux et des échanges où je fais entrer l'étranger pour un

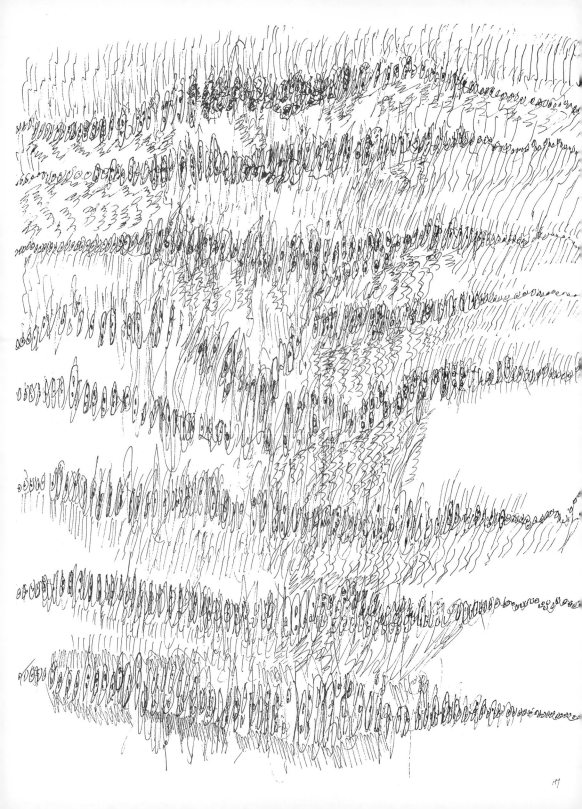

premier examen, j'avais perdu toutes mes salles avec mes serviteurs. J'étais seul, tumultueusement secoué comme un fil crasseux dans une lessive énergique. Je brillais, je me brisais, je criais jusqu'au bout du monde. Je frissonnais. Mon frissonnement était un aboiement. J'avançais, je dévalais, je plongeais dans la transparence, je vivais cristallinement.

Parfois un escalier de verre, un escalier en échelle de Jacob, un escalier de plus de marches que je n'en pourrais gravir en trois vies entières, un escalier aux dix millions de degrés, un escalier sans paliers, un escalier jusqu'au ciel, l'entreprise la plus formidable, la plus insensée depuis la tour de Babel, montait dans l'absolu. Tout à coup je ne le voyais plus. L'escalier qui allait jusqu'au ciel avait disparu comme bulles de champagne, et je continuais ma navigation précipitée, luttant pour ne pas rouler, luttant contre des succions et des tiraillements, contre des infiniment petits qui tressautaient, contre des toiles tendues et des pattes arquées.

Par moments, des milliers de petites tiges ambulacraires d'une astérie gigantesque se fixaient sur moi si intimement que je ne pouvais savoir si c'était elle qui devenait moi, ou moi qui étais devenu elle. Je me serrais, je me rendais étanche et contracté, mais tout ce qui se contracte ici promptement doit se relâcher, l'ennemi même se dissout comme sel dans l'eau, et de nouveau j'étais navigation, navigation avant tout, brillant d'un feu pur et blanc, répondant à mille cascades, à fosses écumantes et à ravinements virevoltants, qui me pliaient et me plissaient au passage. Qui coule ne peut habiter.

Le ruissellement qui en ce jour extraordinaire passa par moi était quelque chose de si immense, inoubliable, unique que je pensais, que je ne cessais de penser : « Une montagne malgré son inintelligence, une montagne avec ses cascades, ses ravins, ses pentes de ruissellements serait dans l'état où je me trouve, plus capable de me comprendre qu'un homme... »

(Misérable Miracle.)

Qui je fus, La nuit remue, Plume précédé de Lointain intérieur, Epreuves, Exorcismes (1940-1944), Ailleurs, La Vie dans les plis, L'Espace du dedans (anthologie poétique), *Face aux verrous,* Gallimard. *Le Voyage en grande Carabagne, Métamorphoses* / Gallimard. *Passages, Mouvements, Misérable Miracle, Connaissance par les gouffres, Façons d'endormi, façon d'éveillé,* le Point du jour / Gallimard. *L'Infini turbulent,* Mercure de France. *Paix dans les brisements,* Flinker. *Poteaux d'angle,* L'Herne. ◇ R. Bertelé, *Henri Michaux,* Poètes d'aujourd'hui / Seghers. R. Bellour, *Henri Michaux ou une mesure de l'être,* les Essais / Gallimard. *Cahier de l'Herne* sur Henri Michaux.

Henri Michaux. dessin mescalinien. 1957.

benjamin péret 1899-1959

Démobilisé en 1920, écœuré par une guerre dans laquelle il s'était volontairement engagé à seize ans, Péret, aussitôt, rallia le mouvement Dada si bien accordé à sa propre révolte. Révolté, anarchiste, Péret, combattant dans l'armée rouge espagnole en 1936, ou interné durant la « drôle de guerre », le demeura toujours. De même, sa fidélité au surréalisme, dont il fut un des fondateurs, et à Breton, fut exemplaire. Poète, essentiellement poète, il fut aussi doué pour l'invective, superbement imagée, dont les politiciens dans *Je ne mange pas de ce pain-là* (1936) et, plus généralement, les militaires et les curés firent les frais, que pour la création d'un monde insolite, née des métamorphoses du quotidien comme de l'exploitation des ressources du langage.

Breton, Soupault, Rigaut et Péret devant le *Sans pareil* en 1921.

BABORD POUR TOUS

Babord détachez mon cerveau bleu
Babord éloignez mon voisin de gauche
Babord donnez-moi de l'eau potable
Babord prenez garde aux montagnes
Babord songez à l'arsenic
Babord changez l'encre qui est jaune
Babord protégez-moi des courants d'air
Babord souvenez-vous de l'année dernière
Babord souvenez-vous de la chaleur
Babord souvenez-vous des promeneurs
   de cactus
car nous passons
nous passons et les hirondelles passent
   avec nous
mais nous crachons en l'air
et les hirondelles crachent sur nous

(Le Passager du transatlantique.)

MÉMOIRES DE BENJAMIN PÉRET

A Marcel Noll.

Un ours mangeait des seins
Le canapé mangé l'ours cracha des seins
Des seins sortit une vache
La vache pissa des chats
Les chats firent une échelle

Illustration de Max Erns
pour *la Brebis galante*

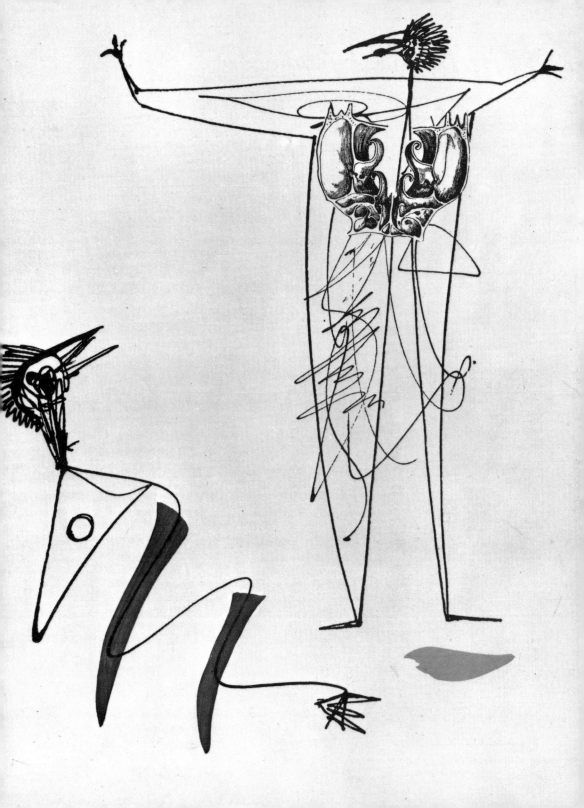

La vache gravit l'échelle
Les chats gravirent l'échelle
En haut l'échelle se brisa
L'échelle devint un gros facteur
La vache tomba en cour d'assises
Les chats jouèrent la Madelon
et le reste fit un journal pour les demoiselles enceintes

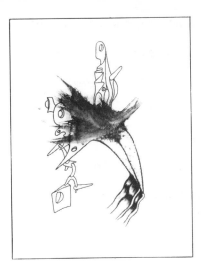

Illustration d'Yves Tanguy
pour *Je sublime.*

AVEZ-VOUS DU WISKY

Lente fumée bleue où s'attardent tes pas
mer sobre
Salut poisson d'évangile
toi qui naquis dans la main d'une voluptueuse
et mourus sous les regards d'un roi

La tombe s'ouvrira pour laisser passer une bannière
La bannière suivra la rive gauche du canal
jusqu'à la jambe humaine
qui sépare l'amour de la mort
Elle portera cette jambe sur le sommet de la montagne
qui cessera de cracher des glaïeuls
pour devenir un troupeau d'hermines

Et dans le ciel nocturne
peuplé des scolopendres
une barre de fer maniée par un sultan
broiera pendant l'éternité des têtes étincelantes

(Le Grand Jeu.)

A QUAND

Demain fera éclater des orages d'éclipses de lune
ou jaillir des éclairs de sodium
selon que tu le regarderas comme un wagon à bestiaux
semblable à un amas de flics dans la neige
qui voudrait les manger
ou que tu l'appelleras comme un fantôme
qui vous épluche les œufs durs comme le Bottin
si maigre aujourd'hui qu'on dirait un cache-poussière
qui a perdu ses lunettes comme une mer qui voit s'enfon-
    cer son île
Demain n'est pas une branche de houx dans une douille
    d'obus
Demain n'est pas un repas à prix fixe comme une
    sauterelle
ni le sourire de la concierge qui envie le sort des harengs
dans leur caisse

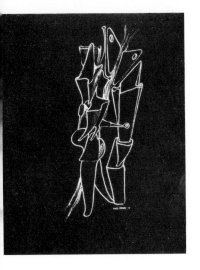

Illustration d'Yves Tanguy
pour *Un point c'est tout.*

ni un défilé de boys-scouts conduits par une bénédiction
    dans un caleçon
ni l'herbe qui pousse entre les pavés honteux de ne pas
    pendre au cou d'un noyé
mais si tu le veux lueur entre des rails de tramway
la nuit
alors que les troupeaux de scarabées rouges aux yeux de
    Siamois
murmurent à mes oreilles comme un canard épuisé
Rosa fuit Rosa fuit
demain jaillira du désert comme une oasis flottante
où les pierres crient à tue-tête
je t'ai vu drapeau de charbon aux étoiles bleues

(Je sublime.)

UN MATIN

Il y a des cris à n'en plus finir
des braillements de terre agitée comme un éventail
    démantelé
par des taupes en conserve
des sanglots de planches qu'on étripe
longs comme une locomotive qui va naître
des convulsions d'arbres révoltés qui ne veulent pas plus
laisser monter la sève
que le métro n'accepte de transporter des autruches
dans ses tunnels de barbe mal rasés
il y a des cris
des araignées de vitriol que j'avale sans m'en apercevoir
près de ce fleuve usé issu d'un tuyau de pipe
qui n'est autre qu'un long museau
un peu chaud
un peu plus grognon qu'un chaudron presque vide ce
fleuve que tu ne vois pas plus que la poussière d'une
    hostie
que le vent a mélangée
à la poussière du curé semblable à du sulfate de cuivre
et à celle de l'église plus tordue qu'un vieux tire-bouchon
car tu n'es pas plus là que je ne suis là sans toi
et le monde en est tout dépeigné

(Un point c'est tout.)

Les surréalistes, comme on sait, accordent à l'image en matière de poésie, une importance primordiale. Mais chez aucun d'eux nous ne voyons les images s'enchaîner et se déchaîner, éclater, fuser, comme dans l'œuvre de Péret.
(Pieyre de Mandiargues)

Œuvres complètes, t. I et II, *Les Rouilles encagées,* Losfeld. *Les Mains dans les poches,* Fata morgana. ◊ J.-L. Bédouin, *Benjamin Péret,* Poètes d'aujourd'hui / Seghers.

francis ponge 1899

Présenter Ponge est un risque. On ne décrit pas une œuvre qui, apparemment, n'est que description, où la description s'est transformée en discours d'une rigueur scientifique. On n'explique pas non plus le langage d'un savant qui, disséquant un arbre, fait surgir ensemble, de la courbure des branches et des nœuds de l'écorce, la graine et la forêt. Alors, que dire de Ponge ? Que, né à Montpellier, par un mouvement inverse à celui de Malherbe, il a changé de climat et fait ses études secondaires à Caen ; que, rebelle à toute carrière, ne s'imaginant qu'en position de révolutionnaire (il milita au P.C. jusqu'en 1950) ou de poète, il n'occupa que des emplois relativement modestes. La vie, cependant, n'est pas l'œuvre, même si on reconnaît, ici comme là, la même exigence et si, toute sa vie, Ponge s'est attaché à approfondir ce qu'il faudrait nommer à la fois méthode, recherche, art, philosophie, cette poésie et cette poétique dont les données essentielles étaient présentes dès ses premiers textes. En 1919, déjà, le texte, repris plus tard dans *Proèmes*, de *la Promenade dans nos serres*, donnait le ton, et la fin avait valeur de programme.

O traces humaines à bout de bras, ô sons originaux, monuments de l'enfance de l'art, quasi imperceptibles modifications physiques, CARACTERES, objets mystérieux perceptibles par deux sens seulement et cependant plus réels, plus sympathiques que des signes, — je veux vous rapprocher de la substance et vous éloigner de la qualité. Je veux vous faire aimer pour vous-mêmes plutôt que pour votre signification. Enfin vous élever à une condition plus noble que celle de simples désignations.

LE PAIN

La surface du pain est merveilleuse d'abord à cause de cette impression quasi panoramique qu'elle donne : comme si l'on avait à sa disposition sous la main les Alpes, le Taurus ou la Cordillère des Andes.

Ainsi donc une masse amorphe en train d'éructer fut glissée pour nous dans le four stellaire, où durcissant elle s'est façonnée en vallées, crêtes, ondulations, crevasses... Et tous ces plans dès lors si nettement articulés, ces dalles minces où la lumière avec application couche ses feux, — sans un regard pour la mollesse ignoble sous-jacente.

Ce lâche et froid sous-sol que l'on nomme la mie a son tissu pareil à celui des éponges : feuilles ou fleurs y sont comme des sœurs siamoises soudées par tous les coudes à la fois. Lorsque le pain rassit ces fleurs fanent et se rétrecissent : elles se détachent alors les unes des autres, et la masse en devient friable...

Mais brisons-la : car le pain doit être dans notre bouche moins objet de respect que de consommation.

LE MOLLUSQUE

Le mollusque est un *être — presque une — qualité.* Il n'a pas besoin de charpente mais seulement d'un rempart, quelque chose comme la couleur dans le tube.

La nature renonce ici à la présentation du plasma en forme. Elle montre seulement qu'elle y tient en l'abritant soigneusement, dans un écrin dont la face intérieure est la plus belle.

Ce n'est donc pas un simple crachat, mais une réalité des plus précieuses.

Le mollusque est doué d'une énergie puissante à se renfermer. Ce n'est à vrai dire qu'un muscle, un gond, un blount et sa porte.

Le blount ayant sécrété la porte. Deux portes légèrement concaves constituent sa demeure entière.

Première et dernière demeure. Il y loge jusqu'après sa mort.

Rien à faire pour l'en tirer vivant.

La moindre cellule du corps de l'homme tient ainsi, et avec cette force, à la parole, — et réciproquement.

Mais parfois un autre être vient violer ce tombeau, lorsqu'il est bien fait, et s'y fixer à la place du constructeur défunt.

C'est le cas du pagure.

(Le Parti-pris des choses.)

L'ŒILLET (12)

La tige
de ce magnifique héros — exemple à suivre —
est un fin bambou vert
aux énergiques renflements espacés
polis comme l'ongle

Sous chacun d'eux se dégainent c'est le mot
deux très simples petits sabres
symétriquement inoffensifs

A l'extrémité promise au succès
gonfle un gland une olive souple et pointue

En vérité je dois le dire, même s'il déplaît à Ponge, s'il est un poète qui ait le droit de nous faire don du monde après Claudel, et dans une perspective tout autre, puisqu'elle est matérialiste, c'est bien lui. (Philippe Jaccottet)

Qui soudain donnant lieu à une modification
bouleversante
la force à s'entrouvrir qui la fend
et s'en déboutonne ?

Un merveilleux chiffon de satin froid
un jabot à foison de flammèches froides
de languettes du même tissu
tordues et déchirées
par la violence de leur propos

Une trompette gorgée
de la redondance de ses propres cris
au pavillon déchiré par leur violence même

Tandis que pour confirmer l'importance du phénomène
se répand continûment un parfum tel
qu'il provoque dans la narine humaine
un effet de plaisir intense
presque sternutatoire.

(La Rage de l'expression.)

LE PLATANE

Tu borderas toujours notre avenue française par ta simple membrure et ce tronc clair qui se départit sèchement de la platitude des écorces.

Pour la trémulation virile de tes feuilles en haute lutte au ciel à mains plates plus larges d'autant que tu fus tronqué

Pour ces pompons aussi ô de très vieille race que tu prépares à bout de branches pour le rapt du vent

Tels qu'ils peuvent tomber sur la route poudreuse ou les tuiles d'une maison...

Tranquille à ton devoir tu ne t'en émeus point : tu ne peux les guider mais en émets assez pour qu'un seul succédant vaille au fier Languedoc

A perpétuité l'ombrage d'un platane

(Le Grand Recueil.)

Aucun poète n'est plus matérialiste que Ponge. Il n'est rien chez lui qui ne soit attention aux choses, qui ne vise à traduire le réel le plus immédiat, le plus simple, — partant le plus opaque ou le plus transparent, celui que notre regard, d'ordinaire, caresse ou traverse. Son but semble être d'épuiser — souvent dans un fantastique jeu de reprise, de ressassement, où d'une version sur l'autre quelques mots changent — la réalité du galet, de l'œillet, de la crevette. Non point de rêver dessus, mais d'en dire la substance. D'où la précision de sa langue qui, rejetant les effervescences du baroque moderne, s'enracine dans le terreau le plus classique, celui de Malherbe et de Boileau. A force d'adhérer aux choses, de se faire concret, son langage décolle et devient création. Partant de la matière nue, de l'objet singulier, ce surprenant analyste se fait démiurge, réinvente, rend sensible la prodigieuse diversité, les constantes métamorphoses du monde, métamorphoses dont la description du savon en lutte avec l'eau est à la fois le compte rendu exact et la métaphore.

DE LA CONFUSION SPONTANÉE DU SAVON DANS LES EAUX TRANQUILLES

[...] Il se colle plutôt au fond et — comment dirais-je ? — je ne dirai pas qu'il rend l'âme, car c'est son corps entier qu'il laisse se disperser en fumées traînantes, en traînées fuligineuses, lentes à s'émouvoir et à disparaître. Tout son corps rend l'âme en fumées lentes à se dissiper. Ou plutôt, il rend son corps en même temps que son âme, et lorsqu'il rend le dernier souffle, c'est en même temps que la dernière trace de son corps a disparu.

Loin donc de se laisser tripoter par les eaux, il préfère y fondre, je viens de dire comment. Et je ne pense pas que cela doive laisser personne au monde indifférent. Il n'y a aucune raison de méjuger de cela. Le fait est, d'ailleurs, que l'eau coupable, la première, apprend à quoi s'en tenir. La voilà profondément troublée, en un volume relativement considérable. Elle en a perdu la face et la voilà privée de cette merveilleuse limpidité, lucidité intérieure que lui vaut habituellement sa bonne conscience. Que lui vaut surtout, à y songer froidement, son habitude de reléguer ordinairement, en son fond ou à sa surface, les corps qui viennent la visiter ; ceci en raison d'une densité assez unique qui sauvegarde d'énormes quantités de liquide.

C'est ainsi qu'envers les pierres, par exemple, l'eau agit avec une sorte d'indifférence ou de désinvolture. Elle finit certes par les user, mais ne s'en trouve aucunement modifiée. Ses yeux en demeurent aussi clairs, aussi froids ; elle laisse les parcelles ou débris qu'elle détache ou conquiert sur sa victime tomber immédiatement en son fond. Elle s'en décante instantanément. Certes, la lutte de l'eau avec le galet est infiniment plus longue qu'avec le savon, mais plus difficile... peut-on le dire ? L'eau la poursuit comme sans y prendre garde, sans s'y intéresser, sans s'en inquiéter et comme machinalement. Elle a bien d'autres choses à faire, elle accomplit dans le même temps bien d'autres devoirs : elle mène de front bien d'autres activités, d'autres occupations ; imperturbablement. Elle n'a et ne donne jamais l'impression de pouvoir, dans cette lutte, être vaincue, ni sérieusement gênée. Elle v est constamment, à chaque instant, — quoique très lentement — victorieuse.

Il lui est bien autrement difficile de se débarrasser du savon, et des traces de son crime. Le savon se venge de l'humiliation qu'elle lui fait subir en se mélangeant intimement à l'eau, en s'y mariant de la façon la plus ostensible. Cet œuf, cette plate limande, cette petite amande se développe rapidement en poisson chinois, avec ses voiles, ses kimonos à manches larges et fête ainsi son mariage avec l'eau. C'est là derrière, à la faveur d'une prestigieuse mise en scène, que s'opère sa confusion dans le liquide et la disparition de sa forme dans toute mémoire. (En même temps, la mémoire de toute saleté se dissout.) Quant aux eaux, elles en restent profondément troublées, impressionnées. Une énorme quantité d'entre elles y ont, je l'ai dit, perdu la face. Elles s'en trouvent sérieusement punies. Elles ne parviendront à se débarrasser du savon, et des traces de leur crime, que grâce à un afflux considérable de renforts amenés en masse, et à la faveur d'une agitation très significative de l'émotion, du remords qu'elles ressentent, enfin grâce à la quantité. Qu'en faisant appel à la quantité. C'est la quantité qui noie ici la qualité, qui la rend indistincte, proportionnelement (ou relativement) indifférente ou insignifiante. Insignifiante, encore a-t-on trop vite fait de le dire...

A ce moment, sortons le savon de l'eau et considérons chacun des deux adversaires. [...]

Douze Petits Ecrits, *Le Parti-pris des choses*, *Proêmes*, Gallimard. *La Rage de l'expression*, Mermod. Ces recueils figurent, avec *Le Peintre à l'étude* et *la Seine*, dans *Tome premier*, Gallimard. *Le Grand Recueil* (*Lyres, Méthodes, Pièces*), *Nouveau Recueil*, *Le Savon*, Gallimard. ◊ J.-P. Sartre, *Situations I*, Gallimard. *N.R.F.*, n° spécial, sept. 1956.

robert desnos 1900-1945

Robert Desnos, « celui d'entre nous qui, peut-être, s'est le plus approché de la vérité surréaliste », écrivait Breton dans le *Manifeste* de 1924. Desnos alors avait manifesté, dans les phrases savoureuses de *Rrose Sélavy* (« Aragon recueille in extremis l'âme d'Aramis sur un lit d'estragon »), son sens des jeux verbaux poétiques et s'était révélé, lors des séances de « sommeils », prodigieusement doué pour la parole jaillie des profondeurs. Doué, il l'était déjà à dix-neuf ans lorsqu'il maniait l'alexandrin dans *le Fard des Argonautes* (« Les putains de Marseille ont des sœurs océanes / Dont les baisers malsains moisiront votre chair »), avec une aisance qu'il retrouva en 1929 dans *Sirène-Anémone* (« Une steppe naîtra de l'écume atlantique / Du clair de lune et de la neige et du charbon »). Rompant alors avec Breton, estimant que le surréalisme (aux acquis duquel il demeura fidèle) était « tombé dans le domaine public », Desnos pratiqua une poésie plus limpide, ouverte aux rumeurs de la ville (il était parisien du quartier Saint-Merri), attentive à la peine des hommes, mais voilant l'émotion sous l'humour fantastique ou noir. Arrêté par les nazis en 1944, Desnos mourut au camp de Térézine.

VIEILLE CLAMEUR

Une tige dépouillée dans ma main c'est le monde
La serrure se ferme sur l'ombre et l'ombre met son œil
    à la serrure
Et voilà que l'ombre se glisse dans la chambre
La belle amante que voilà l'ombre plus charnelle que ne
    l'imagine perdu dans son blasphème le grand oiseau de
    fourrure blanche perché sur l'épaule de la belle, de
    l'incomparable putain qui veille sur le sommeil
Le chemin se calme soudain en attendant la tempête
Un vert filet à papillon s'abat sur la bougie
Qui es-tu toi qui prends la flamme pour un insecte
Un étrange combat entre la gaze et le feu
C'est à vos genoux que je voudrais passer la nuit
C'est à tes genoux
De temps à autre sur ton front ténébreux et calme en dépit
    des apparitions nocturnes, je remettrai en place une
    mèche de cheveux dérangée
Je surveillerai le lent balancement du temps et de ta
    respiration
Ce bouton je l'ai trouvé par terre
Il est en nacre

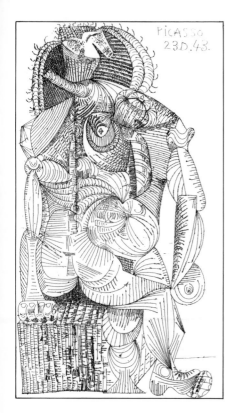

Frontispice de Picasso pour *Contrées*.

Et je cherche la boutonnière qui le perdit
Je sais qu'il manque un bouton à ton manteau
Au flanc de la montagne se flétrit l'edelweiss
L'edelweiss qui fleurit dans mon rêve et dans tes mains
    quand elles s'ouvrent :

Salut de bon matin quand l'ivresse est commune quand
    le fleuve adolescent descend d'un pas nonchalant les
    escaliers de marbre colossaux avec son cortège de
    nuées blanches et d'orties
La plus belle nuée était un clair de lune récemment
    transformé et l'ortie la plus haute était couverte de
    diamants
Salut de bon matin à la fleur du charbon la vierge au
    grand cœur qui m'endormira ce soir
Salut de bon matin aux yeux de cristal aux yeux de
    lavande aux yeux de gypse aux yeux de calme plat aux
    yeux de sanglot aux yeux de tempête
Salut de bon matin salut
La flamme est dans mon cœur et le soleil dans le verre
Mais jamais plus hélas ne pourrons nous dire encore
Salut de bon matin tous ! crocodiles yeux de cristal
    orties vierge fleur du charbon vierge au grand cœur.

(Corps et Biens.)

HOMMES

Hommes de sale caractère
Hommes de mes deux mains
Hommes du petit matin

La machine tourne aux ordres de Deibler
Et rouages après rouages dans le parfum des percolateurs
    qui suinte des portes des bars et le parfum des crois-
    sants chauds
L'homme qui tâte ses chaussettes durcies par la sueur de
    la veille et qui les remet

Illustration d'André Masson
pour *les Sans Cou*.

Et sa chemise durcie par la sueur de la veille
Et qui la remet
Et qui se dit le matin qu'il se débarbouillera le soir
Et le soir qu'il se débarbouillera le matin
Parce qu'il est trop fatigué.
Et celui dont les paupières sont collées au réveil
Et celui qui souhaite une fièvre typhoïde
Pour enfin se reposer dans un beau lit blanc...
Et le passager émigrant qui mange des clous
Tandis qu'on jette à la mer sous son nez
Les appétissants reliefs de la table des premières classes
Et celui qui dort dans les gares du métro et que le chef
    de gare chasse jusqu'à la station suivante...

Hommes de sale caractère
Hommes de mes deux mains
Hommes du petit matin.

BAIGNADE

Où allez-vous avec vos tas de carottes ?
Où allez-vous, nom de Dieu ?
Avec vos têtes de veaux
Et vos cœurs à l'oseille ?
Où allez-vous ? Où allez-vous ?

Nous allons pisser dans les trèfles
Et cracher dans les sainfoins.

Où allez-vous avec vos têtes de veaux ?
Où allez-vous avec embarras ?
Le soleil est un peu liquide
Un peu liquide cette nuit.
Où allez-vous, têtes à l'oseille ?

Nous allons pisser dans les trèfles
Et cracher dans les sainfoins.

Où allez-vous ? Où allez-vous
A travers la boue et la nuit ?

Nous allons cracher dans les trèfles
Et pisser dans les sainfoins,

Avec nos airs d'andouille ;
Avec nos becs-de-lièvre
Nous allons pisser dans les trèfles.

Arrêtez-vous. Je vous rejoins.
Je vous rattrape ventre à terre
Andouilles vous-mêmes et mes copains
Je vais pisser dans les trèfles
Et cracher dans les sainfoins.

Et pourquoi ne venez-vous pas ?
Je ne vais pas bien, je vais mieux.
Cœurs d'andouilles et couilles de lions !
Je vais pisser pisser avec vous
Dans les trèfles
Et cracher dans les sainfoins.
Baisers d'après minuit vous sentez la rouille
Vous sentez le fer, vous sentez l'homme
Vous sentez ! Vous sentez la femme.
Vous sentez encore mainte autre chose :
Le porte-plume mâché à quatre ans
Quand on apprend à écrire,
Les cahiers neufs, les livres d'étrennes
Tout dorés et peints d'un rouge
Qui poisse et saigne au bout des doigts.
Baisers d'après minuit,
Baignades dans les ruisseaux froids
Comme un fil de rasoir.

(Fortune.)

LA FOURMI

Une fourmi de dix-huit mètres
    Avec un chapeau sur la tête,
Ça n'existe pas, ça n'existe pas.
    Une fourmi traînant un char
Plein de pingouins et de canards,
Ça n'existe pas, ça n'existe pas.
    Une fourmi parlant français,
        Parlant latin et javanais,
Ça n'existe pas, ça n'existe pas.
        Eh ! pourquoi pas ?

(Domaine public.)

Dédicace à Georges Hugnet.

Corps et Biens, La Liberté ou l'Amour, suivi de Deuil pour deuil,
Fortune, Domaine public, Gallimard. *Corps et Biens, Fortune,* Poésie /
Gallimard. ◊ P. Berger, *Desnos,* Poètes d'aujourd'hui / Seghers.

jacques prévert 1900

De tous les poètes contemporains, Jacques Prévert est de loin le plus populaire. Son humour tendre ou acerbe, sa manière de jouer avec les mots, de décortiquer les clichés, de tirer des ratons-laveurs de son chapeau, de faire la nique aux curés et aux gendarmes, ou encore son goût de l'amour, du bonheur, sa haine de l'injustice et de la violence le mettent de plain-pied avec les lecteurs les plus divers. Aussi bien, ses chansons étant sur toutes les lèvres, ses livres dans toutes les poches, n'est-il pas nécessaire de le présenter et de le citer longuement. Simplement, il convenait qu'il fût là.

LE CANCRE

Il dit non avec la tête
mais il dit oui avec le cœur
il dit oui à ce qu'il aime
il dit non au professeur
il est debout
on le questionne
et tous les problèmes sont posés
soudain le fou rire le prend
et il efface tout
les chiffres et les mots
les dates et les noms
les phrases et les pièges
et malgré les menaces du maître
sous les huées des enfants prodiges
avec des craies de toutes les couleurs
sur le tableau noir du malheur
il dessine le visage du bonheur.

DÉJEUNER DU MATIN

Il a mis le café
Dans la tasse
Il a mis le lait
Dans la tasse de café
Il a mis le sucre
Dans le café au lait
Avec la petite cuiller

Il a tourné
Il a bu le café au lait
Et il a reposé la tasse
Sans me parler
Il a allumé
Une cigarette
Il a fait des ronds
Avec la fumée
Il a mis les cendres
Dans le cendrier
Sans me parler
Sans me regarder
Il s'est levé
Il a mis
Son chapeau sur sa tête

Il a mis son manteau de pluie
Parce qu'il pleuvait
Et il est parti
Sous la pluie
Sans une parole
Sans me regarder
Et moi j'ai pris
Ma tête dans ma main
Et j'ai pleuré.

(Paroles.)

Collage de Prévert.

A L'IMPROVISTE

Moi aussi je suis le fils de l'homme
quand je suis né ma mère n'était pas là
Où était-elle ?
Au marché peut-être ou chez les voisins
pour leur emprunter du pain et du vin
En son absence mon père a fait l'impossible
pour faire le nécessaire
et il a paraît-il beaucoup souffert
Mais qu'est-ce que ça peut faire
Tant de gens avant lui et depuis ont souffert sous Ponce
     Pilate Napoléon Bonaparte César Borgia Salazar Franco
     Staline Luther ou Adolf Hitler.

(Choses et autres.)

Paroles, Spectacle, La Pluie et le Beau Temps, Histoire, Fatras, Choses et autres, le Point du jour / Gallimard et Folio / Gallimard. ◊ A. Bergens. *Prévert,* Editions universitaires.

michel leiris 1901

« A mi-chemin des sols trop sales et des voûtes trop sublimes, à niveau d'air, entrant dans la peau du rôle, la poésie joue son jeu », dit Leiris dans la préface de *Glossaire, j'y serre mes gloses* (1939). Poésie donc à hauteur d'homme, mais non point naïvement humaniste. Poésie d'abord qui se profère et qui, sous l'influence du surréalisme auquel Leiris appartint dès 1924, suivit la dictée de l'inconscient. Si, en 1929, Leiris se sépara de Breton (ethnologue, il fut alors au collège de sociologie l'ami de Bataille), sa poésie, comme ses textes auto-biographiques *(Biffures)* eut toujours pour but d'être une mise à nu de lui-même et du langage : écoute des pulsions, déchiffrement — y compris à travers leur jeu — de tout ce que les mots font lever en lui : images, énigmes, désirs. Ainsi conçue, la poésie est risque, l'équivalent d'une tauromachie.

LES GALÉRIENS

Grignotées par les rats
nos chaînes peut-être tomberont en poussière
mais jamais celles de la passion sinistre dont nous
    sommes esclaves
charpentes vouées aux fers
à la tyrannie profonde des mots et des tatouages de
    hasard

Figurations emblématiques qui capturez notre destin
et le faites s'emboîter de force dans des schémas
nos poitrines soulèvent en respirant vos lanières gravées
filets moins tendres à la peau que les paroles amoureuses
lorsque pareilles aux cordes enfantines qui font tourner et
    chanter les toupies
les phrases s'enroulent
et accélèrent les mouvements du cœur

Il était une fois
une rose espagnole sur l'épaule d'un forçat
Un sang rosé coulait à travers la pulpe de la rose
une tige mince et courbe reliait son palais de pétales au
    sang d'une bouche
un peu au-dessous du palais noir d'un peigne planté dans
    la chevelure
Cette rose devint aigue marie sitôt la galère sombrée

Il est des heures
mieux vaudrait être galériens qu'être où nous sommes
Nous roulons nous tanguons pareils aux autres hommes
mais un boulet imaginaire de métal rouge nous parcourt
des chevilles aux yeux
plus consternant que les hoquets d'ivrogne

Toutefois
un jour sera
où les épines déchireront les fouets
Sacher-Masoch et Sade s'étant donné la main
dessinés sur le dos d'un marin
Les échines nues danseront
puis d'un seul coup les boulets éclateront
astres noirâtres gonflés par le pus d'une blessure trop
ardente
caillots d'espace désentravés qui tueront Dieu et les siècles à venir

en dépit des chiourmes rationnelles et des syntaxes
bariolées

COGIDA

La flamme pourpre s'élève
d'un coup
sur le silex des cornes

Avalanche de sonneur les poings liés à la corde
il est tombé
le stratège de la lumière
le geôlier des naseaux rougeoyants
la cheminée de sang qui fume
le manieur de chiffons irisés

(Haut Mal.)

R

Racines — sinuosités originaires des races.
Rafale — le fard des râles.
Rameur — il émeut la ramure marine.
Ravin (V entrouVre son raVin, sa ValVe ou son Vagin.)
Religion — région de neige et de rayons ? ou de liège,
de gêne et de joncs ?
remember — recomposer, la beuverie amère du silence,
même !
Rêve — le revers (ou l'avers ?) de la veille. Le rever-
rai-je ?
Révolution — solution de tout rêve ?
Rhétorique érotique...

Corrida et spectateurs, par Picasso.

Ride, hydre.
Rivière, civière.
Rixe, risque.
Robe — rôder au bord de son orbe...
Rosaire — le ressort des prières.
Rose — la chair des choses.
Rosée — gouttes d'eau posées, hors de l'air essoré.
Rouets — où est leur roi, celui d'Omphale la rouée si
    pâle ?
Rouge — la roue du sang, dont l'orage ronge la peau.
Route — l'ourlet des lieux, sans retour ni rature.
Rue — tu erres...
Ruine — l'air y bruit, l'ennui s'y amenuise.
Rumeur — brume de bruits, remous qui meurent au
    fond des rues.
Ruse — elle rase les murs.

(Glossaire, j'y serre mes gloses.)

FISSURES
(Sur des eaux-fortes de Miro.)

VII

Foulées creusant le sable,
empreintes digitales,
cœurs gravés dans la peau des arbres,
filets de graffiti sur les murs d'un cachot,
rides et cicatrices
en quoi une vie se résume,
encoches de bâton,
nœuds au mouchoir,
tatouages
à la teneur d'archives ou de pedigree,
signes de quelque chose qui s'est passé
ou allait se passer,

même à jamais perdues
ces traces
persistent peut-être à peser
de toute leur minceur
sur l'inanité du rien.

Michel Leiris, par Giacometti.

Haut Mal, Gallimard. *Haut Mal, suivi de Autres lancers*, Poésie /
Gallimard. *Mots sans mémoire (Simulacre, Le Point cardinal, Glossaire,
j'y serre mes gloses, Bagatelles végétales, Marrons sculptés pour Miro)*,
Gallimard. *Grande fuite de neige*, Mercure de France. *Fissures*, Maeght.
◊ Maurice Nadeau, *Michel Leiris et la quadrature du cercle*, les
Lettres nouvelles / Julliard. P. Chappuis, *Michel Leiris*, Poètes d'au-
jourd'hui / Seghers.

jean follain 1903-1971

Follain est un miniaturiste. Quelques vers lui suffisent pour brosser une nature morte, peindre une scène animalière, faire un portrait ou fixer les trois moments d'un triptyque. Mais le miniaturiste, souvent, a le sens du monumental. Rien n'est jamais dit dans ses poèmes que de simple, et d'essentiel. Follain est le poète des choses, de l'instant, de l'évidence de la réalité, mais il se distingue de Ponge par son goût du mouvement, de l'histoire, son art de faire se court-circuiter les époques ou les lieux : « Le Tintoret peignit sa fille morte / il passait des voitures au loin / le peintre est mort à son tour / de longs rails aujourd'hui / corsettent la terre... » Avec lui la réalité devient mystérieuse et le mystère rond et palpable comme une pomme rouge.

LES PASSIONS

Un été passe
sur le monde
un chien a pour dix ans de vie
chacun poursuit sa passion
et si l'un boit du vin fort
l'autre refait la machine
propre à sa vengeance amère
ou dénude la poitrine
de la servante anonyme
tandis que frémit l'arbre
imperceptiblement.

PAYSAGE DES DEUX OUVRIERS

La campagne restait calme
une fille lavait sa jambe pure
et les heures
s'inscrivaient dans l'étoffe qu'elles usent
attaquant les fleurs dans le damas.
Les pages d'un livre d'école
avaient été par le vent emportées
jusqu'au-dessus des églantiers
et le long du chemin
aux fossés pleins de bêtes rusées
aux talus couverts de ces herbes propices

à des tisanes de douceur
deux ouvriers longuement se contaient
les secrets des métiers du bois.

(Exister.)

ÉVÉNEMENTS

Il est un temps où l'eau s'agite
puis elle stagne
et la guerre vient
sont exempts de tout murmure
les lichens sur les pierres
mais point la prêle et la ciguë
bercées par un vent tempéré
couper une tige
au fond d'un pré lisse au soir
devient alors
une réussite de la vie
un homme embrassant une fille
survit dans un jardin transfiguré.

(Territoires.)

SOUS LE SOLEIL

Un cavalier s'avance
son cheval à naseau fumant
va à l'amble
sur le minerai bleu
les feuilles s'usent sous la marche des nuages
on entend la chute d'eau
à grandes retombées
dans les champs fouissent des lapins gris
sous le soleil tout apparaît
symbole de rien.

CHIEN ROUX

En buvant l'eau nocturne
le chien roux
remue les astres qu'elle reflète
l'horizon bouge le lointain crie
le maître de la bête
près d'une bergerie vide
se laisse aller aux phrases.

(Espaces d'instants.)

La Main chaude, Correa. *Les Choses données,* Seghers. *Usage du temps, Exister, Territoires, Tout instant, Des heures, Appareil de la terre, D'après tout, Espaces d'instants,* Gallimard. *Exister, suivi de Territoires,* Poésie / Gallimard. ◊ A. Dhôtel, *Jean Follain,* Poètes d'aujourd'hui / Seghers.

raymond queneau 1903

Quand le savant est saisi par le démon de l'analogie, quand le linguiste réinvente l'orthographe des cancres, quand le mathématicien, par un jeu de lignes mobiles, transforme un livre de dix sonnets en machine à produire *Cent mille milliards de poèmes*, quand le poète se traite lui-même de « mousticaille », quand le romancier nous propose deux histoires dont chacune est rêvée par le héros de l'autre, il ne peut s'agir que de Raymond Queneau. Encyclopédiste à l'humour ravageur et poète du quotidien, retrouvant dans la *Petite Cosmogonie Portative*, long poème sur la création et l'histoire du monde, le souffle de Du Bartas, Queneau, dans *Les Ziaux*, *L'Instant Fatal* ou *Courir les rues* coule dans le moule le plus classique, celui de Boileau des poèmes truffés d'audaces rythmiques, d'expressions argotiques, d'images baroques et d'affirmations irrévérencieuses.

NOCTURNE

Quand j'ai dansé jusqu'à minuit
la cornemuse a mis ses bottes
quand j'ai payé pour un ouisqui
le revolver a mis sa cape
quand j'ai réclamé un taksi
le réverbère a mis son col
quand j'ai traversé tout Paris
la lune a mis sa veste blanche
et quand je fus près de Neuilly
je mis mes jambes à mon cou

(*L'Instant fatal.*)

Avec les Frères Jacques, 1954.

503

L'EXPLICATION DES MÉTAPHORES

Loin du temps, de l'espace, un homme est égaré,
Mince comme un cheveu, ample comme l'aurore,
Les naseaux écumants, les deux yeux révulsés,
Et les mains en avant pour tâter le décor

— D'ailleurs inexistant. Mais quelle est, dira-ton,
La signification de cette métaphore :
« Mince comme un cheveu, ample comme l'aurore »
Et pourquoi ces naseaux hors des trois dimensions ?

Si je parle du temps, c'est qu'il n'est pas encore,
Si je parle d'un lieu, c'est qu'il a disparu,
Si je parle d'un homme, il sera bientôt mort,
Si je parle du temps, c'est qu'il n'est déjà plus,

Si je parle d'espace, un dieu vient le détruire,
Si je parle des ans, c'est pour anéantir,
Si j'entends le silence, un dieu vient y mugir
Et ses cris répétés ne peuvent que me nuire.

Car ces dieux sont démons ; ils rampent dans l'espace,
Minces comme un cheveu, amples comme l'aurore,
Les naseaux écumants, la bave sur la face,
Et les mains en avant pour saisir un décor

— D'ailleurs inexistant. Mais quelle est, dira-t-on,
La signification de cette métaphore
« Minces comme un cheveu, amples comme l'aurore »
Et pourquoi cette face hors des trois dimensions ?

Si je parle des dieux, c'est qu'ils couvrent la mer
De leur poids infini, de leur vol immortel,
Si je parle des dieux, c'est qu'ils hantent les airs,
Si je parle des dieux, c'est qu'ils sont perpétuels,

Si je parle des des dieux, c'est qu'ils vivent sous terre,
Insufflant dans le sol leur haleine vivace,

Si je parle des dieux, c'est qu'ils couvent le fer,
Amassent le charbon, distillent le cinabre.

Sont-ils dieux ou démons ? Ils emplissent le temps,
Minces comme un cheveu, amples comme l'aurore,
L'émail des yeux brisés, les naseaux écumants,
Et les mains en avant pour saisir un décor

— D'ailleurs inexistant. Mais quelle est, dira-t-on,
La signification de cette métaphore
« Mince comme un cheveu, ample comme une aurore »
Et pourquoi ces deux mains hors des trois dimensions ?

Oui, ce sont des démons. L'un descend, l'autre monte.
A chaque nuit son jour, à chaque mont son val,
A chaque jour sa nuit, à chaque arbre son ombre,
A chaque être son Non, à chaque bien son mal,

Oui, ce sont des reflets, images négatives,
S'agitant à l'instar de l'immobilité,
Jetant dans le néant leur multitude active
Et composant un double à toute vérité.

Mais ni dieu ni démon l'homme s'est égaré,
Mince comme un cheveu, ample comme l'aurore,
Les naseaux écumants, les deux yeux révulsés,
Et les mains en avant pour tâter un décor

— D'ailleurs inexistant. C'est qu'il est égaré ;
Il n'est pas assez mince, il n'est pas assez ample :
Trop de muscles, trop de salive usée.
Le calme reviendra lorsqu'il verra le Temple
De sa forme assurer sa propre éternité.

Chêne et Chien, Denoël. *Les Ziaux, Bucoliques, L'Instant fatal, Petite Cosmogonie portative, Si tu t'imagines, Cent mille milliards de poèmes, Le Chien à la mandoline, Courir les rues, Battre la campagne, Fendre les flots*, Gallimard. *Chêne et Chien, suivi de Petite Cosmogonie portative. L'instant fatal* / Poésie / Gallimard. ◊ J. Bens, *Raymond Queneau*, Gallimard. J. Quéval, *Queneau*, Poètes d'aujourd'hui / Seghers.

jean tardieu 1903

Fils d'un peintre et d'une musicienne, Jean Tardieu, avec son goût des logiques parallèles et d'une réalité plus fantastique que toutes les ombres des mythologies, ne pouvait être que poète. Poète, il l'est dans son théâtre, un des plus neufs d'aujourd'hui. Là, poussant l'absurde jusqu'à l'abstraction, il décortique le langage quotidien pour en tirer un humour corrosif ou, à l'inverse, transforme le dialogue en partition comme dans *la Sonate et les trois Messieurs.* Dans ses poèmes, on reconnaît la même démarche. Ou bien Tardieu met l'accent sur les incertitudes — cocasses ou inquiétantes — du langage : « Si ce monde était cohérent / je ne pourrais pas dire : il pleut / sans qu'aussitôt l'averse tombe. » Ou bien il dit le poids du réel et la fragilité de la vie : « Innocent ! comme si j'ignorais que ma peau / n'est qu'une feuille mince / entre moi et la mort. » Souvent, il arrive que les deux veines se rencontrent.

QUAND BIEN MEME...

Quand bien même je verrais de mes yeux
les ancêtres peints sur les tableaux
descendre de leur cadre et marcher dans l'épaisseur du
    monde

Quand bien même je verrais de mes yeux
les routes de la terre se lever dans le ciel
gracieuses et penchées comme des jets d'eau

Quand bien même j'entendrais le soleil
(comment, lui ? oui le soleil le soleil)
me parler à voix basse m'appeler par mon nom

Quand bien même je prendrais tout à coup la stature
et le silence et la pesanteur d'une maison

Quand bien même j'aurais trouvé la clé
du grand tunnel qui traverse le globe
et je commencerais la lente glissade le long des parois

Quand bien même je verrais de mes yeux
grouiller l'Autre Côté des choses

quand bien même quand bien même quand bien même...

— je croirais toujours à la sainte Réalité
qui partie de nos mains s'enfonce dans la nuit.

Le Fleuve caché, La Part de l'ombre, **Poésie / Gallimard,** ces **deux** éditions regroupant l'œuvre poétique de Tardieu. ◊ E. Noulet, *Tardieu,* Poètes d'aujourd'hui / Seghers.

jacques baron 1905

« Je suis né le vingt et un février dix-neuf cent cinq / dans le deuxième
arrondissement de Paris / et je n'ai pu trouver de bonne rime en INQ. / Je
me demande un peu ce que je fais ici. » Par cette ouverture précise
et désinvolte de son recueil *Je suis né...*, Jacques Baron — qui fut
à dix-sept ans, en 1922, le benjamin du groupe surréaliste, qu'il
quitta en 1929 — faisait plus que se présenter. Il rappelait par l'exemple
que sa manière concilie heureusement deux tentations contradictoires :
celle du jeu verbal, de l'abandon à la dérive des mots, et celle de
la notation juste de l'événement. Réunissant toute son œuvre (1924-
1973) sous le titre de sa première plaquette, *l'Allure poétique* témoigne
que cet équilibre fut toujours présent, mais qu'au fil des temps les
proportions se sont inversées : dans les premiers textes domine la
violence des images (« Demain on vendra des cerveaux de poète dans
de grands bocaux de lumière »), tandis que, dans la suite, l'attention
aux réalités quotidiennes se fait plus aiguë : « On ferme les cafés
c'est bien l'heure de rentrer / Les rues se déshabillent avec des tendres
gestes / On voit s'éteindre peu à peu les cigarettes / On voit sur son
camion dormir un maraîcher / On voit bouger un boulanger. »

L'AUBIER DE L'AUBE

L'aubier de l'aube accorde ses grands cris
A la révolte du silence
O nuit éblouie de fièvre et de folie
Café-Bar ouvre ta porte à l'habitude

J'ai vu pas loin de là l'homme à la tête de cuivre
Etaler son sang sur la table

Sans jamais rire sans jamais tourner la tête
Sans jamais boire cette boisson qui le dévore
Sans jamais s'étonner du monde autour de lui
Solide ami des feuilles mortes
Envolé le velours des yeux qui me regardent
Et gardent ce bocal de fièvre plein de planètes
Accroche tes habits aux rideaux de la ville
Et sors pour avertir l'automne de danser
Mais
Un paon blanc jailli du solitaire
Fait naître des squelettes derrière ton œil gauche
Et la chanson des nuits brisées charme la folle

L'Allure poétique, Gallimard.

léopold sédar senghor ₁₉₀₆

Léopold Sédar Senghor, aujourd'hui président de la République du Sénégal, fut avec Aimé Césaire le premier grand poète de la négritude, faisant entendre superbement tout ensemble la voix de son peuple et la sienne. Chantant son aventure, sa guerre, ses amours, il dit sa différence, ses racines, mais aussi son appartenance à deux cultures. Natif de Joal et agrégé de lettres, ancré dans sa terre et maître de notre langue, c'est en France où il fut professeur, député, ministre — et aussi, en 1940 (*Hosties noires* le rappelle), soldat et prisonnier — qu'il écrivit ses premiers recueils conjuguant l'héritage poétique français et la nostalgie des chants de son village, la volonté de renouer avec la parole de ses ancêtres, mais pour lui donner une autre dimension, moderne et universelle. Aussi beaucoup de ses poèmes sont-ils conçus pour être accompagnés par les rythmes à l'envoûtante monotonie de ces instruments cousins de la harpe et du xylophone que sont la kôra et le balafong. Si, de *Chants d'ombre* aux *Lettres d'hivernage* (1972), sa poésie aux vers généralement amples, toujours ruisselante d'images, semble parfois s'apparenter à celle de Claudel ou de Saint-John Perse, c'est que comme eux, mais par d'autres voies, Senghor a su retrouver la puissance primitive et sacrée de l'incantation. Si savant qu'il puisse paraître, le chant ici vient des profondeurs de la terre, de la nuit, du corps.

LE TOTEM

Il me faut le cacher au plus intime de mes veines
L'Ancêtre à la peau d'orage sillonnée d'éclairs et de foudre
Mon animal gardien, il me faut le cacher
Que je ne rompe le barrage des scandales.
Il est mon sang fidèle qui requiert fidélité
Protégeant mon orgueil nu contre
Moi-même et la superbe des races heureuses...

QUE M'ACCOMPAGNENT KORAS ET BALAFONG (III)

Entendez tambour qui bat !
Maman qui m'appelle.
Elle m'a dit Toubab !
D'embrasser la plus belle.

Elle m'a dit « Seigneur » !
Choisir ! et délicieusement écartelé entre ces deux mains
     amies
— Un baiser de toi Soukeïna ! — ces deux mondes
     antagonistes

Quand douloureusement — ah ! je ne sais plus qui est
    ma sœur et qui ma sœur de lait
De celles qui bercèrent mes nuits de leur tendresse rêvée,
    de leurs mains mêlées
Quand douloureusement — un baiser de toi Isabelle !
    — entre ces deux mains
Que je voudrais unir dans ma main chaude de nouveau.
Mais s'il faut choisir à l'heure de l'épreuve
J'ai choisi le verset des fleuves, des vents et des forêts
L'assonance des plaines et des rivières, choisi le rythme
    de sang de mon corps dépouillé
Choisi la trémulsion des balafongs et l'accord des cordes
    et des cuivres qui semble faux, choisi le
Swing le swing oui le swing !
Et la lointaine trompette bouchée, comme une plainte de
    nébuleuse en dérive dans la nuit
Comme l'appel du Jugement, trompette éclatante sur les
    charniers neigeux d'Europe.
J'ai choisi mon peuple noir peinant, mon peuple paysan.
    toute la race paysanne par le monde.
« Et tes frères se sont irrités contre toi, ils t'ont mis
    à bêcher la terre. »
Pour être ta trompette !

(Chants d'ombre.)

TEDDUNGAL
(woï pour köra)

Sall ! je proclame ton nom Sall ! du Fouta-Damga au
    Cap-Vert.

Le lac Baidé faisait nos pieds plus frais, et maigres nous
    marchions par le Pays-haut du Dyêri.
Et soufflaient les passions une tornade fauve aux piquants
    des gommiers. Où la tendresse du vert au Printemps ?
Yeux et narines rompus par Vent d'Est, nos gorges comme
    des citernes sonnaient creux à l'appel immense de la
    poitrine. C'était grande pitié.
Nous marchions par le Dyêri au pas du bœuf-porteur
    — l'aile du cheval bleu est pour les Maîtres-de-
    Saint-Louis — mais nos pieds dans la poussière des
    morts et nos têtes parées de nulle poudre d'or.
Or les scorpions furent de sable, les caméléons de
    toutes couleurs. Or les rires des singes secouaient
    l'arbre des palabres, comme peau de panthère les
    embûches zébraient la nuit.
Mille embûches des puissants : chaque touffe d'herbes
    cache un ennemi.

Nous avons ceint nos reins, affermi les remparts de notre cœur, nous avons repoussé lances et roses.

Roses et roses les navettes qui tissaient lêlés et yêlas, exquis les éloges des vierges quand la terre est froide à minuit.

Et leur tête était d'or, la lune éclairait le poème à contre-jour.

Belle ô Khasonkée parmi tes égales, ô grande libellule les ailes déployées et lentement virant au flanc de la colline de Bakel

Jusqu'à ce mouvement soudain qui te brisait le cou, comme une syncope à battre mon cœur.

Ton sourire était doux sous paupières déclives, et grondaient les tam-tams peints de couleurs furieuses.

Ah ! ce cœur de poète, ah ! ce cœur de femme et de lion, quelle douleur à le dompter.

Or nous avons marché tels de blancs initiés. Pour toute nourriture le lait clair, et pour toute parole la rumination du mot essentiel.

Et lorsque le temps fut venu, je tendis un cou dur gonflé de veines comme une pile formidable.

C'était l'heure de la rosée, le premier chant du coq avait percé la brume, fait retourner les hommes des milices dans leur quatrième sommeil.

Les chiens jaunes n'avaient pas aboyé.

Et contre les portes de bronze je proférai le mot explosif *teddungal !*

Teddungal ngal du Fouta-Damga au Cap-Vert. Ce fut un grand déchirement des apparences, et les hommes restitués à leur noblesse, les choses à leur vérité.

Vert et vert Wâlo et Fouta, pagne fleuri de lacs et de moissons.

De longs troupeaux coulaient, ruisseaux de lait dans la vallée.

Honneur au Fouta rédimé ! *Honneur* au Royaume d'enfance !

(Ethiopiques.)

Poèmes (Chants d'ombre, Hosties noires, Ethiopiques, Nocturnes, Traductions), Le Seuil. Poèmes (Chants d'ombre, Hosties noires, Ethiopiques, Nocturnes, Lettres d'hivernage), Points / Seuil. ◊ Armand Guibert, L. S. Senghor, Poètes d'aujourd'hui / Seghers.

andré frénaud 1907

Les Rois mages, Il n'y a pas de paradis : toute la poésie de Frénaud, et à l'intérieur même de chaque recueil, se déploie, s'écartèle entre ces deux titres, ces deux pôles — du désir et de l'insatisfaction. Homme de la quête, du voyage, plus encore de l'errance intérieure, Frénaud sait la vanité de sa quête, la nécessité de s'adapter à la terre — dont il épelle défauts, drames et beautés — et d'accomplir sa vie d'homme : « J'ai peiné dans la peine des autres et dans la mienne. / Dans le désert non désirable de l'amour, / je me suis battu. / Insatisfait jusque du bonheur, j'ai affreusement ri. / Je me suis provoqué de cent manières. / J'ai fléchi, j'ai fait face, je n'ai pas eu la force. / Je suis vaincu. Je n'abandonnerai jamais », dit-il dans *Tombeau de mon père*. D'où la diversité de ses poèmes où se lisent l'humour, la débâcle, la révolte, l'engagement civique, l'accord au monde, l'impossible amour, mais qu'unissent la permanence d'une voix et l'acuité d'un regard.

AIR DU COLPORTEUR

Pas d'échalotes, pas de lacets,
pas d'eau des saintes, pas d'almanach,
pas de petits paquets pour les femmes,
pas de règles ni de compas lisses,
pas de choux rouges, pas de poison,
pas d'adultères ni fer ni mousse,
pas d'étoile de mer ni d'amour,
pas de graines au pollen beurré,
pas de nouvelles des nouveau-nés.
Le monde est vide, il n'y a rien à vendre.

TOUT M'INQUIÈTE

Il y a des rats dans le pis de la vache, qui crachent, quand je malaxe leurs nez noirs, une blancheur miraculée.

Il y a des rires sous la paille quand je conduis le long des façades mon amour à ma déraison.

Il y a des bonshommes qui s'affairent sur le miroir quand je recueille de mon dieu-maître le dernier souffle de la dernière veillée .

Il y a des fumées dans la chambre basse, qui me narguent, quand je ne retrouve en aucune page mon visage abandonné.

Il y a du fumier dans l'eau calme quand je regarde profondément la mer miroitante aimée.

Il y a des vers sous la chemise de la mariée. Il y a des bêtes dans le lit de la morte. Il y a une taie sur l'œil de la beauté.

Je n'ai pas peur.

(Poèmes de dessous le plancher.)

POUR ATTIRER DANS MON RIRE

Pour attirer dans mon rire
la françoise et l'herbe douce,
pour effrayer dans mon regard
l'appel inamical des bêtes,
pour flatter la route évasive,
pour frapper la foudre de peur,
j'ai donné mon nom à la vie,
quand m'aurait-elle rendu raison,
si j'ai voulu le seul amour
qui portait pouvoir de me perdre.

UNE FUMÉE

La vie se rassemble à chaque instant
comme une fumée sur le toit.
Comme le soleil s'en va des vallées
comme un cheval à large pas,
la vie s'en va.
O mon désastre, mon beau désastre,
ma vie, tu m'as trop épargné.
Il fallait te défaire au matin
comme un peu d'eau ravie au ciel,
comme un souffle d'air est heureux
dans le vol bavard des hirondelles.

Illustration de Fernand Léger
pour *Source entière.*

PAYS RETROUVÉ

Mon cœur moins désaccordé de tout ce qu'il aimait,
je ne fais plus obstacle à ce pays bien-aimé.
J'ai dépassé ma fureur, j'ai découvert
le passé accueillant. Aujourd'hui je peux, j'ose.
Je me fie au chemin, j'épelle ici sans crainte
la montée, les détours. Un songe vrai s'étale.
je m'y retrouve dans le murmure qui ne cesse pas.
Le vent, rien que le vent me mène où je désire.

Des paroles inconnues me parviennent familières.
Des regards bienveillants me suivent dans les arbres.
Je me reconnais ici, j'avoue mon pays la terre ici
et toute contrée où des hameaux apparaissent,
où des coqs flambent près de la tour,
avec la verveine dans le potager, les massifs entre les
    murs.

Les rangées des vignes se tiennent sur les versants
et les nuages se promènent lentement dans l'azur,
creusant la plaine où les céréales jaunissent.

Tout est beau qui s'entrouvre aujourd'hui où je passe.
O je me souviendrai de ce vrai pain des hommes.
Je veux goûter de ces raisins qui sèchent,
pendus sous la galerie.

(Il n'y a pas de paradis.)

Illustration de M. Estève
pour *Tombeau de mon père.*

LA SECRETE MACHINE

C'est la secrète machine.
C'est un piège inspiré.
C'était une échauffourée.
Ce n'est qu'un miroir aux rats.

C'était une provocation.
C'est le coursier effréné.
C'était une médecine.
Mais c'est un cheval de Troie !

C'était pour capter l'eau vive.
C'est la fabuleuse prairie.
C'est l'élection de la mort.
Ce n'est qu'un étranglement.

C'était le captif enragé.
C'était en gésine un bon ange.
Ou serait-ce l'arbre attentif
et le vent du Levant ?

Tel est perdu qui croyait prendre.
L'autre ou toi, lequel est-ce ?

Ce n'était qu'une parure.
C'était peut-être une prière.
C'était une rédemption.
Un ensevelissement.

(La Sainte Face.)

Les Rois Mages, Seghers. *Il n'y a pas de paradis,* Gallimard et
Poésie / Gallimard. *La Sainte Face* (ce recueil regroupe notamment
*Poèmes de dessous le plancher, Agonie du général Krivitski, La Secrète
Machine*), Gallimard. ◊ G.-E. Clancier, *André Frénaud,* Poètes d'au-
jourd'hui / Seghers.

roger gilbert-lecomte 1907-1943

Condisciple de René Daumal et de Roger Vailland au lycée de Reims, Roger Gilbert-Lecomte forma avec eux une sorte de communauté initiatique : « les Simplistes ». Ces adolescents très doués pratiquaient la poésie, la révolte, la drogue. En 1928, étudiants à Paris, Daumal et Gilbert-Lecomte fondèrent la revue *le Grand Jeu* qui, reprenant certains objectifs surréalistes, y ajoutait une connotation mystique. En 1933 — après la disparition du *Grand Jeu* —, Gilbert-Lecomte publia les poèmes de *la Vie, l'Amour, la Mort, le Vide et le Vent ;* mais bientôt, intoxiqué, malade, brouillé avec Daumal, il poursuivit ses recherches sans souci de publier, écrivant poèmes et proses qui disent sa quête de l'absolu et la conscience désespérée de son absence de pouvoir :

Et le devoir de créer tout ce qui est. Et oh, la magie prénatale en moi ! Ici, qui se dit initié entre tous ? Hélas, je suis d'entre vous tous, je ne sais rien, je vais tremblant et désirant dans les bielles et les roues des générations ; je n'ai jamais rien su et je ne me souviens de rien. Et toujours il en sera ainsi.

Après sa mort, ses poèmes furent publiés par son ami Adamov sous le titre *Testament.* En 1974 parut le premier volume de ses *Œuvres complètes.*

LE GRAND ET LE PETIT GUIGNOL

Nous étions dans la houille et tu parlais de mort
Les destins passaient rouges en hurlant
Les moutons de la mer se suicidaient
En heurtant du crâne les roches des rives

Nous étions dans la mer et tu parlais d'embruns
Aux bulles de la mer imbuvable
Les poissons du ciel passaient aux lointains
Nous étions prisonniers des pieuvres et du sable

Nous étions dans le noir et tu parlais d'espoir
L'heure est passée il n'est plus l'heure
Le ciel renversé comme un bol se vide
Dans le trou du noir

Nous étions dans les pierres et tu parlais encore
Du sang qui fait mal et des larmes
Nous étions arrivés au tréfonds des bas-fonds
Nous étions dans les glaives

Nous étions dans le feu tu parlais du suicide
Universel

L'ÉTERNITÉ EN UN CLIN D'ŒIL

Quiconque voit son double en face doit mourir

Echéance du drame au voyant solitaire
Miroir un œil regarde un œil qui le regarde
Offert et renoncé pur don et dur refus
D'étrangère qui n'en peut plus qui n'en peut plus
Donatrice abreuvée aux sources des insultes

Hantise du reflet glacial ombre vaine
De ce double avéré plus soi-même que soi
Simulacre nié de menteuse lumière
Perdue aux ondes d'ombre aux sombres eaux de mort

Miracle du regard regardant l'œil qui darde
Un inverse regard vigilant assassin
Provocateur
Assassinat se dit suicide au jeu mortel

Immortelle qui passe à travers le miroir
Pupille que contracte un acte pur détruire
C'est l'étoile-fantôme à l'âme de feu noir
Le point nul en son propre intérieur vibrant

L'œil dévorera l'œil au point nul éternel

ARSENAL

Franchissant un gigantesque pont de fer qui surplombe des voies ferrées, je vais vers une femme maternelle prostrée sur un remblai, avec toutes sortes de ménagements, la prévenir du deuil qui la frappe. Loge de concierge dans une ruelle vide. J'offre, sans grande conviction, des consolations charnelles à une veuve d'un certain âge. Elle m'éconduit poliment. Dans les ténèbres, frotter le cuir de mes souliers au moyen d'une bougie. La graisse des morts. Une flaque de petit jour croissant au centre de la nuit ; se dessine un vaste « court » de ce tennis si particulier. Un hangar en bordure. Joueurs de pelote basque. A tour de rôle ils lancent un chat sur le toit du hangar. Le chat en dégouline, les reins brisés. Ils ramassent le cadavre et le propulsent à perte de vue au-dessus d'un filet situé à mi-chemin de l'horizon. Je me mêle aux joueurs, près du hangar. A mon tour, je jette le chat sur le toit. Mais, vivace, il retombe sur moi. Enragé, ce chat dont je ne puis me dépêtrer me laboure de ses griffes suraiguës les lombes et l'aine.

Testament, Œuvres complètes, t. I, Gallimard. ◊ *Le Grand Jeu*, numéro spécial de *l'Herne*.

eugène guillevic 1907

Comme Jean Follain, Guillevic est un poète du concret. Matérialiste, il s'attache à dire ce qui est : une prairie, un arbre, un menhir, la Bretagne ou la ville, et d'abord à bien voir ce qui tombe sous son regard, soulignant dans un poème d'*Inclus* que « Ce n'est pas difficile / Dans une touffe d'herbe / De voir un incendie / Où s'exaltent des cathédrales / ... — Mais voir la touffe d'herbe. » A la différence de Ponge, qui vise à la saisie pure de l'objet et à sa transmutation en langage, Guillevic est soucieux de dire dans ses poèmes brefs, à la sécheresse apparente d'os ou de minéral, sa relation aux choses, aux atmosphères, aux événements, à l'écriture elle-même, et de se situer dans l'espace humain.

Du bouton de la porte aux flots hargneux de l'océan,
Du métal de l'horloge aux juments des prairies,
Ils ont besoin.

Ils ne diront jamais de quoi,
Mais ils demandent
Avec l'amour mauvais des pauvres qu'on assiste.

Il ne suffira pas de les mouiller de larmes
Et de jurer qu'on est comme eux.

Il ne suffira pas
De se presser contre eux avec des lèvres bonnes
Et de sourire.

C'est davantage qu'ils veulent pour les mener à bien
Où la vengeance est superflue.

PINS

Pins qui restez debout à crier, malhabiles,
Sur l'étendue des landes

Où rien ne vous entend que l'espace en vous-mêmes
Et peut-être un oiseau qui fait la même chose —

Lorsque vous avez l'air d'être ailleurs, occupés,
Livrés à tous les ciels qui sont livrés aux vents,

C'est pour mieux retenir le silence et le temps,
Et vous continuez à ne pas abdiquer,

Et vous êtes pareils
Aux hommes dans la ville.

(Avec.)

ÉTÉ

Ce n'était pas une paume ouverte avec ses lignes,
La plaine offerte à qui voulait la prendre.

Nous, nous ne pouvions pas accepter la gageure
D'enfermer dans nos mains le peu d'air qui passait
Sur la roche avancée,

Et d'aller pour l'offrir, craintifs, à pas légers,
Aux oiseaux diurnes des sous-bois,
Aux trous d'eau froide au fond des grottes.

(Terraqué.)

Ce n'est pas nous qui avons lancé
La barque dans le ciel où elle éclatera,
Si fort elle pointe et monte.

Nous n'avons rien voulu
De ce demi-liquide
Où tout se perd.

Qu'elle aille, qu'elle éclate
Et se fasse rayon de lune à l'été proche
Pour quelque lac.

Ou bien si par hasard elle revient un jour,

Nous n'irons pas vers elle
Pour quérir sa réponse.

Nous n'avions pas accoutumé

De penser que la pluie
Pouvait tomber pour nous
Par haine ou par amour.

Pour nous fraîchir la terre
Et pour laver nos corps

Ou s'opposer aux longues marches
Par les chemins de terre et d'herbe.

Nous avions accepté pour toujours qu'elle arrive
Nous replonger de temps en temps
Dans son royaume sans terreur.   (Exécutoire.)

Il faut sortir,
Avoir vu, parcouru

Connu bien des espaces,
Des qualités d'espaces.

Aller, en vue d'écrire,
Sur un chemin de crête.

Mais l'acte :
Ecrire,

Ne se fera
Qu'au centre, à l'intérieur,

Dans un lieu qui a quelque chose
De la caverne.

L'autel
Y est au fond,

Tourné
Vers la paroi.

Oui, je note, chardon,
Je t'ai vu.

Je dois me souvenir
De l'heure, du chemin,
Du ciel, de la forêt,

Du centre que tu fus.

Il n'y avait rien d'autre
A faire.   (Inclus.)

Terraqué, Exécutoire, Gagner, Carnac, Sphère, Avec, Euclidiennes, Ville, Paroi, Inclus, Gallimard. *Terraqué suivi de Exécutoire*, Poésie / Gallimard. ◊ J. Tortel, *Guillevic*, Poètes d'aujourd'hui / Seghers.

rené daumal 1908-1944

« C'est plus près du cri que du chant », écrivait Daumal en 1935 dans sa préface au *Contre-Ciel*, préface où il prenait ses distances, mais sans les renier, avec ses poèmes de jeunesse, écrits entre 1924 et 1931, avant et pendant l'aventure de la revue *le Grand Jeu.* En 1935, provisoirement détourné de la poésie, Daumal s'attachait à des récits *(la Grande Beuverie),* à l'étude de l'hindouisme, à des traductions du sanscrit. *Le Contre-Ciel,* où éclatait un vrai tempérament de poète, disait une révolte contre les illusions de l'existence, les leurres de la métaphysique, une expérience des limites dans la proximité, fascinante et redoutée, de la mort. Désireux d'éclairer ce qu'il avait entrevu, Daumal, jusqu'à sa mort (de tuberculose) en 1944, poursuivit, dans un roman, *le Mont Analogue,* comme dans *Poésie noire et Poésie blanche,* une quête dont l'écriture fut tout ensemble l'instrument et le miroir.

PERSÉPHONE
C'EST-A-DIRE DOUBLE ISSUE

Mémoire de mes morts, trou noir à travers tout
béant sur la mer des vertiges,
redescends en spirale au centre de l'horreur,
creuse-toi pour me recevoir
dans ta bouche la goulue,
vers ton cœur brûlant noir, avec le fleuve tiède
du sang de mes multiples corps, le long des siècles,
fleuve lent s'enroulant en serpent rouge sombre
vers ton gouffre dévorant, la nuit brûlante de ton ventre,
mangeuse sans repos de nos peaux desséchées,
nageuse sans repos dans la mer de nos sangs
mêlés enfin ! et qu'ils coulent et qu'ils déferlent
et sur l'imprévisible rive au-delà des temps,
au-delà des mondes, qu'ils se dressent,
caillés soudain en un mur plein de bulles,
suintant des eaux d'effroi, larmes d'yeux irisés
qui crèvent et c'est le dernier chant,
leur écoulement qui se fige en statues,
neufs animaux appelant l'âme du feu
derrière les océans de peur,
plus loin que les sanglots sous les dernières voûtes
où le dernier des morts à larges pas sans hâte
marche, et rien ne reste derrière lui :
il va dormir dans la vague immobile,
mais prête pour de nouveaux germes, de nos cris,

de nos sangs solides aux yeux de pétrole.
Une voix s'éternise et meurt de solitude,
une voix se tait.
                    Et toi, toi qui ne voulais plus renaître,
retourne aux maisons de souffrance,
retourne aux chœurs souterrains sous les dalles,
retourne à la VILLE sans ciel,
refais ton chemin à l'envers.
La matrice qui t'engendra se retourne
et te bave vivant à la face du monde,
larve d'épouvante là-bas, et bientôt
tu vas recommencer à te plaindre du ciel,
de toi-même et de la vie, ta vomissure.

(Le Contre-Ciel.)

LES QUATRE TEMPS CARDINAUX

La poule noire de la nuit
vient encore de pondre une aurore.
Salut le blanc, salut le jaune,
salut, germe qu'on ne voit pas.

Seigneur Midi, roi d'un instant
au haut du jour frappe le gong.
Salut à l'œil, salut aux dents,
salut au masque dévorant, toujours !

Sur les coussins de l'horizon,
le fruit rouge du souvenir.
Salut, soleil qui sais mourir,
salut, brûleur de nos souillures.

Mais en silence je salue la grande Minuit,
Celle qui veille quand les trois s'agitent
Fermant les yeux je la vois sans rien voir par-delà les
     ténèbres.
Fermant l'oreille j'entends son pas qui ne s'éloigne pas.

(Les Dernières Paroles du poète, 1943.)

Poésie noire, Poésie blanche, recueil posthume, Gallimard. *Le Contre-
Ciel, suivi de Les Dernières Paroles du poète,* Poésie / Gallimard.

a. pieyre de mandiargues 1909

André Pieyre de Mandiargues, né à Paris en 1909, avait déjà écrit les poèmes de *l'Age de craie* lorsqu'il publia à Monte-Carlo, durant la guerre, son premier recueil : *Dans les années sordides*. Poèmes en prose et contes fantastiques annonçaient alors les thèmes, les atmosphères, les couleurs de son œuvre romanesque et poétique. Chez Mandiargues, les influences convergentes du baroque, du romantisme allemand, du roman noir et du surréalisme se fondent dans la vision d'un monde lumineux et noir, où l'incongru et l'insolite troublent les ballets de l'érotisme et le théâtre de la mort. Et, pour dire les extrêmes, le pire ou l'éblouissement, la langue brûle ou cingle, se fait crue ou limpide sans perdre jamais rien de sa clarté ni de sa perfection un peu hautaine.

BRÛLOT

La figure défiant l'orage
Les cheveux cordages fous
La bouche bée aux quatre vents
Les bras emportés par les vagues
Les pieds les mains éparpillés
La poitrine rompue de coups
Le cœur exposé au bordage
Dans un éclat de feu Saint-Elme
D'amour je meurs de rire
Sur le brûlot de nos vies brèves
Où tu me réduis en poudre.

(*L'Age de craie.*)

HAUTES EAUX

Dans les profonds bleus supérieurs
Les requins du ciel font la ronde,

Ils laisseront l'homme tranquille
Sans doute aussi longtemps qu'ils
Poursuivront leurs sexes de chiens

Et c'est en vain que tu jettes
La sonde innocente de l'œil
D'un poète ou d'un prophète
Vers la bestialité haute,

Puisque ce jeu sale et le tien
Se répondent comme les reflets

De ce qui peut-être fut
Avant toi et avant tes dieux.

(Ruisseau des solitudes.)

LES INCONGRUITÉS MONUMENTALES

LII

La dernière ville habitée par des hommes
Dresse un ballon de ciment blanchi
Sur des plaines de sel et de cendre
Des forêts de charbon des lacs de bitume
Des plages de ruines piquées d'ossements,

La ville ultime est en forme de crâne
Les dents grincent un rire de casernes
Les maxillaires chiquent du feu
Les temporaux font un brouillard jaune
Qui est la fumée d'usines interosseuses
Des chemins de fer aériens se croisent dans les orbites
La calotte est un gratte-ciel colossal
Hors duquel il n'est plus d'être pensant,

Douée d'une vitesse de satellite
La ville peut se mouvoir autour de la terre morte
Ainsi qu'un plutonien foot-ball
Pour le déduit d'un grand birbe cornu de jais.

LA BEAUTÉ SCANDALEUSE

« La Reine, messieurs... » fut l'annonce d'un tel, sombrement drôle. Poussée dans la rue à coups de pieds, Sa Gracieuse Majesté roulait avec un bruit de barrique sur le pavé bleu. Ce n'était qu'une forme creuse, d'ailleurs, vêtue de peaux de truites et qui contenait un petit souriceau criard.

Sous un ciel tout de gaz, le mur du palais s'est déchiré comme un rideau très vieux, livrant les draps défaits, le linge de corps, la cendre. Les faux visages et les fausses nudités quittés par les convives font un pétrin galant, sous le poil de chien et le cheveu de femme. Au boulevard, des lions ont rugi ; la pluie est chaude, malgré l'hiver.

Advienne que pourra. Quant à vous, passants et fleurs publiques, débiles mentaux, fidèles, protégés par l'allure et par la chanson, vous avez suivi les ordres reçus, qui étaient d'apercevoir *et de flairer* la beauté scandaleuse.
(Astyanax.)

Dans les années sordides, L'Age de craie, Astyanax (précédé de *Les Incongruités monumentales), Le Point où j'en suis, Ruisseau des solitudes,* Gallimard. *L'Age de craie,* Poésie / Gallimard.

jean genet 1910

Peu d'écritures sont aussi totalement poétiques, et en tous leurs moments,
que celle de Jean Genet, et pareillement créatrices d'une évidence
inquiétante, d'une splendeur baroque, où se consument et s'exaltent
jusqu'aux figures les plus noires. Poète de la beauté du mal, Genet
célèbre l'envers de notre monde, donne à tout ce qui est d'ordinaire
rejeté dans les marges de la société ou hors du champ délicat du bon
goût une existence superbe, une royauté mythique qui, dans l'inversion
de toutes les valeurs, nous impose sa troublante fascination, sa terrible
vérité. Aussi ses pièces, ses romans apparaissent-ils comme de grandes
cérémonies somptueuses et poétiques. Plutôt que de mutiler un chapitre
ou une scène, nous citons le onzième chant de *Marche Funèbre* et l'ouverture de *La Galère* où l'on reconnaît Harcamone, le forçat du *Miracle de la
Rose*, deux textes significatifs d'une œuvre écrite dans la lumière de la
mort.

MARCHE FUNÈBRE

XI

Le hasard fit sortir — le plus grand ! des hasards
Trop souvent de ma plume au cœur de mes poèmes
La Rose avec le mot de Mort qu'à leurs brassards
Portent brodés en blanc les noirs guerriers que j'aime.

Quel jardin peut fleurir tout au long de ma nuit
Et quels jeux douloureux s'y livrent qu'ils effeuillent
Cette rose coupée et qui monte sans bruit
Jusqu'à la page blanche où vos rires l'accueillent.

Mais si je ne sais rien de précis sur la Mort
D'avoir tant parlé d'elle et sur le mode grave
Elle doit vivre en moi pour surgir sans effort
Au moindre de mes mots s'écouler de ma bave.

Je ne connais rien d'elle, on dit que sa beauté
Use l'éternité par son pouvoir magique
Mais ce pur mouvement éclate de ratés
Et trahit les secrets d'un désordre tragique.

Pâle de se mouvoir dans un climat de pleurs
Elle vient les pieds nus explosant par bouffées
A ma surface même où ces bouquets de fleurs
M'apprennent de la mort les douceurs étouffées.

Je m'abandonnerai belle Mort à ton bras
Car je sais retrouver l'émouvante prairie
De mon enfance ouverte et tu me conduiras
Auprès de l'étranger à la verge fleurie

Et fort de cette force ô reine je serai
Le ministre secret de ton théâtre d'ombres.
Douce Mort prenez-moi me voici préparé
En route, à mi-chemin de votre ville sombre.

LA GALÈRE

Un forçat délivré dur et féroce lance
Un chiourme dans le pré mais d'une fleur de lance
Le marlou Croix du Sud l'assassin Pôle Nord
Aux oreilles d'un autre ôtent ses boucles d'or.
Les plus beaux sont fleuris d'étranges maladies.
Leur croupe de guitare éclate en mélodies.
L'écume de la mer nous mouille de crachats.
Sommes-nous remontés des gorges d'un pacha ?

On parle de me battre et j'écoute vos coups.
Qui me roule Harcamone et dans vos plis me coud ?

Harcamone aux bras verts haute reine qui vole
Sur ton odeur nocturne et les bois éveillés
Par l'horreur de son nom ce bagnard endeuillé
Sur ma galère chante et son chant me désole.

Les rameaux alourdis par la chaîne et la honte
Les marles les forbans ces taureaux de la mer
Ouvragé par mille ans ton geste les raconte
Et le silence avec la nuit de ton œil clair.

Les armes de ces nuits par les fils de la mort
Portées mes bras cloués de vin l'azur qui sort
De naseaux traversés par la rose égarée
Où tremble sous la feuille une biche dorée...
Je m'étonne et m'égare à poursuivre ton cours
Etonnant fleuve d'eau des veines du discours !

Empeste mon palais de ces durs que tu gardes
Dans tes cheveux bouclés sur deux bras repliés
Ouvre ton torse d'or et que je les regarde
Embaumés par le sel dans ton coffre liés.

Entr'ouverts ces cercueils ornés de fleurs mouillées
Une lampe y demeure et veille mes noyées.

Fais un geste Harcamone allonge un peu ton bras
Montre-moi ce chemin par où tu t'enfuiras
Mais tu dors si tu meurs et rejoins cette folle
Où libres de leurs fers les galériens s'envolent.
Ils regagnent des ports titubants de vins chauds
Des prisons comme moi de merveilleux cachots [...]

Chants secrets, Poèmes, Les Bonnes (suivi du Funambule), l'Arbalète.
Œuvres complètes, Gallimard. ◊ J.-P. Sartre, *Saint Genet, comédien et martyr*, Gallimard. C. Bonnefoy, *Genet*, Editions universitaires. J.-M. Magnan, *Genet*, Poetes d'aujourd'hui / Seghers.

georges schéhadé 1910

Libanais, vivant à Beyrouth, Schéhadé est poète jusque dans son théâtre (*Monsieur Bob'le, Histoire de Vasco*), où l'humour absurde est manière élégante de dire la fragilité de toutes choses, de capter la vérité de l'instant. Que le drame de l'instant figure celui de l'existence, Schéhadé qui, dans *l'Ecolier Sultan*, avait ajouté un piment surréaliste à la fantaisie d'un Toulet, nous le rappelle dans ses *Poésies*.

Que je sois là et tout sera fini
Même si je m'égare
Le mal à ses pieds est une longue rivière
Elle veille ma douce poitrine
Les yeux sauvages les yeux du ciel
Et l'eau éternelle sur les tables

A Charles Lucet.

Ils ne savent pas qu'ils ne vont plus revoir
Les vergers d'exil et les plages familières
Les étoiles qui voyagent avec des jambes de sel
Quand la nuit est triste de plusieurs beautés

Ils oublient qu'ils ne vont plus entendre
Le vent de la grille et le chien des images
L'eau qui dort sur la couleur des pierres
La nuit avec des violons de pluies

Tant de magie pour rien
Si ce n'était ce souvenir d'un autre monde
Avec des oiseaux de chair dans la prairie
Avec des montagnes comme des granges
O mon enfance ô ma folie

Le chant des cruches est une eau de tombe
Nous avons aimé la campagne sans amis
Et l'aigle blanc du froid de la lune
Dans la rosée qui ne voit plus —
Quand souffleront les songes sur nos habits
De grands feux de bois seront nos amis
Pour le bien-être de notre royaume

(Les Poésies.)

L'Ecolier Sultan suivi de Rodogune Sinne, Gallimard. *Les Poésies*, Gallimard et Poésie / Gallimard.

jean cayrol 1911

De *Ce n'est pas la mer* (1935), où déjà se fait entendre une voix habitée (« Parfois les ténèbres s'oublient / et l'on voit comme en plein jour / les émigrés de terre qui sourient / sur le bateau des grands détours ») aux poèmes de *Poésie-Journal* qui s'articulent autour de l'actualité des mois de juin à décembre 1968 et reprennent l'histoire du poète (« depuis le temps que je nie la mort / sur les hauts plateaux de la poésie et de la mer... »), en passant par les poèmes engagés — dans la foi, dans l'action — du temps de la guerre et de la déportation (*Miroir de la Rédemption, Poèmes de la nuit et du brouillard*), ou l'humour tendre du *Petit Bestiaire de poche*, la poésie de Cayrol, comme ses romans, offre une infinie diversité. Mais, s'il ne refait jamais deux fois le même livre, Cayrol, cependant, est toujours reconnaissable. Son regard — à la fois lucide et innocent —, l'attention passionnée qu'il porte aux choses, aux êtres, à l'évidence et au mystère de leur présence, son souci de dire ce qui est, de déployer ensemble dans son écriture le texte même de la vie et les secrets du langage, fondent la cohérence de son œuvre.

MIROIR DE L'HOMME

[...] Le Fruit souverain, pain brûlant de la lune
passera de bouche en bouche dans la bataille déjà vide
Fruit de poussière et de sueur
Fruit du dessous de la pierre, Fruit mou et livide
toutes les mains l'ont recueilli mais aucune ne l'a cueilli.

La terre rêve affreusement en lui
dans ce sachet de haine, dans cette cicatrice florissante
Fruit du dernier regard, Fruit perce-Dieu
dans le suintement éternel du péché,
quand la plaie même s'estompe comme une vallée
    défendue
les bouches ont craché sa graine
et la mort fut comme un fruit acide près de nous,
luisant de foudre, pulpe creuse,
coquille ouverte à la première vague de la mort,
sur nos visages glacés le Fruit s'est refermé,
le Fruit nous a menés sur une terre impardonnable,
il a bu notre sang, il a mangé notre chair,
nous sommes devenus sa graine et son mystère,

grappes suspendues des morts, herbes incarnat
fauchées à la fleur de l'aube,
roncier flamboyant de la guerre interdite
où nous sommes avares d'un sang qui ne fait plus mourir ;

le Fruit désemparé s'ouvre comme une église,
flèche magistrale des ombres, ogive du verger
eau courant vers la terre dans un bruit de vitrail

je suis le Fruit, je suis le dieu, je suis la pierre.

(Miroir de la Rédemption.)

RETOUR

C'était un homme qui revenait
tout un dieu chantait en lui
un buisson d'oiseaux dans ses mains
un œil léger et sans sommeil
la bouche gourmande et son pas
qui faisait retourner les bêtes

Il était si lourd dans l'ombre
mais si frêle dans le soleil
se levant tôt pesant à peine
et sa voix prête dans sa gorge
comme un beau jus de groseille

Une ou deux femmes le suivirent
comme on suit les militaires
sans raison la chanson bête
il était couvert de poussière
mais si beau quand le vent soufflait
et portait sa vraie lumière
dans les plus lointaines demeures

C'était un homme qui revenait
Il avait ses papiers en règle
et personne ne l'a ramené.

(Poèmes de la nuit et du brouillard.)

Les ruines sont douces à l'aube
et claires comme des ruches
les chevaux qu'on attelle
tirent le soleil le plus proche

les ruines sont vieilles à l'aube
et n'ont plus d'ennemi
l'oiseau fait son cri
les morts le dérobent

les ruines sont claires à l'aube
on y voit tant de paysage
dans leur lucarne
et des oiseaux
plus fiers que des otages

Ne sois pas malheureux
d'avoir été perdu
dans ce hameau de guêpes
et de feux inconnus

ne sois pas malheureux
ton sang n'est pas sur nos mains
les héros ont un vrai dieu
tout frais dans leur cœur défunt

ne sois pas malheureux
d'avoir choisi tes amis dans la nuit
je ne sais plus où sont vos yeux
je ne sais plus si c'est la pluie

ne sois pas malheureux
après toi l'homme est si vieux.

(Passe-temps de l'homme et des oiseaux.)

O nuit volant au secours de la mort,
je n'entends plus que son pas massif
et le gravier ingrat
près de la porte
et l'indifférence sans griffes.

Tout est fini
et rien n'a commencé.

On a trouvé plus d'un oiseau sans tête
et plus d'un homme
qui s'entête.   *(Les mots sont aussi des demeures.)*

Ce n'est pas la mer, Cahiers du Fleuve. *Le Hollandais volant, Les Phénomènes célestes,* Cahiers du Sud. *Le Dernier Homme,* Cahiers du journal des poètes. *Miroir de la Rédemption,* Cahiers du Rhône. *Poèmes de la nuit et du brouillard,* Seghers. *Passe-temps de l'homme et des oiseaux, Les mots sont aussi des demeures,* Cahiers du Rhône. *Pour tous les temps, Poésie-Journal,* Seuil. ◊ D. Oster, *Jean Cayrol,* Poètes d'aujourd'hui / Seghers.

luc estang 1911

Luc Estang, par Olive Tamari.

Poète du cœur, poète de la foi, occupant une place singulière à l'écart des grands courants de la poésie contemporaine, mais parlant une langue qui est de notre temps et qui le reflète tout entier avec ses drames et ses angoisses, Luc Estang n'est pas l'homme du sentiment naïvement romantique ou de la fade prière. Du *Mystère apprivoisé*, composé entre 1937 et 1943, et où se fait entendre la voix du combattant de l'ombre, à *D'une nuit noire et blanche*, placé sous le signe de Nerval, sa poésie n'a cessé d'être déchiffrement du monde, interrogation toujours passionnément reprise sur la condition de l'homme (« A force de forer en moi-même des puits de mines / toucherai-je mon centre vif d'innocence et d'accord... ? ») et sur sa relation à Dieu : « Mais quel sursaut te fait participer à ces mystères / sinon le signe et le rappel de ton poids juste sur la terre ? »

TRANSHUMANCES

Regarde les nouveaux pâturages du ciel
pleins de sautes de vent avec ces longs appels
que porte jusqu'en nous l'odeur des transhumances :

c'est une autre saison de l'âme qui commence.

Les sonnailles du sang sur les chemins perdus
annoncent la mauvaise fièvre, et l'aventure
donne à l'herbe son goût de bonheur suspendu.

Il faut voir à travers nos larmes les plus dures.

DES HANNETONS

Peupliers peuplés de mains remuantes

Et ce n'est plus l'air applaudi
muettement par elles qui me hante
mais leur solitude à midi :
chacune bat une mesure lente
qu'à bout de branche s'interdit
de suivre l'autre ; les mains ballantes
sous le même ciel engourdi
attirent les mols hannetons du vide.

Tâtonnement de leurs ventres avides :

Le fruit du vent les nourrit au soleil
mieux que la manne du silence
les mots indicibles, pareils
aux mains des peupliers qui se balancent

avec les miennes sous le ciel
pris par la même somnolence.

Mais las de ne rien saisir, peu à peu,
mes doigts font craquer les hannetons bleus.

LES SENS APPRENNENT

A Jean Lurçat.

Feu dans l'eau, diamant sur la vitre de l'aube
posé ; de quels éclats luiront les soleils bleus ?

 La vierge mer déplie et vêt une aube
 d'écume. La terre tord ses cheveux
 plus verts d'avoir trempé dans la rosée.

Suis-je ébloui de voir, la tête traversée
par mille épines d'or, buisson de l'univers ?

 Dansez couleurs, ô lumières esclaves
 galères du désir qui voguez vers
 des horizons trop durs pour vos étraves !
 ascensions, ô collines d'oiseaux
 dôme au-dessus des fronts, une aile égale
 à l'espace me pousse dans le dos.
 Forêts, debout les rouges cathédrales !

La plume des regards couve la création
tout le monde me sort des yeux ; éclosion :

 Ces nuages, ces nids, ces toits qui fument
 les bateaux s'en vont au pas du labour
 ces tuiles ces dunes et cette écume
 les bœufs ont repris le sol à rebours.
 Ces poissons, ces fleurs, ces volets qui volent
 à bout de route un champ ouvre le ciel
 ces avions, ces ponts, cette corolle
 à l'infini chemine un arc-en-ciel.

Du visible l'aveugle est coupé par quel isthme ?
Le noir le plus nocturne inventé par quel prisme ?

 En elle infus quelque rayon de miel
 à la nymphe d'abeille se dévoile

un homme a la prunelle grande assez
pour qu'y ruisselle un flot brillant d'étoiles.

Et je m'éclaire à ton visage caressé.

(Les Quatre Eléments.)

D'UNE NUIT NOIRE ET BLANCHE, XI

Sans doute n'aura-t-il jamais perdu toute espérance
quand il marchait l'air de savoir qu'il n'allait nulle part
quand il feignait d'abandonner son âme dans les bars
quand il désapprenait par cœur toute une proche enfance
quand il se déprenait de la main prompte à le saisir
quand il se voulait vieux d'avoir déjà regardé vivre
quand il chassait les chiens de la pitié prêts à le suivre
quand il manquait d'amour par abondance de désirs
quand au miroir il répétait la scène du délire
quand il montait sur les grands chevaux de la liberté
quand des quatre fers il faisait feu de lucidité
quand il prenait le mors aux dents la bouche amère à rire
quand il niait et reniait à ciel et poings fermés,

Sans doute n'errait-il qu'à la recherche d'une rive
qui n'eût non plus que l'horizon des soleils abîmés
de limites, mais qui fût d'île ou d'étoile hâtive
pour en finir avec l'épais brouillard devant les yeux.
Sans doute sauvait-il à son insu la part de Dieu
en inventant ce vide où tout jeter après brisure,
le vase du monde et la sensitive du néant,
tout moins cela lui comblerait le vide outre mesure.
Sans doute restait-il le plus fidèle en se défiant
de quelque amour trop semblable à l'amour, et le plus sage
en provoquant le face à face avec l'obscur visage
dont il se plaint cette nuit qu'on ne l'ait pas reconnu
à son heure ! Et voici soudain noire et blanche la route
devant lui comme au temps du sang à vif du sel à nu

quand il s'impatientait d'espérance sans doute !

Les Quatre Eléments (1937-1955), *Les Béatitudes, D'une nuit noire et blanche,* Gallimard.

patrice de la tour du pin 1911

Avec *la Quête de joie* en 1933, Patrice de la Tour du Pin apparut comme une révélation. A vingt-deux ans, poète hors des modes, indifférent au surréalisme, sensible cependant à l'étrangeté d'un univers d'étangs et de forêts, celui de sa Sologne, amoureux des légendes nordiques, soucieux de vérité et de dire sa traversée de la vie à la recherche de l'amour et de Dieu, il écrivait des poèmes aux cadences relativement classiques et à la construction claire, même s'ils étaient troués — troublés — d'images insolites. Il entreprit dès lors de construire son œuvre comme une vaste quête, religieuse et lyrique, visant à constituer une « théopoésie » et dont *Une somme de poésie*, réunissant en 1946 tous ses écrits antérieurs, n'est que la première étape.

LAURENCE ENDORMIE

Cette odeur sur les pieds de narcisse et de menthe,
Parce qu'ils ont foulé dans leur course légère
Fraîches écloses, les fleurs des nuits printanières
Remplira tout mon cœur de ses vagues dormantes ;

Et peut-être très loin sur ces jambes polies,
Tremblant de la caresse encor de l'herbe haute,
Ce parfum végétal qui monte, lorsque j'ôte
Tes bas éclaboussés de rosée ou de pluie ;

Jusqu'à cette rancœur du ventre pâle et lisse
Où l'ambre et la sueur divinement se mêlent
Aux pétales séchés au milieu des dentelles
Quand sur les pentes d'ombre inerte mes mains glissent,

Laurence... jusqu'aux flux brûlants de ta poitrine,
Gonflée et toute crépitante de lumière
Hors de la fauve floraison des primevères
Où s'épuisent en vain ma bouche et mes narines,

Jusqu'à la senteur lourde de ta chevelure,
Eparse sur le sol comme une étoile blonde,
Où tu as répandu tous les parfums du monde
Pour assouvir enfin la soif qui me torture !

(La Quête de joie.)

1 Je ne suis plus le renard chassant une proie sur les prairies, je suis le faon qui cherche les prairies elles-mêmes, — mais je demeure sauvage.

2 Je garde l'odeur du sang dans l'arrière-gorge — comme ces princes de guerre réfugiés dans leurs tours.

3 Ils se défendent de chevaucher pour de nouvelles conquêtes — et portent le deuil des conquérants qu'ils ont été.

4 Mais leurs armes sont toujours des armes de proie, — ils n'élèvent pas des passereaux à la place de faucons.

5 Les mondes intermédiaires connaissent encore ma chasse, — mais non pour le plaisir de découvrir et de tuer.

6 Ceux qui s'égarent en pleine ivresse d'évasion — ne cherchent pas la véritable nourriture.

7 Après l'eau des fontaines et le sang des bêtes, — c'est l'écume des marais de l'homme qui attire.

8 Les autres atteignent aux horizons indéfinis après des vols de hasard, — moi je pars des lointains pour me rapprocher de l'homme

9 Et je n'ai pas besoin de boussole ou de rose des vents — pour aborder en moi-même.

(Une somme de poésie, VIᵉ livre.)

Taurillon zébré de Lurçat,
illustrant *le Bestiaire fabuleux.*

PREMIER CONCERT SUR TERRE
OU CONCERT DE BORLONGE, III

Et sa consolation, la rendrais-je au bouleau
Sur lequel ont erré mes yeux, quelques secondes,
Celles qui ne pouvaient être à ce point profondes
Que bercées par un frémissement de bouleau.

On pressent au-delà d'autres plaisirs humains
Qui battent ; mais il faut des frissons et des danses
Très proches aux captifs, car ils ont un silence
Un peu trop douloureux quand il se tend au loin.

Est-il même assez près de moi, mon arbre ami ?
Car la tristesse est bien la tristesse de l'homme,
Qui se déchaîne à mort contre le cœur — comme
Si elle avait peur d'être vaincue par lui...

(Une somme de poésie.)

Une somme de Poésie, La Contemplation errante, Pépinière de sapins de Noël, Le Second Jeu, Petit Théâtre crépusculaire, Gallimard. La Quête de joie, Poésie / Gallimard. ◇ Eva Kushner, La Tour du Pin, Poètes d'aujourd'hui / Seghers.

jean grosjean 1912

Simple passant au regard des Majestés, mais pour qui la **Terre**, écrit Pierre Oster, est « le Visage même du Vivant », Jean Grosjean a fait de son œuvre, de *Terre du temps* à *Majestés et Passants*, où roulent les tonnerres de la Bible et les révoltes de l'homme, puis aux strophes charnelles et traversées de lumière d'*Elégies*, le lieu d'une parole où l'existence s'affirme dans la proximité du divin.

ÉLÉGIES, IX

Si tu déchires le voile qui cachait l'ombre, tu n'éclaires que le vide où tes pas font un froissement de branches et tes doigts des lueurs de linge.

Tu n'as été que de passage en toi où je trouverais tes chambres plus désertes que mes demeures inhabitables sous les ruissellements des pluies chanteuses.

D'errantes odeurs de foin, de buffet rance ou de renard mouillé parlent de toi autant que la rumeur des prophéties tapies dans les buissons.

Plus je m'égare et mieux je te devine autour de moi à tes signes épars, la fumée sur les bois, un vol d'oiseau, tel tintement de pierre.

Je cours sans cesse à des lieux que tu quittes sans te voir, sur mes pas ou dans mon cœur, rire en silence à la façon des dieux.

Tu te tiens aux aguets dans ma mémoire et me déjoues quand je veux t'investir, toi qui sais prendre l'air distrait dont les roseaux se confondent aux brumes.

Le cahotement d'un char au point du jour ou d'un soleil d'hiver sur les collines sont tes prétextes à m'obséder le cœur comme les coups sourds des bêtes à l'étable ou du glas dans le ciel.

Quand tu voudrais faire oublier ton nom, tu ne peux me détourner de toi que rien ne lie et dont ne me délient ni le sommeil, ni la joie, ni la mort.

Je suis en proie à ton antique exode avec les clartés incertaines, les sons perdus et cette saveur de première violette qu'on mâche à l'aube de la résurrection.

Terre du temps, Le Livre du juste, Fils de l'Homme, Majestés et Passants, Austrasie, Apocalypse, Hiver, Elégies, Gallimard. *La Gloire,* précédé de *Apocalypse, Hiver, Elégies,* Poésie / Gallimard.

edmond jabès 1912

« Les mots élisent le poète », écrivait Jabès dans un de ses premiers recueils, *Les mots tracent* (1943-1951), alors qu'il vivait au Caire où il était né. Ses premiers textes avouaient ouvertement l'influence de Max Jacob (« Il était, il était une fois / Deux éléphants qui ne dormaient pas. / Leurs grands yeux constamment allumés / Effrayaient le monde et les années »), mais du Jacob le plus secret qui cherche dans le jeu des mots l'au-delà des apparences. Dans le même temps Jabès avouait : « Je suis à la recherche / d'un homme que je ne connais pas, / qui jamais ne fut tant moi-même / que depuis que je le cherche. » Aussi bien, tous les poèmes des années 1943-1957, réunis dans *Je bâtis ma demeure*, s'articulent déjà autour d'une double quête : de soi et de l'écriture. Contraint en 1956, parce que juif, de quitter l'Egypte, Jabès, qui s'installe alors en France, redécouvre sa judéité, mais de façon singulière, la vivant surtout comme rapport à l'exil et au livre, comme lieu de la parole. Avec *le Livre des questions* (1963), il commença une œuvre qui se déploie à travers sept livres jusqu'à *El ou le Dernier Livre* (1973), et qui, récit, poème, dialogue avec des rabbins imaginaires, méditation allégorique sur le Juif, l'écriture, la création, est à la fois inclassable et semblable à l'œuvre que, dans *Aely* il dit avoir rêvée : « ... Une œuvre qui ne répondrait à aucun nom, mais qui les aurait endossés tous, une œuvre d'aucun bord, d'aucune rive ; une œuvre de la terre dans le ciel et du ciel dans la terre ; une œuvre qui serait le point de ralliement de tous les vocables disséminés dans l'espace dont on ne soupçonne pas la solitude et le désarroi ; le lieu, au-delà du lieu, d'une hantise de Dieu, désir inassouvi d'un insensé désir ; un livre enfin qui ne se livrerait que par fragments dont chacun serait le commencement d'un livre. »

ET TU SERAS DANS LE LIVRE

[...] Tu marches vers la mort qui t'a épargné jusqu'ici afin que tu ailles, de ton plein gré, vers elle. Tu marches sur toutes les morts qui furent les tiennes et celles de ta race, sur les sens obscurs et les non-sens de toutes ces morts.

Et c'est moi qui te force à marcher ; moi qui sème tes pas.

Et c'est moi qui pense, qui parle pour toi, qui cherche et qui cadence ;

Car je suis écriture
et toi blessure.

T'ai-je trahi, Yukel ?

Je t'ai sûrement trahi.

Je n'ai retenu, entre ciel et terre, que la percée puérile de ta douleur. Tu es l'un des épis du cri collectif que le soleil dore.

J'ai donné ton nom et celui de Sarah à ce cri qui s'obstine,

à ce cri qui a épousé son souffle et qui est plus ancien que nous tous,

à ce cri de toujours,

plus ancien que la graine.

Pardonne-moi Yukel. J'ai substitué mes périodes inspirées à la tienne. Tu es la parole éteinte au milieu des mensonges de l'anecdote ; une parole comme un astre englouti parmi les étoiles. Le soir, on ne verra que mes étoiles, que leur chaud et merveilleux scintillement, mais juste le temps de ta courte disparition. Revenu, c'est toi qui reprends, muet, la place.

Comment aurais-tu pu t'exprimer, toi qui n'ouvres la bouche que pour prolonger le cri, comment aurais-tu eu le désir et la patience d'expliquer ta démarche,

toi qui es sans désir ni patience ?

(Le Livre des questions.)

L'ARRIÈRE-LIVRE

Le désert, c'est ce qui ne finit pas de finir.

L'océan, c'est ce qui finit de ne pas finir.

Où est la fin, disais-tu, sinon, au-delà du terme, dans les débris disséminés de l'espoir ?

C'est en Elya que tu te perdais, Yaël ; c'est en lui que tu te taisais.

O mort, définitive page inlassablement lue, mais jamais épuisée.

Le livre est à l'exilé ce que l'univers est à Dieu.

Dieu a donc pour lieu tout livre d'exil.

Tout est mort et tu te crois en vie.

Tu es au seuil. Seul à te débattre.

Reste à définir le seuil.

Un jour ensoleillé, peut-être ?

Il y a, sous la cendre, un hommage rendu au feu
que tu peux entendre.

L'homme est le Tout. Dieu est le Rien. Voilà l'énigme.
Glisser vers le Rien ; pérennité de la pente.

(Elya.)

Le désir que j'éprouve de vous écrire est besoin
vital, urgent de respirer ; mais avec quel geste neuf,
dans le sillage de quel regard offensif vous joindrai-je ?

Dans mon esprit, le mot *sol* vient, brusquement, de
se détacher du mot *solitude.*

Etre seul, est-ce, tel un reptile, ramper au sol ou
mettre front contre terre ? — mais *sol,* plus tendre que
l'acier, appelle confidentiellement le verbe *solacier.* Toute
solitude aspire-t-elle à être consolée ?

O peuple de la solitude, en vous privant de sol, vous
a-t-on privé de fraternelle consolation ?

Ni ici ni ailleurs ; mais, chaque fois, au seuil d'un
jour dont le ciel fut si bas que les aigles nous apparurent
comme d'énormes vers aux ailes terreuses.

Ainsi avons-nous appris que l'infini est racine cachée
et que tout ce qui germe, verdit, fleurit a pour sève et
pour rêve l'infini.

Nos forces conjuguées n'auraient-elles aspiré qu'à !eur
regroupement dans le Nom impossible ?

Comme pour Dieu, les lettres qui nous désignent
s'envolent et, cependant, demeurent avec nous.

Chaque envol dans l'azur fut tenté d'un point inéluctable.

A partir de ce point, nous aurons conçu le livre.

(El ou le Dernier Livre.)

Je bâtis ma demeure, poème 1943-1957, Le Livre des questions : I *Le
Livre des questions,* II. *Le Livre de Yukel,* III. *Le Retour au livre,
Yael, Elya, Aely, El ou le Dernier Livre,* Gallimard. ◊ J. Derrida,
L'Ecriture et la Différence, Seuil.

h. de saint-denys-garneau 1912-1943

Longtemps la poésie canadienne eut des allures provinciales. **Poète** météorique et maudit, Emile Nelligan, avant de sombrer dans la folie en 1900, à vingt et un ans, l'arracha un temps à sa torpeur avec un chant tourmenté, aux accents nervaliens. Second maudit, Saint-Denys-Garneau appartient à une **génération** (celle d'Alain Grandbois, Suzanne Routier, Anne Hébert) qui créa vraiment une poésie canadienne. Mort à trente et un ans, en 1943, Hector de Saint-Denys-Garneau, après une adolescence brillante, connut dès 1935 de terribles expériences, dit-il dans **son** *Journal,* « de délaissement, d'humiliation, de solitude ». Ecrite de 1935 à 1938, son œuvre poétique, où l'on reconnaît parfois le lecteur de Rimbaud ou de Cendrars, dit, en termes de plus en plus dépouillés, cette expérience. Si les poèmes de *Regards et Jeux dans l'espace* tentent encore de sauver la luminosité de l'enfance, ceux de *Solitudes,* où le corps malade n'est plus qu'un assemblage d'os (« Quand on est réduit à ses os / assis sur ses os / couché en ses os / avec la nuit devant soi »), s'inscrivent dans la lumière de la mort.

ulpture de Giacometti.

ACCOMPAGNEMENT

Je marche à côté d'une joie
D'une joie qui n'est pas à moi
D'une joie à moi que je ne puis pas prendre

Je marche à côté de moi en joie
J'entends mon pas en joie qui marche à côté de moi
Mais je ne puis changer de place sur le trottoir
Je ne puis pas mettre mes pieds dans ces pas-là
       et dire voilà c'est moi

Je me contente pour le moment de cette compagnie
Mais je machine en secret des échanges
Par toutes sortes d'opérations, des alchimies,
Par des transfusions de sang
Des déménagements d'atomes
       par des jeux d'équilibre

Afin qu'un jour, transposé,
Je sois porté par la danse de ces pas de joie
Avec le bruit décroissant de mon pas à côté de moi
Avec la perte de mon pas perdu
       s'étiolant à ma gauche
Sous les pieds d'un étranger
       qui prend une rue transversale.

(Regards et Jeux dans l'espace.)

Il nous est arrivé des aventures du bout du monde
Quand on vient de loin ce n'est pas pour rester là
(Quand on vient de loin nécessairement

                         c'est pour s'en aller)
Nos regards sont fatigués d'être fauchés

                         par les mêmes arbres
Par la scie contre le ciel des mêmes arbres
Et nos bras de faucher toujours à la même place.
Nos pieds n'étaient plus là pour nous attacher

                         dans la terre
Ils nous attiraient tout le corps pour des journées

                         à perte de vue.

Il nous est arrivé des départs impérieux
Depuis le premier jusqu'à n'en plus finir
A perte de vue dans l'horizon renouvelé
Qui n'est jamais que cet appel au loin

                         qui module le paysage
Ou cette barrière escarpée
Qui fouette la rage de notre curiosité
Et ramasse en nous de son poids
Le ressort de notre bond

(Voyage au bout du monde, Les Solitudes.)

Nous avons attendu de la douleur
        qu'elle modèle notre figure

                     à la dureté magnifique de nos os
Au silence irréductible et certain de nos os
Ce dernier retranchement inexpugnable de notre être
        qu'elle tende à nos os clairement la peau de nos figures
La chair lâche et troublée de nos figures
        qui crèvent à tout moment et se décomposent
Cette peau qui flotte au vent de notre figure

                       triste oripeau

Nous allons détacher nos membres
        et les mettre en rang pour en faire un inventaire
Afin de voir ce qui manque
De trouver le joint qui ne va pas
Car il est impossible de recevoir assis tranquillement
        la mort grandissante.

(La Mort grandissante, Les Solitudes.)

Poésies complètes, Fides. ◇ Eva Kushner, *Saint-Denys-Garneau*, **Poètes d'aujourd'hui** / Seghers.

henri thomas 1912

Romancier, traducteur, critique, le Vosgien Henri Thomas inscrit sa vie en filigrane dans ses poèmes ; non les événements majeurs, mais les petits faits qui tissent la trame des jours. Ainsi s'efforce-t-il de déchiffrer ce qui l'entoure, de lire les paysages de ses montagnes à la lumière des romantiques allemands, et les rues de Paris ou de Londres avec l'œil de qui conserve toujours son pouvoir d'étonnement. D'une musicalité constamment feutrée, son dire respecte moins les formes classiques qu'il ne les investit de ses images ramassées, collant au réel ou mettant à nu le rêve.

WOLFRAM

La tombe d'un certain Wolfram
est dans un canal noir,
l'ondine du bateau-lavoir
a vu la fin du drame.

Ne chérissant que la lumière
de l'aurore d'été,
,chaque soir il était tenté
par cette eau mortuaire.

O l'éclat de ces yeux hagards
où la douleur est ivre,
même à l'instant de la noyade,
quel appétit de vivre !

son âme avide et vagabonde
ici flotte dans l'air
et s'enchante de pâle hiver
ou de lumière blonde.

(Travaux d'aveugle.)

De la jeunesse à l'âge mûr, il n'est pas de chemin tracé,
Cependant hier un enfant, maintenant un homme tassé
Inutile de s'exciter, chaque pas fera du passé.

De l'âge mûr à la vieillesse, il n'est pas de route certaine,
Cependant hier voix qui tranche, aujourd'hui tremblante
  rengaine,
Pas besoin de beaucoup d'effort, c'est la pente qui vous
  emmène.

Et des derniers jours à la mort, le chemin peut-on le
    décrire ?
Hier soir quarante de fièvre, aujourd'hui visage de cire.
Impossible d'en rien savoir, les uns dorment, d'autres
    délirent.

(Le Monde absent.)

HIER ET DEMAIN

Nous passerons la mer brumeuse ou bleue,
Nous entrerons au pays sans horloges,
Un arbre mort est couché sur la plage,
Son ombre et moi nous devons nous rejoindre.

Quittons les oripeaux de la patience,
Et ces travaux qui n'aident que la mort,
Les villes sont des piles de cercueils,
Hautes ici, plus loin presque écroulées.

Les fleurs plaquées au rocher par le vent,
Lorsque la pluie aux longues jambes court,
Et que la mer est un seul grondement
Dans la panique à la fin des beaux jours,

Ces fleurs là-bas sous la lune reviennent,
La vague traîne un filet d'or, un phare
Scintille au fond de la vie ancienne,
Une main folle a défait mes amarres.

(Nul désordre.)

L'HEURE NOUVELLE

Camarade Adamov, que nous avons changé
Depuis les jours et nuits de misère aux bordels,
Et les lueurs d'espoir, et de matin glacé,
Noël ou Nouvel An, sur le pont Saint-Michel.

L'eau grise, les chalands immobiles, le gel,
Et cette brume familière à l'invité
De nulle part qui s'en retourne à son hôtel...
Rue Quincampoix les putains ont réveillonné.

Nous avons vu cela, du comptoir où s'assemblent
Les épaves très solitaires, bien qu'ensemble
Buvant le café noir de la vie inconnue.

Qu'est-ce que nous cherchions, quelle lettre de givre,
A déchiffrer sur le carreau désert des rues,
Quelle impossible et bouffonne raison de vivre ?

(Sous le lien du temps.)

Travaux d'aveugle, Signe de vie, Le Monde absent, Nul désordre, Sous le lien du temps, Gallimard. *Poésies,* Poésie / Gallimard.

aimé césaire 1913

Dramaturge qui fait du théâtre une grande fête de la langue, de la représentation la cérémonie somptueuse, baroque et provocante où s'incarnent ses angoisses, ses désirs, ses rêves, où se déploient et se célèbrent toutes les révoltes de son peuple, celui des Antilles *(la Tragédie du roi Christophe)*, toutes les luttes de sa race *(Une saison au Congo)*, Césaire, quoi qu'il écrive, reste toujours le poète fabuleux qui sut accorder dans *Cahier d'un retour au pays natal*, *les Armes miraculeuses* ou *Soleil cou coupé* l'imaginaire surréaliste et les mythes de son pays. S'il est à l'écoute de son inconscient, si rien n'est plus subjectif que ses poèmes, toute la négritude cependant chante dans sa voix et ouvre à la poésie un nouvel espace.

A L'AFRIQUE

A Wifredo Lam.

Paysan frappe le sol de ta daba
dans le sol il y a une hâte que la syllabe de l'événement
ne dénoue pas
je me souviens de la fameuse peste
il n'y avait pas eu d'étoile annoncière
mais seulement la terre en un flot sans galet pétrissant
d'espace
un pain d'herbe et de réclusion
frappe paysan frappe
le premier jour les oiseaux moururent
le second jour des poissons échouèrent
le troisième jour les animaux sortirent des bois
et faisaient aux villes une grande ceinture chaude très forte
frappe le sol de ta daba
il y a dans le sol la carte des transmutations et des ruses
de la mort
le quatrième jour la végétation se fana
et tout tourna à l'aigre de l'agave à l'acacia
en aigrettes en orgues végétales
où le vent épineux jouait des flûtes et des odeurs tran-
chantes
Frappe paysan frappe
il naît au ciel des fenêtres qui sont mes yeux giclés
et dont la herse dans ma poitrine fait le rempart d'une
ville qui refuse de donner la passe aux muletiers de
la désespérance

Gravure de Picasso pour *Corps perdu*.

Famine et de toi-même houle
ramas où se risque d'un salut la colère du futur
frappe Colère
il y a au pied de nos châteaux-de-fées pour la rencontre
du sang et du paysage la salle de bal où des nains bra-
quant leurs miroirs écoutent dans les plis de la pierre
ou du sel croître le sexe du regard
Paysan pour que débouche de la tête de la montagne
celle que blesse le vent
pour que tiédisse dans sa gorge une gorgée de cloches
pour que ma vague se dévore en sa vague et nous
ramène sur le sable en noyés en chair de goyaves
déchirés en une main d'épure en belles algues en
graine volante en bulle en souvenance en arbre
précatoire
soit ton geste une vague qui hurle et se reprend vers le
creux de rocs aimés comme pour parfaire une île rebelle
à naître
il y a dans le sol demain en scrupule et la parole à charger
aussi bien que le silence

Paysan le vent où glissent des carènes arrête autour de
mon visage la main lointaine d'un songe
ton champ dans son saccage éclate debout de monstres
marins
que je n'ai garde d'écarter
et mon geste est pur autant qu'un front d'oubli
frappe paysan je suis ton fils

à l'heure du soleil qui se couche le crépuscule sous ma
paupière clapote vert jaune et tiède d'iguanes inassoupis
mais la belle autruche courrière qui subitement naît des
formes émues de la femme me fait de l'avenir les signes
de l'amitié.

(Cadastre.)

Cahier d'un retour au pays natal, Présence africaine. Les Armes miraculeuses, Gallimard et Poésie / Gallimard. *Cadastre*, comprenant *Soleil
cou coupé, Corps perdu, Ferrement*, Seuil. ◇ L. Kesteloot, *Aimé
Césaire*, Poètes d'aujourd'hui / Seghers.

pierre emmanuel 1916

D'entrée de jeu, en 1941, Pierre Emmanuel apparut comme un poète habité avec *Tombeau d'Orphée*, « liturgie d'un irréalisable amour », dira-t-il plus tard, où se conjuguaient l'incantation de la chair, l'exaltation de la poésie, la poursuite du divin :

LE TOMBEAU D'ORPHÉE

Roche longtemps blessée de limpides verdures
tu laves au plus noir du sang aride Chant
la cicatrice éblouissante des abîmes
que nul afflux de voie lactée ne vient rouvrir.

O luis calme toujours acharnée en dedans
pleure tendre toujours plus dure et plus cruelle
toujours plus déchaînée repose ! Les montagnes
par les sons rayonnant de toi sont ajourées
les villes dispersées en un vol de mésanges
et les pleurs à toute volée déchirent l'air
quand tu fais se lever les vieux rois de leur poudre.

Mais nul ne sait ton souffle frais ni ta rosée,
que les feuilles langues pures de tes pensées
les feuilles le mouvant tombeau le nom aimé.

Bientôt, sous l'occupation, Emmanuel, dans *Jour de colère* et *Combats avec tes défenseurs*, exprimait son refus de l'oppression, sa foi en la Parole opposée à la voix des tyrans : « La Voix est une et légion comme le mal / mécanique putréfaction elle s'étale / sur un monde d'abstraites entrailles débondées / d'où monte un tourbillon d'infernales prières... » Depuis la guerre, de *La liberté guide nos pas* à *Sophia*, son œuvre a pris une dimension exceptionnelle de nos jours. La méditation sur la poésie, ses mystères, ses risques, y est présente avec l'image de Hölderlin :

LE POÈTE FOU

Ciel, ô tambour tendu, résonne dans les âges
Force mâle du néant crevant les voix !
Un vain jeu de cailloux froissés : Je parle. L'autre
Lui répond par le vent des feuilles. Mots muets.
La bouche en grand travail mâche l'abîme : et tonnent
Des Signes que n'entend, tant il mange ! le mort

Solennel compagnon du bruit de ses mâchoires.
Dans la huée laineuse, il étouffe : toujours
Parlant. Tel un repas funèbre de paroles.
Des gestes de ronce folle, l'étreignant
D'épines violemment fouettées le labourent :
Debout, l'O pourpre et noir cerclé d'épuisement
Il croit mugir l'orage unicorde — le vide
Avec fureur sort de sa face

     O rire impur.

Surtout, traversée par tous les drames de notre temps, ancrée dans une
connaissance charnelle, pathétique, de la vie, hantée par la quête de
Dieu, usant des cadences les plus limpides ou emportée par un souffle
prophétique, la poésie d'Emmanuel à la fois ruisselle d'humanité et
retrouve la pureté comme la puissance et la violence des textes sacrés.

CELLA DEI

Une plaine par temps clair
L'horizon partout visible
La lumière indivisible
Du recueillement de l'air

Ni route ni vent ni fleuve
Rien qui rompe l'oraison
Rien qui bute la raison
Au vain souci de sa preuve

Pourquoi fuir L'immensité
Coïncide avec le centre
Quand l'esprit a tout quitté
Le cœur s'ouvre tout y rentre

Cœur ciboire du soleil
Calice du Dieu vermeil

(*Evangéliaire.*)

MATRICE ORBITE

A force d'être en face écorché vif les nerfs au vent
Bouche et regard confondant leur blessure
Je ne puis sans hurler prendre ma tête entre mes mains
Tant cet ovale absurde me comprime

Non cet ovale ne me contient pas plus que l'œuf
Ni le miroir qui me prête visage
Toute ma vie n'est qu'une plaie faite au monde et que ma
 mort
Refermera et le monde avec elle

Le monde lui n'est que la plaie que cette vie fait au néant

Et que les yeux de l'attentif corrodent
Ce vide non cicatrisé ce trou qui voit ouït et dit
C'est le premier venu toi lui moi-même

Lui toi et moi nos visages sont de croûtes si peu fermées
A peine battent nos cils elles s'ouvrent
De me cogner à mon nom propre n'a cessé de m'étonner
D'être celui que je semble pour d'autres

J'ai en dégoût de nommer moi cette vorace identité
Espace pieuvre ubiquité cyclope
L'abîme est cette faim toujours accrue de se creuser
En dévorant tout objet qui la borne

Le ventre de ma mère est demeuré ouvert en croix
Pour me loger pagure entre les lèvres
Je suis tout œil et le cloaque mon humeur vitrée
Ce qu'enfante mon regard je le mange

Une éternelle autophagie a débuté avec l'esprit
Œil distendu hors de toute mesure
Chacun digère avant de naître l'humanité toute avant lui
Il naît déjà œil plus gros que le ventre

Ses paupières se dessillant écarquillent un appétit
Dilatant mille systèmes solaires
L'univers se météorise et pourtant à jamais s'inscrit
Dans la matrice en petit dans l'orbite

Qu'est la rétine la membrane maternelle où le fœtus
Continue de se former dans l'image
Nous n'y voyons que pour nourrir l'antre aveugle derrière
    l'iris
L'enveloppe qui rumine les mondes

L'homme croit se tenir en face en vérité il est béant
Sur la vulve qui le happe en arrière
Sidérale contemplation viscérale digestion
On vit et meurt sans sortir de la mère

Au-delà d'aucun firmament une ténèbre sans nombril
C'est le regard de Dieu le ventre vierge
Ventre qui lève et point ne lève quand le Christ en sortira-
    t-il.
Quand l'homme cessera-t-il d'être en rêve ?

(Sophia.)

---

*Tombeau d'Orphée, Combats avec tes défenseurs, suivi de La Liberté
guide nos pas,* Seghers. *Babel,* Desclée de Brouwer. *Le Poète et son
Christ, Prière d'Abraham, Chanson du dé à coudre, Sodome, Visage
nuage, Versant de l'âge, Evangéliaire, La Nouvelle Naissance, Le Poète
fou, Ligne de faîte* (anthologie)*, La Face humaine, Jacob, Sophia,* Seuil.
◊ A. Bosquet, *Pierre Emmanuel,* Poètes d'aujourd'hui **/ Seghers.

Manessier, *Ensoleillée dans la lune*, 1951.

anne hébert 1916

Romancière *(le Torrent, Kamouraska)*, Anne Hébert est sans doute l'auteur canadien le plus connu du public français. Poète, elle a depuis 1942 *(les Songes en équilibre)* joué un grand rôle dans l'essor de la poésie québécoise. Tournant le dos au lyrisme facile, elle use d'une langue dépouillée de toute afféterie, rigoureuse et coupante comme le gel. Une langue qu'elle veut accordée à son cœur, et qui dise la vitalité de son pays : « Notre pays est à l'âge des premiers jours du monde. La vie ici est à découvrir et à nommer ; ce visage obscur que nous avons, ce cœur silencieux qui est le nôtre, tous ces paysages d'avant l'homme, qui attendent d'être habités et possédés par nous, et cette parole confuse qui s'ébauche dans la nuit, tout cela appelle le jour et la lumière. »

RETOURNE SUR TES PAS

Retourne sur tes pas ô ma vie
Tu vois bien que la rue est fermée.

Vois la barricade face aux quatre saisons
Touche du doigt la fine maçonnerie de nuit dressée sur
   l'horizon
Rentre vite chez toi
Découvre la plus étanche maison
La plus creuse la plus profonde.

Habite donc ce caillou
Songe au lent cheminement de ton âme future
Lui ressemblant à mesure.

Tu as bien le temps d'ici la grande ténèbre :
Visite ton cœur souterrain
Voyage sur les lignes de tes mains
Cela vaut bien les chemins du monde
Et la grand'place de la mer en tourment
Imagine à loisir un bel amour lointain
Ses mains légères en route vers toi

Retiens ton souffle
Qu'aucun vent n'agite l'air
Qu'il fasse calme lisse et doux
A travers les murailles

Le désir rôde vole et poudre
Recueille-toi et délivre tes larmes
O ma vie têtue sous la pierre !

PRINTEMPS SUR LA VILLE

Le jour charrie des neiges déchues, sales, moisies,
ruinées

Le gel s'ouvre les veines, et le cœur de la terre se dégage
parmi les sources bousculées

L'hiver chavire et se déchire comme une mauvaise écaille,
le monde est nu sous des lichens amers

Sous des masses de boue, vieille saison, vieux papiers,
vieux mégots, vieux morts coulent au ruisseau

Le jour sans peine touche mille villes ouvertes, chaque rue
une rivière, chaque lit une fontaine,

Le songe a perdu son enseigne, douce mousse, douce
plaie verte lavée au fil de l'eau

La chimère est retirée violemment de la poitrine du fou,
d'un seul coup avec son cœur sans racines

L'homme à la mer, le mot de passe dans une bouteille le
poème sera roulé pendant l'éternité

L'étrange séjour du feu en d'obscurs lieux humides, vases
sacrés, rythme du monde

Celui qui est sans naissance ne s'est pas retourné dans
son sommeil, le courant le traîne par les cheveux, et une
algue le changera

Le sacrifice sur les pierres marines fume son haleine forte.
Le sang des morts se mêle au sel, jonche la mer comme
des brassées de glaïeuls

Voici que la saison des eaux se retire ; la ville se sèche
comme une grève, lèche ses malheurs au goût d'iode

Le printemps brûle le long des façades grises, et les lèpres
de pierre au soleil ont l'éclat splendide des dieux pelés et
victorieux.

Poèmes, Seuil. ◇ R. Lacôte, *Anne Hébert*, Poètes d'aujourd'hui / Seghers.

louis-rené des forêts 1918

Romancier hanté par le prestige et l'impuissance de la parole *(les Mendiants, le Bavard, la Chambre des enfants)*, Louis-René des Forêts fait de son poème *les Mégères de la mer* le lieu où s'éprouve et s'affirme le chant.

Le temps de me retourner et c'est ma fièvre qui m'emporte
Au plus loin du rivage où trouver mon refuge
J'ai déjà du poisson enferré la démarche oblique
Une couronne d'algues sur ma tête en flammes, je détale
Je pique dans la brume rousse d'un printemps tardif
Foulant de mes pieds râpeux la crissante mosaïque
Des dépouilles océanes — couteaux bleu-de-geai, étoiles morte
Vermineuses déjections, tessons au fil incisif...
Comme une bête gémit sous la menace de la prise
Je sens déchirer ma gorge une plainte épuisante
La peur m'éperonne avec la connivence du vent
Sans que viennent dévier le pur tracé de ma trajectoire
La poche giclante des flaques ni l'estoc à mes jambes nues
D'une souche buissonneuse comme un hérisson d'ivoire.
Si je reprends haleine, c'est pour escalader les pentes
Où perché sur l'encolure d'un éperon rocheux
A l'auvent de ma paume que les fétides effluves orientent
Je vois ainsi que six arbres à la sève tarie
Nos gorgones chenues inscrire sur un brouillard de feu
Leurs profils géminés mordant au tronc des tubercules
Momies des cavernes qui ne semblent vêtues que de leur omb
Dans la brume argentine où leurs mains gesticulent
Quelle hargne sombre vous endiable, méduses baveuses,
A lancer au rebours du vent vos gerbes de déraison !
Et moi que gardait si pur le grand rire de l'enfance,
Moi qui fus naguère ce fier garçon si dur à fléchir,
Elles m'ont tiré de mes franchises pour m'attirer en leur gîte
Et fermerais-je les yeux, c'est encore leurs voix que j'entend
Rongeuses, âpres à nuire dans la séduction de leur invite !
Comprends-moi dont la svelte gloire est aujourd'hui éteinte,
Cette citadelle agreste fut le théâtre de ma passion
Et dans ma mémoire souffrante qui est mon seul avoir
Je cherche où l'enfant que je fus a laissé ses empreintes.

Les Mégères de la mer, Mercure de France.

alain bosquet 1919

Romancier *(la Confession mexicaine)*, essayiste *(Verbe et Vertige)*, critique, traducteur et introducteur en France de nombreux poètes étrangers, Bosquet est un poète divers, pluriel, attentif à la trame comme à l'envers du quotidien, aux métamorphoses du réel, aux pièges du langage. Il s'interroge sur son rapport au monde, à la culture, à l'histoire présente, à la mort, dans les longs poèmes souvent de forme classique des *Quatre Testaments*. Ou bien, mais toujours avec le même souci du mot juste, d'une cadence efficace, il enferme dans de courts poèmes (ceux de *Quel royaume oublié ?*, un de ses premiers recueils ou de *100 Notes pour une solitude* et de *Notes pour un pluriel*, ses derniers livres) des scènes, notations ou images qui, dans le jeu de leurs oppositions ou sous le masque de l'ironie, témoignent d'une inquiétude métaphysique.

Eau-forte de M.-A. Asturias pour *Communs*.

QUATRIÈME TESTAMENT

[...] Mutismes bleus. Faut-il être soi-même ?
Raison de l'irraison. Rien n'est urgent. .
Thrombose et prosodie. Les dieux qui s'aiment,
Inventent quel orgasme ? Archange, agent

Mais sans pouvoir. Notre peau trop publique
Est moite comme un œil. Monde perdu
Dans ses remords. Vingt-trois genoux s'expliquent
Sous une main qui court. Individu,

Reconnais-tu, au sein des agonies,
Ton agonie à toi ? L'équivalent
D'un moucheron. L'existence renie
Ceux qui prétendent respirer. Bilan

De ce vide insulté par d'autres vides. .
Les prêtres de la peur. Trop de neutrons.
Dès qu'on le chante, un poème se ride.
La vérité, c'est notre pire affront

Indifférence. Etoile pour personne.
Planète nulle. Océan qui tarit.
Verbe assassin. Paysage ou consonne ?
Les mots, groseilles folles, sont pourris.

(Quatre Testaments.)

LE CHOU-FLEUR

la gabardine
parle de son veuvage
la moquette prétend qu'on l'humilie

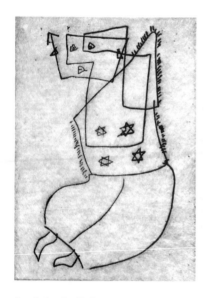

Eau-forte de M.-A. Asturias
pour *Communs.*

le train qui entre en gare
pense incarner la tristesse du monde
et la poubelle avec son vieux chou-fleur
ne songe qu'au suicide
or l'homme se voudrait
moquette gabardine
train sans gare ni rail
seul le chou-fleur a l'air heureux
de pourrir sans savoir qu'il pourrit
ni qu'il est un chou-fleur

(Quatre Testaments.)

L'enfer est quotidien comme une pomme.
Pourquoi ce soir a-t-il deux pouls :
l'un trop rapide,
l'autre pareil à un voyage en barque ?
Le paradis est si commun,
qu'il le confond avec l'armoire
aux carabines,
aux chapeaux mous,
aux mouchoirs pour trembler.
Ce qui lui reste d'existence,
il en allume une ou deux pipes.
Déjà le banal est sacré.   .

(100 Notes pour une solitude.)

Moi, zéro. Toi, ombre d'ombre effacée.
Lui en sursis, moucheron dans le vin.
Elle, entrouverte sous un sexe. Vous,
plus bas qu'herbe saignante. Eux, contre un mur,
fusil dans l'œil. Nous tous, nous couvrirons
cet univers d'une rosée sauvage.
Pluriel, pluriel, pluriel : unique loi.

(Notes pour un pluriel.)

Syncopes, Seghers. *Langue morte*, Sagittaire. *Quel royaume oublié ?*, Mercure de France. *Quatre Testaments et autres poèmes, Maître objet, 100 Notes pour une solitude, Notes pour un pluriel*, Gallimard. ◊ Ch. Le Quintrec, *Alain Bosquet*, Poètes d'aujourd'hui / Seghers.

rené-guy cadou 1920-1951

Mort en 1951, à trente et un ans, au village de Louisfert (Loire-Atlantique) où il était instituteur, René-Guy Cadou avait publié son premier recueil ; *les Brancardiers de l'aube,* à dix-sept ans. Du groupe de l'école de Rochefort, qu'anima Jean Bouhier durant la guerre, dans un bourg proche d'Angers, et qui, dans la suite, influença nombre de poètes, de Chaulot à Marc Alyn, il fut le benjamin et, avec Michel Manoll et Jean Rousselot, le poète le plus représentatif. Admirateur d'Apollinaire et de Max Jacob, il a cherché et su retrouver, après les expériences du surréalisme, la simplicité du dire, et il a chanté les joies quotidiennes, la nature et l'amour.

Les chevaux de l'amour me parlent de rencontres
Qu'ils font en revenant par des chemins déserts
Une femme inconnue les arrête et les baigne
D'un regard douloureux tout chargé de forêts

Méfie-toi disent-ils sa tristesse est la nôtre
Et pour avoir aimé une telle douleur
Tu ne marcheras plus tête nue sous les branches
Sans savoir que le poids de la vie est sur toi

Mais je marche et je sais que tes mains me répondent
O femme dans la chair prétexte des bourgeons
Et que tu n'attends pas que les fibres se soudent
Pour amoureusement y graver nos prénoms

Tu roules sous tes doigts comme des pommes vertes
De soleil en soleil les joues grises du temps
Et poses sur les yeux fatigués des villages
La bonne taie d'un long sommeil de bois dormant

Montre tes seins que je voie vivre en pleine neige
La bête des glaciers qui porte sur le front
Le double anneau du jour et la douceur de n'être
Qu'une bête aux yeux doux dont on touche le fond

Telle tu m'apparais que mon amour figure
Un arbre descendu dans le chaud de l'été
Comme une tentation adorable qui dure
Le temps d'une seconde et d'une éternité

(Quatre Poèmes d'amour pour Hélène.)

La Vie rêvée, Laffont. *Les Biens de ce monde, Hélène ou le Règne végétal, Le Cœur définitif,* Seghers. ◇ M. Manoll, *Cadou,* Poètes d'aujourd'hui / Seghers.

boris vian 1920-1959

Jazzman, chanteur, traducteur de la Série noire, célèbre bien au-delà de Saint-Germain des Prés, dont il fut un des animateurs, pour un roman qu'il présenta comme une œuvre américaine et qui fit scandale : *J'irai cracher sur vos tombes*, **Boris Vian** était aussi, mais on ne le découvrit vraiment qu'après sa mort, un romancier inventif et ironique (*l'Ecume des jours*) et un poète insolent ou déchiré mais toujours jouant avec le langage, comme en témoignent *Cantilènes en gelée*, le recueil posthume *Je voudrais pas crever*, et des chansons que tout le monde connaît.

LA VIE EN ROUGE

A Edith.

Les mères vous font en saignant
Et vous tiennent toute la vie
Par un ruban de chair à vif
On est élevé dans des cages
On vit mâchant des morceaux
De seins arrachés en saignant
Qu'on accroche au bord des berceaux
On a du sang sur tout le corps
Et comme on n'aime pas le voir
On fait couler celui des autres
Un jour, il n'y en aura plus
On sera libres.

(*Cantilènes en gelée.*)

QUAND J'AURAI DU VENT DANS MON CRANE

Quand j'aurai du vent dans mon crâne
Quand j'aurai du vert sur mes osses
P'tête qu'on croira que je ricane
Mais ça sera une impression fosse
Car il me manquera
Mon élément plastique
Plastique tique tique
Qu'auront bouffé les rats
Ma paire de bidules

Mes mollets mes rotules
Mes cuisses et mon cule
Sur quoi je m'asseyois
Mes cheveux mes fistules
Mes jolis yeux cérules
Mes couvre-mandibules
Dont je vous pourléchois
Mon nez considérable
Mon cœur mon foie mon râble
Tous ces riens admirables
Qui m'ont fait apprécier
Des ducs et des duchesses
Des papes des papesses
Des abbés des ânesses
Et des gens du métier
Et puis je n'aurai plus
Ce phosphore un peu mou
Cerveau qui me servit
A me prévoir sans vie
Les osses tout verts, le crâne venteux
Ah comme j'ai mal de devenir vieux.

UN JOUR

Un jour
Il y aura autre chose que le jour
Une chose plus franche, que l'on appellera le Jodel
Une encore, translucide comme l'arcanson
Que l'on s'enchâssera dans l'œil d'un geste élégant
Il y aura l'auraille, plus cruel
Le volutin, plus dégagé
Le comble, moins sempiternel
Le baouf, toujours enneigé
Il y aura le chalamondre
L'ivrunini, le baroïque
Et toute un planté d'analognes
Les heures seront différentes
Pas pareilles, sans résultat
Inutile de fixer maintenant
Le détail précis de tout ça
Une certitude subsiste : un jour
Il y aura autre chose que le jour.

(Je voudrais pas crever.)

Cantilènes en gelée, Textes et Chansons, 10/18. *Je voudrais pas crever*, Pauvert. ◊ D. Noakes, *Boris Vian*, Classiques du XXe siècle / Editions universitaires. J. Clouzet, *Boris Vian*, Poètes d'aujourd'hui / Seghers. M. Fauré, *Les Vies posthumes de Boris Vian*, 10/18.

gérald neveu 1921-1960

Mort à trente-neuf ans d'une dose de somnifère trop forte pour son organisme épuisé, Gérald Neveu avait fondé en 1950 à Marseille, avec Jean Malrieu, la revue *Action poétique* — où s'exprimèrent et s'expriment toujours quelques-uns des meilleurs jeunes poètes d'aujourd'hui, pour la plupart engagés : Deluy, Regnault, Roubaud, Vargaftig, Venaille. Bientôt Neveu connut la maladie, les amours impossibles, la misère, se détacha du réel pour rêver douloureusement sa vie, pour traduire sa passion de l'impossible dans une poésie déchirée et brûlante, à l'expression toujours contrôlée.

COMME UN ÉCLAT PERDU

Tu mords à longs filaments de mer
à reculons dans ta cruelle déraison
et je te parle
dressé comme l'ombre !...

Je te suis — sais-tu ? — ce caillou fracassé
miroir multiple exaspéré
Je te suis cet orgueil plein de silex
et de départ
Je suis ce feu perdu où tu te réalises

J'ai des yeux dans ma voix
ta mort dans ma salive
J'ai le champagne de ton passage
Criblé par les rues et les heures
rendre son sang ?
Rendre son espérance vers quelque talus de ferraille
Rendre sa voix entre les paumes
d'un jour sévère ailleurs fécond ?

...Mais tu mords les questions
dans une rage déjà lasse
mon minuscule déluge

J'ai la bouche en un coffret noir
J'ai ta folie dans la mienne

J'ai ton rêve brûlé dans la sueur
de mes mains jointes

(*Fournaise obscure.*)

Les Sept Commandements, Action poétique. *Fournaise obscure*, Oswald. *Une solitude essentielle*, Guy Chambelland. ◊ Jean Malrieu, *Gérald Neveu*, Poètes d'aujourd'hui / Seghers.

jean-claude renard 1922

Poète et croyant, poète de l'universel, Jean-Claude Renard le fut dès ses premiers recueils, *Juan* (1945) et *Cantiques pour des pays perdus* (1947), où la célébration de Dieu était inséparable de la lecture du monde. De *Haute-Mer* (1950) à *Incantation du temps* (1962), tandis que son registre allait de l'alexandrin le plus pur (« Labyrinthes gelés, beaux labyrinthes rouges, / je ne vous sais de fleurs où glisser une anguille ») au vers libre et au verset (« Il n'est qu'un nom dans la rivière, pâte de manne et de poisson, qui boit ici reçoit voyance et mange ici devient vivant »), sa parole, fable ou prière, visait à redoubler la parole originelle tout en la réinventant. Depuis *la Terre du sacre* (1966), sa poésie se fait encore plus proche de la nature, sa voix plus dépouillée. Comme en témoignent les longs poèmes — non plus seulement laisses portées par un grand souffle lyrique, mais suite de fragments énigmatiques, d'éclats incandescents, — de *la Braise et la Rivière* (1969) et du *Dieu de nuit* (1973), Renard, à travers l'incessant creusage d'une interrogation, qui ne dépend plus désormais que de lui, sur le sens du mystère et l'origine de sa parole, donne une singularité et une ampleur nouvelles à sa poésie.

INCANTATION DU MONDE

Comme d'une odeur de pomme et de menthe
le sacre du sang fume sur le pain.

Tout le poumon cosmique dilaté
dans la respiration de la gloire.   .

O que les vieilles vases de la mort
tombent de mes os sous le vent marin !

La laine de Dieu a le goût des feuilles
et des fontaines et la vigne y pousse.

je mûrirai l'or, entre les cerfs blancs,
pour qu'en moi l'été rouvre ses cassis.

(*En une seule vigne.*)

LA DISTANCE DU FEU

Toucherai-je l'été.

[...] Je longe avec le jour,
    Sur cette crête étroite où ne dure que l'âge des pierres et du vent,
    L'ouvrage d'une faille qui fascine la mort.
    La beauté de la nuit et la beauté du feu partagent ses falaises.

Y fêtent le repos d'une étrange lumière que sondent les milans.
Une piste parfois me rapproche du bord,
Me penche brusquement comme un buisson de verre
Sur le vide vivant où s'ouvrent les fontaines,
Mais avant que j'en vive m'en a déjà ravi.
Je m'en irai plus loin.

J'essaierai jusqu'au soir de ne pas m'arrêter auprès des menhirs rouges.

Et peut-être un passage autre part et en moi descendant vers les arbres

Me fera-t-il alors, ainsi qu'une parole plus pure que ses mots,

Toucher le fleuve et l'herbe,
Le lieu de fusion,
— Dans la distance intacte.

(La Terre du sacre.)

Champ-de-Mars, par Chagall.

PAROLE 6

Les sources naissent des pierres.
Elles ont, dans l'herbe,
Le goût des framboises.
Des coqs blancs traversent les falaises.
En amont, en aval
L'échéance du sang conduit à l'origine.
Même la neige annonce les îles.
Elles luisent la nuit
Avec les eaux sacrées.
Ces fêtes vertes, ces fables
N'extraient du fleuve que l'enfance.
Chaque banc de sable est beau
comme un buisson de laine
Où le feu prophétise
Qu'il y aura, demain,
Des villes sous les branches.
La mort est pure dans l'estuaire

— Et la transparence habitable.
Je parle en elle
La langue du dieu frais.

(Le Dieu de nuit.)

Cantiques pour des pays perdus, Haute-Mer, Métamorphose du monde, Incantation des eaux, Points et Contrepoints. Fable, Seghers. *Père, voici que l'homme, En une seule vigne, Incantation du temps, La Terre du sacre, La Braise et la Rivière, Le Dieu de nuit,* Seuil. ◊ André Alter. Jean-Claude Renard, *Poètes d'aujourd'hui* / Seghers.

yves bonnefoy 1923

S'il est un successeur à Jouve, ce ne peut être qu'Yves Bonnefoy, moins pour des raisons de filiation ou de ressemblance que par la manifestation d'une même et souveraine rigueur. Dès la parution de *Du mouvement et de l'immobilité de Douve*, en 1953, la singularité de Bonnefoy fut évidente. Ses poèmes, brefs, ramassés, d'une simplicité évidente mais ouvrant — comme celle de la fleur, du jour — sur une lecture inépuisable, reprenaient les interrogatoires romantiques, mais pour dire avec une sorte de calme étrange la présence inéluctable de la mort au cœur de la vie. Là où Jouve aperçoit le seuil de la transcendance, Bonnefoy ne voit qu'un leurre, comme l'indique le titre de son dernier recueil *(Dans le leurre du seuil)* où le chant se déploie plus longuement pour exprimer la connaissance acceptée et l'acquiescement à la vie.

DOUVE PARLE

I

Quelquefois, disais-tu, errante à l'aube
Sur des chemins noircis,
Je partageais l'hypnose de la pierre,
J'étais aveugle comme elle.
Or est venu ce vent par quoi mes comédies
Se sont élucidées en l'acte de mourir.

Je désirais l'été,
Un furieux été pour assécher mes larmes,
Or est venu ce froid qui grandit dans mes membres,
Et je fus éveillée et je souffris.

II

O fatale saison,
O terre la plus nue comme une lame !
Je désirais l'été,
Qui a rompu ce fer dans le vieux sang ?

Vraiment je fus heureuse
A ce point de mourir.
Les yeux perdus, mes mains s'ouvrant à la souillure
D'une éternelle pluie.

Je criais, j'affrontais de ma face le vent...
Pourquoi haïr, pourquoi pleurer, j'étais vivante,
L'été profond, le jour me rassuraient.

III

Que le verbe s'éteigne
Sur cette face de l'être où nous sommes exposés,
Sur cette aridité que traverse
Le seul vent de finitude.

Que celui qui brûlait debout
Comme une vigne,
Que l'extrême chanteur roule de la crête
Illuminant
L'immense matière indicible.

Que le verbe s'éteigne
Dans cette pièce basse où tu me rejoins,
Que l'âtre du cri se resserre
Sur nos mots rougeoyants.

Que le froid par ma mort se lève et prenne un sens.

(Du mouvement et de l'immobilité de Douve.)

UNE VOIX

Ecoute-moi revivre dans ces forêts
Sous les frondaisons de mémoire
Où je passe verte,
Sourire calciné d'anciennes plantes sur la terre,
Race charbonneuse du jour.

Ecoute-moi revivre, je te conduis
Au jardin de présence,
L'abandonné au soir et que des ombres couvrent,
L'habitable pour toi dans le nouvel amour.

Hier régnant désert, j'étais feuille sauvage
Et libre de mourir,
Mais le temps mûrissait, plainte noire des combes,
La blessure de l'eau dans les pierres du jour.

(Hier régnant désert.)

LA TERRE

[...] Retrouvons-nous
Si haut que la lumière comme déborde
De la coupe de l'heure et du cri mêlés,
Un ruissellement clair, où rien ne reste
Que l'abondance comme telle, désignée.
Retrouvons-nous, prenons
A poignées notre pure présence nue
Sur le lit du matin et le lit du soir,
Partout où le temps creuse son ornière,

Saint Sébastien (détail), par Mantegn

Partout où l'eau précieuse s'évapore,
Portons-nous l'un vers l'autre comme enfin
Chacun toutes les bêtes et les choses,
Tous les chemins déserts, toutes les pierres.
Tous les ruissellements, tous les métaux.
Regarde,
Ici fleurit le rien ; et ses corolles,
Ses couleurs d'aube et de crépuscule, ses apports
De beauté mystérieuse au lieu terrestre
Et son vert sombre aussi, et le vent dans ses branches,
C'est l'or qui est en nous : or sans matière,
Or de ne pas durer, de ne pas avoir,
Or d'avoir consenti, unique flamme
Au flanc transfiguré de l'alambic.
Et tant vaut la journée qui va finir,
Si précieuse la qualité de cette lumière,
Si simple le cristal un peu jauni
De ces arbres, de ces chemins parmi des sources,
Et si satisfaisantes l'une pour l'autre
Nos voix, qui eurent soif de se trouver
Et ont erré côte à côte, longtemps
Interrompues, obscures,

Que tu peux nommer Dieu ce vase vide,
Dieu qui n'est pas, mais qui sauve le don,
Dieu sans regard mais dont les mains renouent,
Dieu nuée, Dieu enfant et à naître encore,
Dieu vaisseau pour l'antique douleur comprise,
Dieu voûte pour l'étoile incertaine du sel
Dans l'évaporation qui est la seule
Intelligence ici qui sache et prouve.

(Dans le leurre du seuil).

*Du mouvement et de l'immobilité de Douve, Hier régnant désert, Pierre
écrite, Dans le leurre du seuil,* Mercure de France. *Du mouvement et
de l'immobilité de Douve, suivi de Hier régnant désert,* Poésie /
Gallimard.

robert sabatier 1923

Robert Sabatier n'est pas seulement l'auteur populaire des *Allumettes suédoises*, le chantre d'une enfance éblouie dans la douceur inquiète des années trente ; il est d'abord un poète secret, glissant de la fantaisie délicate à l'émotion vive, à la conscience aiguë d'une existence menacée. Parfait connaisseur de la tradition poétique (sa belle *Histoire de la poésie française* l'atteste), il renoue avec les profondes rêveries analogiques et les constructions subtilement musicales des troubadours et des baroques, faisant même de ce ressourcement le thème d'un long poème dont nous donnons les dernières strophes :

ÉCRITURES

[...] Il me fallait, Richard de Fournival,
Un bestiaire où verser ma complainte.
Je me dressais dans le temps vertical
Avec Orphée et les bêtes des Indes
Et je voyais le monde mon herbier
Et la splendeur de ces mots lapidaires,
Et je riais d'être le tout premier
A les saisir vivants parmi les neiges.

Dans une fleur, un enfant bleu soupire.
Pour un oiseau, la femme peut voler.
En se penchant, l'homme construit sa vie
Dans la caverne où naissent les palais.
Mais tout cela sans les êtres qui chantent
N'est que l'obscur et ses ailes de plomb.
Je vous dirai le temps, sa marche lente,
Je vous dirai les neiges de mon nom.

Cent mille voix parleront par ma bouche
Et je mourrai lorsque le temps perdu
Retombera comme cendre sur doute
Pour effacer l'odeur de ce qui fut.
Il nous fallait pour vivre un sortilège,
Je fus prophète avec des mots dorés.
Demain l'enfant trouvera dans la neige
La clé du monde et ce sera l'été.

(Les Châteaux des millions d'années.)

Les Fêtes solaires, Dédicace d'un navire, Les Poisons délectables. Les Châteaux des millions d'années, Albin Michel.

andré du bouchet 1924

Poète de l'espace, de l'attente, de la pure présence, de l'immobilité dans la lumière du jour, comme du mouvement qui est appropriation du paysage, Du Bouchet essaye de dire ensemble la profondeur du silence et l'émergence de la parole, le rassemblement et la dispersion. D'où ses poèmes brefs, lapidaires, aux mots dispersés sur la blancheur de la page comme des îlots de sens arrachés à l'informulé, avant l'aube — ou la mort — de la poésie.

NIVELLEMENT

Je conserve le souvenir de la rosée sur cette route
où je ne me trouve pas,
                              dans le désespoir du vent
        qui renoue.

              Ce ciel, dans le lieu en poudre que
révèle la fin de son souffle.

Dans l'étendue,
              même endormi, que je retrouve
        devant moi, hier j'ai respiré.

Reçu par le sol, comme l'étendue de la route que
je peux voir.

Je reste longuement au milieu du jour.

(Dans la chaleur vacante.)

Bifurquer,

comme la déchirure sans bruit au ciel toujours
épris d'une face !
l'épaule sous la faux.

Le soleil,
voiture obscure.

Les ornières

ont disparu.

(Où le soleil.)

Dans la chaleur vacante, Où le soleil, Qui n'est pas tourné vers nous,
Mercure de France.

O miroir aux Pierrots
O lustre des Clochards
O ludion dans les eaux sous la main de Neptune

Pour les Eskimos : l'igloo sur la banquise noire
Pour les Bédouins : l'oasis resplendissante de l'espace nocturne

Qui donc dit *C'est la veilleuse du grand Asile ?*

Tarte-à-la-crème des poè

Lithographie de James Pichette
pour *Fragments du Sélénite*.

henri pichette 1924

« Je passe de verdoyance à mordorure en me jouant », dit, s'identifiant à l'arbre, le poète qu'interpréta Gérard Philipe dans *les Epiphanies* en 1947. Pichette avait vingt-trois ans et sa pièce, secouée par la révolte, faisant de la scène le lieu pur de la parole, fut le premier grand événement théâtral de l'après-guerre. Comme le héros des *Epiphanies*, Pichette est un poète nombreux, explosif et lyrique (*Apoèmes*), épique, engagé, militant montant en ligne (*les Revendications*), intime, limpide, enraciné dans la grande tradition française (*Odes à chacun*). Depuis plus de dix ans, devenu artisan de la langue — toujours amoureux du verbe, épris des cadences et de l'éclat, mais attentif aux nuances —, il reprend son œuvre pour l'élaguer, l'épurer (réédition des *Epiphanies* en 1969). Ce travail prend sens à la lumière de nouveaux poèmes, éclatants, éclatés et maîtrisés, comme ces *Fragments du Sélénite* publiés en édition bibliophilique (1974) et dont nous donnons la presque totalité.

FRAGMENTS DU « SÉLÉNITE »

Si doivent m'accuser d'être dans la lune les étranges innocents qui se vantent d'avoir les pieds sur terre, eh bien ! je passerai aux aveux tout de go : « Je suis un Sélénite. »

La lune fait la part belle de la mort dans le ciel de la vie.
Les nobles loups y hurlent.
Les sages hiboux la hululent.

Elle épand sa lumière laiteuse — cette nuit de nue-partie sur nos draps.
Amour, viril tangage et roulis féminin.
Sous les embruns, nacrée de sueur, toi.
Toi, fille lisse battue des lames puissantes, soûle de haute mer, émue à en ...
Çà, que je te torpille à la douce, ma Carène, que dans tes flancs j'explose ! et ... sombrerions ensemble par le flot, par le fond ...

Encore que j'aie connu mieux — et bien pis :
Un champ de bataille fourmillant de soldats fous
qui s'entremitraillaient à outrance au clair de la ronde
la muette   la tranquille   la nimbée   la
merveilleuse

Pour si haut qu'ils jaillissent, nos geysers de sang
ne l'eussent pas éclaboussée.

Ce fut pitoyable quand nous en décousîmes à
l'arme blanche et mourûmes en tas sous cette mamelle
donnée à tout le monde.

Douze coups de canon frappent minuit.
Je suis le poète le plus *romantique allemand* de l'armée
française.

Une couronne de laurier a pris la place du halo.

---

aïe le trou rouge de la lune
                à travers des pansements de brume
ah dormir dormir rêver peut-être
                        comme un mort de théâtre

O miroir aux Pierrots
O lustre des Clochards
O ludion dans les eaux sous la main de Neptune

Pour les Eskimos : l'igloo sur la banquise noire
Pour les Bédouins : l'oasis resplendissante de l'espace
    nocturne

Qui donc dit *C'est la veilleuse du grand Asile* ?

Tarte-à-la-crème des poètes !

O Mae West du ciel

La plus badour la plus gironde

Le lycéen travaillé par la sève
n'en a que pour ton cinéma

Lulu Bel-Œil
Lulu Beau-Cul
Lulu Boulue

O

plénissime zéro

hostie profane collée au palais du sombre dieu
et quand la lune est rousse, est-ce de sang séché ?

nimbe de sainte Folie
autour de nulle tête

---

armoiries de la mélancolie

---

médaille usée
mais non ternie
haute récompense
pour bandit d'honneur en son maquis
et idiot du village auprès de la fontaine

---

argentière du pauvre

---

inspiratrice des Fils du Ciel
inventeurs de la roue

---

telle
une
coda
en
haut
des
orgues
basaltiques

au pied du Château de la Lune je vous vois mes sœurs
vieillir vers l'ave Maria Noella Rosalia Ursula Oana
Melissa Augusta Nevada Celebra Fortuna Idea de Stella
doucement dit la lumière
et les paroles vont comme des oiseaux qui changent de
sommeil

---

dans les eaux sans sommeil
la monnaie tremblante du passeur

---

horloge des cimetières

---

lanterne sourde du maître des nuages

---

disque parfait de l'éternel poème

Paris, 1949 →

Apoèmes, K éditeur. *Les Revendications*, Mercure de France. *Odes à chacun*, *Tombeau de Gérard Philipe*, *Dents de lait dents de loup*. Gallimard. *Les Epiphanies*, Poésie / Gallimard. *Fragments du Sélénite*, avec des lithographies de James Pichette, éditions de la Rubéline.

isidore isou 1925

Tristan Tzara, Pierre Albert-Birot, Aragon avaient, au temps de Dada, écrit des poèmes qui n'étaient que succession de lettres. De ce qui n'était qu'un jeu, Isou fit une poétique. C'est dans sa Roumanie natale qu'à dix-sept ans, en 1942, il conçut le lettrisme. Arrivé à Paris en 1945, il constitua un mouvement lettriste — qu'animeront avec lui Pommerand et Lemaître — et publia en 1947 son premier texte théorique important, suivi de poèmes : *Introduction à une nouvelle poésie et à une nouvelle musique*. Depuis, le lettrisme a étendu ses activités à la peinture, au théâtre, au film, et Isou a créé la « poésie infinitésimale », la « poésie aphonistique » et la « mécaesthétique intégrale ».

```
M dngoun,m diahl Ɵⁿhna iou
hsn ioun inhlianhl Mⁱⁿpna iou
vgaîn set i ouf! saî iaf
fln plt i clouf! mglaî vaf
Λ³o là îhî cnn vîi
snoubidi i pnn mîi
A⁴gohà ihîhî gnn gî
klnbidi Δ⁵bliglîhlî
Hⁱⁱmamî chou a sprl
scamî Bgou cla ctrl
guⁱⁱ el inhî nî K⁷grîn
Khlogbidi Σ⁸vî bincî crîn
cncn ff vsch gln ié
gué rgn ss ouch clen dé
chaîg gna pca hî
Ɵ⁹snca grd kr di
```

1) Ɵ, ϑ, θ = soupir   5) Δ, δ = râle
2) M, μ = gémissement   6) H, n = ahannement
3) Λ, λ = gargarisme   7) K, ϰ = ronflement
4) A, a = aspiration   8) Σ, ς = grognement

2 basse	Kan tzé	• •	• •
2 ténor	B⁰, β	doubi-doubi	moupi doubi
4 soprano	B, β	doubi-doubi	moupi doubi

2 basse	cou pitou	pitou • •	• •	• •
2 ténor	• •	pitou	• • •	•
4 soprano	• •	pitou	• •	• •

2 basse	guibiribi	couibiribi	• •	• •
2 ténor	N³⁾, ɣ	K³⁾, x	H⁴⁾, η	H, η
4 soprano	guibiribi	couibiribi	noui bibi	Kapé

2 basse	fouililiri	souiKiliri	• •	
2 ténor	Δ⁵⁾, Δ	O⁶⁾, o	Φ⁷⁾, φ	Φ, φ
4 soprano	fouililiri	souiKiliri	souini ni	ja hé

2 basse	founda doula	• •	• •	• •
2 ténor	founda doula	Ψ⁸, Ψ	• •	• •
4 soprano	founda doula	noukilouba	saïagan	garasse

2 basse	Bamba goula	Bamba goula	• •	
2 ténor	bamba goula	Bamba goula	• •	
4 soprano	bamba goula	Bamba goula	Gass!	•

- refrain -   - ad libitum -

1) B, β = expiration   5) Δ, ə = râle
2) N, ɣ = hoquet   6) O, o = toussotement
3) K, x = ronflement   7) Φ, φ = baiser
4) H, η = ahannement   8) Ψ, ψ = sifflement

Introduction à une nouvelle poésie et à une nouvelle musique, Gallimard.
Dix Poèmes magnifiques, Précisions, Chapitres et colonnes polyautoma-
tiques lettristes, Encres vives. Œuvres aphonistiques, l'Avant-garde. ◊
J.-P. Curtay, La Poésie lettriste, Seghers.

philippe jaccottet 1925

Né en Suisse en 1925, admirable traducteur de Hölderlin et de Rilke, Jaccottet, depuis *l'Effraie* en 1946, poursuit une œuvre rigoureuse, exigeante et comme arrachée au silence, poétique jusque dans les proses de *la Semaison.* Les paysages, les saisons, le jour, sont chez lui les signes, tout ensemble, de nos limites et de la soif d'un plus grand espace.

QUE LA FIN NOUS ILLUMINE

Sombre ennemi qui nous combats et nous resserres,
laisse-moi, dans le peu de jours que je détiens,
vouer ma faiblesse et ma force à la lumière :
et que je sois changé en éclair à la fin.

Moins il y a d'avidité et de faconde
en nos propos, mieux on les néglige pour voir
jusque dans leur hésitation briller le monde
entre le matin ivre et la légèreté du soir.

Moins nos larmes apparaîtront brouillant nos yeux
et nos personnes par la crainte garrottées,
plus les regards iront s'éclaircissant et mieux
les égarés verront les portes enterrées,

L'effacement soit ma façon de resplendir,
la pauvreté surcharge de fruits notre table,
la mort, prochaine ou vague selon son désir,
soit l'aliment de la lumière inépuisable.

LE COMBAT INÉGAL

Cris d'oiseaux en novembre, feux des saules, tels sont-ils,
les signaux qui me conduisent de péril en péril.

Même sous les rochers de l'air sont des passages
entre lavande et vigne filent aussi des messages.

Puis la lumière dans la terre, le jour passe,
une autre bouche nous vient, qui réclame un autre espace.

Cris de femmes, feux de l'amour dans le lit sombre, ainsi
nous commençons à dévaler l'autre versant d'ici.

Nous allons traîner tous deux dans la gorge ruisselante,
avec rire et soupirs, dans un emmêlement de plantes,
compagnons fatigués que rien ne pourra plus disjoindre
s'ils ont vu sur le nœud de leurs cheveux le matin poindre.

(Autant se protéger du tonnerre avec deux roseaux,
quand l'ordre des étoiles se délabre sur les eaux...)
(L'Ignorant.)

LUNE A L'AUBE D'ÉTÉ

Dans l'air de plus en plus clair
scintille encore cette larme
en faible flamme dans du verre
quand du sommeil des montagnes
monte une vapeur dorée

Demeure ainsi suspendue
sur la balance de l'aube
entre la braise promise
et cette perle perdue

Feuilles ou étincelles de la mer
ou temps qui brille éparpillé

Ces eaux, ces feux ensemble dans la combe
et les montagnes suspendues :
le cœur me faut soudain
comme enlevé trop haut

(Airs.)

Entre la plus lointaine étoile et nous
la distance, inimaginable, reste encore
comme une ligne, un lien, comme un chemin.
S'il est un lieu hors de toute distance,
ce devait être là qu'il se perdait :
non pas plus loin que toute étoile, ni moins loin,
mais déjà presque dans un autre espace,
en dehors, entraîné hors des mesures,
Notre mètre, de lui à nous, n'avait plus cours :
autant, comme une lame, le briser sur le genou.

(Leçons.)

L'Effraie, L'Ignorant, Airs, La Semaison, Gallimard. Leçons, Payot. Poésie, Poésie / Gallimard couvre l'ensemble des recueils de 1946 à 1967 (*L'Effraie, L'Ignorant, Airs* et *Leçons*). *Chants d'en-bas,* Payot, 1974. ◊ Jean-Pierre Richard, *Onze études sur la poésie moderne,* Seuil.

michel butor 1926

Romancier (*la Modification*), essayiste (*Répertoires*), poète (*Travaux d'approche*), Butor, de plus en plus, dans le travail de l'écriture, abolit les frontières entre les genres. Le récit, l'approche critique — d'une peinture, d'un monument, d'une ville, d'un pays — se font description, et la description poème. A rebours, le poème prend en charge le savoir, la réflexion ou encore l'anecdote, le rêve, le délire. Ainsi en est-il dans *Illustrations, Où* et *Matière de rêves*. Dans ses poèmes, Butor s'efforce de capter toutes les composantes et connotations d'une réalité, d'une image, de saisir l'événement jusque dans ces prolongements, l'instant dans son infinie diversité. Jouant sur l'espace et le temps, sur les fuseaux horaires, les réseaux aériens, les échangeurs routiers, les stéréotypes publicitaires, les particularismes locaux, l'histoire et le fait divers, il a donné au simultanisme d'Apollinaire une dimension fantastique dans ce livre étonnant, véritable poème encyclopédique sur l'Amérique qu'est *Mobile* :

BIENVENUE EN FLORIDE
         Deux heures à
MILTON, sur la baie de Pensacola qui donne sur le golfe
du Mexique.

Tornades,
électricité coupée,
automobiles retournées.

Ibis blancs,
              gobe-huîtres,
                        courlis à long bec,
                                  sternes couleur suie,
                              gallinules de Floride,
                   pélicans bruns,
cormorans double crête.

La mer,
              coraux bois de cerf,
coraux étoiles,
              coraux buissons d'ivoire,
coraux cerveaux,
                   éventails de mer.

Citrons,
              limons,
                        oranges à nombril,
                                  pamplemousses,

arbres du voyageur,
langues de femme,
arbres orchidées,
poincianas royales,
raisins de mer,
acajous des Antilles.

Les plus puissantes tribus du Nord de la Floride étaient les Apalachees et les Timucuas ; ceux-ci, au nombre de treize mille en 1650, furent anéantis en moins d'un siècle par la guerre et la maladie. Quelques survivants ont peut-être été déportés en Oklahoma, alors appelé territoire indien, avec une partie des Séminoles. D'autres ont émigré vers Cuba en 1763...

Mais elle est noire...

Le lac Okechobee, le plus grand contenu dans les frontières d'un seul Etat.

MADISON, FLORIDE (for whites only), — la réserve des Indiens Séminoles.

Tornades,
tourbillons de branches,
ponts emportés.

Frégates,
grives des dunes,
sternes royaux,
sternes de Cabot
grands hérons blancs,
petits hérons bleus,
grands jambes jaunes.

La mer,
cérithes de Floride,
cônes alphabets,
buccins poires,
balistes de la reine,
poissons papillons.
Bigarades,
mandarines,
clémentines,
pomélos,
tamariniers,
mangliers rouges,
figuiers étrangleurs,
prunes de coco,
bois-poisons,
gumbo-limbos.

Une épaule, un bras, un poignet noirs ruisselants...

Le long du golfe du Mexique prospéraient les Indiens Choctaw ; ils étaient environ vingt mille il y a un siècle. Obligés d'émigrer, les uns se perdirent dans la confusion de l'Oklahoma, d'autres s'enfuirent vers l'Ouest ; il en reste quelques centaines en Louisiane et au Mississipi...

Sur la route, une Buick orange défoncée, conduite par un très gros vieux Blanc très rose, qui dépasse largement les soixante-cinq miles autorisés, « il faudra prendre de l'essence au prochain Texaco », — le lac George, le lac Orange avec ses îles flottantes, « Hello, Ed ! » — Passée la frontière du Nord-Ouest,

MADISON, près de l'arsenal de la Pierre-Rouge,
ALABAMA, le profond Sud (...whites only).

Méfiez-vous de ce continent !
Méfiez-vous du poison ivy !
Le poison ivy est une liane à feuilles pointues groupées par trois, rougeâtres à l'extrémité quand elles sont jeunes. Leur contact produit des boutons, démangeaisons, qui peuvent être accompagnés de fortes fièvres, durer des semaines et revenir périodiquement. Cette infection est contagieuse ; même les cendres la provoquent...

Sous le pantalon qu'il soulève pour se gratter, un genou noir ruisselant...
A Birmingham, Alabama, on sert l'alcool dans de minuscules bouteilles de quelques centilitres, dont le sceau doit être brisé en présence du consommateur.

« Hello, Mrs. Milton ! » — Le lac du barrage de Guntersville, formé par la retenue des eaux du Tennessee, affluent du père des fleuves.
La colombe zénaïda, au ventre feu, avec de légères marques bleu roi sur la tête, disparue de la Floride depuis le temps de John James Audubon.

GREENSBORO. — Quand il est trois heures à
GREENSBORO [...]

Le Génie du lieu, Grasset. *Mobile, étude pour une représentation des Etats-Unis, Illustrations I et II, Où, le génie du lieu II, Matière de rêves*, Gallimard. *Travaux d'approche*, Poésie / Gallimard. ◇ F. Aubral, *Michel Butor*, Poètes d'aujourd'hui / Seghers. G. Charbonnier, *Entretiens avec Michel Butor*, Gallimard. Jean Roudaut, *Michel Butor ou le livre futur*, Gallimard.

jacques dupin 1927

« Expérience sans mesure, excédante, inexpiable, la poésie ne comble pas mais au contraire approfondit toujours davantage le manque et le tourment qui la suscitent. » Ainsi s'ouvre un poème de *l'Embrasure*. Partout, Dupin dit la présence évidente de l'élémentaire, roches, feux, vents, sources, les saccades, les brisures qui marquent la relation de l'existence et de l'être, l'éblouissement et la consumation du poète par la parole.

LE RÈGNE MINÉRAL

Dans ce pays la foudre fait germer la pierre.

Sur les pitons qui commandent les gorges
Des tours ruinées se dressent
Comme autant de torches mentales actives
Qui raniment les nuits de grand vent
L'instinct de mort dans le sang du carrier.

Toutes les veines du granit
Vont se dénouer dans ses yeux.

Le feu jamais ne guérira de nous,
Le feu qui parle notre langue.

L'ANGLE DU MUR

Ma méditation ton manteau se consument

Pour te perdre mieux
Ou te mordre blanche.

La tour délivrée de son lierre croule.

La terreur conduit sous terre ma semence,
L'éclaire et la refroidit.
J'attends la déflagration.

Et je tutoie les morts, les nouveaux venus.
Celle que j'aime est dans leur camp,
Fourche, flamme et minerai.

Le sang qui brille sur la page de garde
Ne sera jamais le sien.

Jacques Dupin posant dans l'atelier d'Alberto Giacometti.

LA PATIENCE

L'ornière allait s'effaçant et le chemin montait : tout ce dont je me souviens de l'enfance. Je vivais sans être né. Le sang clair qui s'égoutte à présent sur le tambour n'était pas encore à l'ouvrage. Mais le chemin montait. Des brumes de chaleur comblèrent l'abîme adolescent. J'appris que le simulacre du crime est deux fois meurtrier. Au tremblement de la rose et du fer, à l'étincelle de la forge, tandis que ma fureur et mon dénouement luttaient et s'anéantissaient devant la force de l'unique amour, je naissais... Le rocher, où finit la route et où commence le voyage, devint ce dieu abrupt et fendu auquel se mesure le souffle. C'est le même torrent qui commande, mais il est écouté cette fois par un peuple d'abeilles noires. *(Gravir.)*

Nulle écorce pour fixer le tremblement
de la lumière
dont la nudité nous blesse, nous affame, imminente
et toujours différée, selon la ligne
presque droite d'un labour,
l'humide éclat de la terre ouverte...

étouffant dans ses serres l'angoisse du survol
le vieux busard le renégat
incrimine la transparence
vire
et s'écrase à tes pieds

et la svelte fumée d'un feu de pêcheurs
brise un horizon absolu

La vague de calcaire et la blancheur du vent
traversent la poitrine du dormeur

dont les nerfs inondés vibrent plus bas
soutiennent les jardins en étages
écartent les épines et prolongent
les accords des instruments nocturnes
vers la compréhension de la lumière
— et de son brisement

sa passion bifurquée sur l'enclume
il respire comme le tonnerre
sans vivres et sans venin parmi les genévriers
de la pente, et le ravin lui souffle
un air obscur
pour compenser la violence des liens

Gravure de Miro pour *Saccades*.

La forêt nous tient captifs. Et le nombre. Et la solitude. Captifs mais portés à leur faîte, et brisés, depuis le premier jour, par l'entière douleur future éparse au-delà de nous.

En haut, le livre ruisselant. En bas, nos amours pétrifiées, avec le cérémonial de la peste. Entre eux, près d'une forge de montagne, la maladrerie de la bouche des hommes, l'échancrure du jeu.

Etre, n'avoir rien. Il suffit qu'ils soient : astres, foyers de raison sans mesure. Qu'ils fonctionnent ici, dans la nuit battante, l'indifférence, à proximité de nos murs. Et que leur énergie, par instants, les renverse. Nous disloque. Irrigue nos traces. Irrigue nos champs fragmentaires.

(L'Embrasure.)

Gravir, *L'Embrasure*, Gallimard, Poésie / Gallimard. ◇ G. Raillard, *Jacques Dupin*, Poètes d'aujourd'hui / Seghers.

olivier larronde 1927-1965

D'une étonnante précocité, comme en témoignent *les Barricades mysté-rieuses* publiées en 1948 et où figurent des poèmes écrits à quatorze ans, Olivier Larronde fut à la fois une figure familière de Saint-Germain-des-Prés et un poète secret, méconnu ou mal connu. Ecrivant hors des modes, peut-être reprit-il trop tôt, et avant d'autres, les leçons de Mallarmé, comme il apparaît dans ce quatrain : « Que de végétales prudences / Dans tes odeurs croisées sans nœud / Par le Grand air des Réticences / Où faire écorce de tout feu. » Le plus souvent, il les détourna à son profit pour s'inventer un langage, griffu ou brisé, énigma-tique, masque et miroir de ses désirs, de ses angoisses, d'une mort tôt pressentie, comme inscrite dans son expérience même, et qui le frappa en pleine jeunesse.

L'ŒUF DU POÈTE

Un cygne d'agrément violente la baigneuse
(C'est perle des roches) qui, vexée d'être épouse
D'oiseau — dans l'onde se voir pondre lui répugne —,
Choisit le suicide des filles inventives.

Délaissant nos œufs s'ils émurent sa ceinture
Plus chers que ma prunelle à les couver m'oblige,
Curieux de quelle humeur ils s'allègent et qui
Les cassera, ou du bec ou du dard, lequel

M'est destiné : je ne suis pas ami des monstres.
— Ceci pour éclaircir les doigts, car la mourante
Patienta pour retrouver sa ligne et n'osa
Cacher la bague de pigeon qui vous intrigue.

PERCHOIRS

Tes pieds gelés déforment mon image
S'use ma bouche à tes pieds de statue
Y nidifient ceux qu'oublia la mer,
Les dénichez, miroirs aux coquillages.

Chagrins d'un coquillage. La marine
Salive abuse une étrange acoustique
Jusqu'à mousser pour embellir la ruche
Du parasite (aussi crèche des perles).

(Neige, tes seins la proie de) mes coquilles,
Tu comptais bien les captiver coquette
En travesti d'un arbrisseau marin.
Ces pendentifs ont une autre musique,
La bouche morte ailleurs se posera.

(Les Barricades mystérieuses.)

MA BOUCHE...

Ma bouche
          est-ce trahir le silence des voiles
Que donner forme au souffle à la mort nous poussant
Comme, battant des nuits, ma paupière en sa toile
Livre un trésor de gel en perles de néant ?

Non : tout s'est asservi dans l'ouvrage du gel
Exercé dans l'éclat de la perle profonde
Tu parles diaphane en armant sur l'autel
Du vide les cristaux de neige où il se fonde.

Sur les degrés de l'air à mes noces de mante
La somptueuse fange a trempé tes vigueurs
Forgeron ! C'est nommer cette mort qui l'aimante
D'arracher un silence au Cancer de mon cœur.

Mes souffles l'enfleront, enchaînés, jusqu'au port
Où poignant en éclats toute une aube acérée,
Le torrent de ton bras où se lave la mort
Meurtrir l'ombre de chair de mon ombre atterrée.

(Rien, voilà l'ordre.)

OÙ COMMENCEZ-VOUS, MORT ?...

Où commencez-vous Mort ? J'ai cru vous reconnaître...
Tant d'objets de l'espace ont pour profil vos lacs.
Lequel passe à sa ligne où le dehors vient naître
Et quel n'est pas dans l'air comme une pierre au lac ?

Oui nous sommes bien Vous pour ce qui nous contient
Et de Vous habités par les noirs de nous-mêmes,
De la chaîne où ce bruit de notre cœur se tient
Assassinant un rien par la graine qu'il sème.

Lettres mortes ces mots : sans y croire on Vous touche
Du bout de mes dix doigts, où finit leur toucher.
Vôtre est la même fuite et caresse farouche
Des deux coups d'air débordant mon souffle gâché.

Les Barricades mystérieuses, Gallimard. *Rien, voilà l'ordre*, *L'Arche à lettres*, l'Arbalète.

édouard glissant 1928

Antillais comme Césaire, disant dans ses poèmes, ses romans (*la Lézarde*) l'histoire de ses îles, la geste de ses ancêtres, Glissant est un poète de la négritude. Sa revendication, celle de la reconnaissance de sa race et de nouveaux rapports entre les peuples, se coule dans un chant aux cadences d'incantation ou d'épopée. Chant éclaté dans l'archipel des poèmes *d'Un champ d'Iles* ou de *Terre inquiète*, mais qui s'ordonne, dans *les Indes,* en vaste fresque où, à travers l'aventure de Colomb, se profilent les drames futurs de l'Amérique, les exactions des conquistadors, les horreurs de la traite et de l'esclavage.

LA BAIE DU CIEL

Elle, miroir, et si gardée
Que les herbes atroces fuient
Où vont l'attente la torture.
Un arbre ne tient dans la main creuse du chemin
Qui de vieillesse devient route.

Elle a gemmé, femme sur l'eau
Immobile à la surface, goémon
Nue, aveu de l'air qui de plaisir devient orage.

(La Terre inquiète.)

LES INDES
XXXVI

Il dit :

« Ces hommes, fils de chiennes, qui vous connurent avant
moi !

De quelle voix divine ont-ils tenu message de vous adorer?
Quel est ce dieu,

Ou cet archange, qui leur fit licence de s'étendre sur la
belle ?

Connaissent-ils la joie du soir, lorsque la vigne luit de ferveur jaune ?

Ont-ils langage d'amant tendre, qui caresse doucement
avec des mots ?

Ont-ils visage d'amant terrible, qui n'a pas enlevé la cuirasse ni les bottes ?

Connaissent-ils et l'une et l'autre face des choses, les
deux terres ?

Venez, venez ! je brûle et m'illumine d'un embrasement ;
volcan

Epars sur les volcans inapaisés de vos hauteurs, qui
comme moi se meurent !

Ces hommes, pour vous avoir, je les tuerai jusqu'au dernier ! C'est fait, voici leur sang. »

Et la montagne tressaillait dans son éternité.

XXXVII

Il dit :

« Mon dieu est le seul dieu, mon désir est le seul désir !...

Ils m'ont donné à vous, et vous à moi, dans une aurore de
combats,

De chair et de luxure et de divinités nouvelles ! Je descends, coiffé d'azur, droit sur ma selle,

Vers la vallée où sont les villes, qui agrafent vos parures.
villes mortes !

Les voici, désertes ! O les peupler de flamme, où fond
l'argent !...

Et si un homme vient, homme ancien qui vous connut bien
avant moi,

Qu'on le baptise et qu'on l'étrangle ! afin que l'âme en soit
gagnée

Lors que le corps pourrit en vous, mais loin de vous !
(Je vous courtise, cavalier sale,

Moi ! dont le sang fut lave)... Et s'il refuse l'eau qui nous
blanchit de ce péché, là sur son front,

Alors qu'on dresse, parmi l'or, la flamme juste d'un bûcher;
qu'on le brûle ! »

Mais la ville pleurait, très douce, en son éternité.

Poèmes (Un champ d'îles, La Terre inquiète, Les Indes), Le Sel noir,
Seuil.

alain jouffroy 1928

Jouffroy, qui fut avec Schuster, Bédouin, Legrand — desquels il ne tarda pas à se séparer —, un des membres les plus brillants de la génération surréaliste des années cinquante, est un poète visant à l'explosion de l'imaginaire et à la transformation de la vie. Romancier, essayiste, critique, remarquable animateur ouvert à toutes les expériences, il fut le premier à révéler deux importants mouvements de la Jeune poésie : celui de la poésie électrique qu'anime Matthieu Messagier et celui de la Poésie froide défini dans le *Manifeste froid* par Velter, Sautreau, Buin et Bailly.

PASSAGE JOUFFROY

Dans le couloir où me suivent les capes d'hermine
La révolution se prépare à coups de talons hauts
Un broc lancé à perdre haleine dans une vitrine

         / la Fougère de chair,
debout derrière sa vitrine de parapluies horizontaux,
dresse sa figure de chandelière de la Reine /
Soudain, des passants négligents poussent du pied la porte
      vitrée,
Les policiers doublent le nombre de couteaux dans leurs
      tiroirs :

à cet instant le crime parfait pourrait être commis, mais
il fait tiède au fond du boudoir où l'on entasse des pneus
      de camion
et *l'amitié qui me lie au chapelier de Pologne me retient*
de PROTESTER A HAUTE VOIX CONTRE LA VIEILLERIE.

A tous les échelons du RECUL les écureuils sont vain-
      queurs/
C'est la loi mauve, la seule à laquelle je souscrive, la loi
      du regard fixe

    Je marche en effet dans la direction de l'Opéra,
l'œil agrandi par une paire de lunettes publicitaires
CINQ HEURES DU SOIR N'ONT PAS ENCORE SONNÉ/

(Liberté des libertés.)

A toi, Gallimard. *Liberté des libertés*, Soleil noir et de nombreux recueils à faible tirage. illustrés par Matta, Lam, Brauner, Magritte ou Miro.

gaston miron 1928

« Je n'ai jamais voyagé / vers autre pays que toi mon pays. » Chef de file de la jeune poésie canadienne, poète rare, publiant peu, écrivant une langue ramassée, imagée, d'une efficace perfection, Gaston Miron ne dit pas seulement l'amour et la difficulté d'être, mais, militant pour l'indépendance, rend compte de la réalité du Québec.

L'OCTOBRE

L'homme de ce temps porte le visage de la flagellation
et toi, Terre de Québec, Mère Courage
dans ta longue marche, tu es grosse
de nos rêves charbonneux douloureux
de l'innombrable épuisement des corps et des âmes

je suis né ton fils par en-haut là-bas
dans les vieilles montagnes râpées du nord
j'ai mal et peine ô morsure de naissance
cependant qu'en mes bras ma jeunesse rougeoie

voici mes genoux que les hommes nous pardonnent
nous avons laissé humilier l'intelligence des pères
nous avons laissé la lumière du verbe s'avilir
jusqu'à la honte et au mépris de soi dans nos frères
nous n'avons pas su lier nos racines de souffrance
à la douleur universelle dans chaque homme ravalé

je vais rejoindre les brûlants compagnons
dont la lutte partage et rompt le pain du sort commun
dans les sables mouvants des détresses grégaires

nous te ferons, Terre de Québec
lit des résurrections
et des mille fulgurances de nos métamorphoses
de nos levains où lève le futur
de nos volontés sans concessions
les hommes entendront battre ton pouls dans l'histoire
c'est nous ondulant dans l'automne d'octobre
c'est le bruit roux de chevreuils dans la lumière
l'avenir dégagé
                  l'avenir engagé

Deux Sangs, L'Homme rapaillé, Presses de l'Université de Montréal.

jacques réda 1929

« Ce que j'ai voulu c'est garder les mots de tout le monde ;
Un passant parmi d'autres, puis : plus personne (sinon
Ce bâton d'aveugle qui sonde au fond toute mémoire)
Afin que chacun dise est-ce moi, oui, c'est moi qui parle —
Mais avec ce léger décalage de la musique
A jamais solitaire et distraite qui le traverse. »

Ce poème de *la Tourne* illustre la présence poétique de Jacques Réda,
dont la voix est une des plus singulières d'aujourd'hui. Une voix hors
des modes, très neuve et très ancienne, d'une musicalité retenue, d'une
simplicité troublante, qui dit les arbres, l'enfance, les gestes quotidiens,
mais dont les mots soudain se retournent pour capter les sourdes inquiétudes, faire écho aux déchirures de l'histoire, à l'éloignement des dieux.

PLUIE DU MATIN

Je rassemble contre mon souffle
Un paysage rond et creux qui me précède
Et se soulève au rythme de mon pas. La rue
Penche, brisée en travers des clôtures.
Le jour qu'on ne voit pas lentement se rapproche,
Poussé par les nuages bas,
Décombres fumants de l'espace.
Des cafés à feux sourds restent ancrés à la périphérie
Où roulent des convois, la mer
Sans fin dénombrant ses épaves.
Je tiens ce paysage contre moi,
Comme un panier de terre humide et sombre.
La pluie errante en moi parcourt
L'aire d'une connaissance désaffectée.

(Amen.)

ORAISON DU MATIN

(Oh manque initial, et retrait dans l'élan comme d'une
pelletée de cendres. Mais il y a lieu de se brosser les
dents en fredonnant un air, et de nouer adroitement la
cravate qui préserve de la solitude et de la mort.)

Jour, me voici comme un jardin ratissé qui s'élève
Tiré par les oiseaux. Fais que je prenne l'autobus
Avec calme ; que j'allonge un pas sobre sur les trottoirs ;
Que j'ourle dans mon coin ma juste part de couverture
Et réponde modestement aux questions qu'on me pose, afin
De n'effrayer personne. (Et cet accent de la province
Extérieure, on peut en rire aussi, comme du paysan
Qui rôde à l'écart des maisons sous sa grosse casquette.
Berger du pâturage sombre : agneaux ni brebis
Ne viennent boire à la fontaine expectative ; il paît
La bête invisible du bois et le soleil lui-même
Au front bas dans sa cage de coudriers.)

Mais jour
D'ici tonnant comme un boulevard circulaire
Contre les volets aveuglés qui tremblent, permets-moi
De suivre en paix ta courbe jusqu'au soir, quand s'ouvre
    l'embrasure
Et qu'à travers le ciel fendu selon la mince oblique de son
    ombre
Le passant anonyme et qui donne l'échelle voit
Paraître l'autre ciel, chanter les colosses de roses
Et le chœur de la profondeur horizontale qui s'accroît
Devant les palais émergés, sous les ruisselants arbres.

(*Récitatif.*)

Donc le temps est venu de les rassembler, tous les autres,
Tous ceux que j'ai perdus dans les coins obscurs de ma
    vie
Ou qui d'eux-mêmes détachant leur ombre de mon ombre
Attendent là butés sans comprendre ce qu'ils attendent
Contre un mur au fond d'une chambre où nul ne les saura.
Me voici devenu plus trouble qu'eux, bien trop étroit
Pour me diviser de nouveau ; si faible,
Que remonter le flot qui s'étale, je ne peux pas.
Il faut pourtant les retrouver l'un après l'autre
Et les convaincre avec des mots précipités presque inau-
    dibles
De me suivre : en bas au tournant je leur dirai pourquoi.
Mais le plus proche se détourne et ne veut pas m'entendre ;
Il a peut-être peur de moi, peut-être tous les autres,
Sauf le plus lointain qui sourit, qui ne me connaît pas
Et ses yeux d'espérance et d'oubli déjà m'effacent.

(*La Tourne.*)

Amen, Récitatif, La Tourne, le Chemin / Gallimard.

kateb yacine 1929

Sous des formes différentes, roman (*Nedjma*) ou théâtre (*le Cadavre encerclé, Les ancêtres redoublent de férocité*), l'œuvre de Kateb Yacine se développe comme un seul poème aux chants diversement modulés, mais où s'inscrivent l'histoire et les mythes d'un peuple, celui d'Algérie, enraciné dans ses traditions, déraciné par l'exil de ses travailleurs, en lutte pour son indépendance, en proie aux mutations du monde moderne. Et *le Polygone étoilé* est à la fois récit autobiographique, lamento de l'exil, chant de la révolution, théâtre des fantasmes et de la prise de conscience des Algériens, et toujours, en prose ou en vers, poème.

[...] Nous n'étions plus alors que sa portée
Remise en place à coups de dents
Avec une hargne distraite et quasi maternelle
Elle savait bien
Elle
A chaque apparition du Croissant
Ce que c'est de porter en secret sa blessure
Elle savait bien
Elle
En ses seins pleins de remous
Ce qu'était notre fringale

Pouvait-elle
Sillon déjà tracé
Ne pas pleurer à fleur de peau
La saison des semailles ?
Même à la déchirure de rocaille
Pouvait-elle ignorer comment se perdent les torrents
Chassés des sources de l'enfance
Prisonniers de leur dangereuse surabondante origine
Sans amours ni travaux ?

Fontaine de sang, de lait, de larmes, elle savait d'instinct, elle, comment ils étaient nés, comment ils étaient tombés sur la terre, et comment ils retomberaient, venus à la brutale conscience, sans parachute, éclatés comme des bombes, brûlés l'un contre l'autre, refroidis dans la cendre du bûcher natal, sans flamme ni chaleur, expatriés. [...] *(Le Polygone étoilé.)*

Le Polygone étoilé, Seuil.

michel deguy 1930

Depuis l'origine (*les Meurtrières*, 1959), l'œuvre de Deguy est exploration d'un espace dédoublé : espace du monde que le poète parcourt, découvre ou reconnaît, dont il déchiffre et répertorie les signes, qu'enfin il nomme et reconstruit dans son poème ; espace de la culture, des livres, de l'écriture — celle des autres (Dante, Gongora, Hölderlin) où il se ressource, dont il fait son terreau, sa nourriture — et la sienne où il avance, vif dans le bond de l'invention ou attentif à baliser son chemin. Les titres des livres renvoient tantôt à l'un (*Poèmes de la presqu'île, Fragment du cadastre*) tantôt à l'autre (*Tombeau de Du Bellay*) de ces espaces. Mais toujours, bien que cela soit plus net dans ses derniers textes (*Figurations, Tombeau de Du Bellay*, où la lecture d'un poète débouche sur une pratique de la poésie), Deguy, si attaché qu'il soit à dire les arbres, l'enfance, le visage ou l'absence de la femme aimée, demeure le poète de la poésie, pour qui la question de la poésie est la matière même du poème.

PARTICULES

Les instruments se défient les uns se médusent les autres, se suscitent ; la flûte-de-pan fascine l'orgue ; l'oiseau émet sa position, la flûte dresse et fait danser l'orgue ; sur la place marocaine le serpent (ce fut l'ours dans le spectacle de Mallarmé) s'érige, pendule inverse, sous les ocelles du narrateur ; l'orgue dompte la mariée sur sa tige d'osselets, lévitation d'organdi ; la doïna tend la voix des hoirs sopranos contre la lisière ; le taureau vibre comme le crapaud gonflé de cri ; les limites distinguées se figent, oscillent, s'embrassent ; le jarret comme un œil du danseur se retient, entre en opposition à la lune aiguisée, le sycomore le deltoïde lancent leur sperme parabole.

Le météore univers tombe à terre happé par le bord gravifigue, le météore ténèbres atterrit (topo de l'épaisse forêt où s'éraille l'égaré vers un enchantement : au bout de la forêt chevêtrée où s'ouvre le domaine — bois dormant, tunnel du Meaulnes) trillions de rais Icare déviés captés choient entonnent clairière terrifiée

Terre de Rephidim frappée où la verge d'univers s'engouffre, l'abîme ici des particules ruisselle, et bouse de schistes en fusion bave lappe les mousses c'est le matin des locutions. Le cratère s'ouvre, vingt miles de diamètre convexe, les arbres bondissent, raz-de-vent, les Alpes rejaillissent, les anguilles bondissent, les pins se hissent,

La tour de Babel, par Breughel-le-Vieux.

c'est le matin ubiquité, gerbe d'hippocampes et de bouquetins, une pluie de javelots sur le camp des Troyens, lances d'Ucello, de Velasquez, retombent, Sima Talcoat Soulages, ce fut une fine averse

La cible volante bombardée de cosmos fraye Mais aussi la cible de tes yeux manquée de peu par des phrases ardentes, le roulis d'amants browniens dans la cuve se ratent, se fichent, la charogne de vers précis investit le Bengale, ç'aurait pu être autre « l'Asie majeure ou la mer atlantique », dauphins de Tite et Bérénice ou semblables, beaucoup de regards déviés par la masse des cheveux retombent derrière la terre

L'amnistie la neige elle vient d'avant, d'ailleurs, de l'océan fréquent, se transforme par-dessus les têtes jusqu'à temps chute-de-neige où réparer les confins érodés, et partout il neigeait, elle fédère l'obtus l'ovale le brisé, la neige tombe pour l'attente, pour envoyer dire à la pensée insistante que quelque chose est comme la neige. Mais le scribe dépassé par l'enlistement juxtalinéaire ne peut plus intervenir. Vivons-nous...

Le choléra cette nuit a passé le Niger les crimes rôdeurs se rengorgent Ecoute écoute La voix lactée discobole frémit Vivons-nous pour autre chose que cette grande chose environnant d'un culte spécial les courbures de monde (ce puits jusqu'où grandissait la caravane, ou l'espacement en perspective des îles concentriques de Rouault) [...]
(Tombeau de Du Bellay.)

FAR FROM THE MADDING CROWD

Tonte, clavette de poutre, un jour ; orage, bière dans la grange, lunes essuyées, un jour ; menstrues repiquées, cinq cents fois, une vie ; meules désarrimées, claies, grappes de boue foulées, un jour ; marché clous qui réparent, cercueil faux talon, un jour ; rêve, lierre, couperose, ventes, un jour un mois une vie ; chiens tachés, carence de pasteurs, ruts, accidents, un soir, un matin, une ère. Méfaits et mouchoirs, orgueils, crachats conjugaux, sillage de feuilles, un jour un jour un jour ; dans un an, dans six ans, j'attendrais, je sème on s'aimera, bottes. pluies sur la peau, housses ferlées, délires et servantes, héritage ; à bras le vent, rouille, couronnement, désuétude immortelle, un jour encore ; paye, sourires, fils tendus des mains aux nuages, aux arbres, casse, un midi, un soir ; meurtre, cirque, je meurs, tumeur ; fils ne m'abandonne pas, les bêtes sont malades, je viens, je viendrai, attendez-moi un jour, un an ; serviteurs, chapeaux, statuts infranchissables, machines, bière ; pourquoi m'as-tu abandonné cheveux et saules, chevaux, boue, mares, sabres, je sue s'eût pu être, établi, trahison, couches, mésalliance du voisinage, pentes de briques, dettes ; hardi, Dorian, grès, dilapide, **débile**, falaise albe, le passé passe par la chaîne du livre, du film, de la T.V., orage ici, Luxe, livres, sans remède, **dîme du vent**, amer amour qui tourne ailes, corsets, lait, sang : jabots, pudeur, droits communs, le vent, un jour, un siècle, la fresque compte, ne fais rien, oubli sur la lande, hurle-vent, gobetween, enfant, arbre, livre, lisière, sorts bibliques; un jour, un an, stèles, perds ; crinoline et sillage, cuisine, abus, nul ne sait ; père, absent, alors la brume, adultère pour nos entretiens, perte, adieux, le mort revient pour mourir, Amérique, je n'irai pas si tu gardes ton regard.

(Inédit.)

A PERNETTE DU GUILLET

La faute en est à toi amour si j'ai trop haï joignant ma bouche à la tienne J'ai reçu de tes lèvres une telle amertume [...] j'ai reçu de l'absence une telle liberté que mon corps faillit s'envoler Fuis-moi donc si tu veux que nous vivions

> (...conaufragés, qui se hissent, c'était toi, s'allongent
> à bord du lit de fortune ; de tendresse apocalyptique
> comme deux condamnés cojetés en chambre pour
> peu de nuits peut-être, que pouvons-nous échanger
> dire qui serait meilleur rien que cette compassion
> avide de se transfuser dis-moi)

Qui tu étais je te dirai qui je fus
Je te reconnais tâtonne-moi nous étions vivants
Par ces jambes pareilles aux jambes des déesses
Que notre main mutile dans la nuit n'allant pas
Au-delà des malléoles ou du pubis le
Sacre d'un approchement de quai et de bateau
Ton front étroit que je comptai avec l'index et l'annulaire
Ton axe médullaire en creux vers les lombes comme
Synclinal érodé ou le doigté des vents sur la plage
Ou mouette par abstraction de la coupe ou
Et la bouche mythique entre tes jambes virgiliennes
Vers où je descends pour te forcer à me suivre
Te remonter vers le jour en ne te quittant pas
Des yeux non pas même retourné vers toi
Mais fixé sur toi malgré toute défense

(Inédit.)

Les Meurtrières, Oswald. *Fragment du cadastre, Poèmes de la presqu'île, Biefs, Ouï-dire, Actes, Figurations, Tombeau de Du Bellay,* Gallimard. *Poèmes 1960-1970,* Poésie / Gallimard. ◊ P. Quignard, *Michel Deguy,* Poètes d'aujourd'hui / Seghers.

jean-pierre duprey 1930-1959

S'il est des poètes maudits, Duprey en est un. A dix-neuf ans, habité par ses doubles, à l'écoute de la dictée intérieure, il écrit les poèmes de *Derrière son double* et une pièce, *la Forêt sacrilège*, qui lui valent l'admiration de Breton. En 1951, il se tait, devient peintre et sculpteur. Quand la parole, hantée par la mort, plus encore par la nostalgie de la vraie vie, le possède de nouveau, il écrit les textes superbes et déchirés de *la Fin et la Manière*, dont il poste le manuscrit à Breton avant d'entrer dans le silence définitif, par le suicide.

Allez-vous-en, vous n'êtes pas joués ! Il fait si noir qu'on n'a jamais gravé les cartes. Allez-vous-en, on vous a joués. Le soleil n'a jamais fait partie des livraisons du jour et la terre n'est qu'une ride de vieillesse. Celui qui aime l'atome ne mange que du néant. Celui qui croit prendre un chemin ne prend que son corps par la fatigue.

J'avais pourtant trouvé de la viande dans les statues... et quelque chose de touchable qui s'insérait, ne quittait jamais la main, cette main, ma main.

Mais la main, l'ombre d'un geste, n'avait jamais quitté cette sépulture anticipée, ce grand dortoir des autres. peuplé, peuplé...

D'un grand fauteuil qui n'invite personne...

D'une clef œuvrée qui n'explique rien,

Trouvée dans la main

D'un pensionnaire de la maison détruite, quelqu'un payé très cher pour rien.

Et dans un coin du sommeil des autres, lui, là-bas, sa peau se déplace. A quoi t'entraînes-tu ? Qui donc te rêve ? Il n'a rien vu, rien entendu ; son corps l'avait porté à la dernière dimension nocturne, jusqu'à l'issue du dernier hasard.

Le dernier hasard... Un grand brouillard en place. En avant, drapeau noir ! Les démons, on vous somme, plus d'hésitation ! L'habitude de la réalité exige une belle autorité.

Moi, je n'aurais jamais dû me prendre les pieds dans cette galaxie ! *(La Fin et la Manière.)*

Derrière son double suivi de Spectreuses, La Fin et la Manière précédé de Lettre rouge d'Alain Jouffroy, Le Soleil noir. ◊ J.-Ch. Bailly *Jean-Pierre Duprey*, Poètes d'aujourd'hui / Seghers.

bernard noël 1930

Depuis quelques années seulement et, comme il arrive souvent aux textes qui véritablement dérangent, pour de mauvaises raisons qui en occultent la radicale nouveauté (en l'occurrence la condamnation d'un beau roman, *le Château de Cène),* l'œuvre de Bernard Noël commence à sortir du silence où elle fut conçue, auquel elle est arrachée. Pourtant, dès 1956, les poèmes d'*Extraits du corps* (repris dans *la Peau et les Mots)* avaient donné le ton : « Du ventre à la gorge, l'espace s'est tendu. De la peau a poussé. Noué à moi-même je suce mon intérieur, je me vide en moi. » Depuis, chez Bernard Noël, poète et romancier à l'écoute de ce qui grouille, se métamorphose ou se défait en nous, de ce qui d'ordinaire ne se fait jour que dans la souffrance ou la jouissance, le corps de l'écriture s'est fait écriture du corps.

VERS LE DEVAILAND

III

darde

quel souvenir
comme un poisson qui brûle
en travers du ciel

l'oiseau est devenu lézarde
dans la boule
où les mots s'envolent

un creux
fait l'oreille

qui lèche ses racines
bave de la nuit
en plein jour

mais d'une bouche ouverte
à l'intérieur de l'os
monte l'haleine froide

et il me regarde avec mon propre visage
et mon squelette a gelé
et le vent ne se lève pas
maintenant

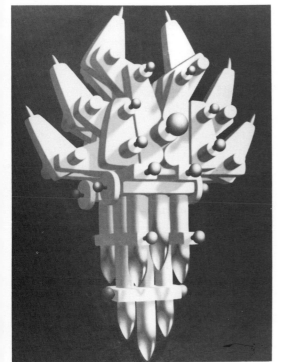

Corps térébrant, par Ramon Alejandro.

tu as des paupières de verre
maintenant

tu tombes
la main dans la main avec toi-même
et ton sommeil n'est qu'une
rencontre
au milieu du pont

ou bien
j'ai mangé ton sexe
et j'ai eu froid
et il y a eu des glaires d'yeux
au creux de l'os
et je t'ai vue
me voir

ou bien
l'arbre tombé repousse par la cime
et tant de morts
parlent dans ma tête
que ces mots-là
ne sont pas
mes mots

et lui disait

    maintenant
    l'heure efface la table mortelle
et

    je marche pour me commencer
et

    au-dessous du bol
    neige corps du sommet
et

    il fut qui se regarde passer

qui a le courage du non
trouve une autre mémoire

La Face de silence, Flammarion. *La Peau et les Mots*, Textes / Flammarion.

jacques roubaud 1932

Plus que de n'importe quel autre livre de poèmes, d'ε ou de *Trente et Un au cube* (ce dernier texte exigeant de surcroît une mise en page spéciale), une anthologie ne peut donner qu'une vision parcellaire. Si chaque poème de Roubaud, sonnet, élégie, poème en prose, a bien une autonomie réelle, une structure et un sens, et peut être lu pour ce qu'il est, il a en outre une fonction précise, logistique dans l'organisation, l'espace, le jeu, la figure du livre. Roubaud, mathématicien et stratège, autant que poète maniant avec une aisance confondante ou, à l'occasion, ébranlant de l'intérieur et brisant toutes les formes prosodiques, conçoit ses livres non point comme des continuités figées, mais comme des systèmes ouverts, supposant des relations mobiles entre les parties, à l'image d'un jeu de go (chaque poème d'ε est l'équivalent d'un pion blanc ou noir) ou d'un ensemble mathématique.

1.3.15   ○   [GO 120]

ce sera comme si le flot devenait immobile avec ses lèvres retroussées son air de cavernes sous les feuilles de figuier dressées violettes les vagues l'écume pour la première fois occupant une place précise immuable dans les airs et le bruit s'il existait pour les bruits aussi quelque indicateur coloré

buvard ou ruban ou toile s'incurvait interrompu au rasoir à la marque du temps zéro ce sera de plus en plus sombre une lumière qui ne change plus image sans fin reproduite mais trop rapidement pour la scansion grossière des sens

immobile ce sera peut-être oscillant un peu sur le pivot d'un présent perpétué une plage kilométrique enfin sensible à nos empreintes incapables derrière nous d'effacement balais chique-naudes gommes

ne pouvant blanchir de soleil les crêtes d'un château de sable ce sera la mort victorieusement le gel de tous les mouvements du monde l'arrêt des heures qui se mêlent sauf les nôtres ce sera la vengeance et la possession

alors le temps se tient lointain et les yeux plus noirs passent du
jour à moins de jour. en brillant plus noirs dans la spirale du
sombre qui s'ajoute sombre   au départ d'une lumière de gouttes
noires

 alors moi qui regarde je me sens de la fumée un peu de fumée
sur la face opaque du carreau une mince fumée entre les yeux
et le noir très bleu de la nuit nourrice du sombre

car je ne suis pas le temps lointain où s'assombrit l'air du soir les
yeux prenant un autre noir fait pour le sombre fait pour le bleu
un noir qui mue

et je ne suis pas non plus ce que les yeux dans le noir noirs
verront ni que verra si elle voit la nuit si je me tourne vers elle
comme elle aussi les yeux sombres

ce n'est pas vrai je mens   tout est faux il n'y a rien en arrière
 je ne suis pas du monde je ne suis pas non plus du monde que
j'étais je ne vis pas un mort me glace le vécu j'avance sous
absence   je suis le

chapitre zéro du livre la basse oubliée dans la partition économi-
sant le vide enchaînant des raisons qui n'assurent rien je ne
suis même pas retranché je suis nul dépossédé du don d'échange

on a conclu pour moi dans le même temps où je posais mon
premier axiome blanc contre noir   et la phrase roule où rien
ne signifie

quelque part je ne vois plus ou autrement peut-être autrement
qui rendra le vrai vrai le noir noir ouvrira les yeux sur autre
que la mort ?

Ce n'était pas une douleur aux branches bien dessinées
avec les cris torrides gouttes insoutenables trilles
d'élancements   une douleur acérée comme une grille
avènement électrique ou fourmillement incliné

vers le tertre de votre être   vous commenciez des journées
de petites heures roulaient comme une chute de billes
labeur de plante on s'ébroue après-midis à la godille
le soir alors limace au ciel faïence pâle cornée

ce n'était pas l'alcool lyrique   le bond de la douleur
non les mêmes creux poussiéreux quoi les mêmes chiffons de suie
sur le visage de vos jours   le temps trempé qui s'essuie

et le plaisir ponctuel mûrissant aussi sa couleur
ellipse du monde oasis   ? enfin les arbres fermaient
venait la nuit votre nuit   moite innommable   et désarmé...

Il s'éveilla...   ○

il s'éveilla sans paupières   dénudé de la nuit déjà il n'était pas
travée des arbres   il n'était pas d'amiante vert
  la lumière grouillante le vrilla   dans sa gloriole
sèche lumière d'épieu

On imagine qu'il hurla quand la lumière même perça sa main
venue au secours   masse soudain transparente
on l'imagine

et pourtant vous-mêmes   le matin où l'espoir est devenu ce
qu'il est

un jour   ●   [GO 38]

    Maintenant rouille dans ton coin
    on te vit assez   éperdu
    avec ton cœur de plâtras   du
    côté de la fille de foin

    maintenant oui   tu peux t'éteindre
    ranger le cuir et la galoche
    être le copeau de l'encoche
    être humus faïence sans feindre

    Objet maintenant   objet bas
    comme un passage familier
    Objet de douleur hésitante

    comme clos de simple bourgade
    où les familles vont bâiller
    où deux lionnes de fer s'étendent

je suis revenu...   ○

    je suis revenu de la poussière orange des déserts
   . . . .

Voyage du soir, Seghers. ε *Mono no aware, le sentiment des choses*,
Renza (en collaboration avec Octavio Paz, Edoardo Sanguinetti et
Charles Tomlinson), *Trente et un au cube*, Gallimard.

pierre oster soussouev 1933

Du *Champ de mai* (1955) au *Sang des choses* (1973) l'évolution de P.erre Oster Soussouev est évidente. D'un recueil à l'autre, le chant s'amplifie, passant de la parole rare, toute en éclats lumineux et coupants des premiers poèmes à l'ample respiration qui anime *la Grande Année* (1964) et *les Dieux* (1970). Le poète qui d'abord célébrait l'Etre, l'Un, peu à peu découvre le sensible, accepte le corps, reconnaît le « sang des choses ». Mais dans ce déchiffrement de l'univers, sa tâche demeure de soumettre la diversité de l'expérience au pouvoir unificateur du verbe. La poésie de Pierre Oster Soussouev est nomination. Elle capte les noms dans leur surgissement. Elle est, par sa faculté de nommer, la richesse du poète (« Pour héritage je n'ai reçu que la parole indivise », dit-il dans *Un nom toujours nouveau*), et le lieu même de son accord à l'Etre : « L'univers de nouveau m'apparaît... L'univers de nouveau rime avec le langage », (*les Dieux*). Là s'affirme la cohérence de son œuvre, une des plus hautes d'aujourd'hui.

Angella Soussoueva. Pierre Oster Soussouev, Michel Deguy, Suzanne Papp, femme du poète hongrois, et Denis Roche.

LE SANG DES CHOSES
(FRAGMENT DU « TRENTIÈME POÈME »)

[...] La mer est vaste qui se déroule et ne dévaste aucun jardin.

Devant les fermes le soleil terne est une éternité fugace.

Les bois que nous vantions sont mouillés du côté du couchant.

La majesté que je recherche et que les meules me découvrent,

Les lourdes meules de la prairie où de très loin je m'en fus,

M'apprend que maintenant ma tendresse à grand train prophétise,

Qu'une étoile arrachée à la mer est sensible à travers les taillis,

Qu'un reflet rose sur le miroir d'une misérable fontaine

Précède en nous le dénouement de l'équinoxe ! Et je suis maître de courir,

D'idolâtrer la sève encore voyageuse ! Et la pluie opportune

S'allège d'un coup d'aile avant de poudroyer sur de basses maisons,

Trouve en tempête dans la poussière une bonne et féconde rivale,

Lutte sur mon visage avec ma sécheresse, inonde mes yeux clos...

Toute terrestre est la sagesse que j'ai nommée ! Et toute ruisselante

Est la colline qui se colore alors que les paysages du ciel

Sous l'influence d'un souffle pur se tempèrent, s'estompent,

D'un souffle inexorable à qui doit redouter l'appel du double exil !

La pluie oblique teinte le sol (et les reliques que je piétine).

Un cri d'oiseau (le vent se cabre), un cri d'oiseau m'envahira.

Au plus doux de la plaine étale et là même où l'abîme palpite,

Où les louanges que je prodigue ont la plaine et la nuit pour objets,

L'hiver s'apprête à déchirer la chrysalide des feuillages,

A poindre sous la rouille et parmi les dépouilles du jour !

Quelques brins d'herbe, quelques débris ; de brillantes brindilles...

L'univers en un point m'est si sûr que j'inclinerai au bonheur

De murmurer ma réponse à son énigme. Et le bleuissement des montagnes,

Ce changement sans rien qui bouge, ou cet événement sans rien,

Nous est le signe qu'il nous faut suivre au long de ses méandres

Le fleuve capital et sa pérennité sous l'écorce des corps.

L'orage coule sur les coteaux, ses flancs sont gros de nos conquêtes.

Une prairie intacte, une maison moins sombre, un oiseau monotone m'émeut.

Et la mer en façon de présage, et la mer aujourd'hui m'initie,

A mesure que dans mes vers la clarté des mots simples s'accroît,

A plus de vérité qu'il n'en viendra jamais dans une bouche humaine !

La mer est notre attente, elle abreuve à l'envi les roseaux.

Elle est les cendres que le vent vanne. Elle est le vent qui brame,

Par qui se perpétue, à l'abri d'un buisson, la passion d'un pouvoir partagé !

Enfin, sur un dernier pan de mur, l'éclat d'un soleil panique

M'avertit que la terre nocturne est tendresse et promesse à son tour,

Que les champs de longtemps déserts (sous le chatoiement de l'éteule)

Gardent toujours près des tombeaux l'empreinte du printemps.

Une odeur de fumure et d'humus domine autour des souches.

Notre lot dans la nuit, nuit des chiens et des morts, sera de recevoir,

Quoi qu'il advienne du feu du ciel au-delà des montagnes béantes,

L'antique identité d'un savoir unanime et des lentes saisons...

Une année a touché le seuil. Un nuage immuable l'annonce.

L'hiver livide qui se givre a son gîte en des arbres vaincus.

Ah ! qu'importe à mon âme un pays que les dieux déshabitent !

L'abîme nous exauce et l'espace augural nous est hospitalier.

Quand le silence aura sa place au milieu de la multitude des choses,

Nous bénirons la mer confuse et nous effacerons bientôt.

L'herbe facile, l'herbe docile est l'écume des flots de la terre.

Je la flatte du doigt comme on fait une joue, un sein.

(La Nouvelle Revue française, juin 1973.*)*

Le Champ de mai, Solitude de la lumière, Un nom toujours nouveau, La Grande Année, Les Dieux, Gallimard.

marcelin pleynet 1933

Depuis *Provisoires Amants des nègres* (1962), où la rupture avec une poésie des états d'âme s'opérait par un recours à des images violentes, crûment viscérales, dont Lautréamont et Artaud avaient été les initiateurs, Marcelin Pleynet, dans sa double et cohérente démarche de poète et de critique — inséparable de son activité au comité de la revue *Tel Quel* —, débusque tout ce qui d'ordinaire (idéologie romantique ou politique, refoulement ou sublimation sexuelle, conformisme sociologique, etc.) constitue plus ou moins implicitement le substrat, ou l'arrière-monde, de la poésie, et en fait, par un retournement révolutionnaire, la matière d'un chant où la poésie est en question, où s'inscrit son histoire, s'émiettent ses conceptions naïves ou idéalistes, se régénère sa pratique. Ainsi *Comme* se veut à la fois sujet et méthode de lecture, et *Stanze*, sous-titré *Incantation dite au bandeau d'or I-IV*, se présente comme une épopée du langage où la traversée des grands modèles poétiques (Homère, Lucrèce, Dante) se conjugue avec la libération de paroles refoulées ou réprimées (celles du sexe, de la révolution) pour refaire de la poésie le lieu, le nœud dramatique de la confrontation du poète à son histoire et à l'Histoire.

LA CAVE NATALE

[23]

Solitaire satin, putain pleureuse, heureuse dans sa suie.
Je vous le dis, leur bonheur ignore le tremblement de
la pluie dans les heures

    — Après nous l'immonde attentat de la tendresse
    — Après nous la horde des sentiments, la pure chien-
      nerie des sentiments
    — Après nous les admirables parasites humains

Mais la vérité dans quel boyau Dans quelle cave Dans
quel poumon

(Provisoires Amants des nègres.)

A Pékin, dans la Cité interdite,
printemps 1974.

COMBAT ou CHANT

poursuivi dans l'air noir
lorsqu'il s'éveille couvert de sang
ou plus bas couché sur le dos
et qu'elle s'assoit sur son pénis
prenant son rôle se redressant de l'un à l'autre face
à la plus vieille retranchée dans les ordures qui nour-
rissent

et que ses veines se gonflent rougissent
qu'elle le
caresse de sa langue de sa joue de ses cheveux
que
l'anus se resserre et qu'il la déchire comme elle se
dresse dans ce chant continu attachée
alors que les
montagnes paraissent des vallons et les vallons des
montagnes

alors que l'humidité la nuit le brouillard
s'élèvent
que la douleur se poursuit en tout point sur
sa nuque entre ses seins
alors qu'elle le frappe
et qu'elle le retient maintenant
que les tempes lui
battent et qu'ils avancent avec les autres
échangés
de l'un à l'autre dans ce combat
tantôt plus femme
que la femme qu'elle tient sous ses reins qu'elle pénètre sans économie alors qu'il cherche encore les noms
sans doute écrits sans doute dans cet écrit qu'elle tient
entre ses jambes
et où il passe entre autre et où
passé entre autre il disparaît comme la loi et qu'ils
sont nombreux là arrachés naissant disparaissant
sans nom s'amassant sans nom de plus en plus nombreux sans nom
océan multitude attaché à ce rougis-
sement sans nom
partagé dans ce corps multiple sans
nom
courant sur tout le corps
comme une grande abeil-
le rouge
comme un oiseau poursuivi dans ce combat
déplacé ici dans ce combat
comme un corbeau bavard
et rouge volé dans ce combat
comme un grand chien
bavard et rouge ou comme un homme cherchant encore son nom rêvant volé perdu dans ce combat
mais non comme la viande mangée dans ce combat

(Stanze, Incantation dite au bandeau d'or.)

Provisoires Amants des nègres, Paysages en deux, suivi de les Lignes
de la prose, Comme, Stanze, Incantation dite au bandeau d'or, Tel
Quel / Seuil.

Une page de *Saint-Just ou
la Précipitation des actions*, illustrée
par Bernard Dufour et Ipoustéguy, 1968

Cela s'était perdu en ces temps d'effusion lyrique, de paroles débondées ou, à l'inverse, de mots rares jaillis du silence, gouttes de cette essence précieuse qu'est la poésie, Denis Roche est un poète qui raconte. La preuve ? Son premier livre s'appelait *Récits complets* (1963) et, dans *le Mécrit* (1972) encore, donné comme dernier livre, tombeau et épitaphe de la poésie, Saint-Just apparaît dans sa marche à l'échafaud. Seulement ses « récits », lorsqu'ils semblent bientôt se pervertir, se font en réalité *instruments* de perversion : reprenant tous les thèmes (amoureux, érotiques, épiques, philosophiques...), formes et modes de production de la poésie, des plus classiques aux plus modernes, ils en content, démontent, parodient — avec une virtuosité qui va jusqu'à l'éclatement de la syntaxe — les stéréotypes et artifices, se donnant ainsi pour but de crever le nuage idéologique ou mythique dont ils s'entourent. Si Saint-Just traverse *le Mécrit*, c'est pour nous signifier que la poésie, elle aussi, ne règne pas innocemment, que son règne est oubli de ce qui se joue (et se *rature*) aujourd'hui dans notre histoire — et dans la sienne. D'où l'affirmation répétée : « La poésie est inadmissible, d'ailleurs elle n'existe pas. » Et Denis Roche, finalement, ne nous raconte rien d'autre que la mort de la poésie, faisant de cette morte, avec un humour impie, l'ordonnatrice superbe de ses propres funérailles. En même temps il annonçait la fin de son activité de poète et son départ du comité de la revue *Tel Quel* après dix ans de collaboration (1973).

Sans avoir vu écrit, sans un bas de plus& I | L eût
donné beaucoup pour un pré de plus &n œil& | qui f
ait l'angle avec la forte tour lance une tE | te au
trait bouffi de colère : imposte& pleure& T | endre
évidemment& fesse à faire ffleur-queue impO | sante
voilà donc 5 lignes à titre de con et d'oeI | L.
les 2 me voient tandis que la ferme était P | lus q
&imposante tandis qu'ici moim aim une portE | ouve
r te sur l'enceinte je pris les 2 cheveux d'EL | par l
a bride& m'étonnant qu'en fin de journée l'oE | il et
   ❚e con soient là m'épiant me voletant autoU | r de.
cette forte tour& pieu retirant quelque coL | isero
du paysage que je hais& ô loir love ô couiL | leuse
le haut de ta jambe vers le con vers toi jE | fais.
enfler une fois de mieux mes 2 pourceaux dE | ffleu
ove/queue & à l'angle enfilons la forte toU | r.&. =

(1) la brosse du texte (bord g
émoussé, bord dr. celui qui « agace »,
qui frotte) brosse justement les
grandes lignes du discours poétique.
La brosse fait le terrain propre à
ce qui va lui tomber
dessus, 5 mots plus
loin.

les rochers sont devenus griS

voici cette parole qui dimI
(nue qui devient malodorante et encore Q
(ui va peut-être me repousser de nouveaU
(du même gris que l'écorce des arbres iL
(faut faire l'brossé lré qu'justement aT
(tention qu'un corps radieux pénètre quL
(nè là-bas. La lumière du jour commence
(diminue puis on dépasse la limite de lA
(étroite, à apercevoir des bandes dorétS
(de choses vertes dominant le cirque veG
(vaguement amusant du cheminement du moT
(pélancrte issue du sol vèdjétabaule ouR
(——————————— / ———————————)
(r il arrive justement qu'ayant écrit cE
(ci après le texte précédent qelui qui C
(ommence par « haletants dés » le tissu veR
(t qui t'pisse le fond du plateau du jeU
(tourne à une exaspérante teinte comme sI
(je devais te maintenant escalader un dU
me

(2) la clé de l'angle, en-
ligne, comme le qul le cul
du bout du corps radieux.

Une page des *Tentations*
de *Francis Ponge.*

Quant à ce qu'ils nomment *poésie*, pour moi il me faut tâcher de m'y enfoncer toujours plus profondément, en y entraînant le matériau poétique afin de l'amener à ne plus figurer qu'*en moins*, et cela dans les limites très étroites du seul paysage où je me déplace encore.

Où cependant, et du même fait, le poids de mes *mécrits* l'emporte déjà sur les proliférations dégoûtantes des autres qui bouchent peu à peu la profondeur du champ.

Alors qu'il faut, pour mieux disposer du spectacle de l'écriture, par le travers des données où s'emportent nos signes, tendre à ramener la production poétique vers son point de plus extrême *méculture*, le point zéro, à l'évidence, de la poéticité.

Ce vers quoi, désormais assurés de notre solitude, et sans qu'il soit possible à personne de nous y suivre, nous nous dirigeons.

13 février 1971.

Forestière amazonide, Ecrire 11. *Récits complets, Les Idées centésimales de Miss Elanize, Eros énergumène, Le Mécrit*, Tel Quel / Seuil. *Trois pourrissements poétiques*, L'Herne.

mohammed khaïr-eddine 1941

Le premier livre de Khaïr-Eddine (né au Maroc en 1941) était un roman. *Agadir*, à la construction savante, à la langue d'une savoureuse efficacité. Qu'elle soit romanesque ou poétique (*Soleil arachnide*), l'écriture de Khaïr-Eddine a les couleurs éclatantes de l'océan et des plages dans la chaleur de midi et la violence d'un tremblement de terre. Profuse, fourmillante d'images, s'ordonnant naturellement en incantation, elle n'a pas pour fonction cependant de célébrer sa propre magnificence, elle vise à déterrer et à mettre au jour ce qui était enfoui dans l'inconscient des hommes, dans le passé du Maghreb, à donner une voix neuve et puissante à une culture ancienne. En cela, cette poésie est instrument de révolte, lieu de l'affirmation de soi, fête du langage.

EX-VOTO POUR ONZE EXÉCUTIONS

Amer roc surgi des désordres Amère
légende d'astres buveurs de sang
parmi le thym les thuyas la colère
cœurs où remue ma peau ma terre
et sans larme portant haut le masque funéraire

C'est la fête d'un roi mort — silence
ne réveillez pas ce cadavre émouvant
C'est la danse des hyènes le meurtre
l'orgie criarde dans les prisons
les lupanars et les palais — silence

Son souffle irradie ma mémoire Ses griffes
lacèrent mon cou dévastent mon poème
Iliig et Rif palme et sable s'entretuent
comment trouver ici l'amour le sel [...]

(Ce Maroc !)

Soleil arachnide, Moi l'aigre, Ce Maroc ! Seuil.

paol keineg 1944

En 1965, dans *le Poème du pays qui a faim*, Keineg revendiquait son identité de Breton : « On a arraché la langue maternelle de mon palais d'enfant / et ravi tous les noms familiers / le nom merveilleux du chat celui du chien les mots taupinière gouvernail et cerisier en fleurs. » Cette langue, depuis, Keineg lui redonna vie dans des poèmes-tracts pour des manifestations ouvrières ou paysannes. Et tous ses poèmes, même lorsqu'ils sont d'amour ou célèbrent ls la mystérieuse, sont reconquête d'un territoire et d'une culture.

Saisons de mon pays,
abjuration des roses sous les tenailles du gel et du soleil,
plancton minutieux de fourmis noires,
copulation du vent avec des racailles d'animaux fous.
Comment dissimuler la présence un peu folle de l'invisible,
la poignante intempérance de l'homme à l'écoute du ciel
    vide ?
Je ne prétends pas à l'intransigeante eau verte de l'œil
    qui voit,
je ne prétends pas à la brûlure d'immensités clandestines,
je prétends à la présence de diamant
du possible.

La terre est donnée, sévère, sève et vertige. aux hommes
    vifs et lucides,
la terre en grande cérémonie dans nos angles et nos
    remugles.
Ceci est mon pays, non pas un autre, profond, ardent,
    cinglant, comme les autres,
et je décortique chaque voyelle limpide de son nom inter-
    dit,
j'agite les brises épiant l'atlas mouvant des céréales et
    des ruisseaux,
j'exulte d'élytres, de galops et de grands flamboiements
    de jupes,
je marche nuit et jour à la lueur des visages jaunes et
    ridés,

je marche, violent, éperdu de fatigue, très pesant de notre
    peur de mourir,
tressé d'une tristesse énergique.
Ceci est mon pays, non pas un autre, pays ligoté et
    d'ancienne agonie, embrasé du mouvement de la mer,
imprévu, impalpable,
s'affûtant bientôt à la grosse meule du soleil.

(Chroniques et Croquis des villages verrouillés.)

Hommes liges des talus en transes, précédé de *Le Poème du pays qui
a faim, Chroniques et Croquis des villages verrouillés*, suivi de *Poèmes-
Tracts*, Oswald. *Lieux communs*, suivi de *Dahut*, Gallimard.

christian prigent 1945

Tandis que Mohammed Khaïr-Eddine, le Marocain, et Paol Keineg, le Breton, faisant confiance au pouvoir du verbe, écrivent pour donner une voix à la culture oubliée, opprimée de leurs pays ; tandis que, dans une perspective révolutionnaire, les poètes réunis autour du *Manifeste froid* de Bailly, Buin, Sautreau et Velter transforment les mots en armes et que Bulteau, Messagier et le groupe de la *Poésie électrique* s'efforcent de capter toutes les images du monde moderne, Christian Prigent, un des animateurs de la revue *TXT*, loin de partager leurs élans, met au contraire, après Ponge et Denis Roche, la poésie à la question. Considérant que la poésie, refuge de l'intériorité idéaliste, « vit d'un triple refoulement (la science, l'histoire, le sexe) », il entreprend de « retourner les effets de ce refoulement » en « libérant toutes les potentialités de la langue ». Libération qui, par la désarticulation du discours poétique traditionnel, pourrait entraîner la mort de la poésie ou sa métamorphose en autre chose qui n'est pas encore nommé.

Le texte du portrait de Gabrielle d'Estrées
et de la duchesse de Villars au bain

[...]

55 — En collier brut tête-bêche encollé d'sang coul &
Par le travers selon qu'on prend ce disque trop/
Longuement par derrière de haut en bas (par d
Essus la tête, ni queue ni course nouille dans/
L'eau drapée de son peignoir aux cuisses remonté
Et ça se tasse sur les planches, les coulisses
Versées dans une nouvelle spécialité d'liquides A
Ah ! Elle nous saute sur le dos les mains sur l
En décollant la dernière parure du décor exténué
C'est-à-dire qu'elle se met nue dans des corps &
Tranchées bizarrement selon de rares prétextes mo
Uvementés qu'elle retient de son petit doigt ros/

(Inédit.)

La Belle Journée, Chambelland. *La Femme dans la neige*, Génération. *La Mort de l'imprimeur*, Génération. *L'Main*, L'Energumène.

table alphabétique

table chronologique

322 Jean Moréas, 1856-1910.

323 Albert Samain, 1858-1900.

324 Gustave Kahn, 1859-1936.

325 Jules Laforgue, 1860-1887.

329 Saint-Pol-Roux, 1861-1940.

333 Max Elskamp, 1862-1931.

335 Maurice Maeterlinck, 1862-1942.

336 Henri de Régnier, 1864-1936.

337 Francis Vielé-Griffin, 1864-1937.

338 Paul-Jean Toulet, 1867-1920.

339 Francis Jammes, 1868-1938.

341 Paul Claudel, 1868-1955.

347 André Gide, 1869-1951.

349 Paul Valéry, 1871-1945.

355 Paul Fort, 1872-1960.

356 Alfred Jarry, 1873-1907.

361 Charles Péguy, 1873-1914.

364 Henri Jean-Marie Levet, 1874-1906.

366 Rainer Maria Rilke, 1875-1926.

367 Pierre Albert-Birot, 1876-1967.

368 Léon-Paul Fargue, 1876-1947.

371 Max Jacob, 1876-1944.

375 Filippo-Tommaso Marinetti, 1876-1944.

376 O. V. de L. Milosz, 1877-1939.

378 Raymond Roussel, 1877-1933.

382 Victor Segalen, 1878-1919.

386 Jean de Bosschère, 1878-1953.

387 Francis Picabia, 1879-1953.

391 Guillaume Apollinaire, 1880-1918.

397 Valery Larbaud, 1881-1957.

401 André Salmon, 1881-1969.

402 Catherine Pozzi, 1882-1934.

403 Marie Noël, 1883-1967.

404 Georges Ribemont-Dessaignes, 1884-1974.

406 Jules Supervielle, 1884-1960.

408 Jules Romains, 1885-1972.

410 Blaise Cendrars, 1887-1961.

415 Pierre Jean Jouve, 1887.

420 Saint-John Perse, 1887-1975.

427 Pierre Reverdy, 1889-1960.

432 Jean Cocteau, 1889-1963.

436 Paul Eluard, 1895-1952.

442 Antonin Artaud, 1896-1948.

447 André Breton, 1896-1966.

453 Tristan Tzara, 1896-1963.

459 Louis Aragon, 1897.

465 Georges Bataille, 1897-1962.

467 Joë Bousquet, 1897-1950.

470 Philippe Soupault, 1897.

473 Jacques Rigaut, 1898-1929.

474 Jacques Audiberti, 1899-1966.

476 Henri Michaux, 1899.

482 Benjamin Péret, 1899-1959.

486 Francis Ponge, 1899.

491 Robert Desnos, 1900-1945.

495 Jacques Prévert, 1900.

497 Michel Leiris, 1901.

501 Jean Follain, 1903-1971.

503 Raymond Queneau, 1903.

506 Jean Tardieu, 1903.

507 Jacques Baron, 1905.

508 Léopold Sédar Senghor, 1906.

512 André Frénaud, 1907.

515 Roger Gilbert-Lecomte, 1907-1943.

517 Eugène Guillevic, 1907.

520 René Daumal, 1908-1944.

522 André Pieyre de Mandiargues, 1909.

524 Jean Genet, 1910.

527 Georges Schéhadé, 1910.

530 Jean Cayrol, 1911.

532 Luc Estang, 1911.

535 Patrice de La Tour du Pin, 1911.

537 Jean Grosjean, 1912.

538 Edmond Jabès, 1912.

541 Hector de Saint-Denys-Garneau, 1912-1943.

543 Henri Thomas, 1912.

545 Aimé Césaire, 1913.

548 Pierre Emmanuel, 1916.

552 Anne Hébert, 1916.

554 Louis-René des Forêts, 1918.

555 Alain Bosquet, 1919.

origine des textes

Albin Michel : 567.

Arbalète : 586.

Belfond : 387, 388, 389.

Centre national des Lettres : 279, 280, 281, 282, 286, 287.

Champ libre : 404, 405.

Denoël : 410, 412, 413, 414.

Emile-Paul : 338.

FIDES : 541, 542.

Flammarion : 427, 429, 430, 454, 455, 457, 458, 601, 602.

Gallimard : 288, 289, 290, 291, 292, 293, 294, 295, 296, 297, 298, 309, 310, 311, 312, 341, 342, 343, 344, 345, 346, 347, 348, 349, 350, 351, 352, 353, 354, 356, 357, 358, 359, 360, 361, 362, 363, 364, 365, 366, 367, 368, 369, 370, 371, 372, 373, 374, 391, 392, 393, 394, 395, 396, 397, 399, 400, 401, 402, 406, 407, 408, 409, 420, 421, 422, 424, 425, 426, 432, 433, 434, 435, 436, 437, 438, 440, 441, 442, 443, 444, 445, 446, 447, 448, 449, 450, 451, 452, 453, 459, 460, 461, 462, 463, 464, 467, 468, 473, 474, 475, 476, 477, 478, 479, 481, 486, 487, 488, 489, 490, 491, 492, 493, 494, 495, 496, 497, 499, 500, 501, 502, 503, 504, 505, 506, 507, 512, 513, 514, 515, 516, 517, 518, 519, 520, 521, 522, 523, 525, 526, 527, 532, 533, 534, 535, 536, 537, 538, 539, 540, 543, 544, 555, 556, 574, 575, 576, 577, 578, 579, 580, 581, 583, 584, 585, 586, 592, 593, 596, 598, 603, 605, 606.

Grasset : 470, 471, 472.

Losfeld : 482, 484, 485.

Maeght : 500.

Mercure de France : 320, 321, 322, 323, 324, 336, 337, 339, 340, 355, 415, 416, 417, 418, 419, 430, 431, 465, 466, 554, 558, 563, 564, 566, 568, 569.

Oswald : 560, 619, 620.

Pauvert : 378, 379, 380, 381, 558, 559.

Plon : 382, 384, 385.

Seghers : 333, 334, 529, 548, 557.

Seuil : 329, 330, 331, 332, 508, 509, 511, 528, 529, 531, 545, 547, 548, 549, 550, 552, 553, 561, 562, 587, 588, 595, 611, 612, 613, 614, 615, 616, 617, 618.

S.I.A.E. : 375.

Silvaire : 376, 377.

Société des gens de lettres : 335, 469.

Soleil noir : 589, 600.

Stock : 403.

Nous remercions tout particulièrement Michel Deguy, Philippe Jaccottet, Pierre Oster Soussouev, Henri Pichette, Christian Prigent, qui ont bien voulu nous confier des textes inédits.

origine des illustrations

Archives photographiques : 15, 56, 85, 136. — Bernand : 67. — Bibliothèque de la ville de Lyon : 40. — Bibliothèque nationale : 14, 17, 18, 19, 21, 28, 31, 38, 39, 41, 42, 43, 45, 46, 51, 59, 62, 63, 66, 68, 69, 71, 75, 81, 89, 92, 94, 100, 105, 114, 115, 118, 119, 129, 130, 133, 135, 146, 147, 150, 158, 161, 165, 166, 168, 169, 178, 179, 181, 184, 185, 190, 194, 199, 207, 210, 212, 218, 220, 224, 227, 229, 230, 241, 245, 247, 248, 251, 252, 253, 256, 262, 264, 274, 274, 281, 286, 287, 292, 293, 299, 304, 307, 318, 319, 322, 323, 325, 336, 338, 345, 348, 353, 355, 361, 362, 374, 375, 394, 401, 403, 410, 411, 419, 423, 425, 427, 428, 430, 431, 437, 443, 453, 455, 466, 471, 476, 483, 491, 492, 493, 500, 513, 514, 536, 546. — E. Boudot-Lamotte : 131, 366. — J. Boulas : 132. — Bourdonnais : 611. — Bulloz : 13, 37, 47, 90, 96, 108, 110, 111, 116, 122, 125, 128, 142, 143, 150, 156, 159, 162, 164, 183, 191, 192, 196, 202, 205, 213, 221, 223, 234, 236, 238, 266, 284, 291, 304, 311, 333, 340, 365. — M. Carré : 561. — D. Chayito : 604. — Coll. M. Bojunga : 139, 495, 496, 579, 600. — Coll. Matarasso : 315. — Coll. Sirot : 245, 277, 369. — Fonds J. Doucet : 305, 339, 341, 349. — G. Freund : 406, 408, 432, 543, 552, 589. — Gallimard : 270, 271, 397, 420, 474, 485, 489, 501, 515, 520, 535 ; (A. Bonin) : 465 ; (J. Robert) : 517, 537, 538, 596 ; (J. Sassier) : 506, 512, 576, 578, 603. — Giraudon : 20, 24, 27, 35, 49, 57, 58, 60, 76, 78, 93, 103, 107, 113, 140, 152, 170, 217, 225, 254, 265, 278, 285, 295, 301, 371, 385, 399, 416, 498, 551, 562, 565, 597 ; (Anderson) : 289 ; (Lauros) : 350, 351, 352. — S. Knecht : 52. — C. Laurentin : 581. — Magnum : 497, 510, 511 ; (H. Cartier-Bresson) : 415, 463, 464, 518, 522, 524, 591 ; (G. Rodger) : 259 ; (N. Tikhomiroff) : 594, 595. — Man Ray : 438, 449. — A. Martin : 144. — Mercure de France : 563, 568. — M.P.B. : 620. — Musée de l'imprimerie, Lyon : 43. — Musée Rimbaud : 309. — Musée de Saint-Denis : 439, 461. — J.-J. Pauvert : 378, 379, 380. — Roger-Viollet : 9, 11, 16, 127, 233, 261, 272, 280, 283, 298, 327, 329, 330, 334, 343, 347, 356, 357, 360, 373, 376, 382, 383, 392, 413, 442, 454, 503, 558. — R. Sardaby : 587. — J.R. Ségalat : 440. — Seghers : 404, 467, 468. — Seuil : 22, 23, 36, 53, 54, 64, 65, 72, 73, 74, 77, 87, 102, 112, 132, 148, 149, 153, 154, 172, 173, 174, 175, 178, 186, 187, 208, 209, 228, 242, 243, 263, 267, 276, 288, 294, 296, 302, 313, 316, 320, 387, 388, 390, 391, 392, 395, 405, 433, 434, 435, 436, 447, 456, 459, 462, 470, 472, 473, 482, 484, 485, 494, 508, 541, 548, 560, 592, 607, 614, 615, 617, 618, 619, 621. — Stock : 435. — D. Sudre : 572. — Viva : 545. — E. Yanzi : 601.

© ADAGP : 41, 251, 302, 303, 318, 397, 398, 401, 411, 423, 425, 428, 438, 449, 450, 453, 457, 466, 470, 471, 493, 500, 504, 514, 536, 541, 551, 562, 582, 584. — © SPADEM : 21, 248, 254, 292, 305, 311, 319, 333, 334, 340, 350, 351, 352, 365, 371, 390, 392, 403, 419, 427, 430, 431, 436, 437, 439, 445, 483, 492, 498, 513, 546.

Nous remercions Alain Bosquet, Jean Cayrol, Jacques Dupin, Luc Estang, Henri Michaux, Bernard Noël, Pierre Oster Soussouev, Henri Pichette et Marcelin Pleynet qui ont bien voulu nous confier des documents originaux. — Nous remercions également la galerie Maeght, le Point cardinal et la galerie Louise Leiris qui nous ont autorisés à reproduire des documents leur appartenant.

Cet ouvrage a été mis en page par Juliette Caputo et Martine Bojunga, d'après la maquette de Claude Macier, l'iconographie ayant été rassemblée par Claude Henard. Il a été achevé d'imprimer le 12 octobre 1990 sur les presses de l'imprimerie Hérissey à Évreux.

Dépôt légal : 4e trimestre 1975. No 3709-4 (52657)